# Kerewin

# Keri Hulme

# Kerewin

Vertaald door Anneke Bok

Uitgeverij De Arbeiderspers
Amsterdam · Antwerpen

De eerste tot en met vijfde druk van *Kerewin* verscheen bij Feministische Uitgeverij Sara.

Eerste druk november 1985
Zestiende druk (Singel Pocket) september 1996
Vierentwintigste druk maart 2011

Copyright © 1983 Keri Hulme
Copyright Nederlandse vertaling © 1985, 1988 Anneke Bok/
BV Uitgeverij De Arbeiderspers, Amsterdam
Oorspronkelijke titel: *The Bone People*
Oorspronkelijke uitgave: Spiral, Wellington, Nieuw-Zeeland

Omslagontwerp: Woodhouse Productions

ISBN 978 90 295 7519 5 / NUR 302

www.arbeiderspers.nl

# Dankbetuiging

Zonder de volgende mensen en groepen zou dit boek nooit geschreven en gepubliceerd zijn:
mijn familie
de New Zealand Literary Fund Advisory Committees de commissie die de Robert Burns Term Fellowship toekent (Otago University 1977)
het Maori Trust Fund
de ICI Company (voor de royale bijdrage aan de ICI Bursary die de allerlaatste versie mogelijk maakte)
Arnold Wall
Judith Maloney en Bill Minehan
Rowley Habib
en in het bijzonder
het Spiral collectief, voor de vriendschap en het vertrouwen.

Keri Hulme

# Inhoud

# PROLOOG

# Het einde aan het begin

Hij loopt de straat uit. Het asfalt schuift onder hem door.

Er heerst een en al stilte.

De stilte is muziek.

Hij is de zanger.

Mensen die voorbijgaan glimlachen en schudden hun hoofd.

Hij steekt een hand naar hen uit.

Zij openen hun handen met de schuchterheid van een bloem.

Hij grimlacht ook.

Het licht is verblindend: hij houdt van het licht.

Zij zijn het licht.

Hij loopt de straat uit. Het asfalt is warm en zacht geworden door de zon.

Mensen die voorbijgaan grimlachen en roepen hem een groet toe.

Hij glimlacht en roept iets terug.

Zijn geest is vol van verandering en beelden en hoop, en hij weet dat het zichtbaar is. Hij lacht.

Misschien bestaat de dans wel, waar zij over sprak. Schepping en verandering. vernietiging en verandering.

Nieuw marae van oud marae, een begin vanuit het einde.

Zijn geest weeft het tot een door sterren omgeven spiraal.

Hij strekt zijn hand uit, die voorzichtig gepakt wordt.

Zij loopt de straat uit. Het asfalt wordt ingedrukt door haar gespierde voeten.

Ze fluit zachtjes onder het lopen. Soms glimlacht ze.

De mensen die voorbijgaan lachen ook, maar buigen hun hoofd eerbiedig, alsof haar glimlach te scherp is.

Ze lacht naar hun gebogen hoofden. Ze kan elke gedachte, elke reactie opgraven uit de grijze cellen, uit de botten. Ze weet hoe. Ze weet veel.

Ze wil graag meer weten.

Maar nu is er de zon op haar rug en haar thuis is hier en de vrije wind speelt eromheen.

En zij, die voor haar uit slenteren in een ongelijkmatige dans. Ze versnelt haar pas tot ze bij hen is.

En ze zingt terwijl ze hun handen vastpakt.

Ze waren niets meer dan mensen, op zichzelf. Zelfs gekoppeld, op welke wijze dan ook, zouden ze niets meer geweest zijn dan alleenstaande mensen. Maar samen vormen ze het hart en de spieren en de geest van iets gevaarlijks en nieuws, iets vreemds dat groot en groeiende is.

Samen, allemaal samen, zijn ze werktuigen van de verandering.

In den beginne heerste er duisternis en angst en een huilende storm op zee.

'Waarom laten we hem niet achter?'

Ze kunnen niet langer fluisteren.

'Niets garandeert ons dat hij op de bodem blijft. We moeten trouwens toch terugkomen voor de boot.´

De stem. De nachtmerriestem. De scherpe immer aanwezige vreselijke stem, die lieve woordjes leek te fluisteren terwijl de handen hem wreed en behendig pijnigden.

'We moeten zo gaan.'

Het gaat weer gebeuren en net als de vorige keer is er niets dat hij kan doen om het te stoppen. De nieuwe mensen zullen verdwijnen, het zal hem kapot maken, het zal zich herhalen. Hij kan er niets aan veranderen. En het allerergste is dat hij het vermoeden heeft dat de grootste verschrikking nog moet komen.

Plotseling is er een onderbreking in het beuken der golven en is er een scherp onheilspellend gesis.

'Spring nu! Neem het reddingsvest, ik zwem wel. Ik zorg wel voor hem...'

Zelfs nu klinkt er een bitter lachje door in zijn stem. Zorgen voor hem? Aiie!

In zijn herinnering, uit de duisternis achter zijn ogen, zijn er woorden, andere woorden. Help, maar geen hulp. Woorden. Er waren woorden.

Maar dan is er het overweldigende, ontwrichtende gekreun van de boot terwijl ze op de rotsen slaat.

In den beginne was het een spanning, een druk die toenam en zich als een dunne worm door de harmonie van hun omhelzing kronkelde.

'Wat wil je dan?'

'O, niets... je bent me voldoende man.'

Gegniffel in het warme donker.

Om dan overeind te gaan zitten en op dringende toon tegen hem te zeggen:

'Je *moet* een zoon hebben. Je *moet* mensen hebben.'

Het knaagt aan hem. Ze wist op een of andere manier dat zij niet degene zou zijn die hem een zoon kon schenken, mensen kon schenken. En ze had het hem nooit verteld.

Toen had hij alleen maar gegrinnikt en gezegd: 'Nou, hij is toch onderweg, nei?'

Maar de ongrijpbare zorgenworm was er nog steeds. Na de stormnacht praatten ze over het aangespoelde kind.

'Ik geloof dat hij ons aardig vindt,' had hij gezegd.

'Hij heeft je nodig... kijk eens hoe hij volhoudt, terwijl hij nog niet de oude is.´

'Zullen we hem dan houden?' – half voor de grap. Ze antwoordde 'ja' zonder enige aarzeling.

'Voor onze baby? Voor onze zoon?'

'Voor alle anderen, man,' en ze had zich uit zijn armen losgemaakt en had gedanst op een vrolijk, triomfantelijk wijsje.

Daarna was de zorgenworm verdwenen. Ze waren een met elkaar en gezond, tot de nacht dat ze haar meenamen.

Het knaagt aan hem: haar laatste woorden tot hem toen ze haar tot onder de verblindende lampen hadden gereden. Krassend gefluister: 'O Ngakau, zorg voor ons kind.'

Timote was al dood.

Ze doelde ermee op het andere kind, dat schijnbaar onaangedaan op zijn schoot zat, terwijl hij rilde en naar adem snakte van het huilen.

'Hana is dood, dood, dood...' het bleke kind hield zijn hand vast en keek hem in het gezicht met zijn vreemde, zeekleurige ogen, die niet door tranen vertroebeld werden. Marama vertelde hoe ontzettend hysterisch hij was geweest. Maar mij liet hij nooit iets blijken.

Het knaagt aan hem: het enige dat van haar is overgebleven, dit tweedehands, nauwelijks aangeraakte, half· gevormde aandenken aan haar aanwezigheid.

En hij wil het niet echt meer.

En hij kent de rots der verlatenheid, en de diepte van de wanhoop.


In aanvankelijke lichtzinnigheid had ze overwogen of ze een hol of een toren zou bouwen: een hol omdat ze dol was op dwergen, of een toren – tsja, een toren om vele redenen, maar voornamelijk omdat ze van wenteltrappen hield.

Naarmate de tijd verstreek en ze nadacht over de voor-en nadelen van beide, werd het idee van een toren steeds aantrekkelijker: bovenop een platform om naar de sterren te kijken; een rustige bibliotheek met boeken tegen alle wanden, een kring van zwaarden tegen de onderste helft van de muren; een slaapkamer in middeleeuwse stijl met massieve balken aan het plafond en een eenvoudig uitgehakt bed; er zou een woonkamer komen met een enorme open haard en rijen kruidenpotjes langs de wand en daaronder op de begane grond een ruime entree, behangen met wandkleden; daar zou ook het begin van de wenteltrap komen, de leuning versierd met een dolfijnekop die de lucht begroet.

Er zou natuurlijk ook een kelder komen, welvoorzien, met zelf gemaakte en geïmporteerde wijn; planken vol met Chinese gemberpotten en houten kistjes met dadels. Vaten langs de wanden en beschaduwde kisten in de hoeken.

De hele zomer lang ploeterde. ze door onder de zon, alleen met de verbijsterde bouwvakkers. Stof vervaagde en schuurde hen, dorst teisterde hen, er waren emotionele uitbarstingen, maar de Toren rees op. Een betonnen skelet, houten gewelfbogen en draagbalken, stenen huid, grijs en leiblauw en met de kleur van donkere honing. Tot hij er op een keer stond, eind februari, hoekig en vreemd en gevechtsklaar, gebouwd op een schiereiland in de ondiepten van een inham, hoog in Taiaroa.

Het was een kluizenaarswoning, haar schitterend toevluchtsoord. Niemand kreeg een uitnodiging, want wat konden zij weten van de geheimen die door het merg van haar gebeente kropen en haar verkilden en leedvermaak hadden? Geen behoefte aan mensen, omdat ze genoeg had aan zichzelf, verrukt was over de superioriteit van haar kunst en de toekomst van haar wetende handen.

Maar het hoogtepunt werd een afgrond en de stuwende vreugde nam een eind. Ten slotte stond er een gevangenis.

Ik zit achter een hoge harde stenen muur en heb alleen mijn slimme nagels om hem af te breken.

En ik kan het niet.

# 1 Het seizoen van de dagmaan

# 1 Portret van een sandaal

'... net als onze stier Jack. Die klootzak is allang aan zijn pensioen toe voor *hij* doodgaat.'

'Ja, maar wie lacht erom intussen?'

Schaterend gelach aan de bar.

Kerewin, die apart was gaan zitten, legt wat geld op de bar en wenkt de barman.

'Hetzelfde?'

'Ja graag.'

> Dit schip dat eeuwig uit de haven loopt,
> maar geslagen is op deze munt
> De Volharding is het schip gedoopt
> Ze drinkt om de dromen te vergeten
> – geen enkele lange nacht is zonder –
> De wereld kunnen wij niet meten
> en de zon gaat onder...

Ze haalt haar schouders op.

'Wat zou er gebeuren als ik hardop ging zingen?'

Het bier kolkt tot de rand van het glas; de tapkraan trekt zich terug.

'Leuke avond gehad?' vraagt de barman beleefd. Het is de eerste keer dat iemand haar aanspreekt.

'Ja hoor.'

Hij geeft haar het wisselgeld terug.

'Nog wat gevangen?'

Hoe lang zou het geduurd hebben voordat de hele stad wist dat ik een boot heb gekocht?

'Ja, genoeg,' zegt ze, 'meer dan genoeg.'

'Zo, dat is mooi...' Hij haalt een doekje over de bar en verdwijnt naar het andere eind ervan, naar het gepraat en de altijd nieuwsgierige mensen.

Het is al laat Holmes, ver na elven. Blijven is zinloos.

Het was ook zinloos geweest om naar het café te gaan, behalve dan om nog meer tijd te verdoen en meer bier te drinken.

Bulderend gelach.

Iemand zit een onsamenhangend dronkemansverhaal te vertellen. Een stevig gebouwde Maori, een arbeider, laarzen met stalen neuzen en zwart haar tot op zijn schouders. Hij heeft zijn vingers achter zijn riem gestoken en de zware koperen gesp glinstert en schittert terwijl hij heen en weer wiegt.

'... en wil je godverdomme geloven dat hij de kaars pakte...'

Ik geloof dat woorden deze vloekende stakker tekortschieten.

Of gedachten. Of misschien alleen geestelijke energie.

De woorden komen steeds terug, trieste stopwoorden in elke zin.

'... en zelfs niet goed genoeg voor die verdomde Himi, hè? Kelere, waardeloos, zei ik...'

Waarom die bittere taal vol verachting? Heb je zo'n hekel aan Engels? Dat kan ik me nog voorstellen, maar waarom spreek je geen Maori, bespaar ons je grove taal. In die taal heb je geen scheldwoorden... daar begint ie weer. Die vervloekte woorden hebben hun plaats, maar niet overal. Aue.

Kerewin schudt haar hoofd. Het is zinloos erover na te denken. Ze drinkt haar glas leeg, laat zich van de barkruk afglijden en loopt naar de deur.

Het groepje aan het eind van de bar draait zich om en staart. De man onderbreekt zijn oeverloze verhaal en glimlacht wazig naar haar. Ze lacht niet terug.

'Goedenavond,' roept de barman.

'Goedenavond.'


De kreeft beweegt zich in stilte door het helder azuurblauwe water. Felrood pantser, wuivende voelsprieten, rode poten lopen statig verder. Felrood en hemelsblauw. Wat prachtig.

Op dat moment realiseert ze zich dat ze aan het dromen is, omdat levende kreeften paars-bruin en oranje zijn; ze worden pas rood tijdens het koken. Een levende gekookte kreeft? Een kreeft die gekookt wordt terwijl hij rustig door een hete waterpoel loopt?

Ze huivert. De kreeft beweegt zich sneller door de blauwkristallen zee en de mist van haar dromen wordt dichter.

Het is nog donker, maar ze kan de slaap niet meer vatten. Ze kleedt zich aan en gaat naar het strand om boven op een duin te zitten tot de ochtend begint te gloren.

Weer een dag, herr Gott, en ik ben moe, zo moe.

Ze staat op, trekt een gezicht en spuugt. Het speeksel ligt even op het zand, zoëven nog een deel van haar, dan verdwijnt het, wordt opgezogen, nu deel van het strand.

Een mooie manier om de dag te begroeten, mijn liefje... ga naar de poelen, Te Kaihau, en kijk de laatste nachtelijke wrangheid weg.

En hier zit ik dan, in balans op de met zout besmeurde rand en kijk naar de minuscule marineblauwe franje, de kieuwvingers van de kokerworm, die uitwaaiert door het water... zodra hij de schaduw van je vinger in de buurt ziet, schiet hij uit het gezicht. Ogen in je longen... handig. De drievinnige slijmvis wervelt voorbij... tena koe, vis. Een klein groepje felrode en gouden anemonen vouwen en ontvouwen hun armen als sierlijke bloembladen, langzaam en dodelijk... kieteldekietel en ze veranderen in oninteressante klonten bruinige gelatine... heb al een tijd geen anemonensoep meer gemaakt, wat dacht je ervan? Vandaag niet, Josephine... op de bodem in een bos bolletjeswier is een heremietkreeft druk doende met een schelp. Duwt ertegen, zou hij leeg zijn? Geagiteerde onzekerheid... maar nu, nerveus over zijn zachte buik gekruld, maakt hij zich los uit zijn oude onderkomen en schiet behendig het nieuwe binnen... tenminste, dat *dacht* je, hè vriend?... jippie, oost west, thuis best, zelfs als het een paar maten te klein geworden is...

De volgende poel is omzoomd door grote bossen Neptunuswier.

'Het enige echte kustwier,' zegt ze op plechtige toon en drukt een bolletje ervan stuk onder het uiteinde van haar stok. 'O, m'n vader was oranje en m'n moeder die was groen,' glibbert de rotsen af naar beneden en loopt neuriënd verder langs het strand. In een poel staren is de beste manier om je gedachten af te leiden, alhoewel, een rustige jachtpartij...

Met de onschuldige stok naast zich – ze regelt zijn pas naar de hare – klimt ze de duinen weer op. Dan op een holletje naar beneden langs de andere kant, waar het nog donker en vochtig is. Ze rent door de pollen lupinen die her en der verspreid staan. Er zit dauw in het hart van elk lupineblad, handen die edelstenen omvatten om de zonnegloed op te vangen tot zij langs komt en de edelstenen eraf laat rollen; druppel na druppel traant weg.

Er groeien steeds minder lupinen; het helmgras is tot een soort riet verworden; het zand verandert langzamerhand in modder. Het is een riviermonding waar iemand heel heel lang geleden een steigert je bouwde. De beplanking is verrot en de ongelijke pijlertanden steken nu omhoog in het niets.

> Het is een vreemd, macaber soort bestaan. De nachten verdrink je en je vult je dagen met de jacht. Voor de verandering moet je eens overdag gaan drinken en 's nachts jagen.

Ze schudt haar hoofd.

Wie kan 't schelen? Zo staan de zaken nu eenmaal. (Mij kan het schelen.)

Ze klimt op een van de pijlers en gebruikt de stok om in evenwicht te blijven terwijl ze over de tussenruimten springt van de ene naar de andere pijler, tot de laatste. Daar gaat ze zitten, laat haar benen bengelen en de stok tegen haar schouder leunen en steekt een sigaartje op om wat meer tijd in rook te doen opgaan. Met onderbrekingen hoort ze het huilend gefluit van scholeksters.

Het geluid van de zee.

Het weeklagen van een meeuw.

Na het roken schroeft ze de bovenkant van de stok los en trekt er een twintig centimeter lange spies uit, die precies in de sleuven van het bovenste gedeelte van de stok past.

'Nou, een bot is makkelijk te spiesen, als je maar om de tenen denkt.'

Welke tenen, de hare of die van de vis, daar heeft ze nooit proberen achter te komen. Ze rolt de pijpen van haar spijkerbroek zo

22

hoog mogelijk op en laat zich in het koude water zakken. Ze waadt enkeldiep, kniediep, staat en probeert de beweging van het tij te voelen. Dan begint ze langzaam en voorzichtig te lopen, zorgt ervoor de vroege ochtendzon voor zich te houden en legt haar geest in haar handen en haar ogen speuren alleen naar het wolkje modder en het snelle, zanderige bewegen van een verstoorde bot.

Zoveel aandacht voor het besluipen van een vis? En dan zeggen ze nog dat wij mensen intelligent zijn.

Gelul.

En steekt met een snelle, krachtige stoot toe en er spartelt een bot met een bloedend gat aan het uiteinde van de stok.

Kerewin kijkt er met een trage voldane glimlach naar.

Dag ziel pijnigende nacht. Goedemorgen zon en maak er maar een mooie dag van.

De gestaalde stok siddert.

Ze haalt een opgerold tasje uit haar riem te voorschijn en laat er de vis, die nog flapt, invallen. Ze hangt het geheel op door haar mes door de hengsels van de tas in het pijlerhout te steken. Het water rond de steiger komt tot haar dijen wanneer ze de derde vis binnenhaalt, maar ze hoeft zich niet te haasten. Aan de vloedlijn haalt ze de ingewanden van de vissen eruit en hakt de koppen eraf, zodat de krabben ervan kunnen knabbelen. Daarna gaat ze in een grote pol donkergrijs gras liggen, gebruikt een arm als hoofdsteun en de andere als zonneklep en valt rustig in slaap.

Ze wordt gewekt door de kou en wolken die voor de zon langstrekken. Ze heeft pijn achter in haar nek en haar ene arm slaapt. Ze gaat moeizaam staan en rekt zich uit; ze ruikt dat het gaat regenen. Een zwerm mugjes vliegt tegen haar hoofd en haar. Op de grond rondom het tasje hangt een andere zwerm die ijl zoemt door wat voor hen een mist van vis moet lijken. De wind komt van zee. Ze pakt de tas en gaat op weg naar huis door het kreupelhout. Raupo en varens groeien door een wirwar van doornstruiken: er wordt een pad zichtbaar dat door de doornstruiken leidt naar een plek waar door de wind kromgedwongen bomen staan. Het zijn ngaio: een boom steekt uit boven zijn soortgenoten, een reus van bijna tien meter hoog. Enkele van zijn wortels zijn bloot komen te liggen en vormen een mooie komvormige zitplaats. Kerewin gaat zitten om te roken, zoals ze haast altijd doet wanneer ze deze weg neemt, en houdt met een weergevoelig oog de regen in de gaten.

Op de stuifaarde bij haar voeten ligt een sandaal.

Een ogenblik is ze volkomen stil door het onverwachte ervan. Dan buigt ze zich voorover en raapt hem op.

Hij kan er nog niet lang gelegen hebben, want hij is niet vochtig. Hij is iets kleiner dan haar hand, oud en versleten, en de teenafdrukken steken bleek af tegen het leer. Het stiksel van het onderste bandje laat los en de gesp hangt er scheef bij.

'Wat jong om hier los rond te lopen.'

Ze fronst. Ze houdt niet van kinderen, houdt niet van mensen en weerhoudt iedereen ervan op haar land te komen.

'Als ik je te pakken krijg, zul je er spijt van hebben, wie je ook bent...'

Ze gaat op haar hurken zitten en tuurt langs het pad. Er zijn een paar voetstappen zichtbaar. Van een sandaal en een halve, ongeschoeide voet.

Hinkend? Iets in zijn voet gekregen en daarom de sandaal uitgetrokken en achtergelaten?

Ze wrijft met haar vinger over de binnenkant van de sandaal. De binnenzool is glad en glanzend geworden door langdurig dragen en ze kan de indruk van de voet voelen. Zeker lang gedragen... in de hiel is het leer scherp doorboord, als een kleine kraterrand. Ze keert de sandaal om. Er zit een soortgelijk gat in de rubberzool.

'Zeker op iets puntigs terechtgekomen.'

Ze smijt de sandaal in de tas bij de botten en marcheert strijdlustig verder in de hoop de eigenaar van de sandaal tegen te komen.

Maar vlak voor ze bij haar tuin komt, loopt het spoor van de anderhalve voetafdruk van het pad weg, richting strand. Stranden zijn geen privé-bezit, denkt ze, en zet de indringer uit haar gedachten.

Het is harder gaan waaien wanneer ze de zware deur openduwt en de lucht is zwaarbewolkt.

'Er komt noodweer,' terwijl ze de deur sluit, 'maar ik ben veilig binnen.'

De hal op de tweede verdieping van de zes etages hoge Toren is laag, kaal en vol schaduwen. Aan de verste wand hangt een groot kruisbeeld van hout en koper en op de grond ligt een mat van zeegras. De leuning van de wenteltrap eindigt in een uitgesneden dolfijnekop, er staan geen meubels in de ruimte en er zijn geen ornamenten. Ze rent de trap op, terwijl de slingerende tas druipt.

'Een, twee, drie hupsakee, hallo mijn liefje, godallemachtig die trap wordt met de dag steiler, dagen vol vreugde en zon en wijn.'

Is boven en stopt buiten adem.

'Holmes, je bent dik en hebt geen conditie en wordt almaar dikker. Maar wat dan nog?'

Ze hangt de botten aan metalen haken en brengt ze naar de koeling. Ze maakt de open haard aan, stookt het fornuis op en gaat naar de bibliotheek boven om een boek te halen over het bereiden van platvis. Ze heeft vrijwel alles in haar bibliotheek.

Een plotselinge lichtflits als ze van de wenteltrap de met boeken beklede kamer binnenstapt, en even later hoort ze donderslagen in de verte.

'Al gauw mijn liefje, zal de hel losbreken...' en haar woorden blijven hangen in de stilte.

Ze gaat bij het raam staan en plant haar vuisten op haar heupen en kijkt naar het toenemend gekolk van de golven beneden haar. Ze heeft een vreemd gevoel terwijl ze daar staat, alsof er iets niet in orde is, ergens iets verkeerds is, iets ongemakkelijks. alsof ze gadegeslagen wordt. Ze staart knorrig naar haar voeten (je tweede teen is nog steeds langer dan je grote teen, dacht je soms dat hij op een dag korter zou zijn geworden, jij stomme idioot?) en de blijde opluchting van de ochtendlijke vispartij ebt weg.

'Naargeestige grauwe bui die goed bij het naargeestige grauwe weer past' en ze buigt zich naar de dichtstbijzijnde boekenplank. 'Ach, laat dat kookboek ook maar zitten. Geef mij maar iets escapistisch, Narnia of Gormenghast of Middle Earth, of,'

het was geen beweging die haar deed opkijken.

Er is een ruimte tussen twee boekenkasten. Daar staat haar kist van pounamu en daarboven is een smal, hoog raam. Voor het raam staat een kind, stijf en strak als een vreemde heilige in een goudkleurig glas-in-loodraam. Een mager wezentje met een enorme bos haar, een aureool van haar, omhuld door wegstervend zonlicht.

De ogen zijn niet zichtbaar. Hij staat stil, onbeweeglijk. Kerewin staart hem geschokt, sprakeloos en met open mond aan.

De donder laat zich weer horen, luider nu en een wolk houdt het laatste zonlicht tegen. Het wordt erg donker in de kamer.

Als hij zich plotseling beweegt, gaat hij door het glas. Slaat vijfendertig meter lager tegen de rotsbodem en zal eruitzien als een uit elkaar geklap te pruim...

Ze blaft:

'Kom als de sodemieter naar beneden!'

Haar ademhaling gaat sneller en haar hart bonkt alsof zij de indringer is.

Het hoofd beweegt. Dan draait het kind zich langzaam en behoedzaam om in de nis en wriemelt zich moeizaam over de rand, voeten, enkels, schenen, heupen, half-glijdend, half-slippend, als een hagedis tegen de wand geplakt, tot op de kist. Hij draait zich om en stapt uiterst behoedzaam op de grond.

'Leg het maar eens uit!'

Er staat niet veel meer dan een meter voor haar, net even buiten haar bereik. Smal en dun, met een heel bijzonder gezicht, hoge jukbeenderen en holle wangen, een puntige kin met een gleufje erin en een scherpe, scherpe neus. Verder is er niets zichtbaar, verhuld door zilverblond haar, behalve de mond, en die is ongewoon koppig vertrokken.

Lelijk. Dwergachtig, denkt Kerewin. De schok van verrassing neemt af en er welt een koude, snijdende woede op en neemt de vrijgekomen plaats in beslag.

'Wat doe je hier? Afgezien van die klimpartij?'

Er hangt een duidelijk waarneembare onnatuurlijkheid rond het kind. Het staat er bewegingloos, stuurs en stil. 'Nou?'

In de daarop volgende stilte klettert de regen tegen de ramen in een hard gestadig ritme.

'Daar zullen we dan eens verdomde gauw achterkomen,' zegt zij op boosaardige toon en pakt hem bij zijn schouder.

Breng hem naar beneden en roep de hulp van autoriteiten in.

Onverwachts reikt een handvol dunne vingers naar haar pols, en klemt zich, daar aangekomen, vast met de verlangende kracht die kinderen eigen is.

Kerewin kijkt naar de vingers, kijkt met een scherpe blik op en ontmoet voor het eerst de ogen van het kind. Ze zijn zeeblauwgroen, een verrassende kleur, als van opaal.

Hij kijkt bang en beschroomd, maar op vreemde wijze heel intens.

'Laat mijn pols los,' maar de greep wordt vaster.

Niet met ingehouden agressie, maar om iets duidelijk te maken.

Terwijl ze dat denkt, haalt het kind diep adem en laat die met een merkwaardig geluid weer naar buiten komen, in een kreunende zucht. Dan glijden de vingers van haar pols weg en maken dringende gebaren in de lucht, afgang.

Aue. Ze gaat zitten, leunt achterover op haar hielen, helemaal achterover. Kijkt behoedzaam naar de knaap; haalt haar sigaartjes en lucifers te voorschijn; inhaleert eens diep en blaast de eerste rook uit.

Het kind blijft roerloos staan, met zijn handen achter zich; alleen de vreemde zee-ogen flitsen heen en weer, van haar gezicht naar haar handen.

Ze vindt het niet prettig naar het kind te kijken. Een van de verminkten, aangetasten. In plaats daarvan kijkt ze naar de rook die in een ijle blauwe stroom omhoog kringelt.

'O, kun je niet praten, is dat het?'

Een ritselende beweging, onderdrukt gekletter en daar prijkt, ontbloot op de iele ribbenkast, een metalen hanger, als een label aan een koffer.

Ze buigt zich voorover, pakt de hanger vast en doet haar uiterste best om te vermijden de persoon eronder aan te raken.

Het is een naamplaatje.

PACIFIC STREET I

WHANGAROA

TEL: 633 Z

Ze draait het om.

SIMON P. GILLAYLEY

KAN NIET SPREKEN

'Interessant,' zegt Kerewin lijzig, komt overeind en gaat snel bij het raam staan. Ergens vlakbij hoort ze boven het geluid van de

27

regen een vlieg doodgaan, met krampachtig zoemen, geen ander geluid.

Met tegenzin draait ze zich om en kijkt het kind aan. 'Nou, verder kunnen we niets voor je doen. Je hebt je weg hierheen gevonden, je zult de weg terug ook wel vinden.'

Er schiet haar iets te binnen. 'O ja, er is hier een sandaal die je mee kunt nemen voor je gaat.' De ogen, die al haar bewegingen hebben gevolgd, zich vestigend op elke handeling en elk daarvan beoordelend als een vlieg die verwacht doodgeslagen te worden, worden neergeslagen om naar zijn blote voet te kijken.

Ze wijst naar de wenteltrap.

'Eruit.'

Hij komt langzaam en moeizaam in beweging, een arm gestrekt om zich tot beneden aan toe aan de muur te kunnen vasthouden en ze is gedwongen na elke trede even achter hem te wachten en telkens wanneer ze stilstaat, ziet ze hem verstrakken, zijn schouders verstijven.

> Stam met korstmos; holletje van de glimwormen; bonsaibosje; god, het lijkt wel 15 kilometer in plaats van 15 treden...

Bij de deur van de woonkamer glipt ze langs hem heen en pakt zijn sandaal op die bij de haard lag. Hij is bedekt met glibberig platvisslijm.

'Van jou?'

Een nauwelijks waarneembaar knikje. Hij staart haar aan zonder ook maar een keer met zijn ogen te knipperen.

'Kom, trek aan en ga weg.'

De regen valt nog steeds bij stromen neer. Innerlijk haalt ze haar schouders op. Zijn eigen schuld.

Hij kijkt naar de sandaal in haar hand, werpt een snelle blik op haar gezicht en gaat dan, zijn hart klopt zichtbaar in zijn keel, op de onderste trede zitten.

O, wat een uitgekookte aap.

Maar ze besluit dat het het makkelijkst zal zijn om hem de sandaal aan te doen om hem er daarna, desnoods met lijfelijk geweld, uit te zetten.

'Kom op met je voet.'

Met dezelfde angstige, bestudeerde omzichtigheid die hij tot dusver tentoongespreid heeft, licht hij zijn voet een decimeter van de grond. Kerewin staart hem koeltjes aan, pakt zijn voet, maar wordt weerhouden door een sissend geluid. Hij sssist door zijn opeengeklemde tanden, er komen speekselbelletjes op zijn lippen.

Ze herinnert zich zijn moeizame lopen en kijkt nauwkeuriger: er zit iets diep in zijn hiel; en de kraterrand van de sandaal schiet haar te binnen. Ze sluit haar ogen, verplaatst al haar gevoel naar haar vingertoppen en strijkt met haar hand luchtig over de opgezette plek. Hout, oud hout, pas afgebroken, hard in het zachte kindereelt. De huid eromheen voelt al warm aan. 'Zeker op iets puntigs gesprongen,' haar stem is zacht als zalf en ze opent haar ogen. De knaap werpt haar een zijdelingse blik toe, zijn mondhoeken zijn vertrokken tot een brede omgekeerde U.

'Ik denk niet dat ik van je kan verwachten dat je daar op loopt,' en tegen zichzelf: 'Maar wat kan ik er aan doen?'

Ineens lacht hij. Het is geen onaangenaam lachje, maar voor zijn mondhoeken terugzakken, is er een tandeloos gat zichtbaar aan de linkerkant van zijn kaak. Het gat ziet er raar uit, en ze lacht terug, ondanks zichzelf.

Als je wilt, kan ik het eruit halen voor je gaat.'

Hij haalt diep adem en knikt.

'Het zal wel pijn doen.'

Hij haalt zijn schouders op.

'Goed dan,' en hoopt dat ze zijn gebaar juist geïnterpreteerd heeft.

Ze pakt verband uit de koffiekast, een tangetje met zeer fijne bek uit de messenkast en een desinfecterend middel uit de drankkast.

'Je moet maar tegen je ouders zeggen als je thuiskomt, dat je een tetanus-injectie moet hebben,' pakt zijn voet weer, zich bewust van zijn ogen, zich zeer bewust van de witgeknepen vingers om haar trap.

Ze plaatst de tang om het uiteinde van de splinter, en let erop niet een stukje van de huid mee te pakken. De bek van de tang staat nu bijna een halve centimeter open. Ze wacht even, zet alles van zich af, behalve splinter, tang, haar greep en knijpt en trekt dan hard in een vloeiende beweging. Er komt twee centimeter puntig hout uit.

Het kind schokt, maar ze heeft hem in een ijzeren greep. Ze bekijkt de wond nauwkeurig voor die zich sluit en volloopt met bloed. Geen donkere, achtergebleven stukjes hout, schoon wondje, zal goed genezen; en wordt zich bewust van het sissen en wringen en laat de voet los. Zijn enkel ziet wit van haar greep.

'Sorry, ik vergat dat jij er nog aan vast zat. Aan die voet, bedoel ik: Met de nonchalante elasticiteit van een kind heft hij zijn voet bijna voor zijn borst. Hij bekijkt hem aandachtig, duim op het splintergat.

'Kom nog eens hier met je voet.'

Ze maakt de hiel schoon met een desinfecterend middel en legt er een beschermend verband omheen.

> Je geweten kan me de pot op, Holmes. Hij kan best hinkend de regen in.

Ze gaat staan en gebaart naar de deur.

'Zo, je kunt gaan, Simon P. Gillayley.'

Hij zit heel stil en houdt zijn voet vast. Dan zucht hij hoorbaar. Hij trekt de sandaal aan, krimpt ineen en gaat onbeholpen staan. Hij strijkt de lange pony weg die voor zijn ogen hing, kijkt haar aan en steekt zijn hand uit.

'Ik begrijp geen gebarentaal,' zegt Kerewin koel.

Er verschijnt een vreemde uitdrukking op het gezicht van de jongen, ongeduld vermengd met 'kom-me-niet-met-die-onzin-aan'. Hij pakt zijn andere hand vast, schudt die, zwaait gedag in de lucht en spreidt dan beide handen met de palmen naar boven voor haar uit. Een hand geven, snap je dat? Ik zeg je gedag, okay? Dan steekt hij opnieuw zijn hand naar haar uit.

> Raar kind.

Ze lacht als ze hem een hand geeft en die voorzichtig schudt. En het kind grijnst breed terug. 'Ben je hier alleen gekomen?'

Hij knikt en blijft haar hand vasthouden.

'Waarom?'

Hij laat de vingers van zijn vrije hand doelloos door de lucht wandelen. Hij houdt zijn ogen op haar gericht.

'Bedoel je dat je zomaar wat rondliep?'

Hij knikt niet, maar maakt een neerwaarts gebaar met zijn hand.

'Wat betekent dat?'

Hij knikt, herhaalt het gebaar op hoofdhoogte.

'Steno voor Ja?' en kan een glimlach niet onderdrukken.

'Ja,' zeggen de vingers.

'Okay, waarom ben je hier naar binnen gegaan?'

Ze maakt haar hand los uit zijn greep. Hij heeft fijngespierde, vreemd droge handen. Hij wijst op zijn ogen.

Zien, kijken, neem ik aan. Ze voelt zich raar.

> Ik ben gewend om in mezelf te praten, maar om voor iemand anders te praten?

'Nou, voor het geval niemand het je ooit verteld heeft, huizen van mensen zijn privé en onschendbaar. Zelfs rare bouwsels als mijn toren. Dat betekent dat je er niet binnengaat, tenzij je wordt uitgenodigd.'

Hij kijkt haar onverstoorbaar aan.

'Begrijp je dat?'

De blik wordt neergeslagen. Hij pakt een kleine blocnote en een potlood uit zijn broekzak en begint te schrijven.

Hij geeft haar het blaadje.

Er staat in keurige, geoefende hoofdletters... hoe oud ben je, ventje? DAT WEET IK WORDT ME VERTELD SP

'En je gaat er gewoon mee door? Dan ben je een hardleers geval, jochie.'

Hij kijkt nu strak voor zich uit, ogen ter hoogte van de gesp aan haar riem.

> Het wordt hem verteld, dat betekent dat hij het regelmatig doet... godallemachtig, hij is wat jong om inbreker te zijn, misschien is hij ziekelijk nieuwsgierig?

'Nou, hierop zijn een aantal clichés van toepassing. Een: met Nieuwsgierige Aagjes loopt het meestal slecht af. Twee: Onze Lieve Heer heeft rare kostgangers. Wil je wat eten voor je gaat? Misschien wordt het in die tussentijd wel droog...'

Hij kijkt abrupt op, en ze schrikt als ze ziet dat zijn ogen zich met tranen vullen.

> Wat heb ik in godsnaam gezegd dat hem aan het huilen kon maken?

Op haar uitnodiging strompelt hij naar de schapevachten bij de haard. Hij gaat voorzichtig zitten, houdt zijn voet vast. Ze verdenkt hem ervan de pijn te overdrijven.

'Lust je een stoofschotel?'

Hè? Wat?

Is zijn gezicht echt zo makkelijk te lezen of kijk ik gewoon beter omdat hij niet kan praten? Waarschijnlijk jaren ervaring in non-verbale communicatie.

Ze vraagt zich af hoeveel jaar. Hij ziet eruit alsof hij eh...? Ze heeft nog nooit iets met kinderen te maken gehad.

'Een stoofschotel bestaat uit groente en andere dingen, zoals spek, eieren of vis, die je samen stooft. Het smaakt goed.'

Er komt geen duidelijk antwoord.

'Tsja,' zegt ze na een poosje, zich ervan bewust dat ze getaxeerd wordt, 'dat is alles wat er is. Graag of niet.'

Zou ik er nog zo eigenaardig uitzien? Zware schouders, zware heupen, grote bos haar. Je zou geen enkele intelligentie verwachten achter mijn lage voorhoofd. Gelige ogen, een door eczeem verwoeste huid. Grote handen en grote voeten, waarvan de misvorming alleen zichtbaar is als je goed kijkt.

Het geheel opgesierd met mijn boksbeugels.

Vandaag: groensteenwater aan mijn middelvinger; ijsvogelglitter aan mijn opalen ringvinger; wijnrode granaat aan de ene pink; een turkooizen knopje aan de andere en een langwerpige, zwart geworden zilveren bonkige joekel van een duimring.

Gevat in spijkerbroek, leren vest, zijden hemd, spijkerjasje, mes aan de riem, op blote voeten. (Wat me eraan doet denken dat ze koud zijn.)

Ik denk dat ik eruitzie als een rasechte zeerover die je maar beter kunt vermijden, maar ja.

Haalt een snijplank en andere kookattributen te voorschijn. Ze maakt groene paprika's schoon en snijdt ongelukkige uien aan tranen. Ze is immuun voor uiensap.

Het hakken en snijden van het mes in voedsel. Haar ademhaling.

Het gestage neerkomen van de regen. Het knetteren van het vuur.

Het is onnatuurlijk stil.

Het schoffie kijkt nog steeds naar haar, ineengevlochten en stil als een kleine, snode Boeddha.

'Eh, word je gauw thuis verwacht?'

Het enige antwoord is een bestudeerd starende blik die langzaam tot voetniveau daalt. Innerlijk balt ze haar vuist en steekt haar duim tussen wijs- en middelvinger in.

Het kan me ook geen bal schelen, apekop.

Er is geen echte tafel op deze verdieping. De kamer is wel bestemd om in te eten, maar dient ook om naar muziek te luisteren, gitaar te spelen of voor het vuur te zitten dromen. Uitkijken over zee. Mediteren. Een uitklapbaar tafelblad dat aan de wand is bevestigd, is de enige tafel die er is. Soms gebruikt ze die om aan te eten, meestal eet ze met haar bord op de grond bij het vuur. Dit keer zet ze een bord met dampend eten en mes en vork aan beide uiteinden van de klaptafel neer en plaatst twee bekers koffie als een bestandslijn in het midden.

'Als je iets wilt eten, het staat klaar.'

Hij komt wat stijf bij de tafel staan, kijkt naar het eten, kijkt naar haar, kijkt naar de stoel en verkiest daarop te knielen. Met zijn hand onder zijn hoofd eet hij van de vork in zijn andere hand en negeert haar en het mes. Wanneer hij klaar is, schuift hij zijn bord naar het midden van de tafel, doet zijn armen over elkaar, laat zijn hoofd daarop rusten en staart haar aan. Een paar zeegroene ogen die je aanstaren vanaf tafelhoogte, dat is verwarrend, om het zacht uit te drukken.

Kerewin legt met een klik! haar mes en vork neer en brengt haar hoofd plechtig tot tafelniveau, en staart terug.

De ogen van het kind worden groot. Ze blijft hem recht over tafel fixeren.

En de jongen begint te giechelen. Een gegrinnik met veel adem geruis, dat haast spookachtig uit hem opborrelt.

'Goed, ik geloof dat je het vat.' Ze gaat kalm verder met eten.

Hij kan dus giechelen... Ik vraag me af wat hem ervan weerhoudt te spreken?

33

Een van haar familieleden placht te zeggen:
  'En het regende dikke pijpestelen.'
Dat gaf exact aan hoe het met het weer gesteld was.
  'En het regende' (licht hoofdschuddend)
  'dikke' (grimas met handgebaar door de lucht)
  'pijpestelen' (ogen verbaasd over zoveel regen).
Het genot waarmee dat gezegd werd, de op- en neergaande
toon van de spreker maakten het echt.
Hoe dan ook, denkt ze, de kloof tussen haar en haar familie
betreurend, het komt nu in dikke pijpestelen naar beneden. Ik zal
maar eens wat lampen te voorschijn halen. De kamer is vol schaduwen. Ze kijkt naar haar toevallige gast die zich voor het vuur
heeft uitgestrekt.
  Je doet alsof je thuis bent, hè schoffie? Maar niet lang meer.
  'Laat me je identiteitsplaatje nog eens zien? Ik heb het telefoonnummer nodig.'
Hij gaat overeind zitten. Zes vingers, drie vingers, nog eens drie
vingers en een grote luchtige Z.
Hij wacht, handen klaar voor het geval ze het niet begrijpt.
  'Dank je.'
Ze staat al bij de radiofoon. Dat is haar concessie aan de buitenwereld. Niemand kan haar bellen, tenzij via de telefonist voor
interlokale gesprekken, die door de telefoondienst gehandhaafd
wordt voor abonnees als zij. Zelf kan ze bellen wie ze wil. Een
kostbare regeling, maar Kerewin heeft meer geld dan ze nodig
heeft en houdt van haar privacy. En, omdat de meeste telefonisten
bemoeiallen zijn, vormen ze een onuitputtelijke bron van plaatselijke informatie, met name een van hen die haar wel mag, en dat
weet ze te waarderen.
  'Hallo mevrouw Holmes.'
  'Morgen,' zegt ze ernstig. 'Een nummer in Whangaroa alstublieft, 633Z. Ik veronderstel dat het een gemeenschappelijke lijn
is.'
  'Dat klopt,' zegt de telefonist. Na een minuut voegt hij eraan
toe: 'O jee.'
  Klik, zoem, ritsel en dan een lange serie monotone
bromgeluiden.

'Verwachten ze een telefoontje?'

'Nee.'

'O, zal ik het nog eens proberen?'

'Een ogenblikje.' Ze schakelt de microfoon uit en vraagt het kind: 'Is dat het telefoonnummer van thuis?'

Hij knikt en lacht een zelfgenoegzaam lachje.

Ze zet de microfoon weer aan. 'Probeer het nog maar eens en als er iemand opneemt, vraag dan of ze naar Paeroa komen om iets van ze op te halen.'

De operateur lacht.

'Veel succes,' zegt hij merkwaardig genoeg en hangt op.

Kerewin staart naar de microfoon. De hele wereld is een beetje vreemd, behalve...

'Drink jij je koffie nog op?' Ze vraagt het zonder zich om te draaien.

Knip met de vingers.

'O ichtyofage stomkop,' leunt tegen de stenen muur en kijkt hem aan.

'Ik was het even vergeten,' zegt ze, eerder vermoeid dan verontschuldigend. 'Ik neem aan dat die knip bedoeld is om mijn aandacht te trekken?'

Hij schudt zijn hoofd. Zijn haar valt over zijn gezicht, hij veegt het werktuiglijk weg. Hij schuift langzaam van de schapevacht af en glimlacht plotseling.

Een Amerindiaans kennismakingsgesprek.

Ze hurkt onder de plank waarop de zendontvanger staat en kijkt naar hem.

Hij schudt zijn hoofd snel heen en weer en knipt een keer met zijn vingers. Het is een hard, helder geluid. Tot haar tiende jaar kon zij alleen maar een zwak 'flup' produceren met haar vingers en bij lange na geen knip.

Het kind knikt en knipt tweemaal met zijn vingers.

Geen gesprek, een taalles, en ze komt in de verleiding om drie keer met haar vingers te knippen en 'misschien' te zeggen.

'Ik snap het. Als ik je niet zie, is een keer nee en twee keer ja, is het niet zo?'

En knipt twee keer om het te benadrukken.

Hij klapt twee keer in zijn handen, opzettelijk sarcastisch.

Arrogante wijsneus, zegt Kerewin in zichzelf, en trekt een onvriendelijke grimas.

'De koffie die op tafel staat zal namelijk wel koud geworden zijn. Daarom wil ik weten of je die nog wilt opdrinken.'

Knip.

'Goed. Wil je iets anders drinken? Ik heb,' en telt op haar vingers af: 'Wijn en mede en diverse biersoorten, likeuren en sterke drank, van dit alles krijg je niets. Water en melk en appelsap; citroenkwast, sinaasappelsap, zelf gestookte cider en thee, Japanse, Chinese, Indiase en allerlei soorten kruidenthee. Wat zal het zijn?'

'Koffie,' vormt hij met overdreven lipbewegingen, kofffie-ie, het tandeloze gat weer zichtbaar.

Tegendraadse kleine druiloor.

'En net zei je dat je geen koffie wilde?'

Hij tekent een aantal kurketrekkerspiralen naast zijn oor.

'Je bent gek, of van gedachten veranderd? Geef maar geen antwoord, ik ben het met beide interpretaties eens... hoe dan ook sufferd, je hebt je enige kans misgelopen om Holmes beroemde kruidenthee te proberen, een slaapverwekkend manukabrouwsel. Eigenlijk,' zegt ze terwijl ze opstaat, 'smaakt het afschuwelijk, maar het helpt goed wanneer je aan insomnia lijdt.'

Op zijn gezicht staat te lezen: waar heb je het in vredesnaam over?

'Als je bedoelt wat ik denk dat je bedoelt, ventje, is het antwoord: verhullen is mijn vak. Ik ben niet stinkend rijk en een jaar of dertig geworden met begrijpelijk zijn, ja?'

Ze is nu een handvol koffiebonen aan het malen. De molen is nog van haar bet-overgrootmoeder geweest, die hem honderd jaar geleden helemaal van de Hebriden meebracht. Toen ze, onder tranen en geweld, bij haar familie wegging, had ze een speciale expeditie ondernomen

Noem de dingen bij hun naam, liefje
om de koffiemolen te verkrijgen.

Door inbraak en diefstal in het holst van de nacht zijt gij verkregen...

Ze streek licht met haar hand over de kleine machine en kraamde hardop onzin uit om haar pijn te overstemmen.

Het kind zit met neergeslagen ogen en reageert niet.

De regen is er niet minder op geworden.

De radiofoon is niet gegaan.

Wanneer een kat twijfelt wat te doen, gaat hij zich wassen, een Holmes pakt een gitaar.

Ze pakt haar oudste gitaar van de wand en kiest zorgvuldig een aantal delicate harmonieën uit om te controleren of hij gestemd moet worden. Dan speelt ze, met de gitaar tegen zich aangedrukt, wat losse akkoorden en lange, zuivere tonen en abrupt getokkelde melodieën. De muziek vermengt zich met het voortdurende witte achtergrondgeluid van de regen.

Daarna zucht ze en houdt de gitaar rechtop tegen zich aan.

'Houd je van gitaarmuziek, jongen?'

Zijn ogen zijn toe en zijn mond staat open en ze weet niet zeker of hij in extase verkeert of in slaap gevallen is.

Hij knippert snel met zijn ogen en knikt 'ja'. 'Mmmm,' Ze legt de gitaar neer. 'Hoe word je trouwens genoemd? Vast niet Simon P. Gillayley, want dat is een hele mond vol.'

Hij schudt zijn hoofd en houdt beide wijsvingers gestrekt voor zich uit, op ongeveer drie centimeter afstand van elkaar.

Ze wrijft demonstratief in haar ogen.

'Ja?'

De jongen bekijkt haar met afgrijzen. Zijn lippen zijn op elkaar geknepen alsof hij iets vies proeft, zijn neusgaten wijdopen, ogen tot spleetjes geknepen – en ineens is alle uitdrukking van zijn gezicht verdwenen. Zijn gezicht is blanco, een leeg masker en zijn ogen staan koud. Ik praat niet met je. Ik wil niet dat er een spelletje met me gespeeld wordt. Hij draait haar zijn rug toe.

Rare kwibus, druiloor, narrekop.

Kerewin haalt haar schouders op en pakt de gitaar weer.

Zal ik vervelend worden en hem er nu meteen uitgooien?

Nee, daar kan mijn gevoel voor gastvrijheid niet tegen.

Als een gast eenmaal aan je tafel heeft meegegeten en gedronken, maakt hij deel uit van je maagschap... bedelaar of vijand, vriend of hoofdman, als ze aankloppen, wordt er opengedaan; als ze onderdak bij je zoeken, zul je ze dat geven en als ze gastvrijheid vragen, deel je brood en wijn met ze... want je weet maar nooit wanneer je zelf de hulp van een medemens nodig hebt. Je dekt je in tegen de mogelijkheid en verdraagt op zijn minst iedere ellendige, narrige, stomme knaap die je in je huis vindt... tokkel, ploink, ploink, rasguedo en barst los in een ersatz-flamenco ritme.

De regen reageert erop door met nog hardere, dikkere pijpestelen neer te komen.

Ze hangt de oude gitaar terug aan de wand, streelt zijn amberen buik en vraagt zich net af wat ze nu eens zal gaan doen, als de radiofoon begint te zoemen.

'Hallo?'

'Over dat nummer in Whangaroa dat u wilde...'

'Ja, ja?'

'Is Simon Gillayley bij u?'

Een lange pauze terwijl ze zich de conversatie die ze had willen voeren voor de geest haalt: Meneer/Mevrouw, uw zoontje houdt zich op in mijn toren en wilt u zo vriendelijk zijn...

'Godallemachtig, hoe kunt u dat nou weten?' Hij lacht droogjes.

'Het gebeurt vaak genoeg.'

Ze werpt een blik op het nukkige jongetje, dat nog steeds ineengehurkt op de vacht voor de haard zit, met zijn rug naar haar toe gekeerd.

'O.'

'Zijn vader is niet thuis, weet u.'

'Nee, dat weet ik niet,' zegt Kerewin kortaf, 'ik had de jongen nog nooit gezien, tot een paar uur geleden dan.'

De telefonist grinnikt.

'Dan heeft u heel wat gemist... in ieder geval leek het me beter u dit te vertellen voor het geval er moeilijkheden zijn.'

Zwangere pauze.

Wat zou er voor kloterig nieuws komen!

'Zijn vader, Joe Gillayley, aardige vent trouwens, komt pas laat thuis. Zeker weten. Als hij tenminste thuiskomt.'

Ze slikt. 'Ik begrijp het.'

'Als ik u was,' de man is duidelijk blij dat niet te zijn, 'zou ik Wherahiko Tainui bellen om te horen of hij of Piri de jongen wil komen ophalen.'

'En wat is het nummer van Wherahiko?'

'O, dat heb ik al voor u geprobeerd, maar die zijn er op het moment ook niet. Zal ik u terugbellen als ik ze heb weten te bereiken?'

Kerewin houdt haar adem in. 'Ik...'

'Of zal ik vragen of ze u willen bellen?'

'Dat is goed, maar...'

'U kunt natuurlijk ook de politie bellen. Die weet er wel raad mee...'

'Wat zegt u nu?'

'Nee, bij nader inzien...' de man tikt op zijn microfoon. 'Weet u wat, of ik de Tainuis nu te pakken kan krijgen of niet ik bel u in ieder geval op voor mijn dienst erop zit, en dat is om half acht. Wat vindt u daarvan?'

'Goed,' zegt Kerewin, 'maar...'

'Okay.' Klik.

Wat moet ik nou in godsnaam doen?

Ze fronst en loopt langzaam naar het raam.

Rond de glazen koepel stromen regenbeekjes. Buiten heerst grauwheid, het is donker genoeg om voor schemering te kunnen doorgaan. Aan de horizon is het moeilijk te onderscheiden waar de zee ophoudt en de lucht begint.

De politie weet er wel raad mee? Waar zit ik mee opgescheept? Een misdadiger, een jeugdige delinquent? God dat kan nauwelijks... hij ziet er niet ouder uit dan eh, misschien vijf? Nee, hij moet ouder zijn. Ik ben, ahum (inwendig bescheiden kijkend) buitengewoon intelligent, maar ik kon niet leesbaar schrijven voordat ik zeven was – ik bedoel zo leesbaar dat volwassenen altijd konden begrijpen wat er stond. Maar ik kon wel praten. Als een razende tekeergaan.

Een plotselinge windstoot beukt tegen de ramen.

Ik kan hem toch moeilijk in dit weer naar buiten sturen.

Buiten zou de harde storm huilen. Een kilometer verderop

langs het strand staat een groepje uitheemse dennen. Ze kan ze van hieruit zien doorbuigen.

Iets raakt haar dijbeen aan.

Ze draait zich boosaardig snel om, haar handen strak gespannen gereed, als messen.

Het kereltje is naast haar opgedoken, stelt vragen met al zijn vingers.

'Wel godverhierengunter jongen, doe dat nooit meer!'

Alsof je naar een slak kijkt, denkt ze afstandelijk. Het ene moment horentjes uit, zeilend over zijn zijden slijmpad, het volgende moment... hop, terug in zijn huisje.

De jongen verstopt zijn handen achter zijn rug en staat stil, bang.

'Hè verdorie,' zegt Kerewin, haar actrice-stem vol vriendschappelijkheid, 'ik word gewoon makkelijk verrast door onverwachte aanrakingen. Ik kon trouwens niet volgen wat je zei... als je alles langzaam doet en eenvoudig houdt, kan zelfs ik begrijpen wat je bedoelt, snap je?'

Misschien komt het door de oprechte geamuseerdheid in haar stem dat hij erin trapt, want daar kruipt hij weer uit zijn schulp. Dit keer echter kijkt hij haar zorgvuldig aan terwijl hij gebaart. Hij spreidt heel even zeven vingers uit en dan beschrijft zijn hand vloeiende cirkels in de lucht.

'O, en dat betekent?'

Het kind zucht. Hij wringt zijn handen kort samen, haalt zijn schouders op en pakt met tegenzin zijn blocnote en potlood weer.

Daar lijken we niet erg van te houden.

Hij schrijft snel, blocnote op zijn opgetrokken dijbeen; hij staat verbazingwekkend stevig op zijn niet-gewonde voet.

Zijn ogen hebben hun opalen schittering verloren in de donker geworden kamer. Hij speurt haar onbewogen gezicht af terwijl ze leest.

TAINUIS THUIS OM 7 UUR IK HOOR DAAR TE ZIJN MAG IK HIER BLIJVEN SP (*SIMON*)

Ze gniffelt om de onderstreping. Zegt vrij vriendelijk: 'Bedankt voor de verklaring. Ik heb een boodschap voor je vader achtergelaten om je te komen halen, dus ik verwacht dat hij hier zo wel zal zijn. En nee, je mag niet blijven. Ik houd er niet van om hier mensen over de vloer te hebben, en zeker geen kinderen.'

De jongen gaat ter plekke zitten.

Ze pakt de borden op en zet ze in de gootsteen. Ze gaat onder het portret zitten dat de hele kamer domineert. Ze steekt een sigaartje op en begint in zichzelf te praten.

'Ooit moest ik afschuwelijke baantjes aannemen om genoeg te verdienen om voedsel te kopen om te eten om te leven om afschuwelijke baantjes te moeten aannemen om genoeg te verdienen... Ik haatte dat leven tot in het merg van mijn gebeente. Dus kapte ik ermee. Ik deed wat mijn hart me ingaf en ging schilderen voor de kost. Ik verdiende niet genoeg om van te leven, maar ik was niet al te ongelukkig omdat ze thuis van me hielden en omdat ik hield van wat ik deed. Geld was het enige probleem... tot alles veranderde. Ik won een loterij. Ik investeerde het geld. Ik verdiende een fortuin met mijn rappe tong. En terwijl ik de god der overvloed prees, sloeg de bliksem in. Het vaagde mijn familie weg en het vaagde mijn schilderstalent weg. Ik belandde van de ene gebondenheid in de andere. Heel vreemd. Ik heb nooit kunnen begrijpen waarom...'

Ze leunt achterover tegen de muur en tikt tegen de rand van het schilderij.

'Dat is een vergroting van een schilderij van Fujiware Takanobu. Hij was een genie, die met pigment op linnen een ziel kon vatten en hij kon dat op zo'n ascetisch sierlijke manier dat je hart stilstaat bij het zien ervan... ooit kon ik zoiets ook. Maar niet meer, mijn kind, niet meer...'

Ze kijkt niet naar de jongen.

'Ik bevind me in het voorportaal van de hel en daar heb je geen wedlopen, geen prijzen, geen veranderingen, geen kansen. Er zijn alleen gradaties in uithoudingsvermogen en uithoudingsvermogen is nooit mijn sterkste punt geweest.' Even later voegt ze er terloops aan toe: 'Ik ga sokken en schoenen aantrekken voor mijn tenen eraf vallen. Dan ga ik, denk ik, wat lampen aansteken. Vind je ook niet dat het te donker wordt?'

O god, als u bestaat, rent de wenteltrap op naar de slaapkamer, geen acht slaand op de kou en de hardheid van de stenen treden tegen haar voeten, zorg dat dat kind weggaat. Ik heb rust nodig. Ik wil me bedrinken.

Ze wilde dat vader Gillayley kwam en zijn spruit meenam, nu meteen. Vast een ruw, luidruchtig viking-type aan de huidkleur van het kind te zien. Een rouwdouwer, Arische barbaar, met een verweerd gezicht als een uitgesleten rots, zo lang als een deur en met een plank voor zijn kop.

Ze schiet dunne leren kaibabs aan over wollen sokken en wanneer haar voeten niet langer zo verkleumd zijn maar beginnen te tintelen, loopt ze stilletjes langs de trap naar beneden.

Het kind zit nu voor het portret van Minamoto-noYorimoto en kijkt er onbeweeglijk naar. Hij verroert zich niet als zij op zachte voeten de kamer binnenkomt.

Ach wat duivel, ik begin gewoon te drinken.

'Kristallen bokalen, aardewerken kop,' banjert naar de drankkast terwijl ze zingt: 'druivesap of geperste hop?'

Ze laat haar keus op donker bier vallen, maakt een paar flesjes open met haar mes en gooit de doppen in de gootsteen. De borden kunnen de pot op, die staan er morgen ook nog wel. Ze schenkt een groot bierglas vol en nestelt zich weer op de schapevachten.

(Ze heeft een vluchtig visioen van de produktielijn in de diepvriesvleesfabriek waar pasgeslachte schapen met karmijnrode kelen op groteske wijze hun eigen vel als capuchon dragen. De vellen slepen over de vloer terwijl de bleke karkassen er schokkend en schommelend boven hangen aan voortschuivende haken... hoeveel doden voor jouw gemak?)

en neemt een grote slok bier.

Het gaat erin, bitter als gal.

'Moet het vuur zo oprakelen.' Het is een rood bed van gloeiende as geworden.

'En de lampen aansteken.'

Er is een krabbelend geluid, zachter dan het geritsel van muizen, maar nog altijd hoorbaar boven de regen uit. De jongen schrijft weer. Ze draait zich achteloos wat om, zodat ze het kind kan zien als ze wil.

'Dat wordt een soort ritueel, hè? Van hout en kolen een vuur bouwen. De pit in de lampen verzorgen en licht maken met be-hulp van kerosine.'

De jongen is als een krab zijdelings wat dichterbij geschoven. Hij wacht af of ze notitie van hem zal nemen.

Kerewin draait zich nog iets verder naar hem toe. 'Kom je me een boodschap brengen?'

TOT VANAVOND MISSCHIEN. TOT JOE KOMT MISSCHIEN. MAG IK MISSCHIEN IETS DRINKEN. SP

Drie keer raden welk woord hij het laatst geleerd heeft.

Innerlijk glimlacht ze, maar zegt verbaasd: 'Bier?' puriteins en de echte vraag ontwijkend.

De jongen knikt, verbaasd over haar toon.

'Nou ja, vooruit dan maar.'

Ze leegt haar glas in een haastige teug en schenkt hem in.

Bijna een halve liter, daar zul je wel genoeg aan hebben mijn jongen,

en opnieuw lacht ze van binnen, dit keer gemeen afwachtend.

Daar komt hij aan, hij schuift en kruipt over de vloer alsof hij maar half zo oud is, en lacht zonder een spoort je gêne. Het verband steekt opvallend wit af tegen de rafelige pijp van zijn spijkerbroek. Net zo fraai als je resterende tanden, jochie. Smalgevingerde handen omvatten het glas – dus je hebt wel twee handen nodig om een vol glas op te tillen? De gekliefde kin gaat omhoog en je kunt de donkere drank haast door zijn keel zien glijden... Wat is dat voor plek? Roze en glanzend als satijn, als een litteken.

Ze betast met haar vingers de twee littekenachtige lijnen die naast elkaar over haar eigen keel lopen, terwijl ze met ontzag toe-kijkt hoe het kind slikt en slikt en het glas leegt zonder adem te hoeven halen, lijkt het.

Ten slotte laat hij het glas zakken en grijnst breed.

'Ik heb het vermoeden,' zegt Kerewin gefascineerd, 'dat dit niet je eerste glas was. Ik denk dat ik voor mij beter een ander glas kan pakken, dan kun jij dit gebruiken.' Ze pakt een pul en haalt twee flesjes uit de ijskast.

'Nou,' en heft de pul voor een toost, 'kia ora koe, we zullen er maar eens voor gaan zitten.'

Glas tegen glas, kloink.

De jongen verslikt zich een beetje.

Kerewin staart naar de luchtbelletjes die uit de donkere diepte van haar bier opborrelen:

'Waarom wil je vannacht hier blijven? Afgezien van het feit dat het regent?'

Gillayley:

schokschouder.

'Schrijf het verdomme op als je geen andere manier weet te verzinnen om het me duidelijk te maken. Je schouders ophalen zegt me niets.'

Hij kijkt sluw weg, vermijdt haar ogen.

'Nou?'

Gillayley:

zucht, gevolgd door een hik.

Hij hoort het aan met een pijnlijk verraste uitdrukking op zijn gezicht.

Ze pakt de laatste flesjes bier en slaat hem van onder haar oogleden gade.

Ik word razend populair als ik hem dronken naar huis stuur.

'Laat ik het anders stellen... waarom wil je niet voor één nachtje naar de Tainuis, wie dat dan ook mogen zijn?'

ZE KNUFFELT ME EN ZEURT OVER JOE SP

'Je hoeft die stomme briefjes niet te ondertekenen. Ik kan wel zien wie ze stuurt... wie knuffelt jou?'

MARAMA. ZE ZOENT ME EN

Ze leunt voorover en kijkt over zijn schouder mee, 'Weet ik, zeurt over Joe... godallemachtig, wat een typische jongetjesafkeer! Wat geestig. Wat geestig!'

Hee, rustig, een paar biertjes horen niet zoveel vrolijkheid teweeg te brengen... maar zijn gezicht, kostelijk. Voorzichtig, hij zit je nu aan te staren alsof je een beetje gek bent...

Ze kalmeert en zegt met een ernstig gezicht:

'Sorry, maar dat leek heel grappig... nu begrijp ik het en kan met je meevoelen. Ik houd er ook niet van als mensen me zoenen en zich met me bemoeien. Kun je zeggen wanneer Joe – eh, is hij je vader?'

Lodderige knikjes.

44

'Wanneer Joe waarschijnlijk thuiskomt?'

Het ventje schrijft welwillend een duidelijk antwoord op.

NEE. SP

De initialen komen blijkbaar voort uit een reflex.

'Nou, tenzij je vader voor die tijd komt, kun je hier blijven tot de Tainuis bellen. Goed?'

Zijn hand komt te voorschijn, hij aarzelt even en geeft haar dan, alsof hij over een barrière moet reiken, een hand. Hoe roerend, zegt Kerewins diepste wezen, de Snark, kronkelend in verlegenheid gebracht door een scala van associaties, dat, en de ongekunstelde lach van Gillayley. Te veel.

'Afgesproken. Zooo, dan is het nu wel zowat tijd om de lampen aan te steken, om maar te zwijgen over het reanimeren van het vuur. Wil je helpen? Je kunt eh... dingen vasthouden en zo,' en maakt haar hand los, maar doet het omzichtig.

Terwijl ze kerosine en lampen te voorschijn haalt en veel in de gretig uitgestoken handen van het kind legt, overweegt ze twee dingen.

Is het beter dat je het niet weet, of doet verandering van spijs eten?

En ze wordt steeds nieuwsgieriger naar hoe het komt dat, en de van-oor-tot-oor grijns van de jongen versterkt dat nog, de jongen aan een kant van zijn kaak tanden en kiezen mist.

De lampen worden zacht sissend opgehangen,' ze gaat aan de slag met het vuur, stapelt houtblokken op en schept daar bovenop kolen. Het kolengruis vlamt op en knispert en de schaduwen die in de kamer waren, trekken zich terug in de verste hoeken.

Voor het eerst kan ze het kind goed zien. Tenger en hoekig; dat hij zo klein is, maakt hem fragiel. Zijn gezicht is talkkleurig, die wassen aanblik laat de donkere wallen van vermoeidheid onder zijn ogen nog meer uitkomen; het benadrukt ook het smalle van zijn gezicht.

Hé, waar zat je?

Wat heb je gedaan?

Want terwijl hij staat te wachten op haar volgende beweging of gebaar, zodat hij kan aanbieden te helpen, is alle levendigheid uit hem weggetrokken.

Mijn god, hij is echt uitgeput.

Tja, de lange wandeling – als hij hierheen is komen lopen. De spanning van het betrapt worden en hoe ik zou reageren. Het bier natuurlijk.

En misschien is dit alles wel een hele inspanning voor hem, woorden tegenover zijn mimiek.

'Ben je moe, Simon?'

Hij overweegt de vraag, trekt zijn hoofd tussen zijn schouders terug en knikt een keer,

Ja, meer dan moe.

'Waarom ga jij niet naar bed tot er iemand belt?'

Hij begint zelfs al een beetje te knikkebollen, maar hij fronst. Weer 'ja', maar niet van harte.

'Mijn slaapkamer is boven. Die kun je wel een poosje gebruiken. Deze kant op,' en verdwijnt langs de donkere wenteltrap naar boven.

'Ze heeft me niet zo graag om zich heen. Maar ik mag blijven.'

Hij staat een poosje stil om krachten te verzamelen voor de lange tocht naar boven.

Een wenteltrap kan verrassingen opleveren, omdat je maar anderhalve trede voor je uit kunt zien. Kerewin, die snel naar beneden komt om te zien wat er gebeurd kan zijn, rent hem bijna ondersteboven. Hij was net een paar treetjes gevorderd. 'Hopla ho,' en grijpt de trapleuning vast om te kunnen stoppen.

'Ik vroeg me af waar je bleef.'

Hij kijkt naar zijn voeten en weer omhoog, verontschuldigend. 'Nou, volhouden maar, het eind komt zo in zicht: Ze schuift voorzichtig langs hem heen. 'Het is boven kouder dan ik dacht. Ik ga naar beneden om een lekker warm kruikje voor je te maken.'

Die stomme godvergeten babypraat. Kruikje, lollie, flesje, kleertjes. Wat een ge trut, moppert ze in zichzelf. Maar wat moet je anders tegen zo'n kind zeggen? Ik ga een warmwaterkruik voor je vullen?

Als ze ermee terugkomt, staat de jongen net voor de deur. 'Ga maar naar binnen. Het is niet zo erg als het eruitziet.'

Eigenlijk is ze trots op deze kamer. Het bed en de balken zijn met de hand uit totara gehouwen, en de vloer is bedekt met roomkleurige schapevachten. Er is een erker met twee ramen en het glas is als een ondiepe zomerzee, zeegroen en bleek smaragdgroen. Een heleboel glas-inloodramen, die als edelstenen zijn. Op de brede vensterbank kun je zitten om louter zon en zee in je op te nemen.

'Betoverde magische vensters zien uit over het schuim van gevaarlijke zeeën,' citeert ze zacht als ze hem gefixeerd naar het raam ziet staren.

'Ik zou ze open kunnen doen om je een verdwaald elfje of zo te laten zien, maar dan zou je kort daarna waarschijnlijk doodgaan aan een longontsteking.'

Stilte. 'Nou,' zegt ze, 'hier is je kruik, daar staat het bed.

Ga maar onder het dekbed liggen. Het toilet is die deur door,' en wijst. 'Wil je verder nog iets?'

Het versufte kind schudt zijn hoofd.

Het duurt niet lang voor hij instort. Ik weet dat hij doodmoe is en elk moment onder zeil kan gaan.

'Goed dan. Mocht je nog iets nodig hebben, dan kom je maar naar beneden en vraag erom, zoniet dan kom ik om zeven uur boven om je wakker te maken. Slaap maar lekker,' en ze loopt langzaam de kamer uit, maar rent de trap af.

'Hèhè,' zich lang en stevig uitrekkend, 'rust en vrede.'

Verlost van toekijkende ogen.

II

Het is nu vroeg in de avond, de donkere lucht buiten is bezaaid met regenovergoten sterren.

Ze drinkt nog een flesje bier, maar haar handen worden rusteloos. Ze pakt haar gouden gitaar en speelt lage, lome akkoorden en kijkt toe hoe de nacht steeds dieper wordt.

Maar met één oor blijft ze luisteren naar geluiden van boven.

Die rot jongen, blijft maar in mijn gedachten zitten.

Een vijand in mijn prehistorische toren... een ingesloten inbreker.

47

En plotseling komt het bij haar op dat het kind misschien echt aan het inbreken was en sindsdien aan het tijdrekken is geweest.

O god, mijn jade.

Ach, kom nou!

Hij is te jong om groensteen van grauwak te kunnen onderscheiden.

Maar stel dat iemand anders erover gehoord heeft, een lokale versie van Fagin en...

Ze legt de gitaar neer en draaft naar boven.

Langs haar slaapkamer. Luistert. Geen geluiden.

De bibliotheek in.

Er staat een tekenlamp op het bureau. Ze neemt hem mee zover het snoer het toelaat en richt de lamp op de kast. Met bonzend hart doet ze de klep open. In de bleke lichtbundel liggen zo'n honderd gladde en gekromde vormen op plateaus.

Twee meres, patu pounamu, beide oud en befaamd en nog altijd dodelijk.

Veel gestileerde hangers, hei matau.

Kuru en kapeu en kurupapa, rechte en gebogen halssieraden.

Een amulet, een marakihau; en een spiraalhanger, de koropepe.

Een tiental beitels. Vier fijne gutsjes.

Verscheidene hei tiki, één heel bijzondere – zo oud dat het vlassen koord van vroegere eigenaars door de harde steen gesleten is en er een nieuw gaatje geboord moest worden in de tijd voor de Pakeha-schepen kwamen.

Een heel vreemde hanger die ze lang geleden van het Moerangistrand had opgeraapt. En als altijd gaat haar hand er naartoe, streelt het, ik ben er, ik ben er.

Jade van mijn hart, de namen een litanie van verheerlijking: kahurangi, kawakawa, raukaraka, tangiwai, auhunga, inanga, kahotea, tootweka, en ahuahunga.

Alles is er nog.

Ze bespot zichzelf: Stomme idioot, dacht je nu echt dat die vogelverschrikker iets uit je geheime schatkamer zou stelen?

Je zou eigenlijk het hele zootje weg moeten geven... Ze zegt zachtjes:

'Het wordt je te dierbaar. Te belangrijk. Het lokt rampspoed uit wanneer je ergens veel om geeft.'

Ze neemt de vreemde hanger nog een keer in de hand om hem te voelen en te bewonderen voor ze naar beneden gaat.

Precies om zeven uur gaat de radiofoon. De telefonist beantwoordt haar 'Hallo, hallo, wie is daar?' met 'Mevrouw Holmes, er is een probleem.'

'O,' met een weernakend voorgevoel in haar buik.

'Ja, ik heb voorzichtig wat navraag gedaan. De Tainuis zijn naar ik heb gehoord vanmorgen vroeg de heuvels overgetrokken en Simon Gillayley had bij hen horen te zijn.'

'Goddomme,' zegt Kerewin, 'maar zijn vader dan? Zijn moeder? Iemand anders?'

'Tsja, Hana is een jaar of twee, drie geleden overleden. Als Joe er niet is, zijn de Tainuis er meestal wel.'

'En Joe is er niet?'

Een lange pauze.

'Nee,' zegt hij en ze kan hem op zijn lip horen bijten.

'Eh, zijn er moeilijkheden geweest?'

'Nee, ik heb hem te eten gegeven, hij heeft wat rondgehangen en is toen op mijn aanraden naar bed gegaan. Hij leek me hartstikke moe. Ik neem aan dat hij er nog steeds is.'

Een stroom van verbazing komt op haar af.

'Ik begrijp dat hij er wel vaker vandoor gaat?'

'Och, zo nu en dan,' de stem van de telefonist klinkt gereserveerd, 'zo'n twee keer per week.'

'En ik heb de indruk dat u ergens verbaasd over bent?'

'Ja, u zei net dat er geen moeilijkheden zijn geweest. Die zijn er anders altijd wel. Het kind heeft een licht ontvlambaar temperament. Verder is hij gespecialiseerd in insluipingen en kleine criminaliteit.'

Een korte stilte terwijl ze deze informatie in zich opneemt. 'En,' voegt de telefonist eraan toe, 'het is bekend dat hij ze niet allemaal op een rijtje heeft. Emotioneel een beetje gestoord of zoiets.'

'Nou, ik heb geen last met hem gehad.' Ze voelt de behoefte het kind te verdedigen.

'Dan boft u,' en er valt weer een stilte. Hij zegt: 'Volgens mij zijn er verschillende mogelijkheden. U kunt de politie bellen en hem laten ophalen. Dat maakt het er voor Joe niet makkelijker op en, zoals ik al zei, het is een aardige vent. Het is vast niet eenvoudig om in je eentje een kind op te voeden, zelfs niet als het een normaal kind is... Ik geloof niet dat de politie eraan te pas is gekomen sinds de keer dat Simon alle slaplantjes van mevrouw Hardy vertrapte. Of u kunt hem laten blijven tot morgenochtend, tot het eind van de ochtend, want ik weet zeker dat Joe er dan wel weer is. En, mogelijkheid nummer drie, pak hem nu bij kop en kont en zet hem de deur uit.'

'Het regent nog steeds,' zegt ze kortaf. Dan, geïntrigeerd, 'waarom heeft hij in hemelsnaam de sla van mevrouw Dinges vertrapt?'

'Ik zou het niet weten. Misschien stond het uiterlijk hem niet aan. Ik zei al, het kind is een beetje gek, gestoord.'

'Dus ik heb eigenlijk geen keus?'

'Als u geen last van hem hebt, uw eigen woorden, en u te menslievend bent om hem op straat te zetten of de politie erbij te halen, dan heeft u geen keus nee.'

'Niet uit menslievendheid, uit bezorgdheid over mijn sla... alhoewel, de slakken hebben het meeste al opgegeten, dus dat kan me eigenlijk ook niet schelen.'

'Nou, in dat geval laat ik een briefje achter voor de nachtploeg of ze Joe willen bellen, en als u uitslaapt hoeft u zich nergens zorgen over te maken.'

'Bedankt.'

'En hoor eens, Joe regelt alles wel met u. Daar kunt u op rekenen.'

'Ja, nogmaals bedankt.'

'O, dat zit wel goed,' zegt de telefonist vrolijk en vriendelijk. 'Laat me nog horen hoe het afgelopen is.'

'Dat zal ik doen. Goedenavond.'

'Goedenavond... O, eh...'

'Wat?'

'Tel het bestek na.' Klik.

Hahaha, wat leuk. Ik keer die jongen gewoon binnenstebuiten en houd hem ondersteboven voor hij weggaat. Over weggaan gesproken, het bier wil duidelijk vertrekken.

Met vaste tred en een licht hoofd rent ze de donkere trap op en wordt duizelig op de wenteltrap tussen de muren.

In haar oorspronkelijke plan had ze een ouderwetse poep-doos opgenomen, maar daar zaten wat problemen aan vast. De afvoer was er een, de stank een ander. Genet mag dan aan zijn winden snuffelen als waren het bloemen, zij prefereert andere wierook. Dus kwam er een modern watercloset in het middeleeuws gesteente...

Ze sluipt naar de deur van haar slaapkamer: vaag zichtbaar ligt er een opgekrulde vorm op het bed.

Geen beweging. Geen geluid. Ze hoort zelfs geen ademhaling.

Een plotselinge absurde angst grijpt haar aan: stel dat de onwel-kome gast op een of andere wijze veranderd is in een nog minder welkom lijk. 'Stom,' zegt ze razend, 'stom.' Ze sluipt de trap af, schouders gespannen en nog steeds aandachtig luisterend.

Goede God verlos ons
van geesten en demonen
en langpotige beestjes
en dingen die Oeboem!
roepen in de nacht.

'Stom,' zegt ze hardop tegen zichzelf wanneer ze veilig in het licht en de warmte van de ronde woonkamer staat.

Maar wat had je gedaan als hij eens echt was doodgegaan?

Zet hem van je af. Hij verdwijnt met de ochtend.

Ze heeft nu geen trek in eten. Ze haalt de slaapzak te voorschijn die ze voor het laatst gebruikte tijdens het bouwen van de Toren en maakt zich klaar om naar bed te gaan.

Maar ze zit nog een hele poos in het vuur te staren.

'Wat een krankzinnige dag... geschikt voor het logboek, vind ik.'

Ze pakt het van de onderste plank van de drankkast en over-denkt wat ze erin zal zetten.

Het merendeel van de bladzijden is leeg, want er zijn 5000 bladzijden. Er staan geen opschriften, data of namen van dagen in. Ze heeft een aantal pagina's willekeurig gevuld met tekeningen en verschillende arceringen. Kleine precieze tekeningen met bijbe-horende haiku. Sommige dagen bestaan uit een enkel woord.

'Hinatore' schreef ze op een dag, 'stoutleden' op een andere.

Ze ziet de afgetrapte sandaal van het kind bij het haardijzer en tekent die met pijnlijke nauwkeurigheid na op een pagina waar ze 'Vandaag' bijschrijft.

Dan strekt ze zich uit in de slaapzak, vouwt haar handen achter haar hoofd en luistert nog lang naar de regen.

III

Tussen wakker worden en wakker zijn ligt een moment vol twijfels en dromen, waarin je moeite moet doen om je te herinneren waar je bent en wat de tijd is en of je echt bestaat.

Een weerbarstig moment waarin je je afvraagt waar de echte wereld is.

En er is niets zo afgrijselijk en goddeloos, denkt Kerewin, als wakker worden met uitzicht op een hoop koude as. Waar je niet alleen op uitkijkt, maar vrijwel middenin ligt. Terwijl de kamer tijdens de nacht steeds kouder werd, is haar lichaam uit een atavistisch instinct dichter en dichter naar de warmtebron geschoven.

Dat had nog interessant kunnen worden als de hele zaak vlam gevat had, zeg. Afgebrande behuizing in meer dan één betekenis; want mijn stoffelijk omhulsel zou natuurlijk verbrand zijn, maar wat nog meer? De matten waarschijnlijk, legplanken en drank en de platen en de stereo installatie, kasten en o mijn arme gitaren – dan zouden de stenen muren verhinderen dat het vuur zich verder kon uitbreiden...

Maar wat een prachtig beheerst inferno. Een eigen voorbereidend vagevuur.

Ze huivert en kruipt de slaapzak uit, de kou in.

Wat een inventarisatie – wereldse goederen om de crematie naar het Walhalla te begeleiden – en op het onzalig tijdstip van

– en plotseling, terwijl ze rillend, kwaad en naakt de wereld inkijkt, herinnert ze zich de gast, de vandaal, de vagebond, de achterlijke deugniet, het vogelverschrikkerskind –

zes uur drieëndertig in de ochtend.

52

Het is nog donker buiten. De maan geeft een bleke gloed, de westkant is weggedraaid. En door de dikke Torenmuren heen kan ze de vrieskou voelen.

Aue en ach y fi, de kou en mijn winterhanden. En die ellendige kleine opdonder boven. Omringd door ellende.

'Godverhierengunter,' zegt Kerewin tegen de ongevoelige muren en raapt haar kleren op, schiet ze aan en niest en bibbert naar de douche.

Iets warmer, schoner en al met al wat beheerster – zo staat ze er twintig minuten later voor. Nu waagt ze zich haar slaapkamer binnen met dezelfde sluipende omzichtigheid waarmee ze een taniwha-grot zou binnengaan.

'Zo, ik heb net de sintels uit mijn haar gekamd en fluit een vrolijk wijsje,' kondigt ze aan, 'ik ben het.'

Ze kan zijn ademhaling horen, maar de jongen heeft zich een lekker nest gemaakt door het dekbed op een hoop te gooien en eronder weg te kruipen. Hij is onzichtbaar.

'Als je iets wilt opdelven, zul je moeten beginnen met graven,' maar het idee spreekt haar niet erg aan.

'Hé, jij daar!'

Geen antwoord. Geen beweging.

Ze ontwart het uiteinde van het dekbed en trekt eraan.

Hij slaapt met open mond, bleek en stil. Het kleine, hoekige gezichtje staat niet langer strak of gespannen. Hij ligt in een vreemde, verdraaide houding; zijn hoofd een kant opgedraaid, zijn lichaam de andere kant op. Hij slaapt met zijn kleren aan, zelfs de sandaal ontbreekt niet.

Zijn ogen bewegen onder de oogleden heen en weer en openen zich. Met een snelle beweging houdt hij zijn arm voor zijn borst, als ter bescherming, en de andere legt hij over zijn gezicht.

Dan laat hij, het onzekere moment te boven, zijn armen zakken en kijkt haar verbaasd en schaapachtig aan.

'Ook goedemorgen, waar heb je die prachtige afweerreactie geleerd?'

Als antwoord trekt de jongen zijn wenkbrauwen op; hij weet van niets. De blauwachtige wallen onder zijn ogen zijn lichtpaars geworden.

'Heb je lekker geslapen? Of zijn nachtmerries besmettelijk?'

Hij lacht.

'Hm. Voor het geval je geïnteresseerd bent: het is nu ochtend, de Tainuis zijn veilig over de heuvels, en je vader komt je in de loop van de ochtend ophalen. Wat wil je als ontbijt?'

Als je de verhalen mag geloven zijn kinderen altijd dol op melk. Ze denkt aan haar normale ontbijt dat bestaat uit koffie en yoghurt, terwijl ze iets schuldigs op zijn gezicht leest en weer ziet verdwijnen. Ze noemt wat mogelijkheden op. 'Hou je van eh... pap? Koffie? Melk? Fruit? Bloedworst-met-ui-en-ei?' Hij knikt overal ja op, zit nu overeind en steekt zijn handen uit met gespreide vingers. God mag weten wat hij probeert te zeggen, maar ze antwoordt: 'Goed, dus je gaat voor een maand aan zondagen tegelijk eten?'

Hij leunt achterover op zijn ellebogen en gaapt een gaap die deels een zucht is.

'Ik ga vast naar beneden. Je weet waar de badkamer is. Ik ben een verdieping lager en houd me bezig met interessante zaken als een vuur aanleggen en het ontbijt laten aanbranden.'

Hij kijkt haar wat ongemakkelijk aan. Net als ze de deur wil uitgaan, knipt hij met zijn vingers. 'Een ja, of iets anders?'

Hij gebaart en ze overweegt hardop: 'Slapen? Iets met slapen... of ik geslapen heb? Mis? Waar ik geslapen heb? Mis? O, of ik goed geslapen heb?'

Ongeduldige vingers. Ja. Ja. Ja.

'Jazeker, O beleefdheid zelve. Afgezien van het penitentiaire gedeelte,' en laat hem alleen om daarover na te denken.

Het enige moment dat ze spijt heeft van haar grote keukenfornuis is 's morgens vroeg als ze geconfronteerd wordt met de overvolle asla. Het is zoveel makkelijker een knop om te draaien... ze verfoeit het koude ijzer tot het vuur brandt en het weer tot leven komt.

Boven denkt Simon: Waarom praat ze zo? Om me voor de gek te houden? En schudt geërgerd zijn hoofd. Kerewins meerlettergrepige woorden gaan merendeels het ene oor in en het andere weer uit, maar laten steeds meer vreemde klanken en verwarring achter.

Wat betekent dat 'penitentiair'?

'Als je niet oppast, kom je nog in een penitentiaire inrichting terecht. Kijk maar uit.'

Joe tegen Luce: 'Zeg toch gewoon dat je de gevangenis bedoelt. En dat is niets voor jou, tama.'

Maar hij ziet het verband niet. Hij zit een poosje geknield op het voeteneind van het bed en probeert zich uit het verleden gesprekken te herinneren waar dat woord ook in voorkwam, maar er schiet hem niets anders te binnen. Hij geeft het op en hinkt de trap af, met meer aandacht voor zijn voet dan toen hij net was opgestaan en loopt regelrecht naar beneden.

Ze heeft een dikke havermoutpap gekookt, met grote, vette bellen als in een borrelende modderpoel; heeft een halve bloedworst met twee uien en wat eieren in boter gebakken; heeft in een handomdraai koffie en toast gemaakt en heeft het geheel vervolgens, verdeeld over warme borden en kommen, op de klaptafel gezet.

'Eet.'

Ze eet langzaam en zorgvuldig, niet uit gezondheidsoverwegingen, maar omdat ze ontzettend veel van allerlei soorten eten houdt. Behalve van organen, ze is geen vuilnisvat. Hersens, pens, lever en andere ingewanden – weg ermee. Maar leve zwarte bloedworst en een vrolijke niertjesstoofpot!

De jongen is weer eerder klaar dan zij, legt zijn hoofd op zijn armen en kijkt haar aan, maar dit keer lacht hij erbij.

Misschien komt het doordat het een nieuwe dag is en de zon net opkomt, maar zijn aanwezigheid stoort haar niet meer. Tegen wil en dank laat ze zich verleiden tot een spel met samenzweerderige lachjes.

Wat een stom gedoe. Aan de andere kant, een glimlach kost je de kop niet en hij ziet er niet uit als een kwade kobold.

Ze begint aan de afwas en gooit hem een theedoek toe.

'Hier, doe maar iets voor de kost,' vurig hopend dat zijn kleine eigenaardigheden niet manifest zullen worden.

Maar hij droogt goed af en is lang bezig groepjes zeepbellen zorgvuldig dood te drukken en laat geen enkel ding uit zijn handen vallen.

Kerewin zit in kleermakerszit voor het vuur te roken en ziet haar rookkringeltjes uiteen vallen boven de stilliggende jongen.

Die, niet half zo slaperig als hij eruitziet, denkt: het lijkt wel of iemand heeft geprobeerd haar keel door te snijden.

Wat heb je in vredesnaam met je haar uitgevoerd?

Niets waarschijnlijk. Warrig, in de knoop, één grote klitterige massa. Duidelijk zo mee opgestaan.

Als door telepathie bewogen, brengt hij zijn hand omhoog en gaat op in het uitkammen van knopen met zijn vingers.

'Je zou het moeten dragen zoals zeelieden deden,' zegt Kerewin plotseling. 'In een staart achter in je nek bijeen gebonden.' Stevig vast.

Hij grinnikt in de kromming van zijn arm.

'Ik loop even de tuin in om te zien hoe het onkruid erbij staat.'

Het is warm in de kamer en het wordt steeds lichter, maar eenmaal erbuiten trekt de kou door haar lichaam. Beneden zit er zelfs vorst in de lucht. Ze duwt de deur open en kijkt uit over een witte wereld.

Er hipt een vogel over het harde gras; het hippen is hoorbaar. Ze kan de grassprieten horen breken. Het is overal volkomen stil.

Er zit een prikkelende geur in de lucht, als van rook. Elke inademing blijft in de keel steken en prikt in de zachte binnenkant van haar neusgaten.

Een zacht schuifelend sluipen en daar staat Simon naast haar in de deuropening, gehuld in haar wambuis. Hij heeft zijn linkersandaal los aan en laat hem bij elke stap over de grond slepen.

'Je kunt beter bij het vuur blijven.'

Hij snuift.

Ze haalt haar schouders op en loopt het voorste gedeelte van de tuin in, blijft staan, steekt haar duimen achter haar riem en schopt tegen de keiharde aarde.

'Een graad of tien,' schat ze.

Bij de manuka-heg ziet de grond er minder bevroren uit. Het lijkt erop dat alles het wel zal overleven. Twee dagen geleden heeft ze gewied en heeft alleen de planten van het seizoen laten staan. Zonder te veel op te offeren.

Vanuit haar ooghoeken vangt ze een glimp van zijn haar op: Simon die door het gras hipt en sporen achterlaat in de schittering; donkere, dode voetstappen in het toekomstige gras.

'Kijk uit! Loop...'

als hij onvermijdelijk uitglijdt.

'Voorzichtig,' zegt ze te laat en kijkt toe hoe hij overeind krabbelt.

Geen geluid. Geen kreet van pijn of ergernis. Alleen haar ademhaling en de zijne.

Dit stille kind biedt bepaald geen innemende aanblik: haar vol klitten, vingers paars en blauw van de kou, grote snotneus. Zwaait als dronken heen en weer terwijl hij zijn sandaal probeert aan te trekken en heeft het zo koud dat zijn tanden klapperen.

Ze raapt haar wambuis op en legt dat om zijn schouders. 'Kom, ik denk dat we beter weer naar binnen kunnen gaan. Er is in deze tijd van het jaar toch niet veel om naar te kijken.'

Uit de geschokte uitdrukking op zijn gezicht leidt ze af dat zijn val meer zijn waardigheid heeft gekwetst dan iets anders.

'O ja, hier heb je een zakdoek,' geamuseerd en vol afkeer.

Hij veegt zijn neus nonchalant aan haar zakdoek af en steekt hem in zijn zak.

Van de heldere kou buiten naar de kille mistroostigheid binnen, de klamme trap op.

De jongen neemt elke trede voorzichtig, laat beide voeten pauzeren voor hij tot een nieuwe stap overgaat.

Godallemachtig jongen, het leven mag dan misschien een dodenmars zijn, maar moet je dat zo overduidelijk illustreren?

De klok aan de wand wijst iets na achten. Tegen het eind van de ochtend had de telefonist gezegd, er zijn dus nog heel wat uurtjes te gaan...

'Wat wil je doen? Dammen of zoiets?'

Hij fronst. En stapelt denkbeeldige stenen in de lucht. Haar beurt om te fronsen. 'O, wacht eens even. Ik snap het al. Nee, het is een spelletje, we gaan geen dam bouwen... maar als je het niet kent, doen we het niet. Ik dacht dat je het misschien wel eens gedaan had en het is het enige kinderspel dat ik in huis heb. Wat voor spelletjes ken je dan?'

57

Hij schudt zijn hoofd...

'Jeetje, je kent er toch wel een paar. Ik bedoel, er zijn heel wat decennia verstreken sinds mijn jeugd en ik weet er nog tientallen. En jij zit er nog middenin, verdomme:

Hij staart haar aan. Niet onbeleefd, verontschuldigend. 'Zou je het leuk vinden om te leren schaken? Dat is een spel dat ik leuk vind en jij waarschijnlijk ook wel.'

Russen leren hun baby's tenminste al schaken.

Het groen lijkt uit zijn ogen weg te ebben; er blijven donkere blauwe gaten over.

Hij heft beide handen omhoog, een wonderlijk gebaar van overgave, en laat ze weer vallen.

Hij rilt, hoewel hij vlak bij het vuur zit.

Wat is er in vredesnaam met hem aan de hand?

Ze schudt het schaken uit haar gedachten en kijkt op hem neer. Een paar halfvergane sandalen, bruin, gat in de linkerzool, loshangende gesp; spijkerbroek van denim die ooit groen is geweest, nu op de meeste plaatsen afgesleten tot een grijsbruine onkleur. De pijpen zijn gerafeld, een winkelhaak in de linkerpijp; een elastische ceintuur, donkergroen, de versiering van de gesp is afgebroken. Onhandig omgedaan, hij heeft twee lusjes overgeslagen; een T-shirt dat oorspronkelijk roomkleurig, maar hoogstwaarschijnlijk wit geweest is, hoewel ze ook wel in zo'n soort lichtgrijs gemaakt worden (en de rest van je mag ook wel eens een wasbeurt hebben, jochie); en dan nog een flanellen blouse, dun en grijs, geen knopen aan de manchetten.

Die uitrusting kan nooit echt warm zijn, zelfs niet met zo'n hoeveelheid haar om te helpen.

Hij doorstaat haar kritische blik, is ziekelijk bleek.

Ze pakt haar wambuis, dat door het kind op tafel was gelegd toen ze de kamer binnenkwamen en werpt het hem toe.

'Doe het eens een poosje aan. En wil je een kop koffie voor ik je leer schaken? Het was nogal koud daarbuiten, hè?'

Ze zag dat ik het koud heb.

Ze zag dat ik het koud heb.

Hij is opgetogen over al die aandacht. De defensieve gespannenheid trekt uit zijn gezicht weg en zijn glimlach is zacht en maakt hem ongelooflijk jong.

58

Stralend, ontroerend dankbaar en tandeloos, denkt ze terwijl ze teruglacht, maar staat te kijken van de leeftijd die zijn lach heeft onthuld.

Ik mag haar jasje aan om warm te worden, neuriet hij in zichzelf.

Ze zag dat ik het koud heb en ik mag haar jasje aan om warm te worden.

Het zingt in zijn hoofd als het refrein van een liedje. Warmte begint hem te doorstromen en verzacht de vreselijke pijn en heeft de ontspannende werking van een pijnstiller.

'Hé,' roept Kerewin en fluit, hoog en doordringend als een herder zijn hond.

De jongen gaat plotseling overeind zitten en schudt zijn hoofd.

'Zo, ik geloof dat je bijna sliep,' en Simon lacht schaapachtig en houdt de beker koffie tegen zich aan.

Ze zet de schaakstukken neer, benoemt ze, en laat hem zien hoe de stukken gaan. Ze is geduldig en zachtaardig, erop gericht het plezier dat het spel haar geeft op hem over te brengen. Achter het schaakbord is ze volkomen ontspannen; de barrières van ongelijkwaardig intellect en de stomheid van het kind zijn weggevallen. Hij is iemand die zij leert schaken en het belangrijkste is dat hij plezier beleeft aan zijn inwijding.

Hij heeft in haar ogen verrassend snel door hoe loper en toren, koning en koningin gaan. Maar hij heeft moeite met de manier waarop een pion slaat en de excentriciteit van het paard.

'Nee, één vakje naar voren en één opzij,' en doet hem voor de vijfde maal de beweging voor. Ze hoort een schraperig geluid achter zich. Ze draait zich om en verstijft.

De man in de deuropening lacht vriendelijk.

'Sorry dat ik zomaar binnen kom sluipen. Ik heb vijf minuten op de deur staan bonzen, tot hij opensprong, maar er kwam niemand. Toen ik uw stem hoorde, ben ik maar naar boven gelopen.'

Het is een klein, dun mannetje met grote bruine ogen. Hij staat er ontspannen bij en kijkt over haar schouder naar de jongen die overeind komt.

'James Piri Tainui,' zegt hij langs haar heen kijkend. 'Ze noemen me Piri.' Hij strekt zijn handen uit. 'Kom eens hier, je hebt een flinke straf verdiend, geloof ik.'

Kerewin zegt langzaam en niet erg vriendelijk: 'Ik verwachtte zijn vader. Er is me verteld dat de Tainuis naar Christchurch waren. En het is nog hartstikke vroeg.'

De man glimlacht, met veel roze tandvlees, zacht en begrijpend. 'Hairnona, leg het eens uit?'

De jongen doet zijn armen over elkaar en spuugt op de grond. Piri Tainui kreunt.

'Daar gaan we weer,' zegt hij, 'hoor eens Himi, Joe ligt in bed en ik ben gisteravond pas terug gekomen. Toen werd ik op een afgrijselijk vroeg tijdstip gebeld door iemand die zei dat jij in dat rare huis zat, sorry, op het strand van Paeora was en dat iemand je moest ophalen. Nou, Joe is nog buiten westen, vandaar dat ik er ben. Maak het niet nog moeilijker, Himi.'

Kerewin fronst. Himi? O, waarschijnlijk een transcriptie van Sim, maar waar heb ik dat toch eerder gehoord?

Piri wendt zich tot haar, zijn handen vragen hulp.

'Mevrouw, ik ken u verder niet, maar bedankt dat hij hier mocht blijven vannacht. Joe komt later bij u langs om het te regelen, maar eh... hij kon nu niet komen. Ik vond dat ik beter maar meteen kon komen voor het geval er moeilijkheden waren. Het spijt me dat ik zo vroeg ben.'

'Er zijn geen moeilijkheden geweest.' Haar gezicht ontspant zich. Ze gaat staan en steekt hem haar hand toe.

'Ik ben Kerewin Holmes, ik word Kerewin of Kere genoemd. Ik ben blij dat u gekomen bent, ook al is het dan vroeg,' en Piri schudt haar hand en mompelt Hoemaaktuhet? en kijkt haar nog steeds niet recht aan.

Ze wendt zich tot het kind.

'Nu, het ziet ernaar uit dat iemand anders je de rest van het spel maar moet leren. Ben je niets vergeten?'

Het kleine gezichtje verandert in een masker. Hij schudt even zijn hoofd en steekt zijn handen dieper in de zakken van zijn spijkerbroek en loopt naar Piri Tainui met een nauw merkbare hink in zijn stap.

Aansteller.

Maar ze haalt haar schouders op.

'Leuk je ontmoet te hebben, Simon Gillayley,' en biedt Piri wat laat koffie aan. Hij schudt zijn hoofd, glimlacht nog steeds en vermijdt haar ogen. Tegen Simon zegt hij:

'Bedank die mevrouw eens,' en de jongen werpt haar een snelle grijns toe.

'Is dat alles?' vraagt de man en het kind draait zich snel en boos om en priemt twee uitgestoken vingers naar zijn gezicht.

Piri verroert zich niet. 'Toe, zo erg is het niet,' zegt hij heel zacht en rustig en tilt hem op.

'Nou, bedankt,' zegt hij de jongen strelend. Er valt niets op Simons gezicht te lezen, het is onbeweeglijk, als uit steen gehouwen, bevroren.

'O, dat zit wel goed. Jammer dat u geen tijd hebt voor koffie,' en gaat naar beneden.

Aan de andere kant van de brug ziet ze een auto staan. 'Kon u hier makkelijk komen, bent u niet vast komen te zitten?' vraagt ze beleefd terwijl ze over het bevroren grasveld lopen. 'Ik ben al een tijd van plan om het pad wat te nivelleren, maar u weet hoe dat gaat.'

'Ja zeker, maar het ging goed, zonder problemen.'

'Goed, we zullen elkaar nog wel eens zien, meneer Tainui. Bedankt.' De man grinnikt geamuseerd.

'Dag Simon.'

De jongen stapt als een houten Klaas in de auto zonder gedag te zwaaien.

'Krijg de kelere,' zegt Kerewin terwijl de auto wegrijdt.

Beter kwijt dan rijk, die kleine dwarsligger.

Pas wanneer ze de schaakstukken opbergt, merkt ze dat de jongen zijn sandaal heeft laten liggen.

En de zwarte koningin heeft meegenomen.

# 2 Voelhorens

I

Op de vloer bij haar voeten was een dubbele spiraal uitgesneden, één waarbij je ogen rond en rond gingen tot in het midden, waar je, O verrassing, het begin vond van een andere spiraal, die je ogen weer naar het niets aan de buitenkant voerde. Of het iets,' ze had nooit precies vastgesteld wat het niets was. Hoe je het ook trachtte te omschrijven. het scheen altijd wel iets te zijn.

De spiraal vormde een nuttige gedachtenfocus, in ieder geval een mandala.

Ze leidde haar ogen ernaar terug en herlas in gedachten een brief. Op bleekroze papier geschreven, in een ongefrankeerde envelop; het geheel was dus persoonlijk bezorgd. Envelop en papier van hetzelfde voorname roze: de beste keus voor het weigeren van uitnodigingen en het schrijven van verplichte brieven.

Het handschrift was krachtig en vloeiend. Prettig hellend, makkelijk leesbaar en het deed merkwaardig verfijnd aan. Misschien bestonden er om die reden wel kleine letters en roze papier. Een keurig verzorgd handschrift.

Beste Mevrouw Homes,

(een redelijk fonetische weergave van haar naam, waarschijnlijk losgepeuterd uit het kereltje.)

Hartelijk bedankt voor het opvangen van mijn zoontje dit weekend. Zijn onaangekondigde 'bezoekjes' verlopen zelden zo prettig. Hij heeft het zo leuk gevonden dat hij duidelijk maakte graag eens bij u terug te komen!

Hahaha.

Maar daarover wil ik natuurlijk eerst uw mening horen en om uw toestemming vragen.

Die mening kun je krijgen.

Ik ben u heel dankbaar en ik zou graag iets aardigs terug willen doen. Ik zou u ook persoonlijk willen bedanken. Schikt het u als ik vanavond bij u langs kom? Zo niet, wilt u dan Whangaroa 633Z bellen? Ik verheug me erop u te ontmoeten.

Joseph N. Gillayley

Geen krullen of andere versierselen aan de handtekening. Wat zou het voor een type zijn, die Joseph N. Gillayley?

Joseph Niets Gillayley.

Intellectueel. Ordelijke geest. Weduwnaar, vertelde de telefonist. Met een geschift kind. Een koppig, slecht gehumeurd puinhoopje.

Maar

'Je hebt een fikse straf verdiend,' had het mannetje gezegd.

'Joe is nog buiten westen,' of woorden van gelijke strekking.

Combineer 'ordelijke geest' met 'drank' en je krijgt de strenge hoog-te-paard-gezeten waardigheid, die een intense afkeer veroorzaakt van alles en iedereen die niet in de pas loopt. De stevige drinker uit deze categorie maakt er nooit een rotzooitje van als hij dronken is. Wordt onaangenaam, dat wel.

Het beeld wat bijstellen. Geen brullende viking. Een bleke man met koude ogen die te veel van zijn nakomeling verwacht; waartegen het kind zich woest verzet.

Het lange haar paste echter niet bij het beeld. Noch het vogelverschrikkers uiterlijk. Noch de haast moederlijke sympathie, het 'rustig maar kind' van de kleine man. Laat staan de bereidheid van de jongen om vreemden te benaderen.

Een smalle, droge hand, fijngespierd, lange vingers, herinnert ze zich.

Hij vond het hier leuk? Ha! Maar ja, die man kon natuurlijk niet schrijven: 'Mijn zoontje vond het eten verschrikkelijk en ziet met walging terug op uw schoorvoetend verleende gastvrijheid. Mag ik langskomen om dat toe te lichten?' – gesteld dat de jongen dat duidelijk had kunnen maken.

Bellen of niet bellen?

Proberen om je uit het verwekte de verwekker voor te stellen en kijken of de werkelijkheid met dat beeld overeenstemt?

Hmmm.

Ze staarde naar de spiraal.

Aangenomen werd dat haar voorvaderen inspiratie opdeden voor de dubbele spiraal die ze zo kunstig uitsneden, in zich ontvouwende varenbladeren. Wie weet. Maar het is een oud symbool van wedergeboorte en de zo buiten-zo binnen aard der dingen...

Een half uurtje van je tijd, mijn liefje. Dat is alles.

Misschien hoor je nog iets nieuws.

Ze trekt met een vinger figuurtjes in het midden van de spiraal.

> Je zou er misschien achter kunnen komen zegt de innerlijke stem van de Snark, hoe snotaap Gillayley de helft van zijn gebit is kwijtgeraakt. En je zou ook nog je koningin terug kunnen krijgen.

'Dat is waar,' zegt Kerewin, 'het zou kunnen.'

'Vanavond' was naar Gillayleys normen half zeven.

Ze hoort door een van de smalle ramen het grind knerpen. Het is een vervelende en vermoeiende middag geweest, waarin ze klei heeft gekneed en gestompt in een poging er een vorm aan te geven die de moeite waard zou zijn. Maar er komt niets uit haar begerige handen. Ze voelt zich leeg en kwaad.

Verdomme, waarom heb ik niet opgebeld om 'nee' te zeggen? Zal ik me verstoppen, misschien gaan ze dan wel weg.

Maar ze gaat een verdieping lager haar handen wassen en daalt nog een verdieping om het vuur op te stoken.

Ze werpt een blik uit het raam. Het is moeilijk te zien in het donker, maar ze kan twee figuren onderscheiden, de een half zo groot als de ander. Het kereltje is er ook weer... laten we hopen dat er niet een of andere scène ontstaat. Waarom zou er in vredesnaam een scène ontstaan?

Als ze opendoet, valt Simon bijna met de deur in huis. Hij leunde er blijkbaar tegenaan terwijl hij stond te kloppen.

Zich Piri Tainuis opmerking herinnerend, had ze goed geluisterd, maar had niets van het kloppen gehoord tot ze bijna in de hal stond.

O jee, ik moet een bel gaan aanleggen, of een alarm,
    of een foto-elektrische cel...
Ze stapt opzij om het binnenvallende kind te ontwijken, maar
is niet snel genoeg. Hij is verbazingwekkend blij haar te zien, pakt
haar vrije hand en kust die, lacht breed; zijn ogen zijn sprankelend
groen bij het lantaarnlicht.

'Eh, tsja, en hoe gaat het met jou?' in verlegenheid gebracht
door zijn enthousiaste begroeting en slaat haar ogen neer.

Zijn voet zit nog steeds in het verband, is nog steeds onge-
schoeid. Ze kijkt omhoog en wordt door een gebaar van Simon
geattendeerd op de andere figuur die rustig op de drempel staat te
wachten.

'Urhhh,' zegt Simon – het is een geluid: zijn vingers grijpen in
de lucht en zwaaien dan plotseling naar zijn keel. De figuur buigt
zich voorover om zachtjes zijn schouder beet te pakken.

'Ik ben Joseph Gillayley. Aangenaam kennis te maken.'

Een diepe stem. Ze kijkt naar de hand en verbaast zich over de
manier waarop die hen plotseling lijkt te verbinden. Een donkere
hand, breed en sterk, met verzorgde korte nagels.

Haar ogen reizen snel omhoog langs de arm en werpen een blik
op het gezicht van de man.

'Hallo... O,' ze gebaart met de lantaarn en Simon slikt hoorbaar
en legt haar hand op zijn schouder.

'Kerewin Holmes,' zegt ze als hun handen elkaar raken.

Een harde warme hand, haar ogen gaan terug naar zijn gezicht.
Hij lacht, een vriendelijke lach.

    Godallemachtig! Het is die vent uit het café...
en het roze papier en de serie vloeken veroorzaken een bulderend spottend gelach in haar geest. Ze haast zich terug te lachen.
Jij met je stomme viking, Holmes en je gekwetste waardigheid...
maar het is een aardige lach, even vrolijk als die van zijn pleegkind,
het *moet* wel een pleegkind zijn, en haar lach wordt breder, maakt
haar wangen rond en haar ogen worden tot spleetjes.

'En ik ben heel blij u te ontmoeten,' zegt ze en haar inwendige
lach klinkt door in haar stem. 'Jullie beiden trouwens,' voegt ze er
voor de jongen aan toe, en hij gniffelt, een vreemd geluid uit de
schaduw.

Joseph Gillayley staat erachter te lachen.

'Welkom!' zegt Kerewin, 'kom mee naar boven. Daar heb ik koffie en het is er stukken warmer.'

Simon gaat breeduit voor het vuur liggen.

Joseph staat in de deuropening, heeft zijn zwarte wenkbrauwen opgetrokken.

'Nou, ik vind het mooi,' zegt ze defensief.

'O?' vraagt hij. Hij spreidt zijn handen uit. 'o, de kamer? Het is prachtig... dat raam daar...'

Hij staat een ogenblik stil, schudt zijn hoofd. 'Dat is het niet, ik keek naar mijn zoon. Sorry,' schudt zijn hoofd weer. 'Ik kan maar niet begrijpen dat hij zich hier zo direct thuisvoelt.'

'O. O ja,' ze haalt haar schouders op en schenkt koffie in. 'U drinkt toch wel koffie, meneer Gillayley? Uw zoon wel, dat weet ik.'

Hij bijt op zijn onderlip en wendt zijn blik af van zijn zoon die er ontspannen bij ligt.

'Ja graag, dank u.' Hij slaat zijn blik neer en kijkt naar de matten op de grond. 'Eh, zou je me Joe willen noemen? Die daar; en wijst op zijn zoon, 'zegt dat jij Kerewin heet.'

Hij kijkt op, speurt op haar gezicht naar instemming of afkeuring.

'Goed. Ik zou het prettig vinden als je me zo noemde? Ze schenkt nog een beker koffie in.

'Ik houd ook niet zo van dat meneer en mevrouw-gedoe.'

Joe glimlacht. Hij heeft volle, mooi omlijnde lippen. 'Joe,' zegt hij op zichzelf wijzend. 'Kerewin,' hij maakt een sierlijke buiging, 'en Simon pake.'

Hij komt snel overeind. 'Was je verrast door het contrast?'

Zijn glimlach heeft zich verdiept, is niet spottend of gekwetst of verachtelijk, maar alsof het een goede grap is.

'Dat mag je wel zeggen!'

Ze leunt achterover tegen de bank.

'Weet je, ik verwachtte iets groots en blonds, iemand die om een of andere reden ook nog stom en luidruchtig zou zijn. En afgezien van het blonde, kon ik niet begrijpen... o God! Ik bedoelde niet stom, ik bedoelde gewoon dom...'

Joe antwoordt snel:

'Dat stoort ons echt niet hoor!'

Hij kijkt om naar zijn kind.

'Simon, kom eens overeind en help,' hij aarzelt even, 'help Kerewin een handje. En kan ik ook wat doen?' vraagt hij.

'Ja, drink je koffie eens. Gebruik je suiker? De enige suiker die ik heb is bruine suiker. Ik heb wel een paar soorten honing.'

'Bruine suiker is prima.' Hij schept twee lepeltjes in zijn koffie en in de beker van Simon.

'Luister eens,' roept hij, 'kom hier. Onmiddellijk.'

Het kind rolt zich op zijn rug en schudt zijn handen in de lucht. Hij komt wel snel overeind.

'Die gebaren betekenen okay,' zegt Joe terwijl hij naar de jongen kijkt. Hij richt zijn blik op Kerewin, verzacht zijn blik met een glimlach, 'of laten we zeggen, ik kom al of doe het al, je hoeft niet zo te schreeuwen.'

'Dit ken ik al,' en ze knipt met haar vingers om ja en nee aan te geven.

'Het zijn meestal verkorte vormen.' Hij blaast in zijn koffie. 'We hebben het wel eens met echte gebarentaal geprobeerd. Hij leerde er goed door spellen, maar het ging hem te traag. Hij zegt de dingen liefst zo snel mogelijk, bij voorkeur zonder iets te hoeven opschrijven. Het enige dat je hoeft te weten over zijn handen taal is dat het voornamelijk afleidingen zijn. Afgeleid van een voorwerp, of de gebruikelijke manier om iets te doen, of van gewone dingen of dingen... O ver, verdorie,' en het verdorie klinkt zo geforceerd na de hele stroom scheldwoorden en obsceniteiten van een paar avonden geleden dat Kerewin hardop begint te lachen.

'Ik maak er een rotzooitje van,' zegt Joe en bloost.

'Was het om dat verdorie?' Ze knikt.

'Tsja, ik geef onmiddellijk toe dat het niet is wat ik gewoonlijk zou zeggen, maar ik raakte in de war. Ik was aan het doceren, althans dat probeerde ik.' Hij kijkt weer naar de grond. 'Eh, Kerewin?'

'Ja?'

'Ik zou graag met je willen praten als je tijd hebt. Anders bedank ik je naar behoren en gaan we zo weg.'

'Ga je gang, praat maar.'

Ze gingen bij het vuur zitten.

'Het gaat om het schaakstuk, de koningin. Geleend.' Hij zegt het met een lachje, terwijl hij het haar teruggeeft. Hij laat zijn hand zakken tot op de schouder van zijn zoon. 'Ik stond op het punt hem een pak slaag te geven, want dat lijkt wel de enige manier om hem aan zijn verstand te brengen dat hij niet zomaar naar andermans huis kan gaan om daar in te breken en god weet wat nog meer te doen... en toen haalde hij dat schaakstuk te voorschijn. Als een soort witte vlag.' Joe heft zijn handen en bootst Simons gebaar na. Simon is stil, drukt zijn beker tegen zich aan.

'Tot dat moment wist ik alleen dat hij bij jou was geweest, had ingebroken en dat je hem had opgevangen tot Piri hem kwam ophalen. Piri vertelde dat je een aardig mens leek. Hij omschreef je als een dame. Tot Piri dat zei, wist Sim niet zeker of je een man of een vrouw was,' de man lacht weer.

Kerewin glimlacht voor zich uit in het vuur.

'Haimona haalde dus dat schaakstuk te voorschijn. Niet zozeer om onder dat pak slaag uit te komen, maar om iets over jou te vertellen, snap je?'

'Ik kan het me voorstellen.'

'Nou, dat zette me aan het denken. Hij vertelde dat je begonnen was hem te leren schaken en dat je geduldig was als hij met je probeerde te praten.'

Ze herinnert zich haar sneren, schimpscheuten en haar koelheid en stelt vast dat Simon/Sim/Haimona een diplomatieke kleine leugenaar is.

'En dat je hem niet bepaald aardig vond, maar dat je wel vriendelijk en geduldig bleef. Dat maakte indruk, omdat hij meestal als een idioot wordt behandeld of als doofstom – je hebt er geen idee van hoe vaak mensen tegen hem gaan schreeuwen! Of ze praten over zijn hoofd heen, alsof hij dan wel zal verdwijnen en hen niet langer in verlegenheid zal brengen. Dat werkt ook wel. Hij verdwijnt meestal heel snel uit de buurt van zo iemand.' Hij peinst even, met zijn hand op de schouder van zijn kleine zoontje. 'Dat was het dus. We hebben ons wel een uur lang afgevraagd waarom jij anders was, aardig was. En hoe zal ik het zeggen?' nu tegen Simon. 'Goed voor je? Goed voor hem,' zegt Joe haar recht aankijkend.

Kerewin kijkt hem met opgetrokken wenkbrauwen aan.

De man laat zich op de grond zakken en steunt op zijn ellebogen.

'Weet je, op school kan het heel vervelend zijn. Hij wordt vaak geplaagd en getreiterd. Niet alleen omdat hij een uitzondering vormt omdat hij stom is, maar omdat hij als vogelvrij te boek staat.' Vader en zoon wisselen een lachje uit. 'Zoals maandag, dat wil zeggen, vorige week maandag. Voor het weekend was hij twee dagen niet naar school geweest en toen hij maandag weer kwam, begon iemand hem te plagen. In de trant van: "Zo Gillayley, was je weer eens door de politie opgepakt?".'

Joe haalt eens diep adem.

'Als je hem lang genoeg sart, begint hij te vechten om het je duidelijk te maken. Zijn laatste toevlucht is spugen en schoppen... hij doet echt zijn uiterste best om erin te stampen wat hij wil zeggen. Dat deugt niet, ik weet het en jij weet het.' een waarschuwende vinger in de richting van de jongen, 'maar hij blijft proberen om met je te praten,' kijkt Kerewin aan, 'snap je dat?'

'Ik kan het me voorstellen', zegt ze weer.

'Als je dan nog niet luistert, of terugvecht, wordt hij wanhopig en werpt zich letterlijk op de grond. En blijft liggen en schokt en beeft, alsof hij een toeval heeft. Dat is het niet. Volgens de heren medici is het uit pure frustratie en wanhoop omdat je niet wilt luisteren, niet wilt communiceren, terwijl hij iets te zeggen heeft dat in zijn ogen van belang is.'

Kerewin knikt.

'Vorige week dus leefden die kleine treiterkoppen zich uit, tot domme Simon ze hun zin gaf door misselijk te worden en te gaan overgeven. En toen wilde je de rest van de week niet meer naar school terug, hè?'

Simon bestudeert de gouden vloermat.

'Zo zit het dus. Vandaag ben ik hier langs geweest om het briefje

69

te brengen en toen heb ik de ochtend vrijaf genomen en ben met hem meegegaan naar school om uit te vinden wat dit keer de aanleiding van alles was. En al die lieve kindertjes zeiden: "Die Simon van u begon, meneer Gillayley, hij deugt niet hè?" En dat denken ze allemaal, of ze denken dat ze goed zitten omdat ik het, gezien zijn voorgeschiedenis, misschien zal geloven... maar ik weet het niet...'

Kerewin vraagt:

'Wat zeiden de onderwijzers ervan?'

'Niet veel. Ze hadden het niet zien gebeuren. In ieder geval hebben ze hem min of meer opgegeven. Omdat hij echt onbenaderbaar kan zijn – je bent nooit echt lucht tot Simon door je heen kijkt, neem dat maar van mij aan! Zelfs ik ben er wel eens het slachtoffer van geworden... een paar onderwijzers hebben geprobeerd te helpen. In zijn eerste jaar op school, vorig jaar, heeft een mevrouw heel veel moeite gedaan, maar het was te kort erna. Na de dood van mijn vrouw. Daardoor was hij erg van streek. Dit jaar hebben ze hem om te beginnen in een speciale klas geplaatst, met trage leerlingen en halve garen en zo. Volkomen belachelijk, want hij kan net zo goed lezen en schrijven als een kind dat twee keer zo oud is. Nou ja, bijna net zo goed. Nu zit hij in de gewone eerste, maar daar is hij ook niet op z'n plaats. Zij raden me aan hem op een of ander instituut te doen. Iets voor gehandicapte kinderen, je kent dat wel.'

Hij buigt zich voorover en woelt met zijn hand door het haar van de jongen.

'Over mijn lijk dat ik jou daarheen laat sturen,' zegt hij grimmig.

'Weet je,' zegt hij even later, 'hij is slim. Hij begrijpt alles wat je hem voorlegt, Kerewin, hij heeft geen bijzondere zorg of aandacht nodig. Hij heeft mensen nodig die hem accepteren.'

Ze denkt:

Er is iets vreemds met dit hele pleidooi. Alsof ik in de val word gelokt, word voorbereid op iets...

Ze zegt voorzichtig:

'Je zei dat hij als vogelvrij wordt beschouwd. De man die de radiofoon bedient zegt, ik citeer: "Hij is een bekende plaatselijke

rariteit, gespecialiseerd in insluipingen en kleine criminaliteit."
Einde citaat. Is het alleen omdat hij niet met de mensen op school
overweg kan, of is er nog een andere reden?'

Joe bloost.

'Ik denk het feit dat hij niet kan praten en dat mijn vrouw gestorven is en hij de zorg van een vrouw mist. Ik denk zo dat hij
daardoor een beetje losgeslagen is.'

Hij kijkt weer naar de grond, weg van haar, weg van zijn zoon.

'Soms is er iets wilds in hem,' zegt hij. 'Misschien wel om die
redenen. Net als het weglopen... volgens de kinderpsychiater probeert hij zijn eigen moeder te vinden, zijn eigen ouders, zelfs al
denkt hij daar niet bewust aan. Dat hij niet wil accepteren, niet kan
accepteren dat ze weg zijn. Er niet zijn,' hij kijkt nog steeds naar de
grond, nog steeds met een donkere blos op zijn gezicht.

Er is iets vreemds aan de hand met dit hele gesprek. Koestert
hij misschien de hoop dat ik als substituutmoeder voor het
kind ga optreden? Verdomme... en het enige dat koppige Simon doet, is onbekommerd voor zich uit staren in het vuur.

Bijna alsof hij haar gedachten heeft gelezen, draait de jongen
zich om en lacht haar toe. Ze glimlacht terug en vraagt zich opnieuw af wat er met zijn tanden is gebeurd.

'Hoe oud ben je, Sim?'

Tegen Joe zegt ze, terwijl ze naar het kind kijkt en op antwoord
wacht: 'Ik dacht ergens tussen de vijf en de tien, afgaand op lengte
en gedrag, maar na wat je me nu verteld hebt, verlaag ik de bovenste leeftijdsgrens.'

De jongen neemt haar nog steeds op, met neergetrokken mondhoeken.

Joe zegt zacht: 'Hij weet het niet. Ik weet het niet. Niemand
weet het.'

Hij raapt een stukje steenkool op en gooit het in het vuur.

'Je kunt wel zien dat ik niet zijn echte vader ben,' zegt hij in de
stilte. 'Herinner jij je nog dat weekend waarin de dag van de arbeid
viel, drie jaar geleden toen er van dat vreselijke noodweer was?
Buiten het seizoen?'

'Ja, vaag.'

'Nou, er kwam toen een boot in moeilijkheden. Een buiten-

71

landse kruiser. Die zonk ter hoogte van Ennetts Rif. Alle opvarenden kwamen, op de een of andere manier, aan land.'

De man praat snel, haast krampachtig, zijn ogen gericht op de ongeïnteresseerde jongen, die naar het schijnt niet luistert.

'Mag ik je voorstellen aan wat er aanspoelde? Mijn zeeworp,' zegt hij en zijn ogen schitteren, verzachten zijn spottende uitspraak. De diepe lijnen rond zijn mond benadrukken zijn glimlach.

Ik dacht dat je een barse veertiger was, maar nu begin ik te betwijfelen of je veel ouder bent dan ik. Misschien ben je wel jonger.

De lijnen op zijn gezicht lijken veroorzaakt te zijn door een bitterheid die hem van binnen aanvreet, niet door leeftijd. Een onzorgvuldigheid van het leven, in de steek gelaten, de dood van zijn vrouwen zijn dood, denkt ze, terwijl haar glimlach de zijne beantwoordt.

'Aha. Aangespoeld wrakstuk. Bedankt voor je antwoord. Ik had het niet moeten vragen, maar het intrigeerde me. Ik heb geen enkele ervaring met kinderen van welke leeftijdsgroep dan ook, maar zijn leeftijd lijkt nogal te variëren. Het ene moment ziet hij eruit als vijf, en even later doet hij alsof hij tien keer zo oud is.'

'Sorry voor dit alles,' voegt ze eraan toe, voor de jongen, die bij de laatste uitwisseling van lachjes overeind was gaan zitten. Hij geeft zijn vader de zwarte koningin die Kerewin op de grond had laten liggen.

'Zo voel ik me ook van tijd tot tijd,' zegt Joe instemmend. 'O ja, Haimona, het schaken...'

De lach keert terug boven de sterke kin.

'Nee,' zegt hij, 'hij is misschien zeven, mogelijk acht, maar hoogstwaarschijnlijk zes jaar. Misschien nog wel jonger, hoewel ik vermoed van niet. God mag het weten. Niemand wist zeker te zeggen hoe oud je was,' hij praat nu tegen Simon P, 'en jij hebt ons niet erg geholpen.'

Simon lacht een vriendelijk lachje, wat zijn gezicht een wat lege aanblik geeft.

Joe draait de koningin rond in zijn hand en bekijkt haar van alle kanten.

'Laat de beleefdheid even achterwege, Kerewin, was hij liet!'

De tekenende lijnen die langs zijn wangen lopen en zijn ogen en mondhoeken zo'n verbitterde uitdrukking geven, worden iets minder diep. 'Weet je, je...'

Ze zegt snel:

'O, hij was een uitstekende gast. Zaterdag heeft hij het grootste deel van de tijd geslapen en Piri Tainui was er gisteren al voor de lunch. Na het ontbijt al. Ik kan je verzekeren dat hij niet lastig was.'

'Gelukkig voor je,' zegt Joe tegen Simon. 'Goed van je,' voegt hij eraan toe en strijkt het haar uit het gezicht van het kind. 'Allemachtig, ik voel me zo onhandig als een olifant in een porseleinwinkel... ik wilde zeggen dat je me iemand lijkt die een ongemak kan accepteren zonder er veel ophef over te maken, Kerewin. Dus om te beginnen dacht ik het eerst recht te zetten als hij lastig was geweest. Voor we verder gaan.'

Hoe recht te zetten? Verder gaan, waar naartoe? Ik geen ophef maken? Godsamme,

maar ze lacht gemeen als ze zegt

'Ik was echt van plan hem binnen een paar minuten nadat ik hem had ontdekt op straat te zetten. Maar toen bleek hij iets in zijn voet te hebben. En het begon te regenen. Dus hebben we wat gegeten. En toen was er het probleem naar wie ik hem moest terugsturen. Kortom, hij is gebleven. Als hij vervelend was geweest, of eh, iets gepikt had,' ze voelt dat ze bloost, 'had ik hem rustig van de hoogste verdieping van de Toren gegooid.'

Joe lacht.

Simon ook, maar houdt er even plotseling mee op.

'Dat zou ook een heleboel toekomstige moeilijkheden voorkomen,' zegt de man. 'Zeg, beledig ik je als ik je wat geld geef, voor zijn maaltijden bijvoorbeeld?'

'Ja.'

'Terug in de porseleinwinkel,' zegt hij en lacht vreugdeloos.

'Tja,' het donkere hoofd gebogen, de lange bruine vingers spelen nog steeds met het schaakstuk, 'dat zijn zo de achtergronden. Het gebeurt vaak genoeg, eh, maar meestal haal ik of een van mijn Tainui-familieleden, hem op en brengen hem weer thuis voor hij echt ergens gekomen is. Of de politie,' zegt hij en staart weer naar de jongen.

Simon volgt met zijn wijsvinger de patronen in de tatami-mat en gaat volkomen op in wat hij doet.

'O.'

'Weet je dat dit de eerste keer is dat hij bij iemand gelogeerd heeft?'

Joe kijkt nog steeds met een diepe frons naar zijn zoon. 'Ik was heel nieuwsgierig naar wat er zo aantrekkelijk was' – met een blik op haar. Weer die aardige, verzachtende lach.

'Verrassing: geen levend wezen. Het was de Toren zelf, denk ik. Er komen wel eens vaker mensen kijken, maar er is nog nooit iemand binnengekomen. O ja, dat wilde ik nog weten,' ze kijkt naar het kind, 'kan hij goed klimmen?'

Joe haalt zijn schouders op. 'Niet bijzonder. Hoe dat zo?'

'Omdat hij erin geslaagd is bij een raam te komen waar alleen een kist onder staat en het kozijn is iets hoger dan hijzelf en het is een gladde stenen muur. Kun je me volgen?'

'O,' zegt Joe en kijkt zijn zoon vragend aan. Die gaat overeind zitten en maakt gebaren, zo snel dat zij ze niet kan volgen.

Je hebt de ogen van een schuttersvis nodig om te kunnen volgen wat er op twee niveaus tegelijk gebeurt. Een stel om op de handen te letten, en nog een stel om te zien welke woorden hij met zijn lippen vormt.

Als hij haar verbaasde gezicht ziet, vertaalt Joe: 'Hij is op het opengeklapte deksel van de kist gaan staan en heeft zich omhoog gehesen. Maar het deksel viel dicht en hij had weinig zin om naar beneden te springen.'

'Natuurlijk, eenvoudig en voor de hand liggend als je het eenmaal weet.' Ze grinnikt, meer in zichzelf dan tegen een van hen. 'Het enige dat ik kon bedenken, was dat hij als een soort rups met zuignappen tegen de muur was opgekropen.'

De man grinnikt vrijuit. 'Hoor je dat, e tama?' en de jongen glimlacht beleefd; hij vertrekt zijn gezicht maar twee seconden, toch blijft er iets van hangen.

'Wil iemand nog koffie?' vraagt Kerewin haastig. Voor ze kunnen antwoorden, staat ze op en haalt de koffiepot. Ze maakt het

74

wandelingetje voornamelijk om haar gezicht te verbergen. Er is iets cynisch aan het jongetje dat op verzoek glimlacht en daarna kijkt alsof hij zich afvraagt hoe je zou smaken.

Terwijl ze de bekers bijvult, staat de jongen op en hinkt naar de plank waar het schaakbord staat.

Vanuit haar ooghoeken slaat ze het hinken gade. Het is een stuk minder geworden, wijst op een lichte pijn in de hiel. Kleine oplichter, denkt ze, maar knikt wanneer hij zich omdraait en met zijn ogen toestemming vraagt het spel te mogen pakken.

'Je hebt leren spelen, hè? Hier, laat maar eens zien wat je kunt.' Joe schuift wat naar voren en gaat naast de jongen liggen om de schaakstukken in de officiële dubbele geledern op te stellen.

Het is de duidelijke vertrouwdheid, zegt ze tegen zichzelf, het je via de vingers één voelen met loper en koning en koningin. Ze voelt ineens het verlangen opkomen om met iemand te praten en een echte partij te spelen in plaats van de gemummificeerde partijen die dor en droog in boeken staan.

Simon, die gekeken heeft wat Joe deed, zet de stukken aan zijn kant van het bord op. Hij gaat op zijn knieën zitten, beweegt zijn schouder aarzelend en wijst op haar.

'Ach wat,' zegt Kerewin, 'ik heb een paar dagen geleden drie botten gevangen en ze vers gehouden in een watertank. Ik ga ze vullen met selderij en fijngesneden ananas. Ik geef er een salade en gebakken aardappels bij.' Ze staat op en de kleine, verschoven werveltjes in haar nek schieten terug op hun plaats. Ze kijkt nu naar de vloer, of liever, naar haar laarzen.

Kaibabs van goudkleurig suède, door het vele dragen geplooid en versleten tot de zachtheid van een tweede huid. Wat een fraai schoeisel...

'Dit is dus de uitnodiging voor het avondeten, als jullie tenminste nog niet gegeten hebben en dan kan ik jou misschien overhalen om een paar spelletjes met me te schaken. Het kost niet veel tijd... tenzij jullie natuurlijk iets anders te doen hebben. In dat geval mijn excuses voor mijn aandringen.'

De rode vloed kleurt haar gezicht en inwendig gilt ze: Dat wilde je helemaal niet zeggen! Je wilde ze weg hebben...

Het kind maakt een smekend gebaar met zijn handen: Blijven we.

Voorzichtig. Als ik niet uitkijk, ga ik je nog aardig vinden, jochie.

Joe staat op en legt zijn handen over die van het kind. 'Je hoeft geen pleidooi te houden, jongen... wat zal ik zeggen, Kerewin? Ik zou hier de hele avond blijven om met je te schaken als je dat wilde en daarvoor hoef je me niet eens te eten te vragen. Omdat je voor Himi zorgde en omdat het me leuk lijkt.'

Stapel maar gloeiende kolen op mijn hoofd.

'We hebben nog niet gegeten,' zegt hij. 'We zijn meteen nadat ik van mijn werk kwam hierheen gegaan. Ik heb zelfs nog niet gedoucht of hem netjes aangekleed... trouwens,' en schudt Simon zachtjes heen en weer, 'ik had je toch gevraagd een bad te nemen en Piri of Marama naar je voet te laten kijken?'

Simon trekt zijn wenkbrauwen op: o ja?

'Grrr' en schudt hem harder. Tegen Kerewin: 'Dat is dan afgesproken. Kan ik je helpen, met aardappels schillen of zo?'

Ze is zich een paar seconden niet van zichzelf bewust geweest, bezig te observeren wat er gebeurde, maar zonder in contact te staan met haar lichaam; dan laten de handen de schouders van het kind los en in een golf van gewaarwording is ze zich bewust van de geur van de vervilte wollen jas van de man; hoe breedgeschouderd hij is in tegenstelling tot de schrielheid van het kind; de donkere gloed van zijn lange, sluike haar; de half-verraste, halfvermoeide uitdrukking op zijn gezicht.

En het feit dat hij precies even groot is als zij.

Donkerbruine ogen op gelijke hoogte van haar steengrijsblauwe blik.

'O ja,' zegt ze, 'je hoeft me niet te helpen, maar als je wilt douchen of Simon wilt wassen dan kun je dat nu doen. Er is genoeg warm water.'

'Kan dat? Is dat niet lastig?'

'Kom nou, lástig? Je zoon kan je laten zien waar de badkamer is. De eerste deur als je de badkamer binnenkomt is de linnenkast. Daar kun je handdoeken en zo pakken. Eerste-hulpspullen kun je hier vinden. Ergens,' zegt ze met een vaag gebaar.

Jongetje Gillayley vangt haar blik op en wijst op de messenlade en de drankkast.

'Zo, je geheugen is prima,' zegt ze met een spottend buiginkje.

Zijn vader lacht. 'Alleen wanneer het hem uitkomt... maar graag, dan ga ik douchen, was hem ook, kom weer naar beneden en help jou wat met het eten. Dan beginnen we aan een schaakmarathon en kun je me naar hartelust van het bord vagen.'

Hij grijnst: 'Ik ben niet zo'n geweldig schaker.'

Kerewin grijnst terug: 'Ik wel.'

Hij vertelde dat ze op de motor gekomen waren. 'Hij voorop, zodat ik tenminste zeker weet dat hij er niet afvalt. Hij valt vaak van dingen af...'

De motor stond aan de andere kant van de brug geparkeerd. Daarop had hij, wat hij noemde 'een noodpakket' zitten...

'Je weet hoe het soms gaat, je wordt wakker en voelt je blèh, dus heb ik de belangrijkste dingen bij me. Toiletartikelen en een schoon overhemd en wat spullen voor Himi als dat nodig mocht zijn.'

Hij ging het donker in om het te halen en droeg zijn zoontje met zich mee.

Ze was de botten aan het fileren, mes en schaar geroutineerd hanterend, toen de man terugkwam naar de keuken. Het kind tegen zijn ene schouder, een plunjezak over de andere.

'Een lekkere wandeling,' zegt hij vrolijk, 'het motregent trouwens nog steeds.'

'Ja, ik zie het op het raam.'

Ze kijken met belangstelling toe.

'Ben je soms kok van beroep, of zoiets?'

'Of zoiets.'

Ze vult de vissen met mooie kleine bergjes bleekgroene selderij en gelige ananas. 'Ik ben gewoon een briljant amateur. In alles,' voegt ze er nors aan toe.

'Het ziet er mooi uit. Hoewel ik dit nog nooit eerder met een bot heb zien doen,' en kijkt hoe ze peterselie over de vis strooit.

'O, die kan het niet meer schelen wat er met hem gebeurt.'

Ze laat de vissen in een ovenschaal glijden en de boter sist eromheen.

'Een minuut of twintig, dan zijn ze gaar.'

'Dat is een hint, tama. Laat me maar eens zien waar de douche is: Hij strijkt met zijn hand over zijn wangen. 'Hm, ik heb me nog nooit in een Toren geschoren.' En lachend lopen ze de keuken uit.

Mij kan het zonnegloren bekoren

en zit bij het vuur en speelt puur voor haar plezier wat composities.

Het is een vreemd kind. En een vreemde man.

De kolen zakken weg in de rode as en kleine paarse vlammetjes flikkeren er overheen.

Ze loopt de kamer door en pakt haar gouden gitaar van de wand. Over de amberen buik geleund is het makkelijk om gedachten door een filter van traag getokkelde arpeggio's te laten stromen.

Een vreemd kind, met zijn stilte en schrandere ontvankelijkheid.

Oranje-rode vonken stijgen in schuine lijn omhoog om te doven in het schemerdonker van bergjes roet.

Een vreemde man, zo verbitterd, tot hij glimlacht.

Een harmonie welt onder haar vingers op.

Waarom ziet het kind er zo moe en afgetobd uit?

Waarom wordt het gezicht van de man zo ontsierd door bitterheid?

En vooral, waarom krijg ik door bepaalde delen van het gesprek zo'n vreemd gevoel, alsof er iets verkeerds is?

Allemaal raadsels en niets voor mij..

En ze versnelt haar spel tot zwaar aangezet getokkel.


Joe hoort de gitaar in de badkamer, maar meer het ritme dan de akkoorden: de muren zijn te dik om meer door te laten.

'Zo, die kan spelen... droog je af,' tegen de jongen, terwijl hij zelf zijn kleren aantrekt.

Zijn lichaam is gedrongen en gespierd, maar zijn benen hebben nauwelijks kuiten en zijn daardoor stakerig. Er loopt een lang bleek litteken over zijn bruine huid, van zijn rechter schouderblad in een bocht naar beneden tot over zijn ribben.

'Je hebt dit keer veel geluk gehad,' zegt hij terwijl hij toekijkt hoe de jongen zich aankleedt en hij trekt een gezicht naar het magere lijfje van de jongen. 'Gedraag je Haimona, bederf het niet, hè?'

Hij zegt peinzend: 'Het zou leuk zijn weer eens een kameraad te hebben, iemand die geen familie is, met wie we kunnen praten,'

De jongen trekt zijn wenkbrauwen op.

'Eruit en denk om je hiel.'

Wanneer de jongen weg is, kijkt hij de badkamer rond. Hij verzamelt de gebruikte handdoeken – ze moet wel dol zijn op dat donkergroen, alles is in die kleur – maar terwijl hij ze opraapt, valt er rinkelend iets op de grond.

Een brede gouden ring, ingezet met dioriet.

'Verdomme, O godallemachtig.'

Daar heeft Simon gestaan, zich aangekleed en dat is uit zijn zak gevallen. 'O misselijke kleine idioot.'

Hij denkt even na en wrijft in zijn nek. Is het al weer afgelopen? Omdat die idioot van een Himi zijn handen niet van andermans spullen kan afhouden? – en laat de ring op de vensterbank liggen naast de wasbak.


De jongen glipte door de deuropening naar binnen en liep naar het vuur.

Kerewin was, gewapend met mes en schuimspaan, bezig de botten in hun geheel op borden te scheppen.

Joe kwam binnen en hield de handdoeken omhoog.

'Gooi ze maar ergens op de vloer. Ik ruim ze straks wel op; en het lukte haar ook de laatste vis op het bord te krijgen zonder hem een graatje te krenken.

'Dat ruikt heerlijk. We zijn mooi op tijd, hè?'

'Perfect.'

'Vind je het erg als ik eerst iets aan zijn voet ga doen? Ik wil hem ook nog iets zeggen, maar dat neemt niet zo veel tijd in beslag.'

'Prima, doe maar,' en geeft hem de verbandtrommel aan.

Hij ging naar de jongen toe en praatte zachtjes tegen hem, zo zachtjes dat het bijna overstemd werd door het gerinkel en gekletter van borden en bestek waarmee ze de tafel aan het dekken was.

Maar luid genoeg om te kunnen horen: 'E noho ki raro. Hupeke tou waewae,' waarop de jongen snel ging zitten en zijn vader met

79

wijdopen ogen aankeek. 'E whakama ana au ki a koe.'

Kerewin had haar ogen nu ook wijdopen gesperd en maakte discreet wat meer lawaai met de borden.

Heus? Schaam je je over hem? Waarom dan wel? Ik denk dat ik nog maar even voor me houd dat ik Maori kan spreken.

'Kei whea te rini?'

Ze wierp hun een steelse blik toe.

De jongen bloosde hevig, greep naar zijn achterzak; toen trok alle kleur uit zijn gezicht weg.

Joe verbond zijn voet en zei niets meer tot hij daarmee klaar was en het kind weer stond. Toen sloeg hij hem hard tegen zijn kuit. Het geluid knalde door de kamer en Kerewin keek scherp op.

'Kaua e tahae ano,' terwijl de jongen weer rechtop ging staan en Joe draaide zich naar haar om en zei:

'Dat was alleen...'

Effen zegt ze:

'Die ring had hij waarschijnlijk geleend. Ik heb er zoveel dat ik een of twee niet zou missen. Maar bedankt voor je zorg. Het eten wordt koud en het bier warm.'

Hij staat haar met open mond aan te gapen.

Nou, *jij* hebt in ieder geval al je tanden nog.

'E korero Maori ana koe?'

'He iti iti noa iho taku mohio.' antwoordt ze zonder een spier te vertrekken.

'Ik weet niet of ik er blij of ontzet over moet zijn.' Hij laat zijn zware schouders hangen. 'Ik weet niet of hij het wilde terugbrengen of niet, maar het viel bij het aankleden uit zijn zak, geloof ik. Het spijt me erg, maar ik heb het boven laten liggen, en hoopte dat je...'

'Dat hoeft niet. Jeetje, je zou eens moeten weten wat ik als kind allemaal pikte. Het is niet echt stelen. Iets valt tijdelijk bij je in de smaak, dus neem je het mee om je er een poosje mee te vermaken.'

'Hij zal moeten leren om niet te stelen,' zegt Joe met strakke mond.

'Ja.' Ze hoort slepende voetstappen, draait zich om en kijkt in ogen die nu intens groen zijn. 'Het kan me niet schelen wat je aan frutsels en tierelantijnen meeneemt. Maar zeg het eerst tegen je vader. Voorkomt moeilijkheden, hè?'

Het was niet het stelen dat hem dwarszat, noch de klap. Het was het betrapt worden.

Maar de lach die hij haar toewierp was van een pure, pesterige vrolijkheid.

'Goed dan.' Kerewin haalt haar schouders op. 'Zullen we gaan eten?'

Simon schonk het bier in, de helft van het glas bestond uit schuim.

'Lomperd,' zei Joe.

Het zakt in, er ontsnappen honderdduizend belletjes en de roomlaag verandert in heldere bruine vloeistof.

'Ik doe het zelf wel, dank je,' zei ze en schonk in zonder op de gekwetste uitdrukking op zijn gezicht te letten.

Ze leunde comfortabel achterover, hand om het glas gekromd en keek naar het schaakbord.

Joe speelde zoals hij gezegd had, niet erg goed.

'Lang geleden dat je schaakte?'

Hij glimlachte quasi-zielig. 'Ik speelde wel eens een partijtje toen ik nog studeerde. Later, toen ik gestopt was, schaakte ik wel eens met mijn vrouw. Ik heb niet meer gespeeld sinds ze... al een poos niet meer.'

Die aarzeling, hapering in zijn formulering. Hij heeft het niet graag over haar dood.

Ze dacht twee seconden na over haar volgende zet voor ze hem uitvoerde.

'O verduiveld,' Joe sloot zijn ogen. 'Dat had ik twee zetten geleden al moeten zien.' Hij opende zijn ogen en zuchtte. 'Sim, pak mijn sigaretten eens uit je tas.'

Hij keek Kerewin aan:

'Zal ik het maar opgeven?'

'Nou, je kunt het uitspelen als je dat echt wilt, maar je bent gedoemd te verliezen.'

Ze klinkt zelfgenoegzaam, weet ze. Maar ze wint graag. Het kind brengt een pakje sigaretten. Hij pakt er twee uit en steekt ze aan.

Ze zegt haastig:

'Ik rook die niet, maar bedankt.' En Joe antwoordt: 'Die tweede is waarschijnlijk voor hemzelf. Als hij beleefd was,' grijpt Simon om zijn middel en zet hem abrupt op schoot, 'wat hij niet is en ook niet schijnt te kunnen leren, zou hij jou als eerste het pakje hebben voorgehouden.'

De jongen heeft al een sigaret in zijn mond en geeft de andere aan Joe.

'Ka pai, e tama... maar denk voortaan eerst aan anderen.'

Simon gebaart naar Kerewin met een zijwaartse beweging die van haar gezicht naar haar zak en weer naar hem schiet. Dan leunt hij achterover in de sterke cirkel van zijn vaders armen, en blaast haar met kalme bedrevenheid een rookwolk toe.

'Toch hoor je het aan te bieden... hij zegt dat je iets rookt dat je in je zak bewaart, maar als je wilt mag je de zijne hebben?'

'Eh nee dank je...' Ze pakte de zilveren koker met cederhout waarin haar kleine sigaartjes zitten. 'Hij heeft gelijk, meestal rook ik deze. Van tijd tot tijd een pijp of een sigaartje, maar zelden een sigaret.' Ze stak een cigarillo op. 'Ahhh,' zoekt woorden die niet te kritisch of bemoeizuchtig klinken, wanneer Joe zegt:

'Dat hij rookt, hè? Nu, dat mag hij als ik erbij ben. Hij inhaleert bijna niet, speelt er meer mee. Het geeft hem een volwassen gevoel of zo,' en hij buigt zich voorover en kust Simons omhooggeheven gezicht.

'Het kan in ieder geval geen kwaad.'

'Het gaat mij niet aan, dat weet ik, maar het is ongebruikelijk om er rationeel tegenover te staan. De meeste ouders met wie ik tegen mijn zin in contact kwam, hadden er nog nooit over nagedacht. Ze gaan er zonder meer van uit dat het slecht is als hun kind al jong begint te roken. Het maakt niets uit of ze zelf roken – pas op, kind! Een mooie illustratie van hoezeer ouders in onze maatschappij geneigd zijn tot tirannie – ik maak en vorm mijn kind zoals het me goeddunkt, zonder veel rekening te houden met de persoonlijkheid of behoeften van het kind.' Ze lacht plotseling. 'Dat uitgerekend ik zo praat, terwijl ik kinderen nog verder verwijderd acht van de mensheid dan een gemiddelde slak!'

Joe glimlacht. 'Je observeert onpartijdig, of tenminste niet be-

trokken... het is vrij moeilijk hem als mijn persoonlijk bezit te be-
schouwen. Hij is in staat om me er twintig keer op een avond aan
te herinneren dat hij een zich ontwikkelende persoonlijkheid is.
En wel op een bijzonder indringende manier.'

'Leve het kinderfront,' zet haar bier neer en stelt de schaakstukken opnieuw in het gelid op.

Rookwolken worden groter en lossen weer op. Het spel gaat verder, een ontspannen mentale krachtmeting. En een openheid van
beide kanten, een toenemend plezier als dat tot hen doordringt.
Dit is iemand die ik een vriend kan noemen.

Simon komt bij hem staan, kijkt toe, en maakt een gebaar alsof hij
zijn keel doorsnijdt. 'Sodemieter op,' zegt Joe, 'ik kan ook zonder jouw vrolijke interpretatie wel zien dat ik niet win.' Kerewin
kucht. 'Simon? Er is nog een flesje bier in de ijskast, wil je dat voor
ons openmaken?' En: 'Je mag wel voor me inschenken als je wilt.'

'Alleen niet sarcastisch worden,' zegt Joe.

Nauwelijks een schuimkraag, professioneel ingeschonken.

'Zie je nou wel?' zegt Joe met een handgebaar, 'ik zei het je
toch?'

'Slimmerik,' mompelt hij in zich zelf. Duwt zijn koning om.

En de derde partij.

'Moonmaker, sunraker, O wild song for my ruby guitar,' zong
Kerewin rustig. 'Aha,' en besloop een loper.

En Simon, die niet langer door de kamer liep, lag vredig de ge-
sneuvelde schaakstukken van Joe's kant van het bord weg te nemen
om ze bij Kerewin op te hopen.

Deze partij duurde veel langer.

Hij voelde hoe lang niet gebruikte hersenspieren zich uitrekten
en tot actie werden geprikkeld. Hij speelde geconcentreerd en was
er zich van bewust dat de vrouw maar de helft van haar aandacht
bij het spel had en dat die helft voldoende was.

'Je bent te goed,' barstte hij uit, 'veel te goed. Ik heb het gevoel
dat elke zet die ik doe gemanipuleerd wordt, dat ik precies doe wat
jij wilt!'

'Integendeel,' zei ze zacht, 'ik speel juist heel opportunistisch, mijn zetten hangen grotendeels af van wat jij doet. Of niet doet; wolfachtig grinnikend.

Hij keek naar haar. Keek naar zijn gedoemde loper en door de toren bedreigde koning. Keek naar kleine Simon, met zijn deels tandeloze, gelukkig-dwaze glimlach naar zijn fantastische, pas-gevonden vriendin.

(ze heeft ringen. speelt gitaar voor me.

'Vond ze je aardig?'

nee.)

'Aue,' zei Joe, maar voelde zich niet bepaald ongelukkig. Hoe zou ik ook, in deze vreemde, ronde kamer, die warm is en vervuld van een gouden gevoel van kameraadschap, met Himi zo aardig en lief naast me? 'E hoa, ik geloof dat je zojuist weer gewonnen hebt.'

Donkere man in volle lengte uitgestrekt voor het vuur, bleek kind tegen hem aangedrukt.

Het schijnsel van het vuur danst, werpt een rossige gloed op hen en het schaakbord, alle stukken zijn weer keurig opgeruimd. Waarover dromen schaakstukken in het donker, over oorlogen in kleine koninkrijken in vergeten landen? Ze was chocolademelk aan het maken, een laatste drankje voor de Gillayleys zouden ver-trekken.

Voor haar en Joe tenminste; de jongen was tegen het einde van de laatste partij in slaap gevallen en zijn vader wilde hem liever niet wakker maken.

'Hij slaapt slecht,' vertelde hij. 'Als hij in slaap valt, laat ik hem liever slapen. Anders moet ik hem een slaapmiddel geven om te kunnen vertrekken.'

Wat een beeldende uitdrukking 'vertrekken' – naar Sheol of een andere angstaanjagende duisternis, of meerijden in de rusteloze droomwagen...

'Een slaapmiddel?' had ze gevraagd.

'Ja, iets van de dokter. Rood en stroperig. Smaakt niet al te slecht.'

Roerde suiker en cacao met wat warm water door elkaar tot het geheel de consistentie en geur had van gesmolten chocola.

'Joe, waarom slaapt hij zo slecht?'

Er kwam een scheve glimlach op het gelaat van de man.

'Nare dromen. Hij gaat niet graag slapen, omdat hij nare dromen krijgt.'

Hij draaide zich om en keek met oprechte verwondering naar het kind.

'Doodsbang, als behekst, kun je je zoiets voorstellen?'

'Bij behekst, ja.'

Hij was half-serieus. Er klonk gespannen vrolijkheid door in zijn stem.

'Bang voor geesten en dingen in dromen... als ik een volbloed Maori was, zou ik...'

In de daarop volgende stilte:

'Zou je wat?'

'Ach, ik weet het niet.' Hij lachte stilletjes. 'Misschien zou ik hem naar mensen brengen die weten wat te doen, hoe je enge geesten uit je dromen kunt weren.'

Lachte weer, een droog ongrappig geluid, als een kuch. 'Zie je wel? Stomme bijgelovige Nga Bush? Geeft de Maori een slechte naam, hè?'

Kerewin keek aandachtig in haar beker.

'Toen ik een paar jaar geleden in de tabak werkte in Motueka, kende ik twee meisjes die echt behekst waren. De ene was Pakeha, de andere een Maori uit de stad. 's Nachts hoorden ze ademen, terwijl er niemand was. Er verschenen vochtplekken op het plafond en de vloer van hun huisje, terwijl niemand iets had gemorst. Boeken en vazen vielen om zonder dat er wind stond en er niemand in de buurt was. Toen kwamen er ook nog voetstappen bij en konden ze niet meer slapen... alles bij elkaar vrij stompzinnig, maar iets of iemand had er toch een dreigend tintje aan gegeven.'

Joe staarde onbeweeglijk voor zich uit.

'Het Maori-meisje schreef naar haar moeder, die in trance ging en erachter kwam dat een tante van het meisje het afkeurde dat ze met een andere vrouw omging. Ze had hen behekst. Makutu, nei? De moeder raadde hen aan naar een katholieke priester te gaan om wat wijwater te vragen en daarmee zichzelf en het huisje te zegenen. Zij was een van die mensen die er raad op weten.'

85

'Hielp het?' Zijn stem klonk heel gespannen.

'Het hielp. Er gebeurden geen rare dingen meer. De meisjes waren niet bang meer.' Ze haalde de chocolademelk. 'Maar ze zaten waarschijnlijk wel met een pisnijdige tante,' zei ze en ging zitten.

Joe lachte.

'Tja, ik had het misschien toch bij mijn geloof moeten houden. Misschien had dat geholpen.' Hij zei het op luchtige toon. Dan, langzaam: 'Je spreekt Maori, en weet het een en ander van, eh, dingen. Ben je misschien Maori?'

Kerewin met de blauwe ogen, het bruine haar en de paddestoelbleke huid, keek hem aan. 'Als ik in Amerika woonde, zou ik een octaroon zijn.' Pauzeerde even. 'Het is heel raar, hoewel ik qua bloed, vlees en vererving maar voor één-achtste deel Maori ben, voel ik me met hart, ziel en gezindheid een volbloed Maori. Tenminste,' en staarde in haar beker, 'zo was het. Nu lijkt het erop dat het beste deel van me verloren is gegaan door mijn manier van leven.'

Joe zat heel stil; zo zacht als zijn ademhaling:

'Zo voel ik me ook meestal.' Iets luider: 'Mijn vaders vader was Engelsman, dus ik ben ook niet 100% zuiver. Maar ik ben Maori. En zo voel ik het ook, zoals jij zei, dat de Maoritanga verloren is gegaan door mijn manier van leven.'

Hij schudde zijn hoofd en zuchtte.

'God, wat raar. Dat heb ik nog nooit aan iemand verteld, niet aan Piri of Marama of Wherahiko of Ben. Zelfs niet aan mijn vrouw.'

'Was zij ook Maori?'

'Tuhoe.'

'O.'

Hij dronk de rest van zijn chocolademelk in een slok op.

'Komaan.' Hij schuift zijn handen onder Simons rug en tilt hem voorzichtig op, en komt in een vloeiende, beheerste beweging weer overeind. Het kind blijft slapen.

'Kerewin?'

'Ja?'

'Ik weet geen andere manier om je te bedanken dan zo.' Hij zegt

86

op heel formele toon: 'Ka whakapai au kia koe mo tau atawhai.'

Kerewin glimlacht: 'Ka pai, e hoa.'

Joe werpt haar een stralende lach toe: 'Zien we je nog eens?' Ze denkt wel een volle seconde na:

'Ik bel je wel, goed?'

'Ja. Nou,' naar de deur lopend, 'als je iets wilt of nodig hebt en denkt dat ik je kan helpen, laat het me dan weten. Je hebt vrienden.' Hij glimlacht weer naar haar. 'Een raar kind en een verwarde Maori. Daar zul je veel aan hebben...'

'Nou, wat dacht je anders van een schilder die niet schildert en die niet weet of ze komt of gaat? Met mij kom je ook een heel eind...' Ze realiseert zich dat ze voor het eerst in tien jaar 'Pax vrienden' tegen mensen zegt.

'Zal ik die tas voor je dragen?'

Hij schudt zijn hoofd. 'Wil je de parka eruit halen? Het regent vast nog buiten.'

'Inderdaad.'

Terwijl hij de slapende jongen met een arm vasthoudt, slaat Joe met zijn andere arm de parka over zijn eigen hoofd, zodat er een soort tent ontstaat die zowel aan het kind als aan hem bescherming biedt.

'Gaat dat wel, zo op de motor?'

'We zijn het gewend. Ik zet hem voorop en voor we jouw pad af zijn, slaapt hij al weer.'

Kerewin grinnikt.

'Ik geloof het, hoe onwaarschijnlijk het ook klinkt.' Wat een rijke avond. Een voorbode van tijden die komen gaan... misschien.

Nadat de echo van de motor was weggestorven, zat ze nog lang bij het vuur.

Geen geluiden nu, behalve van de wind, de bomen en de altijd aanwezige zee.

II

Boing! Boing! De klok sloeg zojuist elf uur. Ze rekte en gromde en kreunde zich wakker.

'Akkerkraaien, Akkerkraaien,' kreunde ze om geen andere reden dan dat het paste bij het geluid dat ze wilde voortbrengen en haar vreselijke stemming.

Het regende. Zware grijze wolken omzoomden de horizon van de woonkamercirkel. Een klein stukje met wit doorkliefde blauwe lucht wees erop dat de dag er nog wat van probeerde te maken.

Ze had de opzet voor een tekening in haar hoofd. spinachtig, vol schaduwen, overblijfsel van dromen. Ze krabbelde wat met een viltstift op een blok zwaar tekenpapier. maakte een netwerk van lijnen, maar de spinneschaduw was nog steeds onduidelijk. Ze voelde dat het de moeite waard was om uit te diepen.

'Je zit erin!' en drukte de punt hard in het papier. maakte er krassen in en bedierf zo de abstract gesponnen patronen. 'Kom eruit verdomme.'

Het vel eraf scheuren en tegen de muur smijten hielp ook niet veel. Met haar vuist op tafel slaan al evenmin. Ze stopte haar handen in de zakken van haar spijkerbroek en ademde zwaar.

'Pak je visspullen maar, Holmes.'

Vreemd dat de woorden nu galmen, terwijl ze vroeger goed klonken, haar stem voor haar oren.

'Rustig maar, zieltje. Wees redelijk, wees een sereen en rationeel wezen.'

Haar hart overstemt haar woorden, kadoink, kadoink, bonst luider en luider.

Ik ben ontzettend kwaad zonder goede reden. 'Ach verduiveld en verdraaid, waarom gaat het zo?' roept ze met gekwelde stem. 'Ik heb alles wat ik nodig heb, maar het belangrijkste ben ik kwijt.'

'Godverdegodverdomme!' Bonkt zo hard tegen de trapleuning aan dat hij tot beneden aan toe siddert. Onderaan trillen de dolfijnekoppen.

Ze sust ze met een vinger en legt haar hoofd er tegenaan.

'Als het weer mooi blijft, ga ik de baai uit. Een paar fuiken uitzetten en dan urenlang naar de dolfijnen kijken. Ik zal die rotboot voor de verandering eens gebruiken in plaats van haar een mosselbaard te laten krijgen.'

Ze trekt de deur open: het stuk blauwe lucht is gekrompen. Een dreigende wolkenrand is komen opzetten.

'Hè, verdorie,' maar ze is over haar kwaadheid heen. Een zachte, onbestemde wanhoop vervult haar. 'Dat kan gebeuren.' Ze legt zich erbij neer: 'Ga boven in je grote stoel zitten en draai eens vrolijk in de rondte. Kijk eens goed naar je ezels. Doe maar net alsof je weer kunstenares bent. Puh!' spuugt.

Haar spuug belandde op een paardebloem.

Dat kon ook haast niet missen, want paardebloemen groeien er het hele jaar door, ongeacht de vorst 's winters. Ze weten waar ze welkom zijn. Ze kweekt ze, bemest de grond met wat paardebloemen op prijs stellen en helpt bij het verspreiden van de zaadjes door de pluizebollen uit te blazen.

Wijn. Surrogaatkoffie. Een middel tegen blaasontsteking – mocht ik dat ooit nodig hebben. De wortels ervan zijn lekker in het zuur. De bladeren kun je drogen en gebruiken als soepgroente. Je kunt de bladeren ook gebruiken om thee van te trekken... om nog maar te zwijgen over hun prachtig stralende aureolen, een feest voor zelfs de meest armzalige ogen.

Wat kun je nog meer verlangen van een eenvoudige plant?

Ze verontschuldigt zich bij de bespuugde bloem en wil naar binnen gaan. Maar er is iets om het hoekje van de muur. Lichte, hinkende voetstappen op het gras.

'Godallemachtig, dat kan niet.'

Maar godallemachtig, dat kan wel.

Daar staat het schoffie, boven op haar bloemen, met een brede, begroetende grijns op zijn gezicht.

'Het spookt,' zegt ze zonder hem gedag te zeggen. 'Achtervolgd door geesten.'

De grijns verflauwt tot een schim van zichzelf.

'Wat kom je hier in hemelsnaam doen? Het is dinsdag, een schooldag.'

De grijns is nu helemaal verdreven.

Hij geeft haar een briefje en fronst, terwijl hij met de punt van zijn sandaal een spoor trekt door het vochtige gras.

'Goh, ik stond me net af te vragen wat ik eens zou gaan doen, nu ik niet met mijn bijzonder gesnuite vrienden kan gaan spelen en wie duikt daar op?'

Ze stopt het briefje in haar achterzak en steekt haar hand uit.

'Kom, knaapje, je bent net op tijd voor het middageten,' en lacht om de dubbele betekenis.

Hij neemt haar hand, maar verroert zich niet en kijkt op naar de vuurvrouw, die scherp wordt afgetekend door de laagstaande zon en vervuld is van een vreemd soort opgewektheid, die dicht bij wanhoop ligt. Hij houdt haar hand steviger vast en neemt haar op van het warrige haar tot de blote voeten – wat is er mis? Wat is er aan de hand? Kan ik helpen? – omhoog naar de vreemde hanger die, net als zijn naamkaartje, midden op haar borst hangt. Alleen is haar hanger gemaakt van blauwe steen, uitgesneden als een ingewikkelde, opengewerkte knoop.

'Dat,' zegt ze na zijn blik gevolgd te hebben, 'is een soefisymbool. Heel mooi uitgevoerd in turkoois. De cirkel is van zilver.'

Ze maakt haar hand los uit de zijne om het tussen duim en wijsvinger gehouden beter aan hem te kunnen laten zien.

Ze houdt er niet van om iemands hand vast te houden.

Hij vindt het amusant.

'Goed,' ze interpreteert zijn kleine haaielachje verkeerd, 'ik vergaap me te veel aan dingen die ik mooi vind. Naar binnen Gillayley, voor ik van gedachten verander en je wegstuur.'

'Maar niet heus,' zegt ze in de hal. 'Ik denk dat het eigenlijk een compliment is dat je wilt blijven, hè? Maar God mag weten waarom,' en ze zucht.

Ze staat onder aan de wenteltrap en zingt: 'Er is zowel amber als magnetiet. Of je van ijzer bent of stro, aangetrokken zul je worden.'

Ze stopt en kijkt fronsend naar het stille kruisbeeld.

'Waarom schiet dit me te binnen?' Over haar schouder tot het stille kind: 'Uit het Masnawi door de dichter Rumi.'

Jalal-uddin de Soefi.

Aha, terug bij de Soefi-knoop. Om maar te zwijgen over vissen. Quid est.

Hij kijkt rond in de woonkamer en zucht. Dan keert hij zich naar haar om en trekt zijn schouders op. Hij staat daar maar en staart.

De stilte wordt weer ongemakkelijk, mijn liefje.

Ze neuriet voor zich heen, terwijl ze het fornuis opstookt.

Hij fluit en ze kijkt om. Hij gaat zitten en doet de plunjezak af die hij droeg.

Haalt er twee pakjes uit, het ene groot en verpakt in zeer vet papier, het andere klein en keurig in zwarte zijde gewikkeld. Hij wenkt.

'Geschenken van de Gillayleys?'

Ze loopt naar hem toe en gaat ook zitten.

Vier dikke, bleke pijlstormvogels. 'E hoa, ik heb iets voor het middageten gestuurd...'

'Hmmm, aanlokkelijk. Vind jij ze ook lekker jongen?'

Hij knikt en schuift haar het zijden pakje toe.

'Zo, het kan niet op.'

Dit pakje is moeilijker open te maken. Het is verpakt in een sjaaltje, waarvan de uiteinden een aantal keren zijn samengeknoopt.

'Was het de bedoeling iets te verpakken, of om te voorkomen dat ik het uitpak?'

Er komt geen antwoord.

We zijn vandaag in een weinig mededeelzame bui, geloof ik.

Nukkig ventje.

Ze zet haar tanden in de knopen.

'Ha, ik heb het.'

Een gehavend etui van zwart marokijn. Ze ruikt aan het leer. De geur ervan is vermengd met subtiele muskus, die sterker gaat ruiken nu ze het etui in haar warme hand houdt.

'Ik ben heel gefascineerd. Hoe komen we erin?'

Er is geen sluiting zichtbaar.

De jongen pakt het etui en drukt op de twee voorste hoeken. Als hij het teruggeeft, komt het deksel langzaam omhoog.

'Dank je.'

En vol verwachting doen we het deksel omhoog...

En wat ze ziet is een volkomen verrassing.

Het is een rozenkrans van half-edelstenen. Waarschijnlijk een christelijke rozenkrans, want de kralen geven tientjes aan, heel veel, elk tientje is van het volgende gescheiden door een grote, uit turkoois gesneden kraal. De tientjes zijn beurtelings van koraal, het rode Italiaanse soort, en amber, en elk begint en eindigt met een bloedsteen.

Er hangt geen kruis aan. De kralen lopen weg van een klein, gouden plaatje en het kettinkje dat ze verbindt, eindigt in een enkele schakel. Er zit een ring aan de rozenkrans. De kralenketting is ooit gebroken en daarmee opnieuw bevestigd.

Ze bekijkt hem nauwkeurig. Een zegelring van heel zacht goud, 22 karaats. Er is een opvallend wapen ingegraveerd. Een vogel met de lange nek van een reiger, nestelt zich met uitgespreide vleugels in de vlammen.

'Allemachtig, een phoenix.'

De vogel is boven een Andreaskruis gegraveerd. Er staan kleine letters omheen, vreemd genoeg lijkt het alsof iemand geprobeerd heeft ze weg te vijlen om ze onleesbaar te maken.

'Dit is schitterend,' zegt ze terwijl ze hem omhoog houdt, 'is het van jou?'

Hij schudt zijn hoofd en wijst op haar.

'Voor mij? Bedoel je als cadeau? Ben je gek geworden?'

De jongen pakt zijn blocnote en potlood.

VAN JOU

'Mijn lieve kind, wil je het aan mij geven?' Hij knikt.

'Maar jij – of Joe – kunnen me zoiets niet geven. Het is prachtig, maar ook heel waardevol.'

Ze wikkelt de tientjes om haar hand: de kralen voelen koel en glad aan.

'Buitengewoon,' fluistert ze tegen zichzelf. Vuur en water, aarde en lucht... amber en koraal, turkoois en bloedsteen.'

Ze geeft het haast met tegenzin aan Simon terug. 'Het is als iets dat je aangeboden krijgt, maar dat eigenlijk familiebezit is. Ken je het verhaal over Te Rangi Hiroa en de mantels? Nee? Dat zal ik je dan een keer vertellen, maar wat dit betreft: ik heb je geschenk in mijn handen gehouden, ik heb grote waardering voor de schoonheid ervan en voor je bedoeling, maar dat is voor mij genoeg.'

De rozenkrans hangt om haar uitgestrekte hand en bengelt heen en weer.

HET IS VAN MIJ IK GEEFDE HET AAN JOU.

'Gaf,' verbetert ze met gebogen hoofd. 'Dat kan niet jongen. Als het van jou is, mag je het weggeven,' en herinnert zich de ring van gisteravond en vraagt zich af waar dit misschien vandaan is gekomen, 'maar het is te kostbaar om aan een toevallige vriendin te geven. Ik dank je voor je gebaar, maar het blijft jouw rozenkrans.'

Rozenkrans. Zijn mond vormt het woord, zijn lippen sluiten erover alsof hij de klank proeft.

'Rozenkrans... kende je die naam niet? Weet je wat het is?' Zijn gezicht staat zorgelijk.

HET IS VAN MIJ, wijst met zijn duim een paar keer op zichzelf.

'Ja,' zegt ze zacht, 'het is van jou. Het is ook iets dat je gebruikt bij het bidden. Heeft Joe je dat niet verteld?'

Nee.

Ze laat de lussen langs haar vingers glijden en telt de tientjes af.

'Ongebruikelijk. Het zijn er de volle vijftien. Tegenwoordig zijn de meeste rozenkransen eigenlijk rozenhoedjes, die hebben maar tientjes voor één serie mysteries.'

Kijk nou toch eens naar hem, Holmes. Voor hem is het allemaal Sanskriet wat je uitkraamt...

'Meestal hebben alleen kloosterlingen er een met vijftien tientjes. Ik heb er zelf een; een mooie van ebbehout met een stalen sluiting, compleet met koperen medaillon en zilveren Corpus. Die heb ik lang geleden van een Cisterciënzer monnik gekregen.'

Deze, met zijn goud en edelstenen, is eigenlijk te werelds voor een kloosterling. Haar vingers komen weer bij het gouden plaatje. Na lang turen kan ze een monogram onderscheiden, uitgesleten alsof het jarenlang door iemands handen is gegleden. De letters vloeien in elkaar over, maar het lijken de gothische letters M.C. de V.

Ze kan geen enkele Latijnse spreuk bedenken die bij deze letters past. Mater Compassionem de Virgo? Dat is niet alleen potjeslatijn, maar het klinkt ook niet erg orthodox.

Ze keert het plaatje om. Er staat een verrassend duidelijke gravure op van het icoon Onze Lieve Vrouwe van Eeuwigdurende Bijstand.

'Nou, nou.'

Een minuut later voegt ze eraan toe: 'Met de kralen houd je de gebeden bij die je zegt en tevens geven ze aan welk gebed erna komt. Als je ze ooit wilt weten, kan ik ze je leren.'

Hij maakt geen aanstalten de rozenkrans terug te nemen. Hij

fronst zijn wenkbrauwen en schrijft wat op zijn blocnote. Dan knielt hij, hangt haar de rozenkrans om en geeft haar de blocnote. Gezicht strak, mond strak, alles aan hem is zo gespannen alsof hij elk moment kan exploderen of knappen.

HET IS VAN JOU IK GEEF het jouw.

O jee, wat nu? Teruggeven en een scène uitlokken?

Want het gezicht van Gillayley wordt steeds roder en de spanning in hem wordt haast ondraaglijk.

Daarom schikt ze de kralen in drie strengen om haar hals.

'Goed, heel hartelijk bedankt voor je geschenk.'

Ik kan het altijd nog stiekem aan Joe teruggeven.

Vreemd genoeg voelt de rozenkrans heel prettig en vertrouwd aan en rinkelt tegen de Soefi-hanger. En wat nog vreemder is: het jongetje is intens tevreden over zichzelf, dat hij erin geslaagd is het weg te geven. Hij is nu zo ontspannen als water, en omarmt zichzelf uit pure vreugde.

Idioot kind.

'Eh, vind je het vervelend om me te vertellen waar ik het aan te danken heb?'

Hij sluit zijn ogen en schudt zijn hoofd.

'Vind je het niet vervelend, of wil je het me niet vertellen?'

Blocnote en papier worden demonstratief in zijn zak teruggestopt.

Dat doet me eraan denken dat hij zijn initialen niet meer op de briefjes zet. Ik val nu zeker in de categorie 'vertrouwd' of zoiets.

'Waarvoor is het dan?'

De jongen schudt nog steeds zijn hoofd, zodat zijn haar over zijn gezicht valt.

De manier waarop zijn haar uitwaaiert als hij zijn hoofd schudt, doet haar denken aan de rokken van dansende derwisjen als zij zich in extase wervelen.

Buitengewoon idioot kind.

'Hei. Daar laten we het dan maar bij.' Staat op en doet de pijlstormvogels in een ovenschotel en zet ze in de oven.

'Kom mee naar beneden,' zegt ze tegen het verrukte kind, 'dan kun je me helpen om puha te zoeken om erbij te eten.'

De pijlstormvogels waren goudbruin geworden in hun eigen rijke veti de puha was even boven water gestoomd. Kerewin sneed plakken volkorenbrood af, die ze niet beboterde. Toen deden ze zich te goed. Pijlstormvogels hebben veel botjes, sommige donker, andere bleek, zoals botjes behoren te zijn. Elk botje werd schoongeveegd en ze gebruikten het brood om het vet van handen en gezicht te vegen voor ze het opaten. De puha pakten ze met hun vingers: de lichtbittere smaak was heel verfrissend. Een mondvol gevogelte, een hap brood, een greepje puha en terug naar de botjes.

Zijn gezicht, handen en haar zaten onder het vet. En broodkruimels... afgelopen met het keurige, precieuze eten van het weekend. Dit was schrokken en genieten.

En ik zie er waarschijnlijk net zo vies uit en voel me net zo lekker.

Toen ze uiteindelijk achterover leunde in haar stoel, zei ze:

'Weet je wat er in Joe's briefje staat?'

Simon zuchtte gelukzalig.

Hij veegde zijn mond af aan zijn handen en zijn handen aan zijn spijkerbroek. En lachte naar haar. Toen pakte hij zijn blocnote en schreef: JOE HAALT ME VANAVOND OP.

'Dat weet je dus.' Hij heeft kleine, vette vingerafdrukken op het papier achtergelaten. 'Nu, ik vind het wel leuk dat je hier graag bent, maar wat denk je hier eigenlijk te gaan doen?'

Het jongetje haalde zijn schouders op.

'Want ik ga zo naar boven om te tekenen.'

Simon likte zijn vingers af, hield het potlood omhoog en wees ermee op zichzelf.

Wat een economische manier om te zeggen: ik ga ook tekenen, als dat tenminste is wat hij bedoelt.

Ze ging staan en nam hem op. Zijn geëxalteerde stemming was voorbij. Maar een neiging tot stelen en vernielen... heeft ze niet allemaal op een rijtje, had de telefonist gezegd.

Joe had geschreven:

Bedankt voor de prettigste avond die ik in jaren heb gehad. Ik ga vandaag een paar schaakboeken kopen, misschien kan ik je dan over een poosje verslaan. Op mijn werk is iemand die schaakt, ik zal hem eens een paar tips vragen.

Pijlstormvogels voor de lunch en:

Weet je dat je een fan hebt? Hij vindt je geweldig (ik trouwens ook). Wil je een kind hebben? Niet duur... als hij lastig is, stuur je hem maar naar huis. Dat zal hem eerder aansporen tot goed gedrag dan alle pakken slaag waar ik hem mee dreig. Wel wat brutaal hè, om hem naar je toe te laten gaan zonder zelfs maar jouw toestemming te vragen. (Maar het is nog voor zevenen en ik denk niet dat je blij zou zijn als ik nu al belde.) Laat het ons weten als je iets doet waarbij je hem niet kunt gebruiken – dan haalt Piri hem wel op. Anders haal ik hem vanavond op. Na tou hoa, Joe G. xxx

Een heel andere toon dan van het formele bedankje van gisteren.

Maar waar is het knulletje geweest sinds zeven uur vanmorgen? En waar heeft hij het eigenlijk over? Er klopt iets niet. Toch hebben alleen familieleden op mijn hart getrapt, dus waarom sta ik zo wantrouwig tegenover mensen?

Een maaltijd en een paar partijtjes schaak en hij ondertekent de brief met kussen als een oude, vertrouwde vriend. En die daar, die lacht als een waterspuwer vanuit de stoel waar hij op knielt, brengt een ring voor een ring die hij niet gestolen heeft en geeft me een weelde aan toekomstige gebeden. Ik begrijp het niet...

Ze reageerde niet op de lach van het kind.

Is het dat hij iemand zoekt om tegen te praten?

Iemand om je problemen aan te vertellen?

Veronderstellingen?

En wat is hier zo aantrekkelijk in de ogen van een gestoord, vreemd kind?

Ik? Nee, hij weet dat ik niet zo dol op hem ben.

'Hoe zit dat dan met school?' – niet wetend wat te doen.

Hij fronst weer even. Pakt de blocnote van tafel en weegt hem in zijn hand en pakt dan een papiertje uit een open enveloppe achterin.

Het is een ander briefje van Joe, dit keer excuseert hij zijn zoons afwezigheid van school de komende week, wegens ziekte.

Simon schrijft terwijl ze het leest.

IK BEN SOMS ZIEK

'Als het je zo uitkomt, zoals nu?' Ze geeft zijn absentiebriefje terug. 'Hoe vaak ga je nu eigenlijk naar school? Eens per maand? Of maar een paar keer per jaar?'

Hij schrijft weer. ALS JOE ZEGT GA, GA IK.

'Dat zal wel.' Ze denkt, verdomme, stel je voor dat ze allebei denken dat ik hem wel op zal vangen elke keer dat hij niet naar school gaat. Ik peins er niet over.

Hij neemt haar aandachtig op.

IK WEET WAT ZE DOEN. Hij stopt, zoekt naar een woord en klemt zijn tanden op elkaar van ergernis.

Ze gaat weer aan tafel zitten.

'Je weet wat wie doet?'

Hij knarst met zijn tanden.

'Gaat het over school of het niet naar school gaan?'

Nee.

Dan knikt hij.

Schudt zijn hoofd.

Hij beeft over zijn hele lichaam van inspanning om een manier te vinden die uitdrukt wat hij wil zeggen.

'Zoek je een woord, of een hele zin?'

Hij slaat met het potlood op tafel. Een verbrijzelde punt.

Hij verbergt zijn gezicht in zijn handen.

Ze pakt het potlood op, haalt haar mes te voorschijn en scherpt zorgvuldig een nieuwe punt aan; snijdt kleine, harshoudende hout-krulletjes af. Er komt een lichte, frisse cederlucht af. Het moet een oud potlood zijn. Terwijl ze zo bezig is, zegt ze langzaam:

'Als je wilt, kunnen we het gesprek opnieuw beginnen en ons een weg zoeken naar de woorden die je nodig hebt.'

Hij legt zijn handen op tafel neer en vermijdt haar blik. Hij heeft stilletjes zitten snotteren.

'Laten we dus bij het begin beginnen. Hoe vaak ga je naar school?'

MEESTE DAGEN

Hij kijkt haar aan, schudt zijn hoofd en verandert het, terwijl hij met één hand zijn ogen afschermt in:

SOMMIGE DAGEN

'Van de week?' Ja, knikt hij. 'Sommige dagen per week. Als Joe zegt dat je naar school moet, ga je naar school. Klopt dat?'

Hij lacht al weer. Een vreemd gezicht, door tranen en broodkruimels en pijlstormvogelvet heen. MEESTAL, schrijft Simon recalcitrant.

'Het gebeurt dus wel dat je, zonder dat Joe het weet, spijbelt?
Van school wegblijft?'

'Juist,' op zijn knikje en denkt: rare kwibus.

Het kind slaat zijn armen om zijn knieën en zijn gezicht verstrakt weer. Hij wijst op haar gezicht.

'Laat ik iets van afkeuring merken of zo?'

Even kijkt hij verbaasd en schudt zijn hoofd. Nee. Hij trekt een
lelijk gezicht naar blocnote en potlood en schrijft met tegenzin op:
IK ZAL NIET STEEDS HIER ZIJN. IK WEET WAT ZE DOEN.

'Ik geef het op. Als je bedoelt dat je hier niet elke keer zult komen als je niet naar school gaat, heb je het bij het juiste eind. Ik
ben vaak bezig met andere dingen en wil je dan niet voor mijn voeten hebben lopen. Maar wat de rest betreft – je weet wat wie doet?
Met wie?'

Simon kijkt naar de tafel.

'Hé, luister eens, sommige dingen gaan makkelijker als je je er
niet te veel op concentreert. Laten we wat gaan tekenen en denk
maar even niet aan de woorden die je niet te binnen willen schieten. Als het belangrijk is, vind je wel een manier om het me duidelijk te maken en ik vind wel een manier om je te begrijpen.'

Hij laat zich van zijn stoel zakken en loopt om de tafel heen.

Zijn strakke blik is zonder uitdrukking; er valt niets van zijn gezicht af te lezen, dan strekt hij zijn hand uit en reikt naar de hare.

Snel staat ze op en verhindert het contact.

'Je mag je wel even wassen, hè? Ik doe dat tenminste wel voor ik
ga tekenen. Vet en krijt en houtskool gaan niet goed samen.'

Gelul, Holmes. Hij heeft geen besmettelijke ziekte.

Maar handen zijn heilig. Aanraking is persoonlijk, liefdevolle
vingers, voelsprieten voor nietsziende ogen, tong van sprake-
lozen... Oeps.

Simon staat nog steeds klaar met zijn hand, zijn lach heeft iets
zelfgenoegzaams gekregen, alsof hij heel goed weet hoe groot haar
afkeer is om andermans hand aan te raken en het amusant vindt.

'Waar is dit nu weer goed voor?' – maar geeft haar hand.

Bedankt, Simons lippen vormen het woord en hij kust haar hand, waarna hij nog breder lacht.

> O, die stomme, niet-aanwezige tanden... zoek uit waar ze ge-
> bleven zijn, alles beter dan de weerhaken van minzame be-
> leefdheid.

Kerewin was ontzet.


Ze werkt met houtskool, alle nuances zwart op het papier.

Probeert opnieuw de schaduw van de spin uit de droom van die ochtend vast te leggen, maar tekent zonder voorstelling voor ogen dit keer.

Vlek. Dan een haarscherpe lijn, zo intens zwart dat het pijn doet. De illusie in een scheermesdunne, onheilspellende afgrond te kijken.

Ze maakt er nog meer, draait het papier van tijd tot tijd om, en te midden daarvan heeft ze ineens, vlak bij de olieachtige vlek iets te pakken.


Hij kan niet nalaten even naar het hoge raam te kijken. Hij had de deur met een klap horen dichtslaan, hij had iemand horen zingen en was naar het raam geklommen. Maar die geluiden kwamen dichterbij en hij had zich voorgesteld wat de eigenaar van het huis met hem zou doen... de grond was een heel eind lager, de vloer lag in schaduwen gehuld onder hem. Als hij sprong... door de pijn in zijn hiel was hij al half-kreupel, en als hij op de grond belandde... dus was hij blijven staan, verstijfd en verschrikkelijk bang.

> Twee keer terug was hij ingesloten. En de jonge man, een
> heel jonge man, met een zachte huid en een baard, de jonge
> man die hem bij zijn schouders vasthield, had hem hard tegen
> het verticale gedeelte van de omheining geduwd en

Hij kreeg een misselijk gevoel in zijn maag en zijn geest werd zwart.

Dit keer! zei de stem dringend.

De zon, die door het raam scheen, op zijn rug en hoe de persoon onder hem zich had omgedraaid en hem recht in het gezicht had gekeken, hoewel hij zich helemaal niet had bewogen.

Ze gaat iets van het tekenbord afstaan en kijkt er lang naar. Ze voelt instinctief dat iedere verandering het netwerk zal verstoren en de levendige schaduw zal doen ontsnappen. Toch is het onaf... ze knijpt haar ogen stevig dicht en ziet in het mat-rood achter haar ogen wat nodig is.

Roodbruin, roodbruin als van roodkrijt, aardekleurige herinnering.

'Stamijnrood en purper,' mompelt ze gelukkig, 'sienna, meekrap en O solferino,' en doorzoekt vol enthousiasme het kistje krijt.

Het had hem met angst en verbazing opgenomen, maar had geen aanstalten gemaakt om hem kwaad te doen. Er flakkerden scherp omlijnde vlammetjes omheen, als kleine, vurige messen. Maar het luisterde, luisterde soms met aandacht. En toen het ontdekte dat hij gewond was, al was het maar een klein wondje, had het geholpen.

De vervoering groeide in hem. Hij sloeg haar neer, maar ze bleef terugkomen. Niet weer, zei hij tegen zichzelf, ik geloof het niet. Niet weer.

De naam was Kerewin Holmes, hij had die in zichzelf herhaald, versmolt die naam met de zijne, terwijl het door de kamer rondliep of de maaltijd maakte of hem langs de smalle, behekste trap voerde, die zich om zichzelf heenslingerde, een kurketrekkerspiraal.

En er hingen dingen aan de wanden en er waren donkere, geheimzinnige plekjes waar kleine boompjes groeiden en tuintjes met helder gekleurde paddestoelen en het was erlangs gelopen alsof alle huizen zulke dingen in de muren hadden.

De vervoering bleef groeien, ondanks zijn pijn en vermoeidheid.

Groot en sterk, zo sterk als Joe, sterker dan Joe, drong met plotselinge zekerheid tot hem door, Kerewin Holmes, omringd door vlammen als messen. En een felle, verborgen vlam er binnen in, die soms verflauwde en al het andere licht meenam, en die soms zo ver wegzonk dat hij vreesde dat hij het nooit meer terug zou zien en hij zou achterblijven met een kletsende lege huls. Het is weer een begin, hij koesterde het in zijn binnenste, weer een begin, was tegelijkertijd bang en opgewonden. Een begin, en ik had nooit gedacht dat er nog een ander begin zou komen. Alleen het einde.

Het einde is er nog, zei hij tegen zichzelf als het tegen hem sprak.

Woorden, woorden die op hem afkwamen, om zijn oren spatten... woorden die vaker over zijn hoofd heen waren uitgesproken, maar nooit tot hem waren gericht... er zaten vele kanten aan, die geregistreerd en in alle rust bekeken moeten worden. Zoals 'penitentiair'...

Hij kan elk geluid dat hij wenst, opslaan en het innerlijk nabootsen.

'Afgezien van het penitentiaire gedeelte,' zegt Kerewin weer en haar stem lijkt door de vreemde, ronde kamer naar hem toe te drijven.

Een scheidslijn. Een diepe, dikke scheidslijn, die als een korst om het linker gedeelte heen ligt. Die moet helemaal dekken, er mag geen spoor van het onderliggende papier zichtbaar zijn. Daarna veeg je de bovenlaag weg; het moet geleidelijk afgeroomd worden, tot er slechts een schaduw over is, de fijnste aardekleurige mist die tot, maar niet voorbij de rand van het donkere web sijpelt.

Dan weet je nooit zeker of het rood geen kwaadaardige, verslindende mist is, die oprukt tot het laatste bolwerk van de gesponnen schaduw, het laatste toevluchtsoord.

Ze drukt het krijt hard in het papier, laag na laag, drukt de essentie eruit tot krijt en papier één lijken. Het rood wordt een zich uitbreidende schimmel, die zich langzaam, maar met ontstellende zekerheid uitbreidt tot het ding dat jammert en kronkelt en niet kan ontkomen uit de spleten die het gevangen houden en er als messen in steken.

Er zoemde een vlieg door de lucht.

Hij strekte zich stilletjes op de vloer uit, armen van zijn lijf afgekeerd, plat op zijn gezicht, zodat hij bijna scheel ging zien van het patroon in de mat, toen zijn ogen nog open waren.

Het opgetogen gevoel huisde nog steeds in hem. Gisteravond, toen haar hand en die van Joe elkaar aanraakten, met hem onvast ter been en vervuld van pijn en overweldigd door vreugde in het midden, had het zijn hoogtepunt bereikt.

Het afgrijzen huisde nog steeds in hem.

Dat gevoel was er vrijwel altijd.

Het enige dat hij tegen het duister en het afgrijzen en de lachende, afschuwelijke stem in het geweer kon brengen, waren zijn gouden gezangen; de klanken en patronen van woorden uit het verleden die hij tot zijn eigen web gesponnen had. Vaak viel zo'n web uiteen, maar hij kon ze altijd weer nieuw maken. Zo lag hij voorover op de grond en luisterde ernaar en nam Kerewin erin op, nam haar op in zijn hart.

De uren zingen voorbij.

Ze begon aan een spiraalmotief, maar de krullen werden zo verward en druk, dat ze het maar helemaal verknoeide. Ze begon aan een nieuwe groep. Verderop stond de sluipende schimmel met zijn schreeuwend middelpunt te drogen, er zit een laagje helder vernis uit een spuitbus overheen. Telkens wanneer ze ernaar kijkt, gaat er een huivering van trots en voldoening door haar heen.

Iets echts! Ik ben nog niet dood! Ik kan nog steeds een stuk van mijn ziel naar boven halen en het in kleur vastleggen, voorgoed fixeren...

De nieuwe groep rondingen wordt niets.

'Sss,' zegt Kerewin en draait zich eindelijk om. 'Hallo daar!' Ze was zijn bestaan vergeten; zijn afzijdigheid is perfect.

Ze kijkt op hem neer, bezorgd omdat hij zo stilligt, voelt zich schuldig omdat ze helemaal vergeten was dat hij in de kamer was.

Dan draait Simon zijn hoofd om en zijn ogen zijn open en knipperen niet.

Even kijken ze elkaar aan.

Jezus, zijn ogen nemen rare kleuren aan, maar ze zegt kortaf:

'Sta op. Kom eens kijken.'

Hij vindt het niet mooi, zijn gezicht wordt wit en zijn ogen worden nog donkerder. Hij legt een hand om zijn vinger heen en verstrakt de greep als de vinger probeert weg te komen.

Kerewin lacht triomfantelijk en verrukt.

'Dat is het precies!' Handen op de heupen. 'Dat is precies wat ik wilde laten zien. Zelfs jij ziet het!'

'Wat heb jij gedaan?' en pakt het schetsblok op voor hij erbij kan. 'Niets?'

Niets.


Joe komt de trap oprennen, Simon een trede achter hem aan.

'Klaar voor het eten?' roept hij. Hij heeft zijn helm nog op. Een door plastic beschermd gezicht, groen gezwollen hoofd, een krijger die zojuist is teruggekeerd uit de wereldse strijd.

Ze denkt: knap brutaal, mannetje. Eerst het kind hierheen sturen en dan ook nog verwachten dat ik je te eten vraag – er zijn grenzen aan stamverwantschap – en wil juist iets scherps en ijzigs zeggen, als de man zijn helm afzet en haar voorhoudt.

'Hij heeft het je toch wel verteld?'

'Wat?'

'O jee.'

Simon pakt de helm en biedt hem haar aan.

'Over het eten,' zegt Joe naar zijn ongezeglijk zoontje starend, dat de laatste paar minuten om hem heen heeft gedanst. Zodra hij de motor hoorde, was hij naar beneden gekomen en Joe had zich afgevraagd waarom hij zo bleek was.

Hij zegt: 'Je bent het vergeten te zeggen, hè?'

Ik?

'Ja, jij... tjeminee, ik dacht dat ik die ene eenvoudige boodschap wel aan je kon toevertrouwen. Kerewin, e hoa, ik kreeg een goed idee toen ik hem naar je toestuurde. Omdat we gisteren bij jou gegeten hebben, maakte ik voor vanavond iets lekkers klaar. Beviel de lunch?'

'O ja, verrukkelijk. Ik heb in maanden geen pijlstormvogel meer gehad en ik dacht ook dat het nog een poosje duurde voor het seizoen begon.'

Joe lacht. 'Ik heb een geheime bron. Ze waren voor zijn verblijf hier, of hij dit keer nu bleef of niet. Ik weet al dat hij gebleven is, want ik ben even bij de Tainuis langsgeweest op weg naar huis. Toen heb ik me rot gewerkt en eten gemaakt. Iets bijzonders. Wildzwijn met maïs. Ik heb er zelfs wijn bij gekocht en dat wil wat zeggen voor een verstokt bierdrinker als ik. Waarom heb je het niet verteld?' zich omdraaiend naar de jongen, 'waarom niet?'

Hij ergert zich, omdat al zijn moeite en voorpret misschien voor niets zijn geweest. 'Waarom nou niet?'

Simon schrijft, niet van zijn stuk gebracht, VERRASSING op zijn hand.

'Het is zeker een verrassing, en een heel prettige ook,' zegt Kerewin.

'Ik was net van plan om dat vervloekte fornuis aan te maken en een of andere stoofschotel te maken als avondeten en nu wordt me plotseling een feestmaal aangeboden. Als je twee tellen wacht, doe ik andere ringen om, die geschikt zijn om mee uit eten te gaan,' kakelt ze spottend. 'Meen je het echt? Wil je echt dat ik meega om bij jullie te komen eten?'

'Ja natuurlijk. Het is geen grapje. Luister, vervelend ventje, doe wat je gezegd wordt en hou geen dingen voor je, ook niet als verrassing. Dat kan namelijk wel eens een averechtse uitwerking hebben.'

De jongen knikt, haast een bevestigend knikje op elk woord.

'Met onverholen sarcasme.' Kerewin kijkt vrolijk naar hem. 'Nou, dit is een leuke verrassing, dus of het nu door een slecht geheugen gekomen is, of met opzet, het pakt goed uit. Hoe gaan we?'

'O, op de motor.' Hij pakt de helm van de jongen aan en reikt hem haar voor de tweede keer aan.

'Ja, ik kijk wel uit!' en deinst achteruit, alsof haar een hoofd op een schotel wordt aangeboden.

'Waar moet Simon dan zitten?'

'Zit je niet graag achterop een motorfiets?' vraagt Joe bezorgd. 'Ik ben heel voorzichtig, ik zal langzaam rijden.'

Kerewin woelt door haar haren. 'De paar keer dat ik op een motor ben meegereden, bleef ik me afvragen wat er met mijn kostbare schedel zou gebeuren als ik eraf vloog.'

'Daar is de helm voor... ik zal echt langzaam rijden. Er is vrijwel geen ander verkeer op de weg tot we bij de stad komen. En Sim zetten we voorop zoals gewoonlijk. Als ik een bekeuring krijg, heb ik pech gehad.'

'Goed,' zegt ze aarzelend en schuift de helm behoedzaam over haar hoofd. Als ze door de hal komen, trekt ze haar spijkerjasje aan. Door de helm klinken geluiden veraf en gedempt. Joe praat tegen Simon en ze ziet Simon antwoord geven) maar kan niet volgen wat er gezegd wordt. Wanneer ze hun kant opkijkt, lachen ze beiden naar haar.

Zelfs verscholen achter de brede schouders van de man slaat de wind nog in haar gezicht. Haar ogen prikken en tranen en de haarlokken die uit de helm te voorschijn komen) worden naar achteren weggeblazen. En koud! De luchtstroom tegen haar gezicht dringt door haar lippen heen en bezorgt haar koude tanden. Door het gebrek aan evenwicht, en het feit dat ze geen enkele controle heeft over snelheid en de richting die ze inslaan, voelt ze zich ongewoon klein en machteloos.

Ze houdt haar ogen dicht tot de motorfiets stopt) omdat het donker beter te verdragen is dan de wazige beelden die aan haar voorbijschieten. Niet hard) had de man gezegd: wat zou je dan scheuren noemen?

'Godkelere,' zegt Kerewin wankelend. 'Help me eraan herinneren dat ik een auto koop.' Ze doet de helm af; haar omvangrijke haardos is geplet en getemd.

'Weet je dat mijn tanden helemaal gevoelloos zijn? Hoe smaakt varkensvlees in hemelsnaam met gevoelloze tanden?'

Daar valt weinig zinnigs over te zeggen...

Daar gaan we dan, op bibberbenen het huis van de Gillayleys binnen, achter de twee aan die hand in hand lopen.

Een keurig verzorgd grasveld, omringd door betonnen paden. Geen bloemen, geen struiken. De plekken waar vroeger perkjes waren geweest, zijn opgevuld met roze gravel.

De hal is somber, een kaal peertje hangt aan het plafond, geen vloerbedekking. Nergens een spoor van stof, noch een teken van bloemen.

Joe duikt uit een deuropening op.

'De keuken,' zegt hij, 'kom binnen.'

Er staat een gaskachel in de vierkante, kale ruimte, die aan een instellingskeuken doet denken door zijn onopgesmukte soberheid. Een tafel en vier houten keukenstoelen met rechte rugleuning.

Een wat gehavende koelkast waar stukjes emaille afgesprongen zijn; een stalen aanrecht; een oud, maar schoon fornuis. Op een plank boven het aanrecht staat een geblutst theebusje, gemaakt ter gelegenheid van de kroning, met daarnaast een schoteltje met zeep en de stop van de gootsteen, en aan het eind van het aanrecht hangt een met canvas bedekte vogelkooi aan een standaard. Ze is erdoor verrast, maar weet niet waarom.

Joe nodigt uit.

'Ga zitten, maak het je gemakkelijk,' en is verder druk bezig met de pannen op het fornuis.

Simon verschijnt om de hoek van de deur. Hij heeft de eigenaardige gewoonte om een kamer binnen te komen langs de deurpost die het verste van iedereen verwijderd is. Hij loopt naar de vogelkooi, trekt de doek ervan af en knipt met zijn vingers. Joe kijkt werktuiglijk om, waarop de jongen naar de doek gebaart. 'Ik ben het vergeten. Het is trouwens jouw taak. Geef hem meteen even eten nu je er toch staat.'

Het is een kanariepiet met een doordringend groene kleur; hij heeft geen gevoel voor tijd en maakt geluiden met zijn snavel en kwettert, alsof de dag net begonnen is.

Ze kijkt beleefd toe als Simon handig het zaadbakje vult en wijst hoe het beest een trapje op en af kan lopen en zichzelf in de spiegel kan bekijken. Ze heeft een hekel aan vogels in kooitjes.

'Pak de fles eens uit de ijskast, Haimona, en geef hem aan Kerewin om open te maken.'

Een half-droge witte wijn; eenmaal geopend komt er een klein wolkje wittige damp af.

Simon maakt een geluid dat lijkt op frrrsh en steekt zijn hand hoog in de lucht.

'Ik zal je frrrshen laten voelen, als je nu niet een handje helpt,' zegt Joe die komt aanlopen met een stapeltje borden en bestek.

'Sorry, ik vergeet mijn goede manieren helemaal,' zegt Kerewin, 'kan ik je misschien een handje helpen met de aardappels?'

En Joe lacht, denkend aan zijn aanbod bij haar thuis. 'Nee, je hoeft alleen maar je eetlust levend te houden.'

'Goed.'

'Haimona!'

De jongen brengt het zoutvaatje en de pepermolen. Een boter-
vloot. Kant-en-klare mosterd in een aarden potje. Een donkere
saus die naar pruimen ruikt. Kleine stukjes appel op een houten
bord. Een groene salade die vleugjes aroma de kamer inzendt.
Knoflook, milde azijn, en is dat krulandijvie?

'Ik kan mijn eetlust niet zo lang meer bedwingen.'

'Vroemmm,' zegt Joe en komt aansnellen met de glanzende,
goudbruine bout van een wild zwijn op een schotel. Hij houdt hem
vlak onder haar neus. 'Kapai?'

'Hmmm' en laat zich quasi in zwijm van haar stoel zakken,
waarop hij alles grinnikend bijna uit zijn handen laat vallen.

> Ze vindt het vast leuk. En als die stomme Haimona het niet
> bederft, wil ze misschien nog wel eens vaker komen.

Hij rept zich weer naar het fornuis, op een manier die niet bij
zijn breedgeschouderde gestalte past en schept de maïs uit het water.

Simon zit al klaar, op zijn knieën, en scherpt mes en vork aan
elkaar.

'Hou eens op,' bijt Joe hem toe wanneer hij er in alle ernst mee
doorgaat en een scherp metalig geluid produceert dat hun kippe-
vel bezorgt. Simon staart brutaal terug, maar stopt er wel mee.

> We zullen je, tama, als je zo door blijft gaan.

Maar hij vult glimlachend drie glazen en loopt naar zijn stoel en
brengt staande een toost uit.

'Kia ora koe,' tot Kerewin.

'Kia ora korua,' antwoordt ze. Terwijl ze de wijn drinkt, denkt
ze

> Wat is er zo vreemd aan? Geen foto's, geen bloemen, geen
> prulletjes voor zover ik kan zien? Misschien, maar niet alle
> huizen hebben dat. Is het de keurige soberheid, de haast ar-
> moedige aanblik? Vergelijk het eens met de splinternieuwe
> 750 cc motor die hij heeft en de wijn... Liebfraumilch is niet
> bepaald goedkoop.

Het vlees smelt op de tong en heeft de zoetige, licht wildach-
tige smaak van een dier dat zijn korte leven in de rimboe heeft
doorgebracht. De salade is overheerlijk en de maïs is zo goed als
diepvriesmaïs maar kan zijn.

'Je bent geen amateur als het op koken aankomt, hè?'

Hij wordt er verlegen van. Hij mompelt wat voor zich uit en Sim ons lippen vormen zo duidelijk HARDER, HARDER, dat Kerewin zich verslikt in de wijn.

'Kop dicht,' en strijkt al het haar van zijn kind over zijn gezicht. 'Jij krijgt geen wijn meer, wijsneus.'

De jongen heeft glas na glas met hen meegedronken, en hoewel zijn glas veel kleiner is, is zijn gezicht toch wat rood aangelopen en schitteren zijn ogen te veel.

'Ik kook graag,' zegt Joe, 'maar wat eten we meestal? Patat... Ik voel me meestal te moe en het is een stuk makkelijker en sneller. Geeft ook geen afwas. Maar af en toe wil ik iets bijzonders maken, zoals dit. Ik heb de kunst van Hana afgekeken. Goh, die kon koken...' zijn stem zakt weg en hij staart met wazige ogen over Kerewins hoofd heen. Na een poosje schudt hij zijn hoofd en zegt ruw:

'Als je nog een keer aan de wijn zit, krijg je een pak slaag, gast of geen gast.'

Simon had zich stiekem, samenzweerderig lachend naar Kerewin, nog een glas ingeschonken. Nu hangt hij tegen de rugleuning van zijn stoel en werpt chagrijnige blikken op zijn vader.

O jee. Als ze ruzie krijgen, is de hele maaltijd bedorven...

Ze laat een boer en zegt op verzoenende toon:

'Dit was de lekkerste maaltijd die ik sinds het ontbijt heb gehad. In alle ernst Joe, het was verrukkelijk.'

Joe wendt zijn boze blik van het kind af en zijn gezicht klaart op. 'Echt?'

'Nou en of, het was kapai...'

Hij recht zijn schouders en de kwade uitdrukking op zijn gezicht is nu helemaal verdwenen.

'Daar ben ik blij om. Het stelde niet veel voor, maar ik hoopte dat je het lekker zou vinden.'

'Zo lekker, dat ik zelfs aanbied om af te wassen, en dat, vriend, is een unicum voor een Holmes. Thuis laat ik de afwas een maand staan tot ik niets meer schoon heb.'

'O nee, dat is mijn werk, en het zijne,' en wijst met een vinger op Simon.

Hij staat wat onvast op zijn benen, want ze hebben gezamenlijk drie flessen goede Duitse wijn soldaat gemaakt. 'Nou, dan heb je eens een avond vrijaf.' En loopt naar de gootsteen.

'E!' roept hij uit. 'Laat maar staan tot morgen. Laten we naar de huiskamer gaan. Ik heb de haard aangemaakt, dan is het er zo warm.'

Hij laat haar eerst het huis zien; het kind loopt naast haar en houdt haar hand weer vast en levert heimelijk commentaar met zijn vingers. Alles gaat aan Kerewin voorbij, die het grootste deel van haar aandacht nodig heeft om zich staande te houden en er nuchter uit te zien.

Het huis heeft zes kamers, een typische, niet zo nieuwe overheidswoning, zoals er duizenden over het hele land verspreid staan.

In de slaapkamer staat een tweepersoonsbed. Het is er haast steriel schoon en er hangen dikke gordijnen voor de ramen.

'Mijn kamer,' zegt Joe, die het licht aan en weer uit doet.

'Zijn kamer' en gebaart naar een kleine lichte kamer met waranda. 'Jezus, tama, is het nodig al je kleren op de grond te gooien? Raap ze op.'

Terwijl het kind zijn kleren bij elkaar zoekt en op het bed gooit, kijkt ze eens goed rond. Als je de hal binnenkomt ligt de kamer rechts, aan de achterzijde van het huis. Karig gemeubileerd, zoals alle kamers die ze tot nu toe heeft gezien; een houten klerenkast tegen de wand en een twijfelaar. Op het bed ligt echter een helder gekleurde sprei die van gehaakte vierkantjes is gemaakt; veelkleurig: oranje en paars, rood en stuitend roze, vermiljoen, korenbloemblauw en zonnebloemgeel en limoenbladgroen. Het is de enige kleurenweelde die ze in huis gezien heeft, afgezien van de kanariepiet.

Dat is één ding – alles is zo saai en flets. Geen wonder dat de knaap twee keer per week de benen neemt...

'Wat een mooie sprei,' merkt ze op en Joe antwoordt: 'O, die heeft Marama voor hem gemaakt. Ze is de moeder van Piri en beschouwt zich als jouw nana, hè?'

De jongen heeft de wanorde in zijn kamer wat verminderd en

knikt. Hij kijkt boos omdat hij gedwongen werd het te doen.

'Eruit,' zegt Joe, die wacht met het licht uitdoen tot het kind naar de hal is verdwenen.

Volgende plaats van de rondleiding?

'O, daar is de badkamer.'

Keurig netjes, een schone betegelde vloer – godvergeten koud nu in de winter zonder badmat.

Simon verdwijnt naar het toilet.

'Kleed je meteen uit als je daar klaar bent,' zegt Joe tegen hem. 'Maar je mag nog wel even opblijven, hoor.'

Tegen haar fluistert hij: 'Met een beetje geluk gaat hij onder zeil.'

Voor het eerst vraagt ze zich af of de man nog iets anders in gedachten heeft dan alleen maar praten. In dat geval heeft hij zich in de kaart laten kijken.

'Daar is de logeerkamer, daar staat alleen maar troep.'

Later realiseert ze zich dat ze zijn woorden verkeerd heeft beoordeeld, want in de huiskamer zegt hij:

'Ik wil hem zijn slaapmiddel liever niet geven, omdat hij gedronken heeft. Ik had niet door dat hij zichzelf zo goed voorzag, anders had ik hem wel afgeremd. Maar hoe dan ook, met een beetje geluk valt hij vanzelf in slaap.'

Het vuur maakt de kamer wat lichter, maar verder is er niets dat de ruimte wat opvrolijkt. Onder het raam dat op straat uitkijkt, staat een verschoten sofa. Drie stoelen met sleetse plekken en kringen van slordig ingeschonken glazen op de armleuningen. Een porseleinkast met glazen deuren waar niets in staat.

Hij heeft haar voorzichtig taxerende blik gevolgd en als hij ziet dat haar ogen op de lege kast blijven rusten, grinnikt hij.

'Vraag Himi maar eens waar de inhoud van die kast gebleven is,' zegt hij cryptisch.

'O?' maar de man lacht alleen maar.

Hij zit op het haardkleedje, port wat in het vuur en fluit zachtjes voor zich heen. Hij doet geen poging de conversatie gaande te houden door over koetjes en kalfjes te beginnen en zij waardeert de stilte.

Simon komt op blote voeten binnen. Het verband dat ze had aangelegd is van zijn voet af.

Joe vraagt: 'Gaat het goed?' en wanneer het kind knikt: 'Kom eens hier dan.' Hij bekijkt de hiel van het kind aandachtig en zegt:

'De splinter is nu al bijna zo groot als hijzelf geworden. Zou het daarbij blijven?'

'Hij was wel een paar centimeter lang. Groot genoeg als je er plotseling intrapt, denk ik.'

Joe trekt zijn wenkbrauwen op.

'Ik dacht misschien een centimeter en dat leek me al heel wat. Pech, tama. Waar heb je hem trouwens opgelopen? Zal je verdiende loon wel geweest zijn, hè?'

Simon knielt naast hem neer, maar verwaardigt zich niet te antwoorden. In plaats daarvan steekt hij zijn hand uit naar Kerewin, voelt in de plooien van haar spijkerjasje waar de rozenkrans hangt.

'O,' zegt Joe met iets van verrassing en ontzag in zijn stem, 'geef je die weg?'

De jongen kijkt hem aan, nog rood van de wijn, maar zijn ogen staan donker.

Kerewin zegt langzaam:

'Dat was zijn geschenk voor mij vanmorgen en ik vind het heel mooi. Maar misschien is het beter een erfstuk niet aan een vreemde te geven?'

Joe schudt zijn hoofd. 'Het is van hem en hij kan ermee doen wat hij wil. Ik vertel het je nog wel.'

Tegen zijn zoon: 'De wonderen zijn de wereld nog niet uit. Weet je nog, nou nee, laat maar zitten. Kere wil je wat vragen.'

'Ik?'

Hij wijst op de porseleinkast.

'O ja. Wat is er met die kast, Sim? Waarom is hij zo leeg?'

In Simons blik naar zijn vader is zowel verwijt als wraakzucht te lezen.

Joe lacht naar hem.

'Dat is een pijnlijk punt. Ooit stond hij vol snuisterijen en lelijke glastroep, dingen die je cadeau krijgt, maar eigenlijk helemaal niet nodig hebt.'

'Prullen.'

'Noem jij ze zo? Nou in ieder geval stond die kast er vol mee. Op een keer werd Simon razend op me, ik weet nu zelfs al niet meer waarom, en ruimde de kast uit. Eenvoudigweg door alles tegen de muur te gooien. Dat leverde een flinke berg glasscherven op. Met allerlei vreemde spulletjes er tussendoor – die eh, prullen worden soms door rare bestanddelen bij elkaar gehouden. Kleine veertjes, plastic staafjes en een soort elastiekjes.'

'Dus je was in een keer van jaren rotzooi verlost,' zegt ze, niet goed wetend wat ze anders moet zeggen.

'Ja, dat dacht ik ook, nadat ik gekalmeerd was. De meeste dingen waren souvenirs of verjaardagscadeautjes of huwelijksgeschenken. Er waren natuurlijk wel wat sentimentele herinneringen aan verbonden, maar verder had het geen enkele waarde.' Hij werpt een heimelijke blik op het kind. 'Dat is de moraal, Kerewin. Haimona springt ruw om met bezittingen, of ze nu van hem zijn of van een ander. Ik was verbaasd toen ik zag dat hij zijn kralen aan jou heeft gegeven, maar het past volkomen bij deze beeldenstormer.' Hij strijkt het haar van het kind terug. 'Hana, mijn vrouw, hing wat platen op in zijn kamer, heel leuk en kleurig. Ik dacht ook echt dat hij ze mooi vond. Die zijn een jaar geleden verdwenen, hè?'

'Je gooit gewoon met alles wat in je buurt is als je woest wordt?'

'Ja,' antwoordt Joe voor de jongen. 'Van theekopjes tot op een zekere zaterdagmorgen een halve liter bier. Dat grapje kostte het twee jaar oude kindje van Piri bijna de kop. Die was toen net even op bezoek. Daarna heb je een hele poos niet kunnen zitten, nietwaar?'

Het gezicht van de jongen is weer volkomen uitdrukkingsloos geworden; 't toppunt van desinteresse.

'Goed, ik denk dat we beter op een ander onderwerp kunnen overstappen,' zegt Kerewin, 'hoe verpletterend interessant dit ook is.'

Joe lacht.

Een uur later is het gesprek bij vissen belandt: het zeevissen, dat Kerewins voorkeur heeft en haar specialiteit is, versus vissen in meren en rivieren, waarvan Joe bescheiden toegeeft dat hij er een expert in is.

'Maar niet heus,' zegt hij quasi-zielig. 'ik weet alleen precies waar de vis zit. Ik vind het een probleem ze er op een eerlijke manier uit te halen.'

'Aha, overheidswitvis,' lacht Kerewin, maar hij doet alsof hij geshockeerd is.

Simon slaapt half, maar zodra een van hen zich beweegt om in het vuur te porren of een sigaret aan te geven, verroert hij zich.

'Een ogenblikje,' zegt Joe ten slotte en loopt naar de keuken om even later met een rond flesje terug te komen.

'Kom, tama, bedtijd.'

Twee theelepeltjes van iets dat op frambozensiroop lijkt. Ze kijkt op het etiket.

'Trichloral!' het woord laat haar stem schel naklinken. 'Jezus, hij is wel wat jong voor die troep, hè?'

'Ik vertelde gisteravond toch iets over het slapen,' zegt Joe zacht. 'Zo komen we tenminste allebei aan onze nachtrust toe. Anders krijgt hij om twee uur 's nachts nachtmerries en ben ik drie uur bezig hem te kalmeren tot hij weer een beetje zichzelf is. Dat is niet leuk, avond aan avond aan avond:

'Dat kan ik me voorstellen.'

Hij houdt Simon vast alsof hij een baby is. Het laat haar weer even zien hoe frêle het jongetje is.

'E moe koe,' zegt de man teder en kust het kind, donker over blond haar.

'Kijk eens of je morgen iets ongebruikelijks kunt doen,' en zet hem neer, 'zoals lief zijn voor de verandering.'

Simon lacht en valt bijna om. Hij wankelt naar Kerewin en strekt zijn armen uit, waarop Kerewin wegduikt.

'E, hij wil alleen maar welterusten zeggen,' zegt Joe.

Wanneer heb ik voor het laatst iemand gekust?

Het kind kust haar welterusten en slaat zijn armen om haar hals. En houdt ze daar. 'Ik zal hem van je overnemen als je wilt.' Joe staat vlug op en spreidt zijn armen en is zich bewust van haar toenemende gêne, hoewel Simon niets in de gaten heeft. 'Ik ben geen kinderen gewend,' zegt ze en gaat ook staan. Ze houdt Simon onhandig van zich af.

Hoe hevel ik nu een jongen over die haast bewusteloos om mijn wervelkolom zit geklemd?

Nou, alleen zijn armen, zegt de Snark vals. Een kind als sjaal? Kom nou... Er was eens een vrouw uit Barbados, die zorgelijk zei met hoogrode blos, wat kijk je daar gek, naar die sjaal om mijn nek, 't is een kind dat lijkt op een vos.

Ooohhh. Ze staart in het vuur als Joe het kind naar bed brengt. De laatste keer dat ik iemand kuste was met mijn broer, voor de grote breuk. Zijn kus smaakte naar rum. De kus van die daar smaakte naar frambozen, naar het drankje tegen de dromen. Wat voor vreselijke dromen zou hij eigenlijk hebben?

Aangespoeld, een zeeworp, overpeinst ze. Volgens de oude betekenis lading die overboord wordt gezet om het schip lichter te maken en zo te behouden... dromen over verlaten worden, beroofd worden, dromen over verdrinken terwijl je mensen wegzakken in de hongerige golven?

'Joe?' als hij terugkomt en de deur sluit. 'Vind je het vervelend als ik iets vraag over wat je gisteravond vertelde?'

'Helemaal niet. Wat wil je weten?'

'Je noemde Simon een zeeworp?'

'O, dat. Om te beginnen is het letterlijk waar. Het neemt nogal wat tijd om het uit te leggen... ben je echt geïnteresseerd? Afgezien van mensen in het café heb ik in geen maanden en maanden iemand gehad om mee over mijn kind te praten.'

'Ik luister graag. Ik heb de tijd. En ik ben er nieuwsgierig naar wat hem op zijn leeftijd nachtmerries bezorgt.'

'Vraag hem er niet naar,' zegt hij ernstig. 'Hij kan het zichzelf niet uitleggen, laat staan mij en hij heeft niet genoeg woorden ter beschikking om het anderen duidelijk te maken.'

Hij rekt zich uit.

'Oeoewai... zeg, wil jij nog wat wijn terwijl ik vertel? Er is nog een fles en die was ook voor bij het eten bestemd.' Hij wacht even. 'O, en voor het geval je denkt dat ik boze plannen heb, wat ik niet denk, maar voor het geval dat. En alvast mijn excuses voor het aansnijden van dit onderwerp. Ik ben niet van plan misbruik van je te maken of zo.' Hij is rood van verlegenheid en zoekt naar andere woorden.

'Daar had ik nog niet aan gedacht.'

Wat kun jij liegen.

'Je zei kom eten, Joe. Het was heerlijk. Mijn geest kijkt trouwens niet verder dan mijn maag, maar ik dacht er zeker niet aan dat je me dronken zou willen voeren met kwade bedoelingen.' Ze gooit haar hoofd achterover en lacht. 'Ik denk trouwens dat ik je wel onder tafel kan drinken, als het om wijn gaat. Ik heb flink geoefend.'

'Ik ook,' zegt Joe bedroefd, 'maar wil je nog wijn?'

'Goed idee.'

Hij ligt op zijn rug op de grond met zijn armen over zijn gezicht, en praat. Of beter,' zegt zijn les op, alsof hij lang geleden uit zijn hoofd heeft geleerd wat hij wilde zeggen. 'Drie jaar geleden, iets verder in de winter dan we nu zijn, was er een ongekend hevige storm. Zo werd het op de radio gezegd. Wij noemden het een gemene kelerestorm. Citaat: "De stad Whangaroa op het Zuidereiland werd vandaag door een ongekend hevige storm geteisterd. Van verscheidene huizen werd het dak weggeblazen en een garage bij het centrum van de stad werd totaal verwoest door felle rukwinden. Twee mensen zijn waarschijnlijk verdronken toen een plezierjacht op het zuidelijkste punt van Ennetts Rif werd geworpen, bijna drie kilometer ten noorden van de stad. De politie stelt een onderzoek in naar een mogelijk overlevende van de ramp." Nu loop ik een beetje op de dingen vooruit. Einde citaat.' Joe lacht over zijn arm heen. 'Maar ze zeiden ook dat een van Ben Tainuis vaarzen het slachtoffer werd van de storm. Ze fokken namelijk Charolais.'

'O ja, echt waar?'

'Ja, echt waar. In ieder geval belde een van de gezinnen die bij het Hoofd wonen, de politie om te melden dat er een plezierjacht voor het rif in moeilijkheden was geraakt. De zee was wild, maar de politie vroeg een vriend van me, Tass Dansy, of hij met de boot die hij gebruikt voor de stroom bij Chatham een kijkje wilde gaan nemen. Er was hier geen enkele andere boot die geschikter was voor zo'n ruwe zee. Tass, zijn stuurman en twee agenten hebben het meer dan twee uur lang geprobeerd. Probeerden zo dichtbij te komen dat ze een lijn konden werpen om haar op sleeptouw te nemen, maar tegen die tijd was de storm al windkracht twaalf geworden en hij werd nog steeds heviger. Uiteindelijk sloeg het jacht tegen een uitloper van het rif. De agenten en de stuurman zagen drie mensen overboord springen, een man die een kind vasthield en een vrouw. Maar Tass zweert tot op de dag van vandaag dat hij nog een andere man bij de boeg zag wegslaan en hij dacht dat er misschien nog iemand aan boord was. Hij stond in de stuurhut en had het beste zicht, dus hij zal wel gelijk hebben. Maar we hebben er maar drie gevonden. Er werden vrijwilligers opgeroepen om de stranden af te zoeken, nadat het schip gezonken was. Ik ben toen gegaan. Hana was in haar zevende maand, maar alles was goed met haar en ik vond het niet vervelend om haar alleen in de storm achter te laten. Dit oude huis kan wel een stootje hebben.'

Hij zucht.

'Daar liep ik dus langs het strand in een vliegende, huilende storm met zeven andere idioten en vroeg me af wat me in hemelsnaam bezield had. We liepen in een lange rij langs de kust. Trover, die hier toen agent was, riep ons na ongeveer een half uur. Ik kon hem niet verstaan boven de wind uit, maar ik zag hem met zijn armen zwaaien en rende er naartoe. Hij had de man gevonden, en we hoefden er niet aan te twijfelen dat hij dood was. Zijn hoofd was opengespleten op een rots toen hij door de branding kwam aanrollen. Zijn schedelkap was eraf geslagen en zijn hersens waren weggespoeld. Zijn open hoofd was als een theekopje, met aan één kant nog het gezicht.'

'Afgrijselijk.' Ze begint te begrijpen waarom het kind zulke nachtmerries heeft.

'O, Himi was niet bij hem.' Joe heeft blijkbaar haar gedachten geraden. 'Die man had een aardig, prettig en open gezicht. Ontspannen, alsof hij het niet erg vond om dood te gaan. Hij was lang en zeer gespierd; het lichaam van een atleet. Hij was naakt, zijn kleren werden waarschijnlijk afgerukt op weg naar het strand, maar we hebben er nooit iets van teruggevonden. Ik heb zijn ogen niet geopend gezien. Trover nam contact op met het politiebureau om te melden dat we er een gevonden hadden en het bureau liet een ambulance komen uit 'Wera en wij zochten verder. Ken je mijn neef, Piri Tainui?'

'Ik heb Piri een paar minuten gezien, toen hij Simon dat weekend kwam ophalen.'

'O ja. Nou, hij vond de vrouw. Ze was klaarblijkelijk verdronken. Die andere agent, met een buitenlandse naam als Kosinski of zoiets, maar een aardige vent, probeerde kunstmatige ademhaling toe te passen. Dat lukte niet. Omdat de dame, afgezien van de rest, een gebroken nek had, volgens de patholoog. Ze was ten dele gekleed in een soort losse blouse, had nog een teenslipper aan haar rechtervoet. Haar teennagels waren zwart gelakt. Ze had een goed figuur, maar een beetje week. Ik herinner me dat ik dacht, God vergeef me, dat ze er hoerig uitzag zo liggend tussen het wier. Ze had haar haar met henna geverfd. Misschien was het ooit blond geweest. De man had trouwens heel kort, zwart haar. De vrouw had blauwe ogen, die wijd opengesperd waren en ze keek alsof ze niet kon geloven dat ze dood was. Ze droeg haar horloge aan haar rechterpols, wat vrij ongewoon is. Het glas was kapot gegaan en was verder waardeloos voor identificatiedoeleinden. Ook uit haar kleding viel in dat opzicht niets af te leiden.'

Hij gaat zitten en steekt een sigaret op.

'Om ongeveer half acht werd ik weer het strand op gestuurd, terwijl de anderen het uiterste oostelijk gedeelte van de landtong gingen afzoeken. Het was donker, heel donker en de storm was nog niet afgenomen. Ik moest vechten om vooruit te komen en te verhinderen dat ik achteruit geblazen werd. Ik was nog niet zo ver gevorderd, toen ik iets aan de vloedlijn zag liggen. Ik dacht: ah Ngakau, weer een bos zeewier, loop maar door. De hele kust was ermee bezaaid en het zou niet de eerste keer zijn dat ik het aanzag voor een lichaam. Op een gegeven moment ga je overal wat zien, weet je?'

Hij kijkt neer op de rook die uit zijn sigaret kringelt en schudt zijn hoofd. 'Toen zag ik zijn haar... dat was lang toen, nog langer dan nu. Hij lag grotendeels buiten het bereik van het water, maar de hoge golven van het terugtrekkend tij zogen aan hem. Hij lag voorover met zijn gezicht naar me toegedraaid, toen ik naar hem toe strompelde door zand en wier. Hij was half bedekt met zand, het zat in zijn mond, oren en neus. Ik dacht, ik wist zeker dat hij dood was. Maar ik maakte zijn mond en neus vrij en drukte het water uit zijn longen en beademde hem.'

Het blijft een poosje stil.

'Dat heeft hij van mij, denk ik. Mijn adem... ik was verbaasd toen hij begon te hoesten. Ik koesterde geen enkele hoop in mijn hart. Hij was zo klein en slap. We dachten dat hij niet ouder kon zijn dan twee of drie; dun en mager met armen en benen als luciferhoutjes. Godallemachtig, wat was hij mager! Hij is nu al niet zwaar,' en lacht naar haar, 'maar je had hem toen eens moeten zien...'

Opnieuw een stilte.

'Zijn ogen waren zwart, een en al pupil en hij zag me helemaal niet. Ik dacht eerst dat hij een meisje was, door zijn haar, maar toen ik hem oppakte, zag ik zijn penis. Hij droeg een pyjamajasje – dat moet hier trouwens nog ergens zijn. Een hele gewone, zoals je bij elke Woolworth kunt kopen. En een zwemvest. Zo'n oranje ding dat uit twee met kapok gevulde flappen bestaat en een kraag. Die je over je hoofd aan kunt doen.'

Ze knikt. 'Ik ken ze.'

'Hij was vrijwel letterlijk over zijn hele lichaam bont en blauw door kou en kneuzingen. Later hoorde ik pas dat zijn linkerhand was verbrijzeld, zijn linkerarm op twee plaatsen was gebroken, drie ribben links waren gebroken en dat beide sleutelbeenderen waren geknakt. Alsof hij heel hard met zijn arm ergens op terechtgekomen was. Ik heb hem gewoon opgepakt, heb hem in mijn jas gewikkeld en ben teruggerend, werd teruggeblazen en schreeuwde als een idioot terwijl de storm door me heen sneed. Wat daarna gebeurd is, is niet meer zo duidelijk. De rit in de ziekenwagen naar Taiwhenuawera met twee lijken als gezelschap. Het lange wachten, zo leek het althans, in ziekenhuiskamers met enorme, felle lampen. Allerlei onderzoeken waarbij hij schreeuwde, schreeuwde. Hij kwam erg snel weer tot leven. Doodsbang, maar zelfs toen hij half-bewusteloos was, klampte hij zich als een bloedzuiger aan mijn hand vast als hij de kans kreeg. Shock, onderkoeling, longontsteking, hij had eigenlijk dood moeten zijn, zeiden ze in het ziekenhuis en somden zijn fractures op. Ik ben die nacht bij hem gebleven, omdat hij van streek raakte als ik zijn hand niet vasthield en Hana kwam en bleef bij ons.' Hij voegt eraan toe: 'Wist je dat Hana verpleegster was?'

Hij reikt naar voren en drukt zijn sigaret uit. Hij ontwijkt haar ogen.

'Nee.'

'Nog twee dingen,' zegt hij na een poosje. 'Het bleek dat hij al eens eerder in een ziekenhuis had gelegen en het werd al snel duidelijk, uit zijn reacties, dat die ene keer vervelend was geweest. Röntgenfoto's lieten zien dat hij diverse verwondingen had gehad aan bekken en heupen en de artsen meenden dat hij toen wel een hele poos in het ziekenhuis moet hebben gelegen. Het andere punt is dat hij nooit sprak. Schreeuwen, mijn God, wat kon hij schreeuwen! Hij was en is een ongelooflijke schreeuwlelijk. Maar hij zei nooit iets en gedroeg zich ook niet alsof hij gewend was te spreken. De KNO-man die hem onderzocht, zei dat er geen fysieke afwijking was die hem het spreken belette. Alles zit op zijn plaats en functioneert. Maar wanneer hij zijn stem gebruikt, gaat hij heel heftig overgeven.'

'Woorden?'

'Nee, alleen geluiden.'

'Hmmm.'

'Nou, er volgde een gerechtelijk onderzoek, om even terug te keren naar het verhaal. Piri legde een verklaring af, en Tass Dansyen ik ook. Half Whangaroa legde een verklaring af en genoot er volop van. De patholoog zei dat de vrouw achter in de dertig was, de man was begin dertig en dat beiden in goede gezondheid verkeerden. Geen bijzondere littekens of moedervlekken – wat zeer ongewoon is volgens de patholoog, en daar bleef het bij.

De politie heeft nooit bericht gekregen dat iemand die aan hun beschrijving beantwoordde, werd vermist, en ze hebben tot in Engeland geïnformeerd. De stoffelijke resten en de overlevende waren en zijn niet te identificeren. Het enige dat er licht op zou kunnen werpen, ligt vierhonderd meter onder sterk stromend water en niemand voelt zich geroepen om dat boven water te halen. Weet je, ik heb me afgevraagd wie de anderen aan boord waren, want ik geloof wel dat er anderen waren. Afgezien van het feit dat Tass er wellicht twee zag, was Himi altijd bang om mensen te ontmoeten, alsof hij verwachtte iemand tegen te komen van het wrak die hij niet wilde zien.'

'Hoeveel kan hij zich ervan herinneren?'

'Als hij zich al iets kan herinneren, vertelt hij er niet over. Jezus, hij was te jong om te weten hoe oud hij was. Hij wist zelfs niet hoe hij heette, en als hij het al wist, kon hij het ons nooit zeggen. Hana noemde hem Simon Peter, omdat hij in het begin het sterkst reageerde op die namen. We hebben hele lijsten geprobeerd, honderden namen... hij reageerde zelfs op een heleboel namen, en er waren hele vreemde bij. Wij dachten dat het misschien namen van mensen waren die hij gekend had, of plaatsen waar hij geweest was of zoiets. Ik ben er bijvoorbeeld vrij zeker van dat de mensen die bij hem waren O'Connor heetten.'

'De mensen bij wie hij was? Niet zijn ouders?'

'Uit hun bloedgroep bleek dat zij onmogelijk zijn ouders konden zijn.'

'Een levend mysterie... wat voor namen nog meer?'

'Op een ochtend hoorde hij iets op de radio en raakte heel opgewonden. Probeerde Hana er naartoe te trekken om te luisteren. Wat hij wilde horen was al voorbij tegen de tijd dat ze kwam, dus belde ze het radiostation op. Ze waren zo vriendelijk haar de tekst van de nieuwsberichten op te sturen, want daar ging het om. En het onderwerp waar Himi haast razend van werd, betrof een aanval van haaien op het strand van Dunedin.'

'Ja, dat kan ik me herinneren.'

'Maar ja, wat hadden we eraan? Niets, want hij klapte helemaal dicht en wilde niets meer zeggen. Citroëns betekenden ook iets voor hem. Om de een of andere reden werd hij erdoor geobsedeerd. En vuur... hij is er nu overheen, maar er was een tijd dat hij zelfs bang was voor lucifers.'

'Een vreemde verzameling aanknopingspunten... Welke rol spelen zijn kralen in dit geheel? Zijn ze van jou, of waren ze van je vrouw?'

Joe schudt zijn hoofd.

'Het etui was van mijn vrouw, dat is alles. Die kralen waren meer dan een jaar lang zijn talisman, hij wilde ze niet afgeven. Niet in bed, niet in bad, nergens. Het duurde een hele tijd voor iemand ze zelfs maar kon bekijken. Ze werden gevonden in de borstzak van de blouse van de vrouw. Men liet ze hem zien om te kijken of hij ze kende. En ja hoor. Hij griste ze weg, kuste de ring die eraan zat en wilde ze niet meer loslaten. Meer dan een jaar lang, zoals ik al zei. Als je ze wilde zien, moest je er letterlijk een gevecht voor leveren. Op een keer, toen de politie nog steeds probeerde uit te zoeken wie hij was, kwam er een oudere rechercheur over uit Wellington om ze te fotograferen en te proberen om Himi te ondervragen. Hij was toen vier jaar, geloof ik.'

En schudt opnieuw zijn hoofd over een levendige herinnering.

'Godallemachtig, wat een toestand! We vertelden hem dat we zijn kralen alleen maar wilden bekijken, maar dat maakte geen enkel verschil. Ten einde raad heb ik hem in de houdgreep genomen en heb hem de kamer uitgedragen, nadat Hana de kralen had afgepakt. Hij heeft ons een maand lang als oud vuil behandeld.'

'Hij is haatdragend, hè?'

'Nee,' zegt Joe heel langzaam, 'nee, hij is niet haatdragend. Hij was een tijdlang gewoon te bang voor ons om ons te kunnen vertrouwen en dat was nadat we hem al een jaar bij ons in huis hadden. Hij is trouwens min of meer geadopteerd. Omdat niemand erachter kon komen wie hij is, kan het nooit definitief geregeld worden. En trouwens, mijn persoonlijke status is gewijzigd sinds de laatste keer dat ze naar hem geïnformeerd hebben. Hana en mijn andere zoontje waren toen nog niet overleden.'

'Het spijt me voor je.' Woorden schieten altijd tekort... als ik je beter kende of een warmer mens was, zou ik je misschien een hongi kunnen geven maar...

'Tsja,' hij staart in het vuur. 'Timote was tien maanden oud en Hana was dertig en ze stierven aan een griep. Dat blijf ik zoiets stoms en oneerlijks vinden. Stel je voor, griep!'

Hij spuugt. Er komen tranen in zijn ogen.

Ze zegt niets.

'Kom, Kerewin, drink eens op. Ik verveel je.'

Hij zet de fles neer. 'Excuseer me, ik ga even naar Himi kijken.' Hij beent de kamer uit en slaat de deur dicht.

Verdorie, denkt ze, een mooi eind van de avond. Hij is een echte emotionele hoge drukketel en het kind ook en dat is niet zo vreemd.

Ze kijkt naar de wijn die in haar glas tot bedaren komt en drinkt somber verder.

Kerewin, onder de verre, heldere sterrenhemel: dus dat valt er te weten over de Gillayleys in hun zonderlinge, ordelijke, steriele toevluchtsoord. Ze strekte haar armen uit, zo breed als een kruis en er knapte iets kleins en beenachtigs in haar borst. Ze vloekte en trok snel haar armen in.

Een beentje geknakt zonder iets te wensen... Wat zou ik ook moeten wensen? De terugkeer van de vreugdevolle stemming? Die komt toch niet terug door het te wensen... Misschien moet ik, gezien deze verwarde janboel iets voor hen wensen... Iets voor Simon? Een echte naam? Nee, iets beters. Een schild tegen zijn dromen en voor de ander verlost te worden van de behoefte die hij zo duidelijk heeft aan zijn dode vrouwen zijn dode kind. Er is echter maar één manier om dat te realiseren en dat is hem naar hen toe te sturen... Ach wat, ik was toch al vergeten een wens te doen.

Ze loopt verder, haar blote voeten zakken weg in het zand. De bovenlaag is hard geworden door de regen van de vorige avond. Er loopt haast nooit iemand op het strand.

O opperhoofd van mijn kinderen, primaat van ellende, kom, zink weg in de vacht van je oude moeder Aarde... maar in ernst, Holmes, er is iets aan de hand met dat jongetje, afgezien van wat Joe vertelt. En nu we het daar toch over hebben, er is ook iets mis met hem.

Zingt in de nacht:

'Ach de hele wereld is een beetje raar, behalve u en ik en soms heb ik mijn twijfels over u.'

Mezelf ken ik. Ik ben de maanzuster, op land gestrand getijdenkind. De zee altijd in mijn oor, branding van eeuwigdurende onvrede in mijn bloed.

Je praat als gewoonlijk weer onzin.

Maar wat te doen aan de bittere dromen van het jongetje? Of de kwade schaduwen van de man – de geesten op zijn schouders? Het miasma van wanhoop die zijn flitsende lach bederft?

Hij is de kamer weer binnengekomen met kopjes koffie in zijn handen, de tranen op zijn wangen zijn nog maar nauwelijks gedroogd.

'Weet je dat hij glimlacht in zijn slaap?'

Ze krijgt de indruk dat dat niet vaak voorkomt.

De koffie is sterk en werkt ontnuchterend.

'Ik moet morgen werken.'

'Vandaag dus.'

'Ja, dat is het hem juist.'

'Ik had daar een hekel aan,' zegt ze. 'Op een onstichtelijk uur moeten opstaan om naar je werk te gaan. Helemaal uit de pas met mijn lichaamstijd. Dat waardeer ik nu het meest: dat ik om vijf uur kan opstaan, nog voor de zon als ik wil, of in bed kan blijven tot de volgende dag.'

Hij zucht.

'Dat lijkt me heerlijk. Maar ik werk in een fabriek, in een fabriek, in een fabriek.'

'Ik ken dat. Ik heb ook in fabrieken gewerkt.'

'Weet je wat ik het ergste vind? Niet het opstaan.'

'Het monotone? Het lawaai? De idioten om je heen? Chefs?'

'Nee, als marionet in het stuk van een ander te moeten spelen. Niets in te brengen hebben.'

Hij spreidt zijn vingers en kijkt door een waaier van vingers. 'Er staat wel iets tegenover, denk ik. Ik heb het huis afbetaald en er is nog wat geld op de bank. We hebben te eten en kleding genoeg. Allemaal oude vertrouwde pakeha-ideeën en rechtvaardigingen. Maar ik maak lange dagen. Ik begin om zeven uur en ben nooit voor vijf uur thuis. Soms pas om zes uur. Ik ben te weinig bij Haimona, hè?'

'Zo klinkt het wel een beetje... wat doet hij meestal overdag?'

'School,' zegt Joe laconiek. 'De bedoeling is dat hij daarna naar mijn neef gaat. En dat doet hij meestal ook wel als hij naar school is geweest.'

Ze vraagt aarzelend:

'Als je niet steeds hoeft te werken, waarom neem je dan niet eens een poosje vrijaf?'

'Het lijkt me heerlijk om eens echt met vakantie te gaan. Ik heb nog wat weken staan... maar ik weet het niet. Ik heb allerlei manieren geprobeerd. Thuis gebleven; toen vlogen we elkaar in de haren. Hem naar de Tainuis gestuurd, zodat ik erop uit kon trekken; maar hij vocht met Piri's kinderen en joeg alle volwassenen tegen zich in het harnas, zelfs Marama had het er moeilijk mee. En zij vindt hem een vleesgeworden engeltje. Daarna probeerde ik het met een busreis, vorig jaar kerst. We gingen naar het noorden. Ik dacht dat hij het misschien leuk zou vinden om de omgeving te zien waar ik ben opgegroeid. Een andere omgeving dan hier.'

Hij leunt achterover en steekt weer een sigaret op.

'Godallemachtig, wat was dat een ellende. Ten einde raad sloot ik hem op in de kamer van het hotel waar we die dag waren en ging zelf naar de bar beneden om me

een stuk in de kraag te drinken. Echt de manier om vrienden te maken en mensen te beïnvloeden, hè? Je kunt je wel voorstellen hoe we er overdag bij zaten... Dat nooit meer!'

Hij buigt zijn hoofd.

'Ik weet niet precies meer hoeveel ik betaald heb aan schade aan hotelkamers, maar het was niet alleen zijn schuld, denk ik.'

Het vuur knettert.

Kerewin zegt:

'Je houdt toch van vissen, niet?'

'Ja.'

'Nu, ik kan proberen erachter te komen of iemand van mijn ex-familie de vakantiehuisjes in Moerangi gebruikt. Dat is een vakantiemogelijkheid die je kunt overwegen. Er is niet veel anders te doen dan vissen, maar het is er mooi. Stil. Rustgevend.'

Joe knikt en kijkt haar vragend aan.

'Ex-familie?'

'Een ruzie die niet meer kan worden bijgelegd...'

We hebben elkaar te diep gekwetst, die breuk is onherstelbaar.

Ze gaat op het vochtige zand zitten, strekt haar benen voor zich uit en steunt op haar handen.

Vreemd.

Webben van gebeurtenissen die vergroeien tot een net in het leven. Het leven is een wildgroei van dingen. Ze gaat ervan uit dat er een allesomvattend patroon, plan inzit.

Ze heeft het nooit gevonden.

Ze denkt aan de instrumenten die ze verzameld heeft en zorgvuldig heeft leren hanteren. Toekomstvoorspellingen, Tarot en I Ching en de veelomvattende kringelvingers van de sterren... dit alles om de waarheid uit te vlooien, op te rakelen, te kunnen lezen in de met rook omhulde toekomst. Een brede algemene kennis die stukjes geschiedenis omvat, psychologie, ethologie, religieuze theorieën en praktijken van velerlei aard. Haar kaarten van zelfkennis. Haar bibliotheek. De innerlijke dorst naar informatie over alles dat leeft of geleefd heeft op Aarde, die ze levend gehouden heeft, lang nadat haar jeugd was afgelopen.

Niets van dit alles had geholpen om de zin van het bestaan te ontdekken.

Ze kijkt toe hoe het zeelicht sterker wordt.

Waarom heb ik in vredesnaam mijn heiligdom aan hem en de jongen aangeboden? Hoewel.. ik heb een slag om de arm gehouden... ik kan altijd nog zeggen dat Zij er zijn. Misschien moet ik er zelf tussenuit knijpen naar de huisjes... ze zeiden altijd:

Vind de kaik' weg.

Sla de kaika weg in,

zacht schitterende weg

van het verleden

naar Te Ao Hou.

De maan komt achter een wolkenbank te voorschijn.

Ah, stralende zuster, heldere kern van mijn hart, misschien vind ik dit jaar in Moerangi een betekenis voor de droom?

Mist verhult de diepte der sterren. De nacht schuift naar de dageraad toe.

Ze staat wankelend op en rekt zich uit en kreunt van stijfheid.

Een houten kont. Wat verwacht je anders als je op nat zand gaat zitten, stomkop? Een wandeling van twintig minuten naar huis om dan lekker lang te gaan slapen. God zij dank is er wijn, om makkelijk te kunnen slapen. Moerangi kan heilig en geestelijk rusten in mijn dromen vannacht.

En hoe zit het nu met die tanden?

Ze grijnst.

Ongetwijfeld liggen onder golven hier niet ver vandaan, die

misleidend een zuigelingschap van melk en honing weerspiegelen, kleine stukjes ivoor...

Ze kijkt strak naar de schreeuwende tekening.

Het kaarslicht flakkert.

De tekening schreeuwt in stilte door.

Ze haat het.

Het is intens bitter.

O onvreugde, is dat alles wat ik kan? Mijn misère etaleren.

Al het vurige is eruit.

Ze is terug in de verwilderde, asdode wereld.

Ze pakt de tekening op en stopt hem weg achter haar bureau.

Daar staan een heleboel tekeningen en schilderijen.

Deze nieuwe kan in gezelschap schreeuwen.

Wat heeft het voor zin ze te bewaren?

Een verzameling om over te weeklagen?

'Je bent niets,' zegt Kerewin koel. 'Je bent niemand en zult ook nooit iets worden, een nul.'

En haar innerlijke stem, de Snark, die tot zichzelf komt tijdens depressies als deze, zegt:

> En je bent ook nooit iets geweest, weet je nog? En de volgende zin is:...

'Kop dicht,' zegt Kerewin hardop tegen zichzelf. 'Ik weet dat ik erg dom ben.'

> Maar niet dom genoeg om dit te nemen.
>
> Ik ben versleten, tot op de rauwe kern van mijn ziel.
>
> Nu is het moment aangebroken, o bitter bier, om mijn ziel te troosten;
>
> milde mond vol whisky, vertel me leugens van waarheid;
>
> maar nog beter, zoete wijn, wees de voorbode van een diepe en droomloze slaap...

'Spelen met woorden,' zegt ze wrang. 'Altijd maar citeren.' En vindt op de tast haar weg via de wenteltrap naar de ronde woonkamer.

En tot Joe wakker wordt en kreunt tegen het schrille geluid van de wekker, steunt bij de gedachte aan weer een saaie, pijnlijke dag;

tot de tijd dat Simon wakker wordt en luistert, zich snel aan-

kleedt en door het raam op weg gaat naar zijn nieuwe toevluchtsoord;

tot die tijd drinkt Kerewin, tot ze een staat van koele, onverschillige nuchterheid bereikt.

Het is alsof er niets veranderd is.

# 3  Sprongen in het duister

I

WAT ZIE JIJ 'S NACHTS?

'In mijn dromen?'

Hij huivert en schudt nadrukkelijk zijn hoofd.

'Bedoel je in het donker? Wat ik in het donker zie?' Nee. Hij zwaait met het papiertje waarop staat WAT ZIE JIJ 'S NACHTS?

'Goed, wat zie ik 's nachts? Sterren?'

Nee.

'De nacht zelf, de duisternis?'

Nee, nee.

'O, bedoel je iets dat niet gezien kan worden, zoals geesten?'

Veel nee's en gefrons.

'Tjee Simon, ik zie dezelfde dingen als overdag, alleen lijken ze, zijn ze zo donker dat ze kleurloos lijken. Ik zie geen andere dingen.'

Hij probeert het nog eens.

OM MENSEN? Krabt met het potlood op zijn hoofd, frons nog intact, en schrijft ten slotte opnieuw: OM MENSEN. 'Ik zie niets om mensen. Jij wel?'

Hij knikt vermoeid. Hij houdt zijn hoofd gebogen, heeft blijkbaar geen zin haar aan te kijken.

Kerewins beurt om rimpels te trekken.

Wat kun je nu in vredesnaam om mensen zien in het donker? Overdag schaduwen, ja, maar 's nachts?

Door het woord schaduwen komt ze op het antwoord.

'Wacht eens even... Sim, zie je soms licht om mensen heen?'

Hoofd schiet omhoog en zijn heldere lach bloeit op. O ja.

In de bibliotheek, met de boeken om hen heen uitgestald: 'Kijk, dat zijn ze. Zieleschaduwen. Corona's. Aura's. Maar heel weinig mensen kunnen ze zien zonder gebruik te maken van een scherm of de fotografiemethode van Kirlian. De enige die ik ken, die ze zonder hulp kon zien, zag ze steeds, dag en nacht. Daarom dacht ik er niet meteen aan, jochie.'

Hij raakt haar bij haar ogen aan.

'Nee, ik kan ze niet zien. En ik denk Joe ook niet.'

Precies, zegt de jongen en lacht als een wolfsjong. Hij schrijft snel op: BANG MOCHT HET NIET ZEGGEN.

'Ja, ik snap wel waarom. Het is een beetje eng als iemand dingen kan zien die je zelf niet ziet... als het niet mocht waarom vraag je mij er dan toch naar?'

JIJ WEET HET, GEEFT ANTWOORD.

Ik weet het, ik geef antwoord, hè?

Ze gaat wat makkelijker in bed liggen, vouwt haar handen achter haar hoofd en staart in het donker.

Ja, ik weet wel veel. Encyclopedieën vol wetenswaardigheden en grillige stukjes en beetjes kennis. Honderden mythen en legenden... maar over het algemeen niet die dingen die een kind wil weten.

De vreemde gesprekken die we voeren. Blikken en gebaren, intuïtie en giswerk, korte briefjes en lange mondelinge ondervragingen en verklaringen... en Sim neemt antwoorden zo gretig in zich op. Allerlei soorten antwoorden. Waarom, is het motto van de jongen. Waarom is dat, waarom wel, waarom niet? Voedsel, het weer, de tijd, zee en seizoenen, kleding, auto's en mensen; allemaal koren op de molen van het waarom.

Ik weet veel en geef antwoord, maar zit in toenemende mate met mijn eigen waaroms.

Waarom geeft Joe niet eens wat antwoorden?

Als ik tegenwoordig naar het café ga, praten de vaste klanten tegen me. Ik heb bijvoorbeeld de meest onwaarschijnlijke verhalen te horen gekregen van ene Shilling Price. Het is maar goed dat Joe hem een beetje kort houdt, zei hij, anders nam hij helemaal een loopje met ons.

Bill, de barkeeper, vertelde discreet dat de oude Shilling de neiging heeft nogal te overdrijven, weet u? Neem het maar met een korreltje zout, stelde hij voor en onthaalde me toen op een anekdote over Sim die alle brandmelders van de stad in werking zette. Het is een echte dondersteen, concludeerde Bill.

Hmmm. Ik krijg het gevoel dat de wapenfeiten van het kind alleen maar getolereerd worden omdat men Joe graag mag.

Zeker is hij een raadsel.

Hoe vaker hij langs komt, hoe meer ik geïntrigeerd raak. Zijn herkomst is oud nieuws voor de stad en voor Joe – maar mij fascineert het. Waarom zou ik niet proberen erachter te komen wie hij is? Ik zou twee vliegen in één klap kunnen slaan: Sim inzicht geven in zijn duister verleden, als schild tegen de onbekende angstbeelden uit zijn nachtmerries. En Joe, die zich zorgen maakt over de taak die hij op zich heeft genomen – ik kan me voorstellen dat je je zorgen maakt over het pleegvaderschap van een humeurig, klein niemandje, een koekoeksjong – maar Joe zou zich kunnen verzoenen met iets bekends.

Ik denk dat Joe hem zo kort houdt uit angst voor iets uit het verleden van het kind. Zoals vanavond, één en al vriendelijkheid:

'E Kere! Leuk je te zien!' Mmmm, neuskusje (de dag zit erop). Tilt Simon op, kust hem. 'Ben je lief geweest, tama? Leuke dag gehad?'

'Nouou,' ik lach erbij, omdat het een grappig gezicht was. De drie turven hoge held die het opnam tegen een volwassene. 'Maak je geen zorgen,' verzeker ik Joe, 'de postbode was alleen een beetje verontwaardigd omdat Simon P zijn vingers naar hem uitstak. De invaller die Grogan's route heeft overgenomen voor de vakantieperiode, weet je wie ik bedoel?'

Joe weet wie ik bedoel, knikt koud, ogen op zijn zoon gericht. De ineenkrimpende rug van Simon tegen de muur. Ik krijg de kans niet om het verhaal af te maken, omdat de jongen twee harde klappen krijgt.

'Ik heb je gewaarschuwd; heb het hart niet...'

Blijkbaar geldt het digitus impudicus ongeacht de omstandigheden. (De nieuwe postbode was onhandig: hij leunde uit de ca-

bine van de postauto, maar miste de brievenbus finaal, zodat de
brieven in de modder terecht kwamen. Ik riep godverdomme en
Sim liep er naartoe, raapte alles op, maakte een onbeschoft gebaar ter begroeting, de man keek boos en wilde hem een draai
om zijn oren geven, kind bukte zich, man sloeg hard tegen mijn
brievenbus en vloekte. Sim gaf hem een stomp, de man schuim-
bekte haast van woede, zette de auto in de verkeerde versnelling,
waarop de motor afsloeg. Ik had pijn in mijn kaken van het lachen.)

Ik wist al dat diefstal in de ruimste zin van het woord verboden
was. Maar blijkbaar ook alles dat naar liegen zweemt, en wee het
jongetje als hij niet ogenblikkelijk doet wat hem gezegd wordt. De
zaak wordt ter plekke geregeld, bam-bam, en dat is het dan. Het
ziet er altijd zo lachwekkend uit, Joe is forsgebouwd en twee keer
zo groot als het kind – maar zo doen we dat nu eenmaal in dit deel
van Gods aarde. Verder ziet de man trouwens wel het een en ander
door de vingers en is hij kwistig met loftuitingen, met knuffels en
kusjes... het is verdorie trouwens mijn zaak toch niet hoe hij zijn
zoon wil opvoeden?

We nemen dus het oude, koude spoor weer op – welke aanwijzingen hebben we, Sherlock? (Hee, dat is een goeie! Waarom heb
ik daar niet eerder aan gedacht?)

Een rozenkrans en een ring. Een dode boot in diep water en
twee dode mensen. Een met stomheid geslagen kind, een sprakeloze geest.

Opnieuw. Juweliers, bibliotheken, politie, ziekenhuisstatussen,
een praatje met Dansy, bootregistratielijsten nalopen...

Ze denkt nog lang na over de mogelijkheden voor ze in slaap
valt.

De jongen komt nu om de dag, met de regelmaat van de klok,
rijdt met de postauto mee. (Grogan is terug.)

'Hallo,' zegt hij, terwijl Simon naar buiten klautert met haar
post. 'Ik heb bijna een koe aangereden bij de brug van de Tainuis.
Ken je die?'

'De brug of de koe?'

De chauffeur grinnikt. 'Leuk,' zegt hij. 'Verder geen nieuws. O,
behalve dat er een nieuwe barman is in de Duke. Vandaag aange-

nomen. Niet iemand van hier.' Tegen Simon: 'Een prettige dag en bedankt voor je hulp.'

Volgens Grogan heeft de jongen zijn ritje verdiend. 'Helpt me enorm, stopt de post in al die klotebussen die kilometers van die kloteweg afstaan. Onverschillige kelerelijers.' Hij knipoogt naar Simon. 'Ik zal je niets rekenen deze week, Sim.' Op een ochtend hangt Grogan samenzweerderig uit het raampje en vraagt op indringende fluistertoon: 'Vind je het eigenlijk leuk dat hij hier komt?'

'Eh, ja.' (Simon haalt opgelucht adem.)

'Mijn vrouwen ik vinden het hartstikke goed van je. Het werd hoog tijd dat iemand eens iets nuttigs deed in plaats van er alleen maar over te kletsen.' Slaat Kerewin op de schouder. 'Goed van je, meid!'

Wel godnogantoe, denkt Kerewin nijdig.

Aju,' roept de postbode vrolijk.

Aju.'

Simon trekt een lange neus naar hem als de auto in een halve cirkel slipt en wegrijdt.

'Pas op jij.' Ze haalt haar schouders op. 'Verdomme, een jaar lang ben ik de excentriekeling die je links laat liggen en ineens ben ik populair bij de inwoners.'

M'n imago is duidelijk naar de knoppen.

Schrijvend:
*'Hallo,*

*Het is zes en een half jaar geleden dat ik voor het laatst schreef. Nou ja, zes jaar, vijf maanden en een onzeker aantal dagen, 21 of 22, omdat ik een weekend de tel ben kwijtgeraakt.*

*Er is veel gebeurd. Ik heb een huis dat past bij de excentriciteit van een Holmes. Ik ben nog steeds mezelf, koele ijzeren maagd en dame. Misschien geen dame. Maar hoe noem je zo iemand, een geslachtloos mens?*

*Op het gebied van echte vreugde is er weinig geweest.*

*Ik schilder niet veel meer.*

*Ik kan het niet, kan het niet, kan het niet.*

*Ik zwerf veel rond, gyrovaag, te kaihau.*

*Er is hier een langgerekt woestijnstrand, mijn kreupelbosjes en fluis-*

*terende groepjes uitheemse bomen. Een riviermonding. De zee om me*
*heen, de golven 's nachts, en mijn toevluchtsoord. Onbezoedelde hemel,*
*(behalve wanneer ik de moeite neem een vuur te maken...) Ik vraag me*
*af waarom ik weer begonnen ben aan die parade van uitgebannen gevoe-*
*lens.*

    *O ja.*

    *Beste papieren geest, ik ben iets meer te weten gekomen over Si-*
*mon P.P voor pernicieus, prestidigitateus (en, zoals zijn vader zegt)*
*pake.*

*Simon P.?*

*Simon de beschaduwde. Eigenaardig ventje. Spinnekind. Een heel on-*
*gewone, maar ongewoon aardige knaap. Mijn nieuwe spelletje is uit te*
*zoeken waar Simon de Gillayley vandaan is gekomen. Waarom er een*
*zweempje spiritualiteit in zijn schaduw ligt. Wie ken ik die luistert naar*
*de stilte van God op eenzame stranden? (Aha, dat zou klikken zijn...)*

    *In ieder geval weet ik meer.*

    *En ik weet niet wat erger is: vrijwel niets te weten zoals eerst, of op de*
*hoogte te zijn van het misleidende beetje dat ik nu weet.*

    *De sage:*

    *Gewapend met rozenkrans en ring ging ik naar de bibliotheek. Na*
*zo'n duizend stoffige pagina's te hebben afgezocht, vond ik in Debrett een*
*saltaire met phoenix boven een vlammennest. Het familiewapen van een*
*seniele Ierse graaf van in de tachtig. Hij had twee zoons. De ene stierf in*
*de Tweede Wereldoorlog en de ander liet het in 1956 afweten. De Ierse*
*graaf hertrouwde, maar er kwamen geen nakomelingen. Daar heb je*
*niet veel aan.*

    *Ik heb de hele berg aristocratie en lagere landadel afgezocht, rotzooi*
*uit de oude dode wereld. Vijf uur speurwerk en was dit dan het resultaat?*

    *De bibliothecaris glimlachte. Zijn glimlach deed denken aan twee boe-*
*kensteunen.*

    *En er was geen Latijnse spreuk te vinden, Mater Compassionem de*
*Virgo, of iets dergelijks.*

*Vervolgens naar de juwelier.*

    *Mijn kleurloze edelsmid vond het een mooi stuk werk, naar hij dacht*
*zo'n vijftig jaar oud. Lang niet meer gezien dat soort koraal. Cabochon*
*turkoois, lijkt veel op je ring. Heel fraai amber. Bloedstenen – hum, niet*

mogelijk vast te stellen waar deze bloedstenen vandaan gekomen zijn. Ik kan je wel iets anders zeggen: het turkoois is niet Amerikaans en het goud is heel zuiver. Wil u het verkopen?

Daar schieten we ook niet veel mee op.

De politie probeerde echt behulpzaam te zijn.

Ik verdenk ze er stilletjes van dat zij een heimelijke sympathie hebben opgevat voor het boefje. Ze hebben me alle rapporten laten lezen over de omgekomen bemanningsleden en de gang van zaken daarna. Allemaal min of meer zoals Joe het had verteld.

'Hoe gaat het tegenwoordig met de jonge Gillayley?' vroeg een jonge agent met bruine, bedauwde ogen en een beginnend snorretje. 'Geen escapades meer?'

'De laatste tijd niet meer,' zei een ander, 'het is daar erg rustig de laatste tijd.'

Ze grinnikten met elkaar alsof het een samenzwering betrof.

Daar schieten we ook al niet veel mee op.

Daarna – na de juwelier, de politie, de bibliotheek en de ziekenhuisstatussen, zelfs de plaatselijke – liep het vast.

Probeer het eens anders te benaderen.

Stel: ik had een kind van die leeftijd.

Veel roddelverhalen.

Een verhaal (ik neig tot die verdenking) dat bestaat uit emotioneel getinte feiten.

Een ring die nergens toe leidde (ooit een ring ontmoet die wel ergens toe leidde?).

Een rozenkrans die diende als geschenk en niet veel meer.

Een onbereikbare boot, registratienummer onbekend.

Lijken op het kerkhof, netjes begraven na een zeer onnette autopsie.

Een vreemde, eigenzinnige, gekluisterde geest.

En wat dan nog! Ik schreef naar de Ierse graaf

De winter vorderde – nog een maand en dan is het al grote vakantie en hoeft het jongetje geen leugens meer te vertellen over hoe hij zijn dagen doorbrengt. Hij is een centimeter in de breedte gegroeid. Hij lijkt iets minder op een hongersnoodslachtoffer. Zijn jukbeenderen steken niet meer zo duidelijk uit. En hij is lang zo rusteloos niet meer.

*Wel, wel Holmes! Anker en redster van een binnenkort gelukkig ge-*
*zin. Hoop ik. Joe straalt – als hij niet glimt van genoegen. Joe? Laten*
*we niet verder afdwalen b. lezer. Ik kan beter deze onsterfelijke episode*
*vastleggen:*

*Vorige maand was SP een aards duivelskind. We kregen een hele serie*
*hectische, kwikzilverige humeurwisselingen te zien. Het ene moment bij-*
*voorbeeld knielt hij (hij zit nooit) en geniet van zijn eten, en het volgende*
*moment gooit hij om een of andere reden zijn bord tegen de grond (het*
*bord brak). Zonder opgaaf van redenen: alleen een geluidloze schreeuw*
*terwijl hij door de huiskamercirkel raast en tegen het onderste deel van*
*het raam schopt. Hou daar mee op Sim. Schop. Straks breekt het raam*
*nog en ik ben al boos genoeg over het bord. Nog een schop. Hou op, rotjoch,*
*anders grijp ik in. En wat doet Simon de beheerste? Stort in en begint*
*te snikken. Huilt niet uit verdriet. Een futloos snikken uit zelfmedelij-*
*den. Dat ging, ondanks dreigementen en vloeken, door tot Joe kwam om*
*hem te halen (zo'n veertig minuten later). Waarom huil je? vraagt Kati*
*Kahukunu (die waarschijnlijk mijn 23ste neef is, maar we hebben onze*
*whakapapa nog niet uitgewisseld). Nergens om, jengelt Simon en schudt*
*zijn haar, nergens om. Precies, zegt Joe, en geeft hem met zijn riem een*
*paar flinke tikken voor zijn billen, dan heb je nu iets om over te huilen.*
*En nou hou je op.*

*Ik begrijp hieruit dat ik de juiste aanpak niet in mijn vingers heb.*

*Maar goed, terug naar de reden waarom ik je uit de stoffige stapel heb*
*gevist, zelf odyssee.*

*Vandaag kreeg ik een brief.*

*Een luchtpostbrief.*

*Een vel licht-doorschijnend papier, met dik opgedrukt familiewapen.*
*Aha, phoenix op vlammenbed en* NON OMNIS MORIAR *in gothische*
*letter daaronder. Ik zal niet geheel sterven?*

*De heer (sic) K. Holmes*
*De Toren, Taiaroa, Natland (sic)*
*Nieuw-Zeeland*
*Geachte heer,*

*De graaf van Conderry heeft mij opdracht gegeven u de ontvangst*
*van uw brief d.d 30 april te bevestigen. Ik kan u meedelen dat de ring,*
*indien deze echt is, heeft toebehoord aan de jongste kleinzoon van de*
*graaf. Deze persoon, waar de graaf absoluut (streep, streep) niets meer*

mee te maken wil hebben, werd vier jaar geleden onterfd wegens schandelijke neigingen. Het is bekend dat hij in uw land gewoond heeft tijdens zijn wereldse omzwervingen. De graaf wil u duidelijk te verstaan geven dat hij over dit onderwerp geen verdere mededelingen wenst te doen en vraagt u zich te onthouden van verdere correspondentie over dit, of enig ander onderwerp. Hij zal dergelijke correspondentie niet beantwoorden.

Hoogachtend,

krabbeltje

Blijkbaar van ene Gabriel Semnet, secretaris van de graaf van Conderry. Is dat niet geweldig? Kun je zijn aristocratische zenuwen horen gieren aan het andere eind van de wereld? De pot op met zijn belegen arrogantie... hoewel ik dat stukje over schandelijke neigingen wel aardig vind. Wat zou er voorgevallen zijn? Ervan uitgaande dat dit geen dwaalspoor is, denk ik dat ik het geëmigreerde kleinzoontje van deze adellijke heer moet zien op te sporen in zijn zondige hol in deze geringschattend bekeken Engelse kolonie.

Ik heb weer een doel in mijn leven!

Ik heb echter ook ontdekt dat ik een snob ben. Mijn eerste gedachte bij het ontdekken van een mogelijke, doch onwaarschijnlijke relatie tussen Simon P en in het verval geraakte Ierse adel (bastaardkind? Achterkleinzoon? Onbeduidende relatie door geschenken?) was namelijk:

Ach god, ventje, het geeft niet, je kunt er nu eenmaal niets aan doen wie je voorvaderen waren, en terwijl ik dat dacht, realiseerde ik me dat ik zwelgde in de wetenschap van mijn whakapapa en ononderbroken Lancashire en Hebridische afstammingslijn. Vastberaden burgers aan de linkerkant en echte rangatira aan de rechter, vrouwelijke kant. Op en top een Nieuwzeelandse. Moanawhenua botten en hart en bloed en hersens. Geen (kokhals) Engelse dwergkeesjes en dergelijke als bij jou.

Dit wordt saai, geest. Ik ga je weer begraven. Tot over een jaar of zes,' en slaat het boek dicht.


'Wist je dat je zoon misschien Ierse relaties heeft?'

Joe proest het uit.

'De IRA zeker? Ja, dat kan ik me...'

'Nee sufferd. Lees dit maar eens.'

Hij leest de brief met gefronste wenkbrauwen.

'Hoe kom je hier in vredesnaam aan? Daar wist ik niets van.'

'Ik deed wat voor de hand lag. Ben naar de bibliotheek gegaan en heb wat naslagwerken geraadpleegd, tot ik een familiewapen vond dat overeenkwam met dat van de ring. Je weet wel, die aan de rozenkrans zit. Toen heb ik de betreffende persoon geschreven en gevraagd of hij verwante tegenvoeters had, die in het bezit waren van iets dergelijks. En dit is het antwoord. Ik wou dat ik een foto had van die oude man. Misschien zouden we enige gelijkenis zien. Te weten: het gleufje in Simons kin. Of zijn ogen. Iets. Vind jij dat hij er Iers uitziet?'

Joe is nog steeds aan het lezen.

'Jezus,' zegt hij op bezorgde toon, 'wat bedoelt hij met die schandelijke neigingen?'

'Tsja, ik denk dat zoiets in een dergelijke inteelt-aristocratie van alles kan inhouden, van een tomeloze liefde voor Schotse whisky tot het zich vergrijpen aan katten.'

Hij verslikt zich in zijn koffie.

Het is volle maan en de wassende nacht is koel, zilver, sereen.

Kerewin zit geduldig, kin rustend op haar handen en kijkt naar de flikkerende zoneter die een slag maakt, en mist en sterft.

Hij heeft nog een tijd gelopen na zonsondergang, tot 18.55.25 noteert ze, stopt de klok en voert de tijd in. Ze voegt een nieuwe punt toe aan het grafiekje, de geleidelijke teruggang en de omgekeerde phicurve. Merkwaardig dat de curve van de zoneter deels gelijke tred houdt met de hare.

Lang geleden was ze voor zichzelf aan een boek begonnen over bioritmische cycli, en toen ze begon te experimenteren met de kleine machines, was ze nieuwsgierig geworden of die misschien ook cycli weergaven. De grafiek van de zoneter beslaat nu zestien maanden: haar werk van vijf, nee o god, dit jaar december al weer zes jaar. En ik dacht nog wel dat een jaar genoeg zou zijn om het ritme van mijn lichaam en mijn geest te ontdekken... dit jaar maak ik het af. Het ding is een obsessie geworden.

Wat heeft het vijf jaar verzamelen van kruimeltjes wijsheid me gebracht? De wetenschap dat ik een heel veranderlijk soort mens ben...

Ach, nou ja.

Ze tikt tegen het kristallen deel van de zoneter. Leuk speelgoed. Tijdverdrijf. Net zo nuttig als mijn andere speelgoedjes en tijdverdrijvers. Net zo nuttig en stekelig als ik.

Joe komt de volgende avond door de deur van de bibliotheekcirkel binnen.

'Himi zei dat je hier was... goeie God, wat is dat?'

Een vlek stralend licht die vlinderachtige trillingen vertoont. Afkomstig van een spiegel die op een kristal is gericht waaraan vele dunne koperdraden zijn bevestigd. Het kristal is tussen twee magneten geplaatst en draait gonzend snel in de rondte.

'O dat? Een van mijn kleine eh... verzinsels? Raadselachtigheden in ieder geval.'

Hij komt dichterbij en staart ernaar.

'Is het een motortje?'

'Dat zou het kunnen zijn als ik het ding op een of andere manier met een drijfas of aandrijfriem kon verbinden, maar het stomme ding laat het gewoon phhhffft! afweten als je het met iets anders probeert te verbinden. Dus laat ik het maar zo doorgonzen en zonlicht eten.'

Zonlicht eten... hij huivert.

'Hoe heb je dat ding gemaakt?'

Afschuw in stem en ogen.

'Wil je dat echt weten?' Ze doet quasi-gretig om het te vertellen. 'Nu, je weet dat ik een sprinkhanerige, lukrake geest heb, hersenen die net zo goed naar andere dingen luisteren als naar zichzelf.' Babbel, babbel. 'Enne, op een dag kreeg ik de inval dat spiegels en zonlicht en kristallen en magneten en godweetwatnogmeer misschien... in ieder geval kreeg ik de kriebels. En maakte dit.' Ze wijst ernaar: 'Kerewins speeltje. Model nr. 18.'

'Maar hoe?'

'Kweenie. Ik heb een heleboel van die dingetjes gemaakt. Eentje blaast stoom af die door sterk zonlicht wordt voortgebracht. Heel sporadisch. Niet bevredigend. Een andere, die ik echt heel leuk vind, reageert op goedgehumeurde mensen. Tenminste, hij doet het alleen als je hem aanraakt en dan nog alleen als je je gelukkig voelt. Als je mokt, mokt hij mee... O, het zijn fascinerende

apparaatjes, maar het is niet zo dat ze ergens toe dienen, als je begrijpt wat ik bedoel?'

'Je bezorgt me af en toe koude rillingen, Kerewin.'

Ze glimlacht; een glimlach met veel onbloot tandwerk.

Hij denkt:

Soms lijkt ze heel gewoon. Ze is eenzaam. Ze drinkt, net als
ik, om de geesten te bezweren. Ze is een buitenstaander, net
als ik. En soms, soms lijkt ze onmenselijk... zoals deze Toren
onmenselijk is. Aangenaam om in te vertoeven, prettig, als
je voorbij gaat aan de paddestoelen in de muur, en de kleine
boompjes, en de glimwormen die in nissen huizen bij de trap,
en het feit dat niemand anders in Nieuw-Zeeland in een Toren woont... misschien zie ik het wel verkeerd...

Uit Kerewins schaarse mededelingen van de afgelopen maanden heeft hij opgemaakt dat ze met haar familie gebroken heeft
naar aanleiding van een verhouding die ze niet goedkeurden? Of
die zij niet goedkeurde? Dat haar eenzaamheid, het niet bij haar
familie zijn, haar naar dit deel van het land heeft gevoerd, naar
waar niemand van hen woonde. Dat kon hij begrijpen.

Hij schudt zijn hoofd.

Maak je niet bezorgd, Ngakau. Vind haar aardig.

Op Kerewins grijns zegt hij:

'Als ik dat ding in mijn huis had staan, zou ik geen oog dicht-
doen voor ik wist hoe het werkte.'

Ze pakt het op. 'Alsjeblieft.'

Het snort door, trillend van licht, gierend van energie, gruwe-
lijk in haar hand.

'God nee!' en ontwijkt aanraking. 'Ik bedoel alleen dat het niet
normaal is... ik heb nog nooit zoiets gehoord en als ik het gemaakt
had, zou ik willen weten, ach, ik weet het niet...'

'Mijn arme onschuldige zoneter...'

Ze zet hem weer neer en richt de spiegel opnieuw.

'Ik zit er niet mee. Ik ga ervan uit dat als het de bedoeling is dat
ik er meer over te weten kom, dat wel zal gebeuren.'

Hij schudt aarzelend zijn hoofd.

'Weet je waar het me aan doet denken? Aan de dingen die Himi
maakt. Dingen waarvan hij vindt dat ze muziek maken.'

'O ja, de muziekbouwsels.'

... dat was een week geleden geweest, toen ze langs het strand was gaan wandelen. De jongen was haar achterna gekomen. Hij was een stukje verderop gaan zitten, toen ze pauzeerde voor een sigaartje. Hij begon dingen op te rapen van het strand en bouwde eerst in het wilde weg, later met gelijkmatige, abnormale concentratie een spiraalconstructie van maramgras en schelpen en drijfhout en zeewier.

'Wat ben je aan het doen?'

Hij floot en wees erop.

Zou het fluiten?

Hij ging op het zand liggen met zijn oor er vlakbij; verbaasd ging ze bij hem staan. Simon schoot overeind. Luister ook maar, zei hij met een gebaar naar zijn oor en wees op haar. Dat deed ze en hoorde niets. Luisterde heel aandachtig en werd zich er plotseling van bewust dat het kloppen van haar bloed en de golfslag van de branding en het ijle ruisen van de wind over het strand zich verenigden om iets als muziek voort te brengen.

Ze voegt eraan toe: 'Ze maken alleen muziek als iemand luistert. Ze zijn meer iets om je aandacht op te richten dan iets anders, en ik zou dolgraag willen weten hoe hij op dat idee gekomen is.'

Joe merkt knorrig op:

'God mag weten hoe. Een jaar geleden is hij begonnen met die rotdingen te maken. Nu is het een obsessie voor hem.'

Hij kijkt kwaad.

(Toen hij voor het eerst zag dat het kind er een bouwde, had het voor hem opgeschreven ZE MAKEN MUZIEK. Hij voelde zich bevrijd en blij door de krachtige zeewind en het bulderen van de zee, en had hem tegen zich aangedrukt en hem een idioot genoemd. Maar hij schrok van de blik in zijn ogen. Hij was heimelijk terug geslopen naar het strand, terwijl Simon zijn door medicijnen verkregen, onrustige slaap sliep, en onderzocht het bouwwerk van zijn zoontje met behulp van een zaklantaarn.

Hoewel hij zich belachelijk voelde, was hij ernaast op de grond gaan liggen en had geheel verdiept bijna een kwartier lang geluisterd. Toen werd hij bang, sloeg het bouwsel plat en beende naar huis, terwijl de wind om zijn hielen huilde. Omdat hij eerst zwakke, maar aanzwellende muziek hoorde uit Sim ons creatie, dacht te horen... niet iets dat hij echt kon horen; de klank van duisternis die leek te zingen... hij had Simon er nooit iets over verteld en hij luisterde daarna nooit meer naar de muziekbouwsels. En wanneer hij de kans had weerhield hij het kind ervan ze te maken.)

Nu zegt hij:

'Hij is... die dingen maken het nog erger; hij is zonder dat al gek genoeg.' De frons wordt dieper. 'Maakt dat het nog erger? Misschien is hij door dat luisteren wel minder gestoord.'

'E Joe, ik ken dat soort dingen... ik had een steen die sprak en me aankeek!'

Hij blijft fronsen.

'Het duurde verdomme jaren voor ik ontdekte dat ik al mijn moeilijkheden projecteerde op die steen...'

Ze slaat op het bureau naast de zoneter. 'Kijk eens wat vrolijker. Dit dingetje loopt nog wel een uurtje. Kom, laten we gaan eten voor het donker wordt.'


Er was een soort competitie ontstaan wie van hen tweeën het bijzonderste of lekkerste eten kon maken. Het was een soort ritueel geworden, de ene avond in de Toren, de andere in de stad.

De dag nadat Kerewin voor het eerst in Pacific Street was geweest, belde Joe op met de vraag:

'Is eh...?'

'Vreemd genoeg wel ja.'

Ze giechelden.

'Blijf hier eten als je hem ophaalt,' zei Kerewin. 'We zijn het grootste deel van de dag bezig geweest aal te vangen.'

'Ka pai, maar laat mij dan bijvoorbeeld vrijdag eten maken?'

Door gelukkig toeval stuurde een neef van hem uit Kaikoura die dag kin as met de bus mee.

Dus bestond Kerewins volgende maaltijd uit een salade met veertien verschillende soorten groen erin; ze heeft alles binnen een straal van een kilometer om de Toren geplukt. Schapezuring, raapstelen, veldsla, paardebloemen, gekrulde pikopiko puha, veldkruidkers, jong duizendblad... 'Zomers kan ik een nog betere salade maken,' zei ze erbij.

'Ik weet het niet hoor,' zei Joe tussen twee grote happen in, 'het smaakt lekker, maar is dit geen muur?'

'Ja, en weet je wat er nog meer in zit?'

'Nee, laat maar.'

Ze vertelde het hem toch.

De volgende maaltijd van Joe bestond uit een visstoofschotel.

'Heel bijzonder,' verzekerde hij haar, 'er zitten veertien verschillende soorten oogjes in.'

Hij had zich uitgesloofd om veertien verschillende vissoorten bij elkaar te krijgen.

''k Heb zelfs een witvis ontdooid,' vertelde hij haar.

'Vind je het lekker?'

'Ja,' zei Kerewin, die behendig een oog ontweek.

Ze zag dat Joe ze ook niet met veel plezier doorslikte.

Toen ze uitgegeten waren bekende hij: 'Er zaten alleen maar kabeljauwogen in... tenzij je die van de coquilles meetelt... maar er zaten wel veertien verschillende kai moana in. Ik dacht dat je het macabere aspect wel zou waarderen?'

Ze keek hem nadenkend aan.

'Mmmm. Wacht maar eens af wat er in mijn volgende offerande verstopt zit.'

Ze gaf hem een hamer, ('Aha, je maakt je al zorgen, hè? Eten of gegeten worden?') want het avondeten zal uit oesters bestaan.

'De enige plek aan de kust waar je oesters kunt vinden,' zei Kerewin triomfantelijk. 'Ik kon mijn ogen niet geloven toen ik ze voor het eerst zag. Ik geloof niet dat iemand anders van hun bestaan op de hoogte is. Een hele kolonie zonderlingen. Ik heb ze verzorgd vanaf het moment dat ik ze vond, maar ik denk dat het in hun eigen belang is ze nu binnen te halen.'

Ze sloegen ze bij tientallen van de rotsen los.

'Kerewin, dit is toch verboden?'

'Ja, maar leuk om te doen, vind je niet?'

En ze namen stiekem een halve zak vol mee. Eenmaal in de huiskamercirkel vraagt Joe:

'Kun je je nog herinneren dat je ons aanbood op vakantie te gaan naar een huisje van je?'

'Ja.' Ze bekijkt de vieswitte schelp, glanzend wit en bruin van

142

binnen met paarse schaduwen waar de spieren hebben vastgeze-
ten.

'Nu, ik kan binnenkort vakantie opnemen en Himi heeft in mei
vakantie. Geldt het aanbod nog?'

'Ja.'

Hij veegt zijn handen af aan het zitvlak van zijn spijkerbroek.
Vraagt heel terloops: 'Ga je ook mee?'

Ze bijt de laatste oester doormidden.

'Hmm, dat weet ik niet.'


Het is heel vredig. Wanneer ze met gesloten ogen achterover
leunt, hoort ze het vuur knetteren, geratel van iets waar de jongen
mee speelt, het geritsel van Joe's krant.

'Zeg, heb je dit al gelezen?'

'Nee. Wat?'

'Geouwehoer van die terug-naar-de-natuurmensen. Je zult het
niet geloven, luister maar...

"Voor het fokken van cavia's is een minimale hoeveelheid land
nodig, en het kost vrijwel geen tijd of geld. U kunt ze voeren met
restjes en gras en hun vlees is heel smakelijk en voedzaam. Ze leveren een redelijke hoeveelheid vlees per beest..." Jezus, ze geven
er zelfs recepten bij. Nou vraag ik je, kun je je voorstellen dat mevrouw Doorsnee Marietjes caviaatje slacht voor het zondagsmaal?'

Ze grinnikt en heeft haar ogen nog gesloten.

'Nee, niet direct. Maar mocht er ooit gebrek aan eten komen,
dan zullen de messen wel te voorschijn komen in de buitenwij-
ken... er zit wel iets in wat die fanatiekelingen zeggen. Hoe onaf-
hankelijker je bent, hoe beter.'

'Het is me opgevallen...'

'Heb het hart niet!'

Haar ogen schieten wijdopen door de plotselinge schreeuw.

De jongen komt snel overeind, als Joe beveelt: 'Geef hier. Onmiddellijk.'

De man krijgt een doosje lucifers toegeworpen.

'Je speelt letterlijk en figuurlijk met vuur, Haimona.'

Simon staart onbewogen terug, zijn gezicht staat hard, zijn lichaam is gespannen.

Joe gooit het luciferdoosje in de lucht en vangt het weer op, keer op keer op keer.

'Wat is er in vredesnaam aan de hand?' vraagt ze verongelijkt.

Joe zucht. Hij vangt het doosje op en houdt het omhoog.

'Hij vindt het leuk om lucifers weg te schieten. Weet je hoe?'

Hij gaat tegenover het haardvuur staan, neemt een lucifer uit het doosje, houdt die met zijn duim tegen het strijkvlak en laat hem wegschieten. De lucifer ontbrandt fel en schiet in een boog naar het haardvuur.

'Geen idee wie hem dat geleerd heeft,' zegt hij vermoeid. 'Misschien kan hij het uit zichzelf. Maar hij had er één klaar om weg te schieten. Naar jou.'

Ze kijkt naar het kind en dan naar de vloer. Daar ligt de lucifer, precies waar het kind hem na Joe's schreeuw heeft laten vallen.

*Jij giftig sekreet.*

'Jij daar,' tegen Simon. Hij verroert zich niet.

'Draai je om.' Joe's stem heeft iets afgemetens dat ze er nog niet eerder in heeft gehoord.

De jongen draait zich langzaam om, tergend langzaam. Hij kijkt haar niet aan, staart weg.

'Ik vind dat niet leuk, vuur naar mensen gooien. Waarom doe je dat?'

Het hoekige gezichtje is zo leeg als een masker.

'Ach wat, je kunt me de pot op.' Kerewin draait haar stoel om en keert hem de rug toe.

'Wat zei je ook al weer Joe?'

Zijn ogen zijn nog steeds op zijn zoon gericht; zijn eigen gezicht staat strak en hard.

'Wel,' zonder zijn ogen af te wenden, 'wel, ik wilde net zeggen dat me opgevallen was dat je alle voorzieningen hier zelf hebt.'

Ze nestelt zich weer lekker in haar stoel en laat haar stem laag en ontspannen klinken. 'Ik ben een cryptonatuurfreak.' Ze lacht. 'Niet echt hoor, maar oorspronkelijk zou dit een koepel of een yoert of een icosa worden. Die wilde ik bouwen van afgedankte materialen. Ik zou pluimvee en geiten gaan houden en wilde een groentetuin van zes vierkante kilometer. Tot ik op een avond, toen ik nog in het stadium van plannen maken zat, op het strand ben gaan zitten en dacht: Holmes, wat wil jij nu eigenlijk? Want het waren allemaal suggesties van anderen... er mankeerde niets aan, maar ze pasten niet echt bij mij.'

Ze steekt haar pijp aan, de vlam gloeit oranje op in de schemerige kamer. Ze ziet dat Joe zich ontspant, zijn blik nu op haar heeft gericht.

'Ik besloot geen dieren te gaan houden, omdat ze verzorging en betrokkenheid vereisen... en bovendien ging het niet om de beesten, maar alleen om de melk, eieren en het vlees. Dat zou ik ook elders kunnen halen. Ik ben meer een visser, bevoorrader, jagerverzamelaar dan boer. Ik verbouw niet veel, maar kruiden vind ik wel leuk...'

'En paardebloemen!' De man lacht weer.

'Goh, dat je dat opgevallen is... ik ben waarschijnlijk de enige in het land die de lieve gouden schatjes verzorgt.'

Simon staat er nog steeds, in het donker gelaten, gespannen en eenzaam.

Ze doet iets dat ze nog nooit eerder gedaan heeft, draait zich om, pakt hem op en zet hem op haar knie. Even verstijft hij, kijkt haar snel aan en sluit dan zijn ogen.

'Je geeft het geheel een rommelige aanblik, stouterd,' zegt Kerewin, maar ze lacht niet naar hem.

Er flikkert iets in Simons weer geopende ogen, dan lacht hij voorzichtig en sluit zijn oogleden over het licht dat er in teruggekeerd is.

Niet kijken. Niemand mag naar binnen kijken.

'Let wel,' gaat verder alsof ze zich niet verroerd had, 'ik zorg ook nog voor een groep paddestoelen hier in de buurt en mijn puha en karengo-bedden worden goed verzorgd.'

'Aue.' Joe schudt zijn hoofd. 'E ho a, ka pai.'

'Hoezo?'

Hij gaat staan en rekt zich uit, maar zegt niet waarom. Alleen: 'Mijn beurt om koffie te zetten?'

Kerewin haalt haar schouders op. 'Goed. Een goed idee.'

Als hij langs hen heen loopt naar de bank, steekt hij zijn hand uit en geeft een tikje tegen Simons gezicht. De jongen krimpt ineen, maar het tikje kan nooit pijn gedaan hebben.

'Je boft,' zegt Joe en loopt verder. De jongen verstrakt even, dan lacht hij flauwtjes naar Kerewin – een meelijwekkend lachje: ik was fout en ik weet het – en gaat tegen haar aan liggen.

'Ga je slapen?'

Hij kijkt op, steekt vervolgens zijn duim in zijn mond en begint te sabbelen.

'Jakkes,' zegt Kerewin, trekt een vies gezicht, maar zegt er verder niets van.

Tegen Joe zegt ze:

'Ik ben hier nergens afhankelijk van. Het fornuis stook ik met hout dat aanspoelt. Er loopt een steenkoolader door mijn land die ik zou kunnen exploiteren en waar ik kerosine uit zou kunnen winnen voor de lampen als dat nodig mocht zijn. Ik heb vier zonnepanelen die voor warm water zorgen en twee die de nicad-accu's opladen... ik heb trouwens alleen stroom nodig voor de stereo en de tekenlamp.'

'Waarom leg je zoveel nadruk op het onafhankelijk zijn? Ben je bang dat de wereld zal vergaan of zoiets?'

'Nee hoor. Ik vind het gewoon prettig om de meeste dingen zelf te kunnen doen.'

'Dat was me opgevallen,' zegt Joe.


Later op de avond zei hij: 'Je bent heel tactvol.'

'Vredelievend is het woord. Het zag ernaar uit dat er een fikse ruzie op komst was.'

Hij zoog zijn adem in. 'Hij wilde iets slechts gaan doen.'

Het kind lag weer in zijn armen en was vast in slaap.

'Hij heeft boosaardige trekjes, Kere, en ik ben bang dat het aangeboren is.'

Gezicht vol zacht verdriet: 'Ik weet soms niet wat ik moet doen.'

'Ik heb ook geen flauw idee. Waarschijnlijk de eerste de beste lat pakken en hem daarmee een pak slaag geven als hij ooit nog eens een lucifer naar me afschiet. Waarschuw hem maar vast.' Ze gniffelde.

'Mmmm, voor volwassenen is het niet zo erg, wij kunnen terugslaan, maar hij valt ook kinderen aan en dan nog kinderen die kleiner zijn dan hij ook. Want hij vecht vaak wanneer hij op school is.'

'Er kunnen er toch niet zoveel zijn die kleiner zijn dan hij is.'

'Misschien niet... maar hij begint, wordt me verteld. En hij vecht gemeen.'

'Vecht hij graag?'

'Ik geloof het niet... ik weet het eigenlijk niet. Telkens wanneer er iets aan de hand is en ik er naartoe ga om uit te zoeken wat nu weer de oorzaak was, krijg ik veertien tegenstrijdige verhalen te horen. Maar vrij vaak is Himi begonnen. Het is niet altijd zo dat anderen hem uitlokken.'

Ze trok rustig aan haar pijp.

'Je, eh, legde toen je hier voor het eerst was de nadruk op iets anders.'

Hij trok zijn wenkbrauwen op en lachte kwajongensachtig. Even leek hij belachelijk veel op Simon.

'Ik kon je toch niet al het slechte nieuws in een keer vertellen.'

Ze lachte.

'Alles welbeschouwd is het zo'n naar kind nog niet.'

'Dat is waar', zegt Joe snel. 'Ik bedoel, het moet heel vervelend voor hem zijn niet hardop te kunnen praten. Hij raakt erg snel over zijn toeren wanneer iemand niet de moeite neemt hem te begrijpen. En vrijwel niemand neemt die moeite, je bent een uitzondering?

'Ja ja, de bekende witte raaf' – met een stalen gezicht.

'Hij, nou ja, wat anderen betreft... ze beginnen met de beste bedoelingen, denk ik, maar dan worden ze in verlegenheid gebracht, of zeggen dat hij schattig is, of leggen hem woorden in de mond...'

'Vervelend,' zegt Kerewin effen.

Maar ze dacht erover na.

Bij wijze van experiment ging ze naar Taiwhenuawera, waar ze nooit eerder was geweest en bracht de dag door als iemand die stom is.

Ze lachte op vragen in cafés en schreef de antwoorden op. Ze ging winkels binnen en kocht dingen door ze op te schrijven of aan te wijzen. Ze had er een hele klus aan een buskaartje te kopen voor de terugreis naar Whangaroa.

Om razend van te worden. Iedereen die ze ontmoette, sprak luider dan normaal, alsof het volume de barrière van haar stilte omver kon werpen. Veel mensen staarden haar aan en fluisterden met elkaar achter hun hand. En sommigen, die vriendelijk wilden zijn, gingen eenvoudiger praten en herhaalden belangrijke woorden, alsof ze behalve stom ook dom was.

II

Op die vrijdagavond waar zulke nare herinneringen aan kleven, was ze net naar de kelder gegaan waar het wemelde van de gecultiveerde spinnewebben, en koos een fles paardebloemwijn uit; de eerste fles van de oogst die ze een jaar eerder had opgelegd.

Ze zat net de fles te bewonderen, 1979 staat er op het etiket, gebotteld op het landgoed, toert de telefoon ging.

Het is Joe.

'Tena koe,' zegt hij.

Zijn stem klinkt aarzelend, verlegen. 'Tena koe.'

Stilte.

'Eh, is Haimona bij jou?'

'Nee, ik heb hem vandaag niet gezien. Ik dacht dat hij naar school zou gaan?'

'Dat zou hij ook, maar ik kwam net Bill Drew tegen en hij vertelde dat Himi niet is komen opdagen.'

Zijn stem klinkt weer normaal.

Ze hoort nu allerlei geluiden op de achtergrond.

Joe voegt eraan toe: 'We hadden wat onenigheid vanmorgen. Hij wilde naar jou toegaan en ik stond erop dat hij naar school zou gaan.'

'Klinkt redelijk. Hij is de hele week al niet geweest.'

'Hij vond van niet. Ik moest dus de strenge vader uithangen.' Stilte. 'Het lijkt erop dat hij toch niet gegaan is.' Ze hoort een deur dichtslaan en het lawaai van stemmen en gelach wordt luider.

'Een moment, Kere...' Gedempte geluiden. Hij houdt zijn hand over de hoorn. 'Ben je er nog?' vraagt hij even later.

'Natuurlijk.'

'Dat was Polly Acker.' Hij lacht. 'Je weet wel, de vrouw van Pi Kopunui?'

148

'Nee, die ken ik niet. Wacht eens, is dat degene die ze half-om-half noemen?'

'Ja, half-om-half!' Hij stamelt een beetje. Hij klinkt nu dronken. 'Hoe dan ook, ze vertelde dat ze Haimona vanmiddag bij de Tainuis zag. Bij het hek. Dus dat is dan ook weer opgelost, hè?'

'Mmmm.'

'Wilde waarschijnlijk niet naar jou toegaan, omdat hij bang was dat jij hem zou verraden.'

Op een duistere manier kwetst dat haar.

'Godallemachtig Joe, ik ben niet de oppas van jouw zoontje. Het kan me geen bal schelen wat hij doet en waar hij uithangt zolang ik maar geen last van hem heb. Ik zou hem net zo min verraden als...'

'Rustig maar, e hoa, rustig maar. Ik maakte maar een grapje... eh, hoe laat is het?'

'Bijna zes uur.' Het wordt al donker buiten.

'Ben je iets belangrijks aan het doen? Want het is mijn beurt om avondeten te maken, nei?'

Ach nee...'

Het vuur brandt fel. Bream speelt Recuerdos d' Alhambra op de achtergrond. Zes aardappelen liggen in hun schil te bakken in de oven. Ze heeft knoflookboter gemaakt en er liggen twee karbonades klaar om gebakken te worden. De bestofte wijnfles staat gereed; de gouden wijn fonkelt.

De eerste fles... om in rust en vrede van te genieten bij het eten en bij wat muziek. Ze is weinig alleen geweest in de afgelopen weken en begint naar wat eenzaamheid te verlangen.

'Luister eens, wat dacht je ervan om hier naartoe te komen? Ik stuur wel een taxi naar je toe. Een avondje uit? Wat vrienden van me ontmoeten? Ik zorg wel dat er iets te eten komt.'

'En Sim dan?'

'O, die zit wel goed bij de Tainuis. Marama en Wherahiko vinden dat de zon uit zijn reet schijnt. Sorry. Hij is daar echt het lievelingetje. Kom je, alsjeblieft?'

Vaarwel aardappeltjes, karbonades en Bream en paardebloemwijn... Want wie is immers de enige levende en geïnteresseerde, schaakspelende vriend die je hier hebt?

'Goed, dan zie ik je over pakweg een half uurtje?'

Joe zegt nog: 'Ja, prima, goed.'

'Ben je in de Duke?'

'Tuurlijk!' Het lawaai op de achtergrond zwelt aan. 'God, hier is Pi, op zoek naar zijn vrouw.' Giechelt. 'Tot zo, Kerewin.' Barn!

Ze kijkt naar de radiofoon.

Verdomme, ik wil helemaal niet weg. Ik heb er geen zin in. Aan de andere kant: voor een vriend vraagt hij niet veel. Hij heeft meer gegeven dan ontvangen, zelfs in aanmerking genomen dat ik op het kind paste voor zover ik in gemoede kan zeggen dat mijn achteloze gedoe met het kind oppassen was.

Ze trekt haar spijkerjack aan, veegt een visschub van haar ene mouwen vraagt dan aan de telefonist of hij een taxi voor haar wil bellen.

Het is de spraakzame. Eén en al Oog & Oor. Om over zijn tong maar te zwijgen.

'Ik hoorde dat Simon Gillayley en u goed met elkaar kunnen opschieten?'

'Het is een kind waar veel kwaad over gesproken wordt.'

'En met Joe ook, zeggen ze.'

'Wat zeggen ze?'

'O, alleen maar dat u bij hem bent geweest en hij bij.' Hij voegt er haastig aan toe: 'Er wordt op een onschuldige manier over gepraat.'

'Gezien de realiteit kunnen ze ook niet anders.'

'Uw taxi is onderweg. Hoezo, welke realiteit?'

'Onschuld, ingebouwde chaperonne en de wetten op laster,' zegt Kerewin kortaf.

De telefonist klakt met zijn tong.

'Wilt u Wherahiko Tainui voor me bellen?'

'Nou, die is nog steeds niet terug...'

'Jawel hoor, Simon is er op het moment.'

Stilte.

'Misschien is hij bij Piri Tainui, bedoelt u Piri?' Hij zegt het heel voorzichtig.

'Ik weet zeker dat die oude mensen nog niet terug zijn.'

Ze fronst naar de microfoon. 'Weet u het zeker?'

'Ik kreeg een telegram voor ze dat ik zo spoedig mogelijk moest doorbellen. Ik heb hun nummer om het kwartier geprobeerd.'

'Dat is dan heel vreemd. Wilt u Piri dan maar proberen?'

De telefonist zucht.

'Dat wil ik wel doen, maar vlak voor mijn dienst begon, zag ik hem in de New Railway, en ik geloof niet dat iemand hem nu nog op de been kan krijgen.'

'Maar u zei net...'

'Ik bedoelde dat de jongen bij hem thuis zou kunnen zijn. En daar is de telefoon niet aangesloten. Wel in het slaap gedeelte van de Tanui-boerderij. Lynn en co woonden daar vroeger met Piri en Simon kwam daar vaak. Vroeger.'

Ze negeert de uitdaging tot roddelen.

'Nou, dat is hartstikke vreemd. Ik vraag me af waar hij dan naartoe is?'

'Eh O,' zegt de telefonist. 'Dat zat erin. Zal ik brigadier Trover voor u bellen?'

'Nee. Ik zal eerst Joe eens vragen. Maar bedankt.'

Jij ongelooflijke bemoeial.

'Prima,' zegt de telefonist opgewekt. 'Veel plezier.' Klik.


De taxichauffeur was niet erg spraakzaam. Hij zei goedenavond en ja op haar route-aanwijzingen en daarna niets meer.

Ze liep de oprijlaan naar de boerderij op en huiverde.

Alweer vorst...

Twee honden in een gazen kennel begonnen te blaffen en te grommen toen ze dicht bij het huis kwam. Er brandde geen licht. Ze zag ook geen licht branden in het donker afgetekende slaap gedeelte. Ze klopte op de deur van het huis.

Geen reactie. Liep naar het slaap gedeelte en riep: 'E Himi, ben je daar?'

De honden blaften luider.

Verder roerde zich niets.

'Ach wat', en liep terug naar de taxi.

'Nu naar Pacific Street.'

De taxichauffeur gromde wat.

Het was kouder en donkerder geworden toen ze in Pacific Street aankwamen.

Er stonden flessen melk bij de voordeur. Die nam ze mee, keek in de brievenbus of er post was en marcheerde naar de voordeur.

Die stond op een kier.

'Simon?'

Ze staat in de hal en luistert.

Geen gerucht.

Ze loopt de keuken in en doet het licht aan. Er staat één bord op het aanrecht en er ligt er één aan diggelen op de grond.

> 'Je gooit gewoon met wat toevallig in je buurt is, als je boos wordt?'
>
> 'Ja, variërend van een theekopje tot een halve literfles bier op een zekere zaterdagochtend.'

En het ontbijt ook, zo te zien... ze zet de melk in de ijskast en bekijkt de vloer aandachtig. Er had pap op het bord gezeten: er zitten overal klodders. Ze raapt de scherven van het bord op en legt ze op het aanrecht en ruimt de rest van de troep op. Het valt haar op dat Joe zijn eigen bord heeft afgewassen en de rest zo heeft laten liggen.

De vogel is niet afgedekt, de melk is niet binnen gezet... het lijkt erop dat er sinds vanmorgen niemand meer geweest is... dat wat betreft voorgevoelens, denkt Kerewin. Maar ja, als Joe het goed vindt dat hij zomaar rondzwerft, waarom zou ik me dan zorgen maken?

Terwijl ze naar het hek loopt, treft haar de sterke zeelucht. Maar natuurlijk, denkt ze, de haven is maar een paar honderd meter hier vandaan.

De geur van de zee is als de geur van bloed. Hij weet niet waarom de twee hetzelfde ruiken, want ze zijn heel verschillend, maar ze lijken onverbrekelijk met elkaar verbonden.

Vanaf de plek waar hij geknield ligt, is de Toren makkelijk in de gaten te houden.

Kerewin is vertrokken. Joe is niet gekomen.

Hij maakt de tas los die hij omgebonden had en staat wankel en huiverend op.

Alles is rustig.

Stomme Clare, zegt hij in zichzelf, terwijl hij naar de Toren hinkt.

> Hij weet niet beter of hij heeft zichzelf altijd zo genoemd, Clare, Claro. Hij weet niet of dat zijn naam is, en hij heeft het nooit tegen iemand gezegd. Hij heeft het gevoel te zullen sterven als hij dat zou doen.

Stomme Clare, steeds herhaald, bij elke kreupele stap. Als hij het bord niet gegooid had, had hij die schoppen niet gekregen

Aan de andere kant, als hij het bord niet gegooid had, was het misschien nog erger geworden.

Op het moment is zijn gezicht tegelijkertijd warm en gevoelloos en is hij licht in zijn hoofd.

Ik hoop dat het warm is. o Clare, ik hoop dat het warm is.


Joe staat stralend in de deuropening.

'Tena koe!' roept hij. 'Haere mai, nau mai, haere mai!'

Een stuk of wat stamgasten kijken op van hun bier. Shillin' Price zegt: 'Hallo Kerewin.' De barkeeper knikt haar toe. Joe schreeuwt: 'Dat is Pi! Mevrouw! en Polly!'

In deze hoek staat een groepje mensen. Bruine gezichten staren haar door dikke rookwolken met hun heldere, onvriendelijke ogen aan.

'Tena koutou, tena koutou,' zegt ze. 'Tena koutou katoa!'

Zoals gewoonlijk zou ze het liefst een officiële kopie van haar whakapapa te voorschijn toveren, indien mogelijk met verhelderende foto's (de meeste van haar broers, ooms, tantes en neven en nichten van haar moeders kant zien er meer Maori uit dan zij). 'Kijk! Ik hoor echt bij jullie.' zou ze kunnen zeggen. 'Nou, in ieder geval een deel van mij...'

'Tena koutou katoa,' mompelt ze zwakjes.

De oude dame, die Joe 'mevrouw' genoemd had, neemt haar scherp op, gromt en zegt: 'Hehhehheh.'

Polly Ackers neemt de moeite even van haar kaartspel op te kijken om naar Kerewin te lachen en nors naar Joe te kijken.

'Jij bent aan de beurt, kloothommel,' zegt ze tegen Pi.

Pi Kopunui Joe licht toe: epi is een neef van moeders kant eh.

Gegiechel. 'De meesten zijn op een of andere manier Tainuis,' pakt een kaart op en legt er één weg. 'Uit,' zegt hij kortaf tegen Polly Ackers en keert zich dan naar Kerewin.

Hij komt naar haar toe en geeft een neuskus. Hij is warm en groot en ruikt sterk naar bier. 'Tena koe, kei te pehea koe?' zegt hij en omarmt haar. 'Joe heeft het veel over je gehad de afgelopen weken.'

Hij fluistert: 'Hij heeft 'm om.'

Om?

O, dronken...

Zeer dronken.

Hij is heel blij dat ze gekomen is, zegt hij zes, zeven keer tegen haar en de rest van het café. Bij Kerewin komen ineens een heleboel redenen op om dringend naar huis te moeten.

Na het volgende glas echter wordt de man stiller, wordt bleek en excuseert zich. Als hij terugkomt, ziet hij er een stuk nuchterder uit.

De oude dame grijnslacht.

'He puku mate, nei?' Hehhehheh. Ze heeft een hees, gemummificeerd lachje.

Joe lacht zwakjes terug. 'Ae.'

Even later zegt hij: 'Kerewin? Heb je zin om te gaan eten?' Hij laat zijn stem dalen: 'Sorry van net.'

'O, dat geeft niet.' Jezus, iedereen wordt op zijn tijd wel eens goed dronken.

'Ik was bang dat je niet met me zou willen uitgaan.'

'O.'

'Ik heb al eten klaar.'

'Nou, laten we dan maar gaan.'

Hij kijkt het café rond.

'Piri zou ook meegaan, maar ik zie hem nergens. Ik denk dat hij ergens is blijven hangen.'

'In de New Railway, om precies te zijn.'

'O?'

'De telefonist zei dat. Toen ik hem vroeg te bellen om uit te zoeken waar Simon uithangt.'

Joe grijpt de rugleuning van de stoel vast.

'O, Himi redt zich wel. Hij zal wel bij de Tainuis zijn.'

'Daar is hij niet. Ze zijn nog steeds weg. En bij jou thuis is hij ook niet. Ik heb gekeken.'

Boosheid welt in haar op. Het kan Joe geen bal schelen waar het kind is. En hij moet geweten hebben dat de Tainuis niet thuis waren toen hij haar belde.

Zeker wist hij dat.

Zijn hoofd is gebogen en de knokkels van zijn handen worden helemaal wit.

Pi kijkt naar hem en schudt lichtjes zijn hoofd.

De oude dame trekt niet langer aan haar pijp. Ze houdt hem een stukje voor zich uit, stil en evenwichtig.

Polly fronst haar wenkbrauwen. Haar ogen blijven op de kaarten gericht.

Joe zucht, ontspant zijn handen en haalt zijn schouders op.

'E hoa, je weet toch dat ik eraan gewend ben dat hij de benen neemt. Hij kan wel op zichzelf letten. Daarom maak ik me ook niet zoveel zorgen. Iedereen kent hem, eh... jezus, ik verwacht elk moment iets van Morrison of Trover te horen.'

Er klinkt geforceerde opgewektheid in zijn stem door. De drie anderen kijken hem nu aan.

'Maak je geen zorgen, hij redt zich wel.' Hij reikt naar haar schouder en legt daar zijn hand. 'Maar bedankt voor het zoeken.'

Ze heeft niet alleen naar zijn gezicht gekeken. Ze heeft meer naar Pi en Polly en de oude vrouw gekeken. Ze keken elkaar aan, richtten hun blik vervolgens op de tafel en vermeden het weer naar Joe te kijken.

Ze heeft het vreemde gevoel dat er een kans voorbij gegaan is, maar ze zou de aard van die kans niet hebben kunnen omschrijven, of zelfs maar kunnen zeggen waarom ze het gevoel had dat er een kans geweest was.

Voor het eerst sinds ze elkaar kennen, voelt ze zich van Joe vervreemd. Al de tijd dat ze eet en drinkt en losjes praat, groeit het gevoel, onlogischerwijs, dat er iets helemaal mis is tussen hen; tot er een muur tussen hen staat.

Een glazen wand,' ze praat, ziet hem op de woorden reageren, ziet woorden van hem terugkomen en geeft op haar beurt een passend antwoord. Er is geen enkel contact.

Ze is blij wanneer Joe enigszins gegeneerd zegt dat, eh, het al vrij laat is en, eh, hij erg vroeg op moet morgen om na te gaan waar zijn zoontje uithangt en, eh...

Zijn gezicht ziet er verloederd, uitgeblust en oud uit.

'Goed,' zegt ze welgemeend en kijkt niet meer naar zijn verwoeste gezicht, 'bedankt voor de avond. Ik kom wel thuis en als de jongen opduikt, laat ik het je weten.'


De deur is dicht.

Ze had hem dichtgetrokken, maar met de klink half omhoog.

Ze weet zeker dat hij binnen zal zijn.

'Sim? Ben je hier?'

Haar stem galmt.

Geen fluitje. Geen vingerknip. Niets.

Ze gooit haar jas uit en gaat stil de trap op.

Nog geen geluid.

Het vuur is bijna uitgegaan. De kolen zijn bedekt met as en het geeft weinig licht af, maar genoeg om de gedaante van het kind te kunnen onderscheiden. Het ligt geknield op de schapevacht, hoofd op zijn armen, armen steunend op de haardkist.

'Haimona? Simon?'

Hij beweegt niet. Zijn ademhaling is gelijkmatig, maar wat moeizaam.

Dom kind, de hele dag buiten geweest en kou gevat, wedden? En dat is een verdomd ongemakkelijke slaaphouding. Maar hij heeft nu eenmaal de neiging om in de meest vreemde houdingen in slaap te vallen.

Ze steekt de lamp aan, rakelt het vuur op; doet alles heel stil.

Het kind verroert zich niet.

Ten slotte zegt ze: 'Hé, Haimona,' en pakt hem bij zijn schouder.

Naar bed jochie, en dat betekent goddomme dat ik de slaapzak moet gaan pakken en op de grond...

Godallemachtig.

Het kind kijkt naar haar op en er ligt een zweem van een glimlach op zijn kapotgeslagen gezicht.

Ach Jezus, je sliep dus niet...

Dan wendt hij zich af, zijn hand houdt de hare vast en trilt.

'Godallemachtig,' zegt ze hardop, maar dit keer hurkt ze naast hem neer.

'God jongen, wat heb je uitgevoerd?'

Zo zacht ze maar kan, draait ze zijn gezicht naar haar terug, met een hand onder zijn kin. Hij verzet zich niet, maar houdt zijn ogen gesloten.

Zijn oogleden zijn boeddha-achtig gezwollen en paars. Zijn onderlip is gespleten en in zijn mondhoeken is het bloed zwart opgedroogd. Blauwe plekken op de wangen met de hoge jukbeenderen; ze zijn al heel donker geworden.

Hij is herhaaldelijk hard in het gezicht geslagen.

Ze kijkt naar de hand die de hare nog steeds vasthoudt. Daar geen sporen van geweld.

'Heeft Joe je geslagen?' en probeert haar stem zo neutraal mogelijk te houden.

Hij opent zijn ogen. Nee, zwijgt hij, nee.

'Wie dan?' Woede welt in een hete golf in haar op.

'Wie goddomme?'

Hij staart door de spleetjes tussen zijn oogleden.

'Wie Sim?'

Hij beweegt zijn hoofd onwillig van links naar rechts.

'Iemand van school?'

De vingers zeggen Nee, nee, nee...

'Verdomme, iemand die je kent? Of die ik ken?'

Het kind is stil.

'Verdorie, kind toch...'

Ze staat met gebalde vuisten, heft ze in de lucht en laat ze weer vallen.

'Goed, je wilt er niet over praten. Ik zal een dokter laten komen en Joe bellen, dan kunnen zij het verder uitzoeken.'

Zonder zijn hoofd te bewegen, pakt hij zijn blocnote.

Als Kerewin naar de telefoon wil lopen, steekt hij zijn hand op en ze stopt en neemt hem met diezelfde koude, woedende blik op.

GEEN DOKTER JOE GOED MET MIJ GOED

157

'Dat zal wel,' zegt ze.

Hij houdt zijn gevouwen handen naar haar op.

'Smeek je me?' vraagt Kerewin nors.

Hij ontvouwt zijn handen, terwijl hij een bevestigend gebaar maakt.

'Nou, doe maar niet. Waarom zou ik geen dokter laten komen? Je hebt er een nodig. Ben je er bang voor?'

Een krachteloos gebaar van zijn vinger.

Ze realiseert zich dat Ja eigenlijk geen antwoord is. Ze kijkt op hem neer en schudt verbeten haar hoofd.

Ervan uitgaande dat er van binnen niets gebroken is, zijn schedel in orde is en geen van zijn aangezichtsbotten gebroken zijn, heeft hij alleen wonden en blauwe plekken. Dat zal hem niet tekenen. Het zal goed en snel genezen. En het is laat om een dokter te laten komen.

Maar wat als hij... botbreuken, een hersenschudding of inwendige verwondingen heeft?

'Joe moet maar beslissen,' en het kind lacht zelfs. Niet van harte, maar genoeg om duidelijk te maken dat het een lach was en geen grimas.

'Ik weet het niet, jongen, werkelijk niet...'

De telefonist is verbaasd.

'Wel heb ik ooit,' zegt hij op vrolijke toon, 'u bent ook almaar thuis, hè?'

'Niet helemaal thuis, en niet almaar... laat maar overgaan tot Joe opneemt.'

Het prrr-prrr houdt minutenlang aan.

'Hoe weet u eigenlijk dat hij hier is? Alleen omdat ik Joe bel?'

De telefonist giechelt.

'Feedback. Een van de leuke kanten van dit werk. Kent u Tass Dansy?'

'Ja, van naam.'

'Nu, hij zag Simon moeizaam langs de weg wankelen, vlak bij de afslag naar uw huis en toen Tass een paar uur geleden moest bellen, vertelde hij me dat. U weet hoe dat gaat, hè?'

Ik kan me dat wel voorstellen, ja.

'Mmmm, wat bedoelt u met moeizaam wankelen?'

'Die woorden gebruikte Tass, ik niet. Gaat het goed met de jongen, of is er iets aan de hand?'

'Het gaat goed. Een ogenblikje, alstublieft...'

Ze schakelt het geluid uit en zegt tegen Simon: 'Kom hier.' Weinig vriendelijk. De boosheid woedt nog na.

Hij hangt tegen de muur. Hij staat er raar bij en ze hoort hem sissen van inspanning.

Wankelen is niet precies het juiste woord, maar hij hinkt behoorlijk... jezus, als ik degene te pakken krijg die hem zo heeft toegetakeld, zal ik ervoor zorgen dat hij er spijt van krijgt ooit geboren te zijn.

'Hallo?' zegt een stem in haar oor.

'Hallo Joe?'

'Eh Kerewin? Eh.' Ze hoort hoe hij over zijn gezicht wrijft en het discrete 'klik' als de telefonist van de lijn afgaat.

'Sorry dat ik je wakker maak man, maar je kunt zeker wel raden wie hier is komen opdagen?'

'O... mooi.'

Zelfs in aanmerking genomen dat hij moe is en slaapdronken en vol drank, is het een lange pauze.

Hij onderbreekt haar stilzwijgen haastig door te vragen: 'Alles in orde?'

'Nee.'

Weer een stilte. Ze hoort weer het geluid van zijn vingers die zijn gezicht masseren.

'Heeft hij iets verkeerds gedaan of zo?'

'Of zo. Zeg Joe, toen je een poosje geleden zei dat je de strenge vader uitgehangen had, bedoelde je toch niet toevallig dat je hem in elkaar geslagen had?'

Nog meer stilte.

'O nee hoor,' maar de ontkenning klinkt wat aarzelend. Tja, ik heb hem wel een paar klappen gegeven, maar...'

'Waar?'

'Daar waar je een kind meestal slaat.'

Zijn ademhaling gaat sneller en hij praat iets minder onduidelijk dan eerst. Het effect van slaap en drank is afgenomen.

'Niet in zijn gezicht?'

'Jee, nee hoor... is hij daar gewond?'

De diepe stem is scherp van bezorgdheid; de ontkenning is duidelijk. Nu klinkt hij weer als de Joe die zij kent.

'God zij dank.'

'E?'

'Ach sorry, e hoa. Een afgrijselijk moment lang dacht ik, wel, iemand heeft voor amateur-gestapo gespeeld en ik dacht, ik bedoel..'

'O God... is Himi in de buurt? Mag ik hem even? Nu?'

Het kind huilt. Hij pakt de microfoon en tikt er drie keer tegen.

'E Himi, wat is er gebeurd? Gaat het een beetje met je?'

Een zacht tikje als het kind een keer met zijn nagel tegen de microfoon tikt, even wacht, een tweede keer.

'Daar ben ik blij om,' zegt Joe alleen. Dan vaart hij uit: 'Waarom ben je niet naar huis gekomen? Waarom moet je Kerewin nu lastig vallen? Waarom heb je...'

Het voelt alsof de blikkerige, verre stem het kind minutenlang de huid volscheldt.

Kerewin, die nog steeds woest is op de onbekende aanvaller, is het al snel zat.

> Waarom moet je die jongen nu uitfoeteren? Terwijl het misschien niet zijn schuld is, terwijl het misschien hier in de buurt gebeurd is, terwijl hij gewond is, en vooral terwijl hij geen antwoord kan geven?

Ze buigt zich voorover en pakt de microfoon uit de hand van de jongen die geen weerstand biedt.

'Je bent vervelend bezig, Joe.'

Geschrokken houdt hij zijn mond. 'O Kere, het drong niet tot me door dat...'

'Godsamme man, hij is er slecht aan toe en het enige dat jij doet is zijn oor volgieten met kritiek? Wees eens een beetje praktisch... moet ik een dokter laten komen?'

Hij zegt snel:

'Hij is erg bang voor dokters. Het lijkt me niet zo'n goed idee. Tenzij hij ernstig verwond is.'

'Tsjaaa, hij is bont en blauw. Beurs. Maar ik geloof niet dat er iets gebroken is. Durf je het aan tot morgen te wachten?'

'Dat lijkt me het beste,' zegt Joe prompt. 'Ik kom hem morgen wel halen voordat ik naar mijn werk ga. Dan gaan we wel even bij Lachlan langs. Zij is om een of andere reden minder afschrikwekkend dan de anderen.'

'Goed dan. Het is jouw kind... wil je hem nog welterusten zeggen? Hij kijkt niet bepaald gelukkig.'

In feite staat hij, met schokkende schouders tegen de muur geleund, op een wanhopige manier te huilen.

'Ae. E pai ana, e kere, e pai ana.'

'Het is goed,' maar het in Maori gestelde bedankje wekt dit keer niet de gebruikelijke emotionele reactie op.

Wat haar betreft had hij ook De maan, De maan kunnen zeggen.

'Hier is Simon,' zegt ze.

'Het spijt me,' zegt de man. 'Het spijt me echt. Ik wilde je niet van streek maken nu je narigheid hebt gehad; ik wilde je geen pijn doen. Het spijt me echt?

Het kleine jongetje knikt, zich ogenschijnlijk onbewust van de radiofoon.

'Zorg goed voor jezelf, e Himi, en we zien je morgenochtend vroeg. E moe koe, tama, en kus Kerewin welterusten van ons. E moe koe.'

Nog lang nadat Joe heeft opgehangen houdt het kind de microfoon vast en staart ernaar door een mist van tranen.


Ze waste zijn gezicht met warm water en toverhazelaar en gaf hem een beker warme melk met honing en wat van haar manukabrouwsel erin. Daarna droeg ze hem de wenteltrap op en legde hem op haar bed.

Pas nadat ze haar slaapzak heeft gepakt, schiet haar zijn gehink te binnen.

'Wat is er met je benen?'

O niets, maken zijn vingers duidelijk.

'Waarom hink je dan?'

Hij vertrekt zijn gezicht. Hij schopt in de lucht, korte schoppen. Maar er is niets mee, verzekeren zijn vingers haar. 'Wie heeft je geschopt?'

Geen antwoord.

Ze schudt aarzelend haar hoofd.

'Jouw benen jochie... wil je dat er iets aan gedaan wordt?'

Nee. Hij kijkt naar de grond en slaat dan zijn ogen op en glimlacht plotseling. Nee, gebaart hij vastberaden.

Maar het leek alsof hij dat moment nodig had gehad om kracht te verzamelen voor het lachje.

'Okay, Simon pake...' Joe's benaming past goed bij hem.

Wanneer het hem zo uitkomt, is de jongen zo koppig als maar mogelijk is.

'Weet je hoe die lamp uitgaat?'

Ja.

Hij leunt nu tegen het bed.

Bij de deur vraagt ze nog eens: 'Wie was het, Sim?'

Zijn gezicht vertrekt, maar hij zegt niets.

Ze zucht diep.

'Het zij zo. Slaap lekker en droom maar mooi.'

Maar er klinkt ongeduld in haar stem door en dat geeft de woorden een sardonische klank.


Joe arriveert al voor zevenen de volgende ochtend, sluipt in het halfdonker de trappen op en fluit haar wakker.

Hij klakt met zijn tong over het gehavende gezicht van het kind, over de pijn die hij overduidelijk heeft bij het lopen, en – wat vreemd is in Kerewins ogen – houdt Simons hand een lang ogenblik vast en zegt zo zacht en zo snel iets tegen hem, dat ze de woorden niet kan opvangen.

Hij wijst het idee van koffie of ontbijt namens hen beiden van de hand.

'Ik heb een afspraak buiten het spreekuur om, dus kan ik nu beter gaan.'

Meer dan een week lang ziet ze geen van tweeën meer.


'Ik moest nog iets hebben.'

Ze staat op de oversteekplaats en tikt nadenkend en zorgvuldig tegen haar tanden.

Natuurlijk, tabak. Daarvoor ben je in eerste instantie naar de stad gegaan. Allemachtig, wie anders dan ik blundert zo door het leven?

Een paar meter van haar af stopt abrupt een auto, met gierende banden. De automobilist scheldt en houdt zijn claxon langdurig ingedrukt. Krijg wat, denkt Kerewin en steekt rustig de straat over.

In het zoete, met tabak doordrenkte halfduister van het kleine winkeltje, zegt ze tegen Emmersen die achter de toonbank staat:

'Is het u ooit opgevallen dat het enige verkeer in dit uitgestorven stadje altijd komt als je wilt oversteken? Volgens mij wachten ze speciaal tot er een argeloze voetganger aankomt.'

Emmersen lacht plichtmatig. Hij had het bijna-ongeluk vanuit het raam gezien. Hij zegt niet wat hij denkt. Kerewin is een veel te goede klant.

'Ik heb wat van die Hollandse, gearomatiseerde tabak te pakken weten te krijgen,' zegt hij.

'Prima, die neem ik. Nog Sobranies?'

Zijn ogen kijken even opzij. 'Middag,' wenst hij en lacht dan terug naar haar. 'Die heb ik, ja.'

Een paar magere handjes worden om het midden van de stok aan haar zijde geslagen.

'Wel heb ik ooit, kijk eens aan wie we daar hebben...'

Simon P, een en al glimlach en zijn ogen zo groenblauw als de warme zomerzee.

Ik! vormt zijn mond en glimlacht nog uitgebreider.

'Ja, wie anders?' Ze lacht en steekt een hand naar hem uit.

'Nou, ik misschien?'

Joe staat in de deuropening van de winkel en zijn lach is al even stralend als die van zijn zoon.

'Heremejee! Ik dacht dat jullie tweeën er vandoor waren gegaan of zoiets...'

Ach verdorie, kalm aan hart... belachelijk, belachelijk, jij die zo op je eigen gezelschap gesteld bent, je zou je somber moeten voelen en niet opgetogen van blijdschap.

'Tena koe,' voegt hij eraan toe en legt zijn handen op haar schouders en hongi't haar snel.

'Als we geweten hadden dat je blij zou zijn ons te zien, waren we al veel eerder gekomen...'

Ze schudt Simons hand. 'Het is fijn jullie beiden weer te zien,' en kijkt de jongen doordringend aan.

'En je ziet er opmerkelijk goed uit.'

'In alle opzichten,' zegt Joe opgewekt. 'Als er ooit een rustige week is geweest... we moeten hem maar vaker tot moes laten slaan, hè?' Hij lacht en haalt zijn vingers door het haar van de jongen.

Ze voelt hoe haar buikspieren verstrakken en haar vreugde sijpelt weg.

'Ik vind van niet,' zegt ze koeltjes.

Maar het kind wisselt opgewekte lachjes uit met zijn pa; ze schijnen het een grappig idee te vinden.

Ach mijn liefje, er zijn nu eenmaal vogels van verschillende pluimage.

Ze haalt haar schouders op en maakt haar hand los uit Simons greep.

'De Sobranies?' stelt ze Emmersen voor. Hij staat zelfgenoegzaam naar hen te lachen.

'Ja, natuurlijk, komt eraan... Ik heb een paar doosjes zwarte, is dat goed?'

'Ja, cigarillo's?'

'Iets nieuws en speciaals dat u misschien wel eens wilt proberen... ik zal ze even van achteren halen.'

Hij knikt Joe toe, lacht naar Simon en verdwijnt.

'Hèhè,' zucht Joe en gaat met zijn ellebogen op de toonbank hangen.

'Ik weet niet of jij ons ook gemist hebt, maar wij jou wel. En niet zo'n beetje ook.' Zijn donkere ogen staan ernstig.

'We hebben je alleen even een poosje niet lastig willen vallen, omdat we dachten dat je ons misschien zat was.'

'Hoe attent... ik heb me wel afgevraagd waar jullie gebleven waren.'

De jongen laat zijn vingers omhoog lopen langs de spiralen die in de stok zijn uitgesneden: aan zijn gezicht is vrijwel niets meer te zien. Er zitten alleen nog wat geel geworden kneuzingen rond zijn ogen en bij zijn mondhoeken. En hij beweegt zich gemakkelijk – dat is één van de dingen, denkt ze, die kinderen voor hebben op volwassenen. Snel en goed genezen.

Ze vraagt: 'Ben je nog aan de weet gekomen wie er verantwoordelijk voor was?'

Joe legt een vinger tegen zijn lippen als Emmersen binnenkomt. 'Muri iho, e hoa.'

'Dat moet ik toch ook eens leren,' zegt Emmersen. 'Maar misschien ben ik daar wel te oud voor... wat denkt u van deze?'

'Nooit eerder gezien. Heeft iemand u die aanbevolen of zo?' Emmersen maakt een kistje open.

'Probeer er maar een,' biedt hij aan. 'De vertegenwoordiger vond ze echt iets voor een kenner en u leek me een echte kenner.'

Joe grinnikt. 'Een goede verkooptruc, hè?'

'En voor een kennersprijs, schat ik.' Ze ruikt aan het slanke sigaartje en rolt hem zachtjes tussen haar vingers. Strak blad, niet te droog. Ze steekt hem op.

Iedereen slaat haar gade. Bruine ogen, zeegroene ogen: vol verwachting, wachtend op haar beslissing. Ze laat ze drie trekken lang wachten.

Dan zegt ze: 'Tsja...' en geeft hem aan Joe.

'O, dank je...' Hij ademt een rookwolk uit. 'Hmmm.' Hij geeft hem terug.

Emmersen wipt van het ene been op het andere van nauw verholen spanning. Hij lacht begerig, waarop ze nietszeggend terug lacht.

'Haimona?'

Ze reikt hem de cigarillo aan en de jongen gniffelt.

Hij hangt tegen haar aan en houdt de sigaar voor zich. Hij maakt er een hele voorstelling van: een mondvol inhaleren, proeven en de rook in een dunne stroom weer uitblazen.

Joe houdt zijn hand voor zijn mond.

Emmersens ogen puilen uit, hij loopt frambooskleurig aan.

Kerewin vraagt het kind: 'Zou jij ze kopen of niet?'

Emmersen verslikt zich.

Simon geeft de sigaar terug. Hij krabt op zijn hoofd, legt een hand tegen zijn kin, werpt Emmersen een groene blik toe, vraagt zich af wel of niet, en schudt ten slotte zijn hoofd.

Emmersen is nog roder.

'Ach wat een pech,' zegt Kerewin, 'Joe?'

'Ik vind hem wel lekker. Het boeket is wat scherp en hij heeft niet de volle rijpheid van je Cubaanse uit '65, enne...' Hij heeft het niet meer.

'Verlos die stakker in godsnaam uit zijn lijden, Kere.'

Emmersen slikt. 'Ik dacht...' begint hij, terwijl de kleur uit zijn gezicht wegtrekt, waarop het zijn gewone ziekelijk bleke teint aanneemt. Hij slikt nog eens. 'Ik dacht,' en er klinkt oprechte wanhoop in zijn stem.

Kerewin valt hem in de rede.

'Ik had mijn twijfels over deze aanschaf. Ik dacht dat het makkelijker zou zijn een meerderheidsbesluit te nemen... maar hij is eigenlijk nog te jong om een goede sigaar van een bolknak te kunnen onderscheiden. Ik neem ze. Ze zijn goed.'

Emmersen zucht diep van opluchting.

'Ik maakte me even zorgen,' schudt nerveus lachend zijn hoofd, 'hoewel ik vermoedde dat u me voor de gek hield, maar... maar...'

Kerewin lacht nu ook, smalle lippen en haar ogen tot spleetjes.

'Maar je weet maar nooit,' zegt ze met een schuine blik. 'Als ik Simons advies zou opvolgen over wat ik moet roken, is dat het begin van mijn kindsheid. Jee, hij rookt zijn vaders sigaretten.'

Joe zegt: 'Hee, wat bedoel je daar mee?' en Simon giechelt en Emmersen, die de tabak en Sobranies en cigarillo's inpakt, lacht uitbundig.

Joe vertelt enigszins gegeneerd dat ze naar haar uitgekeken hebben, omdat, eh, hij wilde vragen of Himi een paar nachtjes bij haar kon logeren? Hij legt haastig uit dat Wherahiko Tainui een zwak hart heeft en hij onder behandeling van een specialist staat en dat hem nu geadviseerd is niet meer te rijden, en Marama heeft geen rijbewijs, Ben heeft 't druk en Piri is gebonden door zijn werk en de andere zoon is niet in de stad en...

'Godallemachtig,' Kerewin stampt hard met haar stok op de weg, 'natuurlijk mag Simon komen; ik vroeg me trouwens al af waar hij die slechte gewoonte van smeken had opgedaan. Ik versta je luid en duidelijk.'

Joe lacht verlegen. 'Ach, weet je, ik wil niet dat je denkt dat ik je alleen maar als oppas gebruik. Alleen maar langskomen als het ons uitkomt, ook al lijkt het daarop: het is echt niet zo.'

Kerewin zegt droogjes dat ze hun dat weken geleden al had laten weten, als ze dat gedacht had.

Als Simon eenmaal in bed ligt, vraagt ze Joe waarom het kind niet bij zijn Tainui-familieleden gaat logeren. Joe kijkt haar niet aan. 'Hoe minder hij daar is, hoe beter,' zegt hij bitter. Ondanks zijn 'later' vertelt hij niet wie zijn zoon zo in het gezicht geslagen heeft, en Kerewin, die een familievete vermoedt, komt er niet op terug.

De tweede dag zegt Kerewin:

'Laten we het mooie weer benutten. Het tij is er gunstig voor, en ik heb er enorme trek in: laten we pipi's gaan zoeken. Trek je jas maar aan.'

Ze zucht verlekkerd.'

'Stel je eens voor: volgende maand pijlstormvogels, en dan breekt het witvisseizoen weer aan. Wie zou er nog meer kunnen wensen?'

Simon trekt zijn wenkbrauwen op en vertrekt zijn gezicht tot een glimlach, zodat ze de duisternis die zijn ogen binnendringt, niet kan zien.

Ik, denkt hij.

Halverwege het strand stopt er een vrachtauto naast hen.

'Kia ora korua,' zegt Piri, terwijl hij uit de cabine klimt. Hij buigt zich vooover om Simon te begroeten en verstart plotseling alsof het kind hem geslagen heeft. Hij draait het gezichtje van de jongen naar zich toe en bestudeert het even.

'Ben je weer tegen een keukenkast je opgelopen?' vraagt Piri luchtig, en wendt zich dan tot Kerewin; zijn ogen staan hard. Ze schudt haar hoofd, waarop hij weer naar de jongen kijkt.

'Je bent niet tegen een kastje aangelopen,' maar Simon staart hem met onbewogen gezicht aan. 'Nee toch?' en laat het kind los.

Simon blijft hem aanstaren, zonder met zijn ogen te knipperen. Piri bijt op zijn lip. Hij wil iets zeggen, slikt het in en haalt dan zijn schouders op.

'Nou ja,' zegt hij ten slotte. 'Nou ja.' Hij lacht even naar Kerewin; zijn ogen staan nog hard. 'Raar kind, hè?'

'Weinig fortuinlijk, maar niet bepaald achterlijk, zou ik zo zeggen.'

Er breekt een echte lach door op Piri's gezicht.

'Precies. Als Joe terug is, wil je hem dan zeggen dat ik hem wil spreken over een hond?' Hij blijft glimlachen. 'Hij weet wel wat ik bedoel.'

Simon houdt haar hand vast en schudt die onopvallend. Eén keer, pauze, nog een keer. Nee. Niet doen. Wat? Ze werpt een blik op hem, maar hij bestudeert zijn voeten.

'Goed, als ik hem zie.'

'Okay.' Piri klimt weer in de cabine en trekt de deur dicht.

'Kan ik jullie een lift geven naar de stad of ergens anders naartoe?'

'We wandelen zomaar wat.'

'Goed dan. We zien elkaar nog wel. E noho ra, Himi. Kerewin.'

'Haere ra, ePiri.'

Simon laat haar hand niet los en zwaait al evenmin.

De vrachtauto verdwijnt.

'Nou, nou jongen, waar was dat goed voor? Vind je Piri niet aardig?'

Hij schokschoudert.

'Wat bedoelde je dan met dat handgeschud?'

Niets, zegt de jongen; duim en wijsvinger vormen een O.

'Ik herroep alles. Je bent gek.'

Hij haalt opnieuw zijn schouders op en kijkt haar aan met een blanco, nietszeggende blik.

'Je kan me wat.'


'Hier,' zegt Kerewin. Ze staat op het gedeelte van het strand dat bij eb droogvalt. Ze schept zand weg met het uiteinde van haar harpoenstok, maar het water in het gat stijgt sneller dan ze het eruit kan gooien. Ze besluit om haar handen te gebruiken. Ze graaft met haar vingers en slaakt kreetjes van plezier.

Een kleine, driehoekige schelp, als een afgesprongen scherfje vuil porselein. Ze delft hem op en steekt haar mes in de achterkant ervan en snijdt zo de sluitspieren door. Het schelpdiertje wordt slap en scheidt water af. Ze trekt de bovenkant van de schelp eraf en snijdt het diertje los van de onderste helft, en eet het op.

Hij kijkt toe, zijn mond valt open van afschuw. Ze graaft opnieuw, dit keer midden in een groepje sipho's en ontdekt een hele kolonie.

'Jij een?' Hij sluit zijn mond met een klap en schudt heftig zijn hoofd.

Ze grinnikt en peutert weer een slinkende pipi uit zijn schelp.

Vol afkeer laat hij zijn handen fladderen.

'Het beweegt, leeft nog? Ja, dat weet ik. Een oester leeft ook nog als je hem eet. En daar heb je een paar weken geleden van genoten. Die waren toch heel lekker?'

Hij trekt zijn mondhoeken neer.

'Ik kan je verzekeren,' zegt ze wat onduidelijk – haar mond vol zacht zoet en zilt vlees – 'dat een organisme als dit geen pijn ervaart zoals wij doen. Het heeft geen besef van zijn op handen zijnde dood. Een sneetje en hap, slok, weg, dat is alles voor de pipi.' Dat hoop ik tenminste.

'Snap je het, Simon?' Schloep, snee, slik, als ze weer een pipi soldaat maakt.

Het jongetje huivert.

'Luister eens, het zou verkeerd zijn, heel verkeerd zijn om een vogeltje of een kikker levend op te eten, als we daar al de moed voor konden opbrengen. Maar deze niet.'

Ze hoopt dat hij niet zal vragen waarom, omdat ze er zelf niet helemaal van overtuigd is. Ze vermoedt dat het is omdat zelfs een laag dier als een kikker, maar zeker een vogel, flink tekeer zou gaan wanneer je hem oppeuzelt. Het enige dat de hulpeloze pipi kan doen, is een klein straaltje water uitscheiden en tussen je tanden sterven. Verdorie kind, je hebt me een schuldgevoel bezorgd.

De jongen zucht.

Hij gaat alleen weg en gaat op de sipho-gaatjes staan, die de aanwezigheid van pipi's verraden.

Ze volgt hem en daar waar zijn voetstappen talrijk worden gaat ze graven en delft een hele horde pipi's op en bedankt het kind op luide toon terwijl ze daarmee bezig is, tot Simon P uit pure wanhoop niet meer weet waar hij zijn voeten zal neerzetten.

'Hé!' roept ze ten slotte. 'Ik heb er genoeg gegeten. E hartje van me, het is voorbij, de slachtpartij is afgelopen. Je hoeft ze niet meer in bescherming te nemen.'

Ze giechelt om de volle kete, en hij komt terug, stom van woede en zeer kwaad kijkend en slaat tegen de tas.

'Rustig aan, jochie. Straks bezeer je je nog.'

Hij schudt verwoed zijn hoofd en begint te huilen.

'Wat is er? Huil je om de pipi's? Geloof mij maar, dit is waar hun moeders ze voor hebben grootgebracht...'

Tranen druppelen naar beneden, vormen een kanaaltje naar zijn puntige kin, Kerewin, ik krijg wat van je. Ze lacht naar hem, terwijl hij er diep ellendig bij staat met gebogen rug in het winterse zonnetje.

'Jeetje, het was niet mijn bedoeling je overstuur te maken. Niet zo erg tenminste.'

Hij kan er niet om lachen.

'Hè verdorie... hoor eens jongen, bij mijn beste weten, en dat is niet mis, doet het een schelpdier geen pijn om rechtstreeks uit de schelp gegeten te worden. Net zo min als het ons pijn zou doen als wij in enen werden doorgeslikt. Ik geloof dat de wetenschappelijke verklaring hiervoor is dat het schelpdiertje een terminale negatieve stimulus ontvangt, ja?'

En ik hoop dat die meerlettergrepige woorden je voldoende intrigeren om te stoppen met huilen, want ik begin uit pure schuldgevoelens last van maagzuur te krijgen.

Hij snift, zucht gelaten, hurkt bij haar neer en tikt haar op haar schouder. Dan steekt hij zijn hand uit.

'O?'

Wijst op zijn mond en de kete.

'Wil je een pipi? Na deze dramatische toestanden?'

Ze geeft hem er twee die ze al uit hun schelp gehaald heeft. Hij eet ze langzaam op, constant huilend en met vertrokken gezicht. Als hij ze op heeft, vraagt hij om meer.

'Ik begrijp niets van kinderen,' zegt Kerewin tegen de haar omringende wereld, staat op en gaat verder met de pipi-jacht.

Ze ligt achterover en steunt op haar ellebogen, terwijl ze toeziet hoe hij over het strand loopt. Hij scharrelt rond, pakt dingen op die door het tij zijn aangespoeld en brengt ze naar haar toe.

Ze veronderstelt dat hij wil weten wat het zijn, dus benoemt ze elk voorwerp.

'Een veer van een meeuw. Zou niet durven zeggen van welk soort.'

'Dat is een segment van een zeester. Niet geschikt om op te eten, rare. Het is een stekelhuidige.'

'Ehm... één of ander soort laminaria... eens even denken, dit is de Kust en het is een vrij ruw strand en het wier heeft geen vertakkingen. Ja. Lessonia variegata ter uwer informatie, jongen, en zorg maar snel dat die hier wegkomt. Strandvlooien leggen er graag hun eitjes in.'

'Een vissegraat. Heb geen flauw idee van welk soort vis, maar het is een stukje skelet van een gewervelde.'

'Dat is een stuk van een gloeilamp. Waarschijnlijk overboord gegooid door een stropende vissersboot. Ik zou het niet bewaren, tenzij je je bezig wilt gaan houden met wraaklustige voodoo-praktijken. Dan help ik je wel.'

'O dat. Kowhai.'

Hij rimpelt zijn neus, O ja?

'Het zijn zaden van een boom, gouden zaden voor gouden bloemen, in zee terechtgekomen om meer zeebomen te maken. Het is in ieder geval een boom die langs de kust voorkomt.'

Hij knikt nog steeds verbaasd.

'De kowhai is een hoge dunne boom, met grijsbruine bast. Hij bloeit in het begin van de lente. De tui en korimako zijn dol op die bloemen. De boom groeit voornamelijk langs de kust en laat zijn zaden in rivieren of de zee vallen. Die worden meegevoerd naar andere stranden, zodat de kowhai overal te vinden is. Een zeeboom embleem voor een zeevolk, alleen is het nog niet tot de mensen doorgedrongen dat ze een zeevolk zijn.'

Hij buigt zich voorover en geeft haar een klopje op haar schouder. Het is een merkwaardig volwassen gebaar voor een klein jongetje. Maak je maar niet druk, Kerewin, ik geloof je wel.

De romance bloeit weer op.

Kerewin trekt haar wenkbrauwen zo hoog op dat ze onder haar bruine haardos verdwijnen.

'Hetzelfde voor jou, egeltje... zoek er maar zoveel je kunt, dan zal ik je leren hoe je er een ketting van kunt maken. Zo gemaakt dat je de zaden later nog eens kunt planten, als je wilt.'

Hij komt met een handvol terug en stopt ze zorgvuldig in haar jaszak. Loopt weer terug het strand op.

Wat een onvoorspelbaar kind... ze knijpt haar ogen dicht tegen de winterzon en laat ze dicht. Ze ziet steeds rode patronen die heen en weer bewegen en oplichten.

Druk op haar hand.

Ze verstijft, en ontspant zich weer.

'Wat is er?' en sluit haar ogen weer.

Hij blaast zachtjes in haar oor; ze huivert door de onverwachte adem.

'Dat wil zeggen?'

Hij zit op zijn hielen en glimlacht met half-gesloten ogen, terwijl hij zijn hoofd schudt.

Hij dacht:

namen weten is leuk, maar het betekent niet veel. Te weten dat dit een weet ik veel wat ze zei is, is leuk, maar er verandert niets door. Namen stellen niet veel voor. De dingen wel.

In het geheim lacht hij om zichzelf. Omdat jij geen namen kunt zeggen, Clare. Maar in ieder geval, hij was teruggekomen en had in haar oor geblazen.

Een hele stroom van namen. Vind je ze mooi? Segment-laminaria-gewervelde-lessonia-variegatavoodoo-kowhai en AL.

Haar ogen schoten snel weer open en stonden zo scherp en dreigend als glassplinters.

Het was alleen maar lucht, zie je wel? had hij haastig gedacht; mijn hand was echter. Maar Kerewin werd nooit echt woest. Ze zat daar maar en fronste naar hem.

Een dezer dagen zal ze het wel leren kennen.

Hij zat en lachte zijn alwetende glimlach naar de zon, tot hij, moe geworden van het geven van verklaringen voor woorden, ging liggen en in slaap viel.

Het eerste dat hij ziet bij het wakker worden, vlak bij zijn ogen, is het segment van de zeester. Hij neemt er de tijd voor om wakker te worden, alle tijd (omdat Kerewin er zit, ogen nog steeds dichtgeknepen tegen de zon, almaar dromend) tot hij weer helder en kalm is. Hij pakt het segment en terwijl hij ligt, begint hij te bouwen. De zeester in het midden, daar omheen een netwerk van droog maramgras, de veer, een splinter van een stuk drijfhout, een blaasje zeewier, een pipischelp... legt ze keurig bij elkaar, snel en, in Kerewins ogen onafwendbaar, tot het uiteindelijk zo'n vijftien centimeter hoog is, stevig, maar heel kwetsbaar; een vreemd klein tempeltje, een spil waar geluiden omheen kunnen draaien..,

Hij schuift een stukje op en gaat ernaast liggen, zijn oor raakt het ding bijna aan.

Langzaam sluiten zijn ogen zich en zijn mond ontspant zich en hangt wat open. Zijn gezicht heeft een extatische uitdrukking.

Is het dat ik vertrouwd word?
Ze drukt de tabak in de kop iets vaster aan.

Ik heb een haast beschermend gevoel over me... omdat hij zich zo wijdopen opstelt? Ik zou een vervelende opmerking kunnen maken, of hem uitschelden, of het vertrappen, of hem... maar hij schijnt voor zichzelf uitgemaakt te hebben dat ik geen van die dingen zal doen. Dat is dus zijn vertrouwen in mij, en dit, dit merkwaardige gevoel dat strak om mijn borst en keel ligt, is het gevolg.

De Snark zegt: misschien heeft hij ontdekt hoe een nieuw soort geluidsgolven gebruikt kunnen worden. Je weet wat er gebeurt met subsonische geluiden...

Ach, ga weg...

Het kind ligt roerloos. Als ze heel aandachtig luistert, kan ze zijn ademhaling horen. Die is abnormaal langzaam.

Geen wonder, Simon P. Gillayley, dat je beschouwd wordt als een rare snuiter. Emotioneel gestoord, heeft ze niet allemaal op een rijtje, volgens de geruchten... doe je dat vaak, voor een hoopje rotzooi gaan liggen, want meer is het eigenlijk niet, om in trance te raken? Maar dit, en vechten, en stelen, en van school wegblijven, om over thuis maar te zwijgen... en al die dingen waar ik nog niets over gehoord heb? ...de schoen past.

173

De reputatie is verdiend. Maar toch...

Ongevraagd dient een gedachte zich aan: waarom vertrouwt hij mij?

Waarom zou hij vertrouwen in me hebben? Ik vertrouw niemand, ik heb nog nooit iemand vertrouwd. Zelfs als kind niet, wanneer iedereen verondersteld wordt onschuldig genoeg te zijn om de wereld te vertrouwen. Misschien werd ik me te vroeg bewust van mezelf, bewust van de wankele basis waarop we allemaal moeten bouwen.

'Je bent slimmer dan goed voor je is,' hadden ze gezegd, haar ouders en familieleden, vrienden en vijanden. Ze wimpelde dat soort opmerkingen altijd af. 'Niemand kan te slim zijn,' had ze ten antwoord gegeven, aan de kern voorbij gaand. Voor ze twintig werd, had ze vastgesteld dat ze toch gelijk hadden. Ze wist te veel. Hoe slimmer je bent, hoe meer je weet, des te minder reden je hebt om vertrouwen te hebben of liefde te voelen, of je hart te kunnen uitstorten.

Dus die daar is heel stom?

Simon raakt haar hand aan. Zijn ogen zijn wijdopen en schitteren en zijn lach is breed genoeg om zijn gezicht in tweeën te splijten.

## III

'E hine!'

Ze loopt naar de auto.

'Joe komt zo.'

'Dat weet ik. Hoe gaat het met u? In alle opzichten goed?'

'Ja, prima.'

'Dat is fijn.' Hij gaat wat achteruit zitten in de schaduw, zijn handen in zijn schoot gevouwen.

Zijn gezicht staat vermoeid, maar zijn ogen zijn grimmig, afstandelijk. Het is geen vriendelijk ogende man.

Zijn vrouw, die lacht en knikt bij iedere zin die hij zegt, maar tot dusver zelf nog geen woord heeft uitgebracht, is klein en gezet en een en al vriendschappelijkheid. Ze zwaaide voor de auto stopte,

174

had Simon naar zich toe getrokken en hem geknuffeld, en lieve woordjes tegen hem gefluisterd, terwijl de oude man strak, stijf en zonder glimlach achterin zat.

Wherahiko Tainui vraagt: 'Waren het twee prettige dagen?'

'Ja hoor. Het weer was mooi.'

'En wat vindt u van hem?'

'Van wie?'

'Joe's zoon, Haimona.'

'O, Sim,' ze wrijft peinzend over haar voorhoofd. Wat een ondervraging en tot dusver hebben ze zelf nog niet de moeite genomen om zich voor te stellen. Nou ja, Joe had over zijn schouder heen gezegd dat zij Kerewin was, voor hij het kind in zijn armen opving, maar geen van beiden had er op gereageerd. Ze zegt koel: 'Ik vind hem wat ouder lijken dan zijn vermoedelijke leeftijd, en een beetje losbandig.'

'Losbandig?' Wherahiko springt er bovenop alsof het een belediging gold, 'losbandig?'

Ze haalt haar schouders op

'Alsof hij ongedisciplineerd opgroeit. Geëxalteerd.'

Marama zegt rustig: 'Ik geloof dat ik wel weet wat Kerewin bedoelt, lieve,' en lacht naar haar.

'Hij lijkt ouder omdat hij zich niet gedraagt als de meeste andere kinderen, en hij lijkt ongedisciplineerd, omdat hij onverwachte dingen doet.'

'Zo ongeveer. Bandeloos in de zin van onbeheerst.'

Wherahiko gromt iets. Marama zegt:

'We hebben al zoveel over je gehoord, liefje. Waarom ben je niet eens langs gekomen?'

'Tsja....

'Je wachtte waarschijnlijk op een uitnodiging,' zegt Wherahiko en onverwacht glimlacht hij, en de plooien en rimpels die dan ontstaan zorgen ervoor dat zijn gezicht zijn strengheid verliest.

'Nu heb je er een,' voegt hij eraan toe en Marama zegt nog: 'Je bent altijd welkom, wanneer je maar wilt.'

'Nou, bedankt. Ik zal eens komen.' Binnen een jaar of tien, denkt ze, nog wat koel, omdat ze nog steeds het gevoel heeft dat ze op een nonchalante, onbeleefde manier is behandeld.

'Morgen,' zegt Wherahiko.

'Wat?' Ze is stomverbaasd.

Hij priemt met een vinger in de richting van Joe en Simon die over het grasveld komen aangewandeld. 'We willen met je praten, tenminste, ik wil met je praten... Marama mag je daarna hebben.' Hij lacht weer. Dan neemt zijn gezicht de gewone, strenge uitdrukking weer aan. Hij fluistert: 'Ik wil met je praten over die twee.' waarop ze zich verbaasd omdraait en kijkt naar Joe en Simon die lachen en stoeien in de zon. Elkaar twee dagen niet gezien, en zij doen het voorkomen of ze een jaar in strenge afzondering zijn gehouden, te oordelen naar de manier waarop ze zich nu, verenigd, gedragen.

'Tot morgen dan, liefje?' zegt Marama. 'Zie zelf maar hoe laat, Kerewin,' en de twee oude mensen lachen haar toe.

'Ik ben voor morgen bij de Tainuis uitgenodigd,' zegt ze tegen Joe, 'en ik ben een boon als ik weet waarom.'

'O, ze willen je al een hele poos leren kennen.' Hij haalt een schouder op. 'Ik dacht al dat ze er nooit toe zouden komen je eens uit te nodigen. Ze zijn allebei erg verlegen.'

'Dat is nu wel het laatste wat ze me toeschenen... ik ben zelf ook nogal bleu. Wat doe jij morgen?'

'Proberen om Wherahiko en Marama te ontlopen, denk ik,' en na haar verbaasde 'Wat?' legt hij uit:

'O, er zijn meningsverschillen tussen ons, die teruggaan tot Hana's dood. We hebben een flinke ruzie gehad toen we terugkwamen.' Weer haalt hij ongemakkelijk zijn ene schouder op, alsof hij probeert met zijn lichaam een klap op te vangen die voor zijn gezicht bestemd was. 'Het begon ermee dat ik Himi niet naar hen bracht toen Hana stierf. Dat hebben ze me nooit vergeven. Ze vinden nog steeds dat ik geen moer van zijn opvoeding terechtbreng. Wat ik ook met hem doe, het is altijd het verkeerde... ze zullen je ongetwijfeld de meest vreselijke leugens over hem en mij vertellen.'

Kerewin lacht.

'Alsof ik die zou geloven... ik heb voldoende gezien om te weten dat je het er goed vanaf brengt. Je hebt geduld, en tijd en liefde, en dat is wat hij nodig heeft.'

Hij kijkt haar snel even aan.

'Ja, dat is wat hij nodig heeft... je vindt het dus niet erg dat ik je niet vergezel?'

'Goed. Misschien probeer ik wel een smoes te verzinnen om ook niet te gaan.'

Hij ziet er ongelukkig uit, maar glimlacht vriendelijk naar haar.

Jezus, denkt Joe, dit hele geval gaat exploderen en komt op mijn hoofd terecht, maar wat kan ik eraan doen? Wat kan ik in godsnaam doen?

Het is niet verkeerd, zegt hij tegen zichzelf. Nou ja, niet echt slecht. Wat kan ik anders?

Hij wil niet luisteren, hij gedraagt zich niet, hij doet niet wat ik zeg, wat kan ik anders?

Hij slaat zijn armen om zich heen in een omhelzing, maar hij spot met het gebaar van eigenliefde, terwijl hij het maakt (Ngakau, je bent al net zo erg als hij).

Het gevoel in valse kalmte rond te lopen, wetend dat de orkaan der orkanen elk moment in volle hevigheid kan losbarsten om de wereld te vernietigen, wordt met de dag sterker.

Je zou het moeten uitleggen, zegt hij wanhopig tegen zichzelf: waarschijnlijk begrijpt ze het wel... als ze het haar zomaar ineens vertellen... hij rilt. Ik kan het haar nog niet vertellen, de tijd is er nog niet rijp voor. Ze kent ons nog niet goed genoeg, mij nog niet goed genoeg. Nou ja, jezus, het is toch niet verkeerd.

Hij ziet op tegen morgen.

Ze herinnert zich de middag als een ontspannen gouden waas, doorvlochten met gepraat en gelach. Drie aangename, zoete uurtjes, met als enige wanklank de stem van haar eigen geweten.

En je wilde nog wel een smoes verzinnen om niet te hoeven gaan,

terwijl ze de wijn drinkt die Marama speciaal voor haar bezoek heeft gekocht ('Wij drinken zelf niet,' zegt de oude dame, en Wherahiko voegt eraan toe: 'De dokter heeft haar en mij verteld dat we meteen neervallen als we wat drinken. Ik geloof hem niet,' smakelijk lachend, 'maar ik ben er ook niet erg op gebrand te bewijzen dat hij misschien toch gelijk heeft, eh') terwijl ze het voedsel eet dat speciaal voor haar komst is bereid: 'Ben heeft gisteren toen we thuiskwamen het varken geslacht. Er gaat niets boven echt vers varkensvlees dat geroosterd wordt, hoewel ik hem een tijdje zou laten hangen als ik hem gebruikte om te pekelen.'

En jij wilde nog wel zeggen dat je een of andere man moest spreken over een hond of zoiets...

Ze herinnert zich ineens, terwijl Wherahiko haar het fotoalbum van de familie laat zien (er is een trouwfoto bij van Joe en Hana, en een gezinskiekje van de Gillayleys in betere tijden; Joe stralend, Hana als serene niet-glimlachster, Timote met een tandeloze grijns, en Simon verwilderd en kleiner en ongelukkig, zijn vingers om Hanàs rok – 'Hij vond het altijd vreselijk als er een foto van hem gemaakt werd,' zegt Marama vertederd, terwijl ze over de schouder van haar man meekijkt), dat Piri gezegd had dat hij Joe wilde spreken over een hond.

Piri is nog op zijn werk. De enige andere broer die aanwezig is, is de oudste zoon, Ben, een korte, gedrongen man met zwarte wenkbrauwen, die zelden glimlacht. Als hij lacht, is het alsof een zeldzame bloem zich langzaam en prachtig ontvouwt.

Wherahiko stelt een heleboel vragen, over haarzelf, over haar werk, over de Toren, over haar ideeën.

Ook Marama stelt een heleboel vragen: wat ze van Joe vindt? Wat ze van Himi vindt? Wat vindt zij van alleenstaande ouders? Hoe bevalt Whangaroa haar? Steeds komt ze weer op Himi terug. Het kind wordt hier altijd Haimona/Himi genoemd, nooit Simon of Sim. Ze vertelt een heleboel verhalen, anekdotes en grappen over hem en zijn vader. Maar het is zachtaardige humor, zoals de ondervraging vriendelijk is en ze ook een heleboel informatie over zichzelf geven, terwijl ze haar van alles vragen.

Ze laten haar de boerderij zien. Ze pakken elkaar vaak even vast, twee oude mensen met een ziek lichaam en een gezonde geest, die van het leven houden en het graag willen delen. Bij het weggaan wordt ze ten afscheid gehongi't en omarmd.

'Kom gauw nog eens terug!' roept Marama, die haar van achter het hek nazwaait.

'Dat zal ik doen!' roept ze terug, 'heel gauw.'

Dat meent ze. Ze heeft een heerlijke tijd gehad.

Pas in het duister van de Toren realiseerde ze zich dat ze haar niets verteld hebben over Joe en Simon dat ze niet al wist.

Woensdag tegen het middaguur belt Joe op.

'Hallo, raadt eens wie er een vrije middag heeft?'

'Jij, zo te horen.'

'Precies! Die stomme machine waar ik handeltjes van overhaal, heeft het laten afweten, god zij dank. Ze zijn hem aan het repareren en zeiden dat ik wel naar huis kon gaan om in de baas zijn tijd iets leuks te gaan doen. Dat hoefden ze geen twee keer te zeggen.'

'Dat begrijp ik... wat wil je gaan doen? Vissen of zo?'

'Nou, ik dacht, omdat Haimona voor de verandering eens naar school is, misschien heb jij tijd?'

'Ja hoor.' Je tijd verbeuzelen met oude, prachtige schetsen die ze twee jaar geleden heeft gemaakt staat gelijk aan opgaan in wrange herinneringen.

'E ka pai... ja, ik dacht dat je misschien wel iets wilde gaan drinken in het café. Niet zoals de laatste keer,' zegt hij haastig, 'god, wat vond ik dat vervelend... Ik was haast blij dat Himi gewond was, omdat het een excuus was om niet te lang te hoeven blijven.'

'Zie je mij als boeman?' vraagt ze ongelovig.

'O nee,' hij klinkt geshockeerd. 'Wat ik bedoelde was dat ik me slecht gedragen had, en jij wist het, en ik wist het, en ik wist dat jij het wist.'

'Nou, om eens iets origineels te zeggen, die ochtend wist ik dat jij wist dat ik wist dat jij het wist, weet je. Als je begrijpt wat ik bedoel.'

Hij grinnikt.

'Je weet de dingen altijd zo mooi te zeggen.'

'Kop dicht. Ik zie je in de Duke over een uurtje?'

'Uitstekend.'

En deze middag kabbelt vriendelijk voorbij met kletspraat en bier. Twee achter elkaar, geweldig! denkt ze. Dan komt Piri naar hen toe.

'Hoi,' zegt ze en glimlacht gelukkig.

'Hoi,' antwoordt hij met een lach naar haar: zijn gezicht licht op en is weer betrokken tegen de tijd dat hij Joe aankijkt.

'Sta op. Ik wil met je praten.'

Joe zet langzaam zijn glas neer. 'Waarom? Ik ben iets aan het drinken met Kerewin. Wat is er zo belangrijk dat je denkt ons te kunnen storen?'

'Dat weet je verdomde goed. Het duurt maar even, Kerewin.'

'Goed,' zegt ze verbaasd.

Er zit een onverwachte kant aan dat kleine mannetje. Een en al staal en boosheid... hij loopt weg op de manier van een kat die zijn prooi taxeert.

En Joe loopt volgzaam achter hem aan.

Aan de andere kant van het café zegt Piri:

'Heb je het Kerewin verteld?'

'Jezus, nee.'

'Dat is de enige reden dat Pa zich inhield. Jij moet het haar vertellen en snel ook. Als jij het niet doet, doen wij het. Hij zegt dat je recht hebt op die kans. Ik vind van niet.'

'Piri, ik heb wat meer tijd nodig, iets meer maar,' zijn gezicht vertrekt wanneer Piri zich afkeert en vol afschuw zijn lippen opeen klemt. 'Luister eens, ik smeek het je. Iets meer tijd... ik wil de dingen niet verpesten.'

Piri kijkt hem met onverholen minachting aan.

'Verpesten? Wat verpesten? Je hebt het al verpest.'

'Verdomme, ik sta de hele tijd onder druk. Jij weet niet wat het is om eenzaam te zijn.' Hij houdt snel zijn mond, omdat hij er ineens aan moet denken dat Piri's vrouw weggelopen is. 'Ik bedoel, ik kan er niets aan doen dat ik af en toe explodeer, en je weet dat het niet allemaal van een kant komt. Hij is...'

'Hou toch je mond.' Piri laat zijn hoofd achterover hangen, met half-gesloten ogen, alsof de volle aanblik van zijn neef meer is dan hij kan verdragen.

'Je bent verbitterd, Joe. Pervers geworden. Je kunt net zoveel hulp krijgen van je familie als je maar wilt, maar je wilt ons niet laten helpen. We hebben genoeg van je verdragen. Je verpest iets heel bijzonders en intelligents en dat weet je verdomde goed. Volgens mij heb je er plezier in.'

'Praat toch geen onzin. Ik heb geen plezier in...'

'Hou je mond. Dit is de laatste keer geweest. Als je het nog eens doet, is Kerewin niet de enige die we zullen inlichten. En dan zul je niet alleen Kerewins gezelschap verliezen.'

Hij staat abrupt op en vertrekt.

Joe houdt zijn ogen neergeslagen, zijn ogen vullen zich met tranen. 'Gedegenereerde klootzak,' zegt hij, maar het is niet voor Piri bestemd. 'Dit is het moment om de stap te wagen,' houdt hij zichzelf voor. Hij haalt zijn schouders hoog op, als om iets los te maken en loopt terug naar Kerewin.

'Alles in orde?'

Dit is het moment.

Maar hij verstijft bij de gedachte het te vertellen. Nog niet, denkt hij wanhopig glimlachend. Ik kan het haar nog niet vertellen...

'Ja, gewoon weer wat vervelende ontwikkelingen met die verdomde Tainuis, eh,' en strekt zijn hand voor zich uit alsof hij zo de ruzie weg wil duwen. 'Is het goed als Himi en ik volgende week op vakantie gaan? Als de school afgelopen is?'

'Natuurlijk.'

Vanwaar die tranen, man? Waarom glinsteren er tranen in je ooghoeken?

Een klein half uurtje en een heleboel biertjes later, oppervlakkig gebabbel terzijde en diepzinnige gesprekken net op gang komend, volgt er een andere onderbreking.

Ongemerkt is er een tengere man bij hun tafeltje komen staan. Hij kijkt naar Joe en heeft een permanente glimlach op zijn gezicht.

'Zo zo, stel ons eens voor, mijn waarde?'

'Jezus! Wat doe jij hier?'

De man lacht iets meer. 'Ik geloof dat ik altijd de verkeerde tref... ik weet niet hoe ik het voor elkaar krijg.' De glimlach scheert kil naar Kerewin. 'Zo, dit is een hele verandering... stel je ons niet aan elkaar voor?'

Joe trekt een gezicht. 'E hoa, dit is ook een Tainui, Luce Mihi is zijn naam. Luce, dit is Kerewin Holmes, kunstenares.'

De man trekt zijn wenkbrauwen op.

'O ja?' Zijn handdruk is koel, zijn hand slap.

Arrogante kwast, denkt ze en glimlacht net zo gemaakt terug, terwijl ze zegt: 'Aangenaam, het is hier werkelijk bezaaid met Tainuis.'

'Bezaaid is precies het juiste woord, meisje. Heel treffend.'

Hij richt zijn glimlach opzettelijk weer op Joe.

'Nou, zal ik erbij komen zitten, neefje van me?'

'Waarom?' vraagt Joe bot.

'Dank je, lieverd. Is er nog nieuws, Hohepa?'

'Niets bijzonders.'

De smalle wenkbrauwen schieten weer omhoog.

'Hohepa! Ik ben hier nog maar twee dagen en heb al de meest fascinerende dingen gehoord... Sharon vertelde me nog wat aardigs gisteren, om maar iets te noemen. De schat zag die lieve Simon bij je weet wel wie... treedt in zijn vaders, nou misschien niet in zijn voetsporen, maar je begrijpt wel wat ik bedoel, hmmm?'

'Wie is je weet wel wie?' Joe lacht er niet bij.

'Binny Daniels natuurlijk,' en de permanente glimlach verbreedt zich een fractie om verbluffend witte tanden te onthullen.

Joe kijkt zijn neef aan, zijn ogen flikkeren.

'Ik zal het er met Simon over hebben.'

Zijn stem klinkt te beheerst, te kalm.

'O jee, Hohepa,' elk woord benadrukt door de laatste klinker overdreven lang aan te houden, 'je neemt het wat te ernstig op.' Hij glijdt van zijn stoel af, koel als een slang. 'Ik vertel je het nieuws alleen maar, lieverd. Geen reden om razend te worden.'

Hij maakt een handgebaar. 'Ik zou zo zeggen dat het kind wel een zachte hand kan gebruiken. Je mag Binny wel dankbaar zijn. Als hij wat schoner was en je hem kon aanraken, zou ik het doen. Ondanks het feit dat zijn smaak over het algemeen abominabel is.'

Joe knarst met zijn tanden.

'Tot ziens maar weer, neef van me.'

Luce verdwijnt in de spitsuurdrukte.

'Die klootzak is puur vergif.' Hij knijpt kwaad in zijn glas, alsof het de nek van zijn neef is. 'Puur vergif. Een vieze, vuile, giftige leugenaar.'

Kerewin, die de verhalen over Binny Daniels kent, heeft moeite haar bier door te slikken.

'Als jij het zegt,' zegt ze ten slotte bezwerend. Jezus, dat hoop ik tenminste. 'Als jij het zegt: Het ontspannen borreluurtje is duidelijk ten einde.

Hij klopt aan de deur.

Schuifel, schuifel.

Stilte.

'Wie daar?'

'Joseph Gillayley.'

Smakkend geluid en fluitende ademhaling.

'Jezusss meneer Gillayley... jezusss.' De stem zakt af tot bang gefluister. 'Jezusss, wat wilt u?'

'Is mijn zoon hier geweest?'

Hij is hier vast geweest.

Luce heeft het niet verzonnen.

'Hij is alleen, hij is alleen, was een keer over het hek geklommen en toen zei ik: Hoor eens ik doe je geen kwaad jongen, je hoeft niet zo te schrikken. Hij was bang.'

'Doe de deur open.'

'Nee.' Het klinkt haast als gejammer. Nog meer smakkende geluiden.

Joe bestudeert de afbladderende verf op de deur. Licht vuilgroen, met blazen en schilfers.

Nog een minuut, dan trap ik hem in.

'Hoor eens, meneer Gillayley, hij heeft niks gedaan. Niks verkeerds. Ik heb helemaal niks verkeerds gedaan. Hij was bang omdat er op school geld gestolen was. Dus toen heb ik hem een dollar gegeven. Het is een aardig jongetje. Da's alles.'

Hij wist wel dat die klootzak pikte... Christus, wanneer zal dat aan het licht komen?

Maar het klinkt aannemelijk... behalve dan van dat geld voor niets. Geen liefdadigheid van die stinkende, vieze, oude nikker.

'Denk je nu echt dat ik die onzin geloof?'

'Nee.'

De ketting rinkelt weer en plotseling zwaait de deur open.

'Nee,' zegt Binny opnieuw, 'ik heb m'n reputatie. Maar dit is echt de waarheid en niets dan de waarheid, zo waarlijk helpe mij God almachtig.'

Zijn knieën trillen, zijn kin bibbert. Zijn vest en zijn glimmend versleten broek zitten onder de vlekken. Hij stinkt naar urine en ranzige, uitgebraakte sherry. Er loopt een spoor van kwijl langs een kant van zijn rasperige kin.

Hij draagt zijn kin hoog, zodat zijn broodmagere hals zich strekt.

'Nee, ik heb m'n reputatie,' zegt hij weer, en laat verslagen zijn hoofd hangen.

Afwachtend of Joe hem een knietje zal geven of in elkaar zal slaan.

'Heeft hij om het geld gevraagd?'

'Hij zei dattie bang was. Ik geloof tenminste dattie dat zei.' Zijn oude ogen zijn waterig en glansloos. 'Ik zou uw arme zoontje nooit aanraken, niet op de manier die u denkt. Hij was bang, hij wilde wat geld. Ik had wat op zak, dus gaf ik hem een dollar. Christusss, dat is toch niet erg?'

Joe kijkt hem lang en doordringend aan, en de ogen van de oude man knipperen en kijken hem weer aan, en knipperen weer en kijken hem weer aan.

'Nee, nee... voor jou is dat niet erg,' zegt Joe ten slotte.

Hij gaat naar huis en doorzoekt alle kamers tot hij de jongen in zijn slaapkamer aantreft.

'Waar ben je overal geweest na schooltijd?'

De jongen staat van zijn bed op, kijkt zijn vader zijdelings aan, schuift zijdelings weg, gebaren makend terwijl hij dat doet, loopt sneller, sneller, in paniek nu, Weg Weg, Weg. Joe zet zijn benen tegen de deurpost, en blokkeert de uitgang vlak voordat het kind langs hem wil glippen.

'Waar is dat, weg?'

Een lege blik. Niet leeg. Doodsbang.

Joe haalt uit en slaat hem in zijn gezicht.

'Je gaat naar de Tainuis wanneer ik dat zeg. Of naar Kerewin. Laat me niet altijd de hele omgeving hoeven afzoeken naar jou.

Je raakt veel te makkelijk in moeilijkheden verzeild. En stop met huilen. Marama is er niet.'

JE BELOOFDE, het jongetje schrijft met zijn vinger op zijn hand.

'Kop dicht.' En zet zijn handen in zijn zij. 'Luce vertelde dat je naar het huis van die enge Binn bent geweest. Heeft hij je betast?'

Het kind siddert, schudt zo heftig Nee, Nee, Nee met zijn hoofd dat de tranensporen een rechte hoek maken. Hij schrijft weer met zijn vinger op zijn hand, BINN OK. 'Waarom ben je daar naartoe gegaan?'

Simon slikt.

'Kom op, je kunt jezelf wat besparen.'

GELD, schrijft Simon.

'Verstandig. Dat had ik ook al gehoord.' Hij maakt zijn riem los. 'Hemd uit, jongen.'

De jongen kijkt een keer naar de deur en een keer naar zijn vaders gezicht.

Terwijl hij zijn hemd uittrekt, denkt Joe: Verdomme nog aan toe, hij doet twee dagen wat hem gezegd wordt en gaat dan toch weer zijn eigen gang. Ik kan het net zo goed laten. Maar het is mijn kind, mijn verantwoording. Ik moet het wel doen, en wikkelt het uiteinde van de riem om zijn vuist.

Door de biermist heen. Hij zei, Je hebt het beloofd. Me niet meer in het gezicht te slaan.

Dat was het enige dat hij bedoeld had met JE BELOOFDE.

Dat irriteert hem.

Waarom moet ik me schuldig voelen? Waarom vindt hij altijd wel op achterbakse wijze een manier om me een schuldig gevoel te bezorgen? Hij is het die niet deugt.

En je leert niet, Himi, daarom krijg je die slagen. Je wilt niet leren. Je siddert nu al, maar zodra het voorbij is, ga je er weer vandoor om iets stoms te doen en heb je weer een nieuw pak slaag verdiend.

Hij haalt zijn zware schouders op. Wat kan ik anders, Hana?

Wat kan ik nu anders?

Hij slaat de jongen tot hij over de grond kruipt, niet langer in staat te smeken of hij wil ophouden.

'Niet meer naar het huis van Daniel gaan, hoor je me? Hij is geen goede man.'

'Vieze oude pederast,' mompelt hij terwijl hij zijn riem omgespt.

Zijn eigen handen sidderen nu.

Hij trekt de jongen overeind van de vloer en omdat hij ineens medelijden met hem krijgt omdat hij daar zo wit en misselijk van de pijn heen en weer staat te zwaaien, zegt hij:

'Hoor eens, tama, dat was voor je eigen bestwil. Ik ben immers niet zo dronken? Het is niet dat ik geschift ben of zo? Het is omdat je daar niet meer naartoe moet gaan, Himi. Het spijt me dat ik je zo hard heb moeten slaan, maar je moet een keer leren te doen wat je gezegd wordt.'

Een stem in zijn hoofd: je hebt hem niet gezegd dat hij daar niet komen mag.

Joe schudt zijn hoofd.

'Anders, anders,' hij kijkt uitgeput in de donker geworden, door tranen omfloerste ogen van het kind, 'zou je wel eens echt heel erg gewond kunnen raken. En dat wil ik niet, tama.'

Christus nog aan toe, kijk niet zo naar me.


'Pedderas?' ze bekijkt het briefje opnieuw en trekt rimpels in haar neus. 'Bedoel je pederast?'

Simon heft zijn geopende handen naar haar op, ik weet het niet. Waar haalt hij die woorden in godsnaam vandaan?

En hoort ineens, met pijnlijke helderheid, de zoetsappige Luce Tainui zeggen: 'Binny Daniels, natuurlijk.' Dat was twee dagen geleden in de Duke, en die conversatie haakt nog in haar gedachten als een half-doorgeslikt stuk droge cake dat in je keel blijft steken. Slikkend zegt ze:

'Een pederast is iemand die het liefst seksueel verkeer heeft, vrijt, met kinderen. In het bijzonder jonge jongens. Hoezo?'

Boosheid zorgt ervoor dat haar hart wordt opgejaagd.

Simon geeft haar nog een briefje. De paarse schaduwen om zijn ogen geven ze een merkwaardig lichte en vogelachtige aanblik.

IS BINN?

Godkelere. Binny Daniels is de spreekwoordelijke vieze oude

man, die alleen woont, een lange kakikleurige regenjas draagt en verschillende keren opgepakt en uiteindelijk tot een jaar veroordeeld werd voor het betasten van schooljongens. Nu drinkt hij in afzondering in de Duke, waar de vaste klanten hem meedogenloos pesten en stiekeme stompen uitdelen en waar de barkeeper hem niet al te vaak bedient. Hij koopt altijd twee liter sherry en gaat daarmee naar huis, elke avond even vroeg.

'Ja, Binn Daniels is zo iemand. Heeft hij je lastig gevallen?'

De jongen schudt zijn hoofd en is al weer bezig met het volgende briefje. Hij schrijft nu vaker dan hij gebaren maakt.

HIJ GAF ME EEN KUS EN IK KON ALTIJD GELD VAN HEM KRIJGEN HIJ STINKT.

'Boinkboink,' haar hart slaat in het tempo van hakastampen en het klinkt even strijdlustig.

'Was dat alles?'

Ze hoopt van wel, maar het kind schuift ongemakkelijk heen en weer. Hij heeft zich de hele dag al voortbewogen als een ledenpop, vanaf het moment dat hij gekomen was. Ze verwacht half zijn gewrichten te horen klikken; Simon de sierlijke, helemaal verstijfd en krampachtig. Experimenteel toneel, denkt ze, een fase, net doen alsof, maar nu schiet haar sodomie te binnen. Als die vieze oude klootzak je heeft aangeraakt, rijt ik hem open en ruk zijn ballen eraf.

Het kind met de paars-gestompte ogen schudt zijn hoofd, maar hij bedoelt Niets, er is niets gebeurd.

NIETS, schrijft hij op, BINN OK.

Niets, benadrukt hij nog eens, schudt haar hand een keer, klaar om haar als altijd aan te raken, maar schrikt terug voor de koude woede in haar ogen.

Dus je hebt liever dat ik je geloof, dan dat ik er een toestand over maak. Maar hoe kom je dan aan die blauwe plekken, Sim? En waarom maak je zo'n gespannen indruk? Ik kan maar beter eens wat informatie inwinnen. Over allerlei dingen...

'Goed.' Ze zegt het op luchtige toon en lacht naar hem. 'Dat hij stinkt is niet het enige vieze aan die oude man. Hij kan je echt schade berokkenen... zonnekind, doe me een plezier?'

Simon, met slappe knieën van opluchting dat de flikkerende vlammenzwaarden weer terug in de schede zijn, en dat Kerewin nog Kerewin is en helemaal niet driftig wordt, zou alles voor haar willen doen. Zijn glimlach is vol van beloften.

'Als je geld wilt hebben, kom dan bij mij. Ik heb meer dan genoeg. Als je kusjes wilt, staan al je Tainui-familieleden voor je klaar, om over Joe maar te zwijgen. Maar nooit meer naar het huis van Binny Daniels gaan, hè. Om welke reden dan ook. Die vent heeft een slechte naam en daar is alle reden voor.'

Hij slaat een kruisje en steekt twee vingers omhoog, ik beloof het, ik beloof het en vraagt twee dollar, bedankt haar uitbundig en is een en al lach.

'Ben je weer bij Binn Daniels geweest?'

Hij schrikt op uit zijn schuilplaats. Nee Nee, zegt hij, en licht zijn hoofd van zijn armen op.

'Hoe kom je hier dan aan? Gestolen?'

De jongen huivert. Nee, zijn hoofd nauwelijks bewegend. Zijn ogen blijven op Joe gericht.

Kere, vormt zijn mond, en zijn schouders schieten omhoog tot bij zijn oren.

Mogelijk, denkt Joe, maar afgebedeld of gepikt? Op dat moment geeft Simon hem een briefje. Hij staat te schudden, een hopeloos, schijnbaar niet te beheersen sidderen.

Joe loopt naar hem toe om het aan te pakken. GAF ZE GAF HET, maar het kind wil hem niet aankijken, en de knokkels van zijn gebalde vuisten schijnen door zijn huid heen alsof die transparant is.

Ach, wat kun je eraan doen, Ngakau?

Een keer op maandagavond, omdat de spanning over de afloop van Kerewins bezoek aan de Tainui-boerderij te veel werd, en de jongen op het verkeerde moment wakker werd en op het verkeerde moment de keuken binnen kwam lopen. Niet naar school op dinsdag.

Een keer op woensdag: Binn Daniels.

Wel naar school, maar werd 's middags naar huis gestuurd wegens hoofdpijn. God weet dat hij overal wel pijn zou hebben, dus waarom niet in zijn hoofd? Donderdag.

Vrijdagochtend stiekem naar Kerewin geglipt, maar in de middag stuurde ze hem naar huis met de mededeling dat ze rustig wilde tekenen. Hij kan zich niet meer herinneren waarom hij hem gisteravond geslagen heeft. Het was een avond geweest die maar beter vergeten kon worden. Pas toen hij het kind die ochtend wilde wekken voor het ontbijt – 'Himi, het is al bijna negen uur, waar zit je verdomme?' denkend dat hij wel weer naar Kerewin gegaan zal zijn – zag hij wat hij had aangericht. Het kind lag opgerold als een foetus op het beddegoed, zijn armen om zijn borst geslagen, knieën tot zijn kin opgetrokken, en zijn gezicht nog nat van de tranen. Hij kon niet goed staan.

Voorover gebogen en kreunend hangt hij tegen Joe aan.

'Wat is er?' Zijn hoofd klopte als een idioot. 'Jezus Christus, heb ik dat gedaan?'

Wat een stomme vraag was, zelfs in aanmerking genomen dat het nog betrekkelijk vroeg in de ochtend was.

Wie anders namelijk?

Je moet hem niet meer slaan, man. Je maakt hem kapot. De hele morgen heeft hij hier geknield gelegen. Is uit zijn buurt gebleven.

De douche had niet veel geholpen. Evenmin als de aspirines.

Ahhh God, Ngakau, jij en je klotehumeur. Hij laat zich naast de jongen op de grond zakken en steekt een sigaret op.

Hij geeft hem aan het kind.

Met zachte stem: 'Voel je je iets beter?'

De jongen hoest en kucht erbij als een oude man van tachtig, en de tranen rollen over zijn wangen, terwijl zijn vingers de sigaret nauwelijks kunnen vasthouden, zo trillen ze, maar je kunt hem altijd voor je winnen door vrede te sluiten. Na een poosje lacht hij zelfs.

'Het is een slechte week geweest, etama?'

Voorzichtig leunt de jongen zijdelings tegen hem aan. Joe laat zijn arm om hem heen glijden; een aanraking, verder niets.

'Ik denk dat we wel gauw op vakantie zullen gaan,' en Simon trekt een raar gezicht.

Wil hij niet gaan? Vraag nog maar even niet...

'Weet je ook of Kerewin meegaat?'

Heeft ze niet gezegd, maakt het kind duidelijk.

'O nee?' glimlacht Joe naar hem, 'heeft ze er niets over gezegd?' ademt hij uit. Hij woelt met zijn hand door Sim ons haar en strijkt het weer glad. Op dezelfde kalme toon: 'Tama, je hebt het toch nooit aan Kerewin verteld, hè?'

Zijn zoon schudt zijn hoofd.

'Waarom niet?'

Er valt een lange stilte.

Omdat ze dan aan de weet zal komen dat ik slecht ben, vormen zijn lippen en begint te huilen. Omdat ze dan aan de weet komt dat ik slecht ben; hij herhaalt het steeds weer, snakt door de stille woorden heen naar adem. Omdat ze dan aan de weet komt dat ik slecht ben.

'O Christus,' zegt Joe en begint ook te huilen.

Om twee uur belt hij Kerewin op en maakt haar wakker naar het schijnt... ze snauwt in de microfoon: 'Wie is dit, verdomme?' en pas na een vriendelijke woordenstroom wordt ze een beetje aanspreekbaar.

'Twee uur 's middags,' schertst hij ten slotte, 'je geeft toch wel toe dat het wat laat in de ochtend is om wakker te worden, e hoa!'

'Het is heel laat geworden gisteren,' zegt ze kortaf.

'Tekenen?' vraagt hij, en na haar 'Ja': 'Ben je klaar?'

'Waarom?'

'Nou, Himi heeft nogal zin om naar je toe te gaan, maar niet als je het zo druk hebt als gisteren.'

'Vandaag zal ik geen last van hem hebben. Ik heb het meeste werk van gisteren al weer kapot gemaakt trouwens.'

Hij zegt wat meelevende woorden. Dan voegt hij eraan toe: 'De jongen is wat grieperig, vind je dat niet erg? Hij wil echt graag naar je toe.'

'Als je tenminste niet denkt dat hij in elkaar stort of zoiets.'

'Nee hoor,' verzekert Joe haar, 'hij heeft er alleen een beetje spierpijn van.' Hij gelooft niet dat het een erg besmettelijk soort is, hij zelf heeft het niet gekregen en daar was toch alle gelegenheid toe... hij zal hem pas over een uur of twee sturen, maar ze kan een taxi verwachten voor hij naar het café gaat. 'Ik heb nog een heleboel was te doen,' klaagt Joe. 'Je hebt toch niet toevallig zin je handen te wagen aan wat interessant wasgoed van ons, hè?'

'Nee, ik denk er niet aan. Goed, ik verwacht Simon zo en jou zie ik ongetwijfeld ook nog wel.' 'Precies,' zegt Joe duim end, alles kan nog goed komen, ik heb alle ruzies bijgelegd, tama wordt weer beter, alles komt wel in orde. 'En nogmaals heel hartelijk bedankt, Kere. Ka pai, e hoa.'

Ze ontbijt met koffie en een nieuwe oogst yoghurt. Daarna begint ze hier en daar wat dingen te doen. Voor het eerst maakt ze die week haar bed op, pakt haar gouden gitaar, maar legt hem neer in plaats van erop te gaan spelen. Ze gaat naar boven en raakt de planken aan waarop houtskool en inktsoorten staan, en krijt en viltstiften, en tubes olie- en waterverf en acryl; raakt alles aan, meer niet.

> Het is de slechte stemming waar ik mee wakker werd. Dat
> kleurt de hele dag wat naargeestig.

Ze vraagt zich even af of er iets aan de hand zou zijn met een van haar familieleden.

> Vroeger hadden we een echte band... maar nu?

Ze opent een nieuwe fles paardebloemwijn, maar drinkt er maar een glas van.

> Zelfs niet in de stemming om te drinken? Vervloekt, liefje,
> dan moet je er wel slecht aan toe zijn...

Kijkt door de grote kromming van het raam naar de zonovergoten zee. Vissen? nee?

Op de vensterbank liggen, in een hoopje door elkaar, de glanzende stenen van de rozenkrans die ze van Simon gekregen heeft.

> Heb je ermee gespeeld, jochie? Of ben jij zo iemand die zijn
> cadeautjes terugvraagt? Waar had ik hem neergelegd? O ja,
> een verdieping hoger in het kistje bij mijn ringen... heb je
> stiekem ook een paar ringen meegenomen? Ik kan maar beter
> even gaan kijken, straks...

Ze pakt de kralen op en laat ze tussen haar vingers door glijden. Amber en goud, turkoois en goud, bloedsteen en koraal en nog meer goud. Ademt een en al luxe uit; niet een voorwerp dat ze zich hangend naast een habijt van grof linnen kan voorstellen.

Aan wie heb je toebehoord?
Wie heeft met je gebeden?
Wie heeft met je gespeeld?
Welke gebeden in welke stemmingen?
Vreugde of verdriet?
Liefde of woede,
of in tranen?
De kralen glijden door haar vingers.

Het is lang geleden dat ik zo gebeden heb, denkt ze. Waarom vandaag niet? Geef de Schepper wat gebedenbloemen. Groet de meest genadige dame van al, zuster tot tuakana-zuster, gezegende onder de vrouwen. Hallo Maria.

Ze legt de kralen in drie strengen om haar nek en loopt naar beneden, naar buiten, naar het strand.

De deur staat open.
Hij schuift zijdelings naar binnen.
Hij fluit zo schel hij kan.
Geen antwoord. Niemand thuis?
De hal is koel en rustig, vol beschaduwd groen licht. Het kruisbeeld aan de ronde achterwand baadt in een poel van licht, alsof het onder ondiep water staat.

Hij kijkt naar de fragiele metalen man die, naakt op wat ondergoed na, aan het hout is genageld. Zijn gezicht is naar een kant gekeerd. Juist, hij zou ook niet willen dat iemand kon zien wat er in zijn ogen te lezen viel.

Er zit een gat in de koperen borst, boven op de zwellende ribben. Maar de vingers van de metalen man zijn niet verkrampt door de pijn.

Ze zijn gestrekt, open en losjes.
Hij huivert.
Waarom heeft ze een dode man aan de muur gespijkerd?
Vraag het haar, Claro. Maar vergeet je glimlach niet, Claro.
Het lukt hem overeind te blijven en hij loopt vrij redelijk, en hij glimlacht voor het geval ze ergens om de bocht verschijnt.

Maar er is niemand boven.
Het vuur is uit.

Vervloekt, het kan niemand wat schelen.

Hij kreupelt naar de klaptafel.

Er staat een fles op, vol huiverend gouden drank. Bleek goud; met zilver doorschoten zonlicht

De geur komt dralend naar buiten, zoet en verleidelijk.

Hij luistert aandachtig.

Geen voetstappen. Geen gerucht.

Trouwens, zij vindt het niet erg als hij wat drinkt, ze heeft hem al vaak genoeg een glas aangeboden.

Op naar de kast dus, doorzoekt de voorraad kopjes... is dat het kleine bruine bekertje met de blauwe tekentjes?... hum, luistert aandachtig naar zijn hoofd, aardewerktekentjes, wat dat dan ook moge zijn.

Dit heeft hij al eerder gebruikt. Precies de juiste maat voor zijn hand, tika maatje.

Goed genoeg.

Systematisch schenkt hij een kopje vol, drinkt het in een koppige ademtocht leeg en schenkt een nieuw kopje in. Na vijf kopjes voelt hij zich prima, dank u, een lekker los gevoel in zijn buik en aangenaam ontspannen schouder- en rugpartij. Het enige probleem is dat de fles zowat leeg is.

Een lijk, zegt Kerewin, gooi dat lijk maar weg.

Hij loopt naar de kast en bekijkt de volle flessen.

Die plompe, bolle, vol met groen... spul. Grassap misschien?

Hij draait de kurk eraf. Die is suikerig en knarst bij het draaien.

En als dat grassap moet voorstellen, spuug spuug blèh, het heeft niet de reine, helende geur van gras.

Het is scherp en bitter, iets dat eerst verrot is en toen gepekeld werd.

Ik wil alles wel een keer proberen, maar dit heeft zijn kans gehad... hoe kan ze dat in godsnaam drinken? Misschien heeft iemand de drank die erin hoort te zitten vervangen door rattegif. Kattezeik, zoals Piri wel eens zegt... iets afschuwelijks in elk geval.

Hij gaat verder naar de volgende fles en proeft een slok.

Te zuur. Zijn tong raakt erdoor verdoofd. Hij knijpt zijn lippen op elkaar en laat dan zijn slok teruglopen in de fles.

Dit?

Nog een gouden drankje, donkerder goud, het geel van ge-droogde brembloemetjes. Het ruikt bijna net zo muskusachtig als brem. Hij houdt wel van brem.

Ik heb eens een hele middag in dat bosje gezeten, en niemand kon ook maar iets van me zien...

('Simon! Als je niet als de sodemieter hier komt, dan... dan... dan...')

Ze konden er niet binnendringen. Ze zouden onder de schram-men komen te zitten, net als hij toen hij door het gat gekropen was.

Daar ben je al een tijd niet meer geweest, Clare.

Te nat.

Uitsluitend geschikt bij mooi weer.

Dus schenkt hij een kopje brembrouwsel in, proeft het licht zuur, prikkelt alleen een beetje op tong en lippen en dat glllijdt lekker naar binnen... schenk nog maar wat in, Clare.

Zo?

Heb jij dat kopje, jochie hokee?

Waarom zegt ze toch altijd hokee okee?

Het is sokee hokee okee ee? zingt hij in zijn hoofd. En mee... dat was er ook zo een, mee.

Een koningsdrank, noemt ze dat. Voor een zonnekoning in het bijzonder. En nee, daar krijg je niets van. De jeugd heeft dat niet nodig, niet voor een lange levensduur en niet als lief-desdrank. De zonnekoning misschien wel, zonnekind zeker niet.

Ik ben het zonnekind, door mijn haar... hij haalt zijn vrije hand door de volle lengte ervan.

Allemachtig baasje, die bos mag wel weer eens geknipt wor-den. Nog een decimetertje erbij en je trapt er op, hah!

...goed voor weer een ruzie.

Hij rilt.

Ik kan er niets aan doen, het is te veel... niet nog een ruzie. Ik wil het niet. Dit keer wil ik het niet. Ik zal haar vragen of zij het wil knippen.

Hij wil zich omdraaien, maar botst tegen de kastdeur op. Gaat onvrijwillig op de grond zitten. Het komt echter niet zo hard aan als hij verwacht had.

Claro?

Echo.

Ik geloof dat je dronken aan het worden bent... de stem die dat zegt, trekt zich terug tot achter in zijn hoofd, tot... hij probeert de stem met zijn ogen te volgen, probeert om achterover in zijn hoofd te kijken tot het pijn doet. Zo dronken kun je toh-nie zijn, stohomme Clare... neuriet hij, een uitwendig hoorbaar melodietje bij het inwendig gepraat.

> Wanneer je zat bent, voel je geen pijn meer, zegt Joe, en kan niets je meer wat schelen. Daarom, tama. Ook al moet je weer terugkomen voor de dag van morgen, voor één nacht ben je overal vanaf.

Terugkomen?

Luistert goed. Hoort niets.

En wat dan nog, komt ze thuis, dan krijg je een lel of zo.

Niets bijzonders.

Hij plenst nog wat brembrouwsel in zijn kopje. Het meeste giet hij op de grond, maar hij schenkt door, zo bibberig als wat, tot er genoeg in het kopje is gekomen.

Dat smaakt allemaal wel lekker. Bijzonder lekker. Hartstikke lekker. Een poosje glimlacht hij gelukkig en wat wazig voor zich heen en fronst dan plotseling.

Waarom ben ik gelukkig?

Joe wordt er nooit gelukkig van.

Joe wordt hartstikke kwaadaardig.

Kloterig is het woord, denkt hij boos. Hij doet zooo ontzettend kloterig... hou op met huilen, jij. Ik kan het horen.

Het komt door mij. Ik doe altijd het verkeerde. Ik doe dat niet expres, het maakt niet uit wat ik doe, het is nooooit goed.

Hij snift zich door het sentimentele stadium heen tot hij zich realiseert dat de fles die hij tegen zich aan gedrukt houdt, leeg is.

Hij gaat staan en glijdt uit in de plas bremdrank.

Da's raar... ik drijf...

Dat lijkt minutenlang te duren, en dan Bham! Hard met zijn heup op de grond.

Welgodverhierengunter.

Het doet pijn. Behoorlijk veel pijn.

Hij raapt de gevallen fles op en snauwt. Ik zal je leren, en gooit hem met al zijn kracht weg.

Een harde krak! ergens, en dan een vreemd gedempt splinterend geluid, als het geluid van ijs op steen.

Jeetje mina, zegt Simon tot zijn hart, wat was dat?

Bang om te kijken, maar kijkt toch, licht zijn hoofd van de vloer op tot zijn nek ervan kraakt.

Maar het is hier een wazige boel... zie geen moer, Claro.

Schuifel, schuifel, op z'n knieën naar de kast, zijn heup doet pijn als na een vers pak slaag.

Da's bier. Ik wil geen bier.

Ruikt aan de volgende fles die hij ontkurkt heeft.

???

Nog eens.

Verrukkelijk.

Behoedzaam brengt hij de fles bij de rand van het kopje en schenkt een beetje in.

Chocolade. Dik en stroperig en zoet.

Proost dus! en klinkt met de fles, vrolijk weer, op jou Kere en op jou Joe, zegt hij vriendelijk, stil, tegen de kast hangend die hij met een arm vasthoudt, klink, en op mij eh Clare en hij drinkt op hen allen.


Kerewin staart.

Het is niet te geloven. Niet te geloven.

Je komt binnen, voelt je schoon en bent weer met jezelf in het reine gekomen, trippend van heiligheid, en wat wacht je?

Een dronken kind, dat opgerold en slordig op de grond ligt. Te ronken als een dikke bromvlieg.

Twee omgevallen flessen en een alcoholwalm in de lucht.

Lieve hemel, kijk eens naar het raam!

Ongelovig schudt ze haar hoofd.

Hoe kan hij in twee uur tijd zoveel schade aanrichten?

Wel allemachtig, een zes jaar oude losbol... Haar hart betreurt het raam (maar ik kan een nieuw kopen).

Ze loopt naar de kast, vermijdt de plassen (O tatami, daar heb ik je niet voor gekocht... om mooi te zijn onder blote voeten, niet om... ik hoop dat dat drank is... maar ja, in het ergste geval kan ik hem altijd nog omdraaien...) en port hem met de punt van haar laars tussen zijn ribben.

Geen reactie. Knippert zelfs niet met zijn ogen, het snurken gaat even gelijkmatig verder. Hij droomt bewusteloos verder, veilig in zijn benevelde toestand.

Het zou van vriendelijkheid getuigen hem zijn roes te laten uitslapen. Ik ben niet vriendelijk.

Ze tilt hem dus op, haar hart bonkt angstig omdat hij zo licht is, en draagt hem de wenteltrap op naar de douche, en draait de koude kraan open. Een minuut lang ligt hij, zo slap als bestond hij alleen maar uit vel, in haar greep onder de koude straal.

Dan schokt hij en schreeuwt.

Ze schrikt zich wild en laat hem vallen. Ze heeft hem nog nooit eerder horen schreeuwen.

'Hij kan schreeuwen, mijn God wat kan hij schreeuwen. Schreeuwen als een mager speenvarken...'

Het is een hoog, schel geluid dat pijn doet aan je oren.

Het kind blijft maar schreeuwen. Hij begint te vechten met de wanden van de douche, met de vloer, het water, in blinde paniek om er waar dan ook uit te ontsnappen.

Ze kijkt toe, buiten bereik van zijn om zich heen maaiende armen.

Hij ziet niet waar hij is. Hij is doodsbang.

Omdat ze ineens een deel van zijn doodsangst begrijpt, buigt ze zich voorover en draait de kraan dicht.

De jongen ligt ineen gedoken in de paar centimeter water, rillend en kokhalzend en snikkend. Hij is ziekelijk wit en heeft zijn ogen nog niet opengedaan.

'Simon.'

Het kalmeert hem een beetje. Rilt nog steeds en snakt naar adem, maar de ergste, krijsende paniek is over. Zo herhaalt ze keer op keer zijn naam, terwijl ze bij hem geknield ligt in de douchecel.

Op normale gesprekstoon zegt ze:

'Dacht je soms dat het de zee was of zo? Hetzelfde water waar je bijna in verdronk? Het spijt me, dat was heel stom van me... ik had niet zo erg goed nagedacht, snap je. Ik dacht alleen bij mezelf, het

197

ventje is volkomen weg. Er wapperen zoveel zeilen los in de wind, dat er niet veel meer over is om het schip in de hand te houden. Ik moet hem dus maar snel ontnuchteren. En hoe doe ik dat? O, heel eenvoudig... net als in dat liedje, ken je het?'

Zingt zachtjes:

'Wat gaan we doen met de dronken zeeman, zo vroeg in de ochtend?

Leg hem in het gangboord, zet de spuit erop...'

'Maar ik heb hier alleen maar een douche. Geen gangboord en geen spuit... maar het was niet het slimste dat ik kon doen, dat geef ik onmiddellijk toe.'

Hij is bijna stil, snikt alleen nog af en toe en zijn ademhaling is nog wat gejaagd.

Ze verzucht:

'Eigenlijk was het heel stom van me, hè?'

Godgodgodgodgodgod, denkt Simon. Het is een dreun in zijn hoofd op de maat van de druppels. Op de maat van het gestadig geklets van water dat over de koude stalen vloer loopt, onder zijn handen door. Op de maat van het pijnlijk kloppen in zijn dijen en rug en borst en benen.

Maar luister: klak. Sigarenkoker. Het is Kerewin. Lucifer wordt afgestreken, vlammetje laait op.

Bijna al het water is nu uit zijn oren.

Het luciferdoosje rammelt als ze het opbrengt.

'Hokee? Weet je weer waar je bent? Derde verdieping van de Toren, onder de douche die jou niet kon bekoren... of voel je je nog een beetje dronken?'

Hij steekt zijn hand uit en tast in het wilde weg om zich heen. Kerewin pakt zijn hand en houdt die zachtjes vast.

'Het spijt me enorm, Haimona. Ik wilde je echt niet zo bang maken... wilde je een beetje ruw wakker maken, dat wel. Ik was boos, vandaar. Maar je niet bang maken, niet zo.'

Hij schudt haar hand, wil overeind gaan zitten, maar zijn andere hand glipt onder hem weg en hij glijdt over het blinkende staal tot Kerewins greep verstrakt en hem overeind sjort.

'Jezus, jongen, rustig aan.'

Ze leunt voorover en zet hem op zijn voeten en ondersteunt

hem. Ze leidt hem de douchecel uit.

Zijn haar hangt in rattestaartjes, zijn kleren zijn doorweekt; hij biedt een meelijwekkende, verzopen aanblik.

'Allemachtig jongen, je bent bepaald geen toonbeeld van vreugde... maar ik vermoed dat je geen zin hebt erom te lachen.'

Ze heeft geraden dat de tranen hem nog steeds over de wangen lopen, vermengd met water. Hij kan het voelen, het is haar manier van kijken.

'Ik denk dat je het beste een echte douche kunt nemen,' zegt Kerewin met zachte stem. 'Daarna kun je beter maar een poosje naar bed gaan... ik was even de griep vergeten die je onder de leden hebt. Help even mee je kleren uit te trekken, e Sim.'

Het komt doordat ik moe ben, huilt hij hulpeloos. Ik kan het niet tegenhouden. Ik kan het niet zeggen. Ik kan het niet.

We zijn er geweest, denkt hij. Dit is het einde en het is allemaal mijn schuld.

Hij beeft weer.

Hij kan zich niet herinneren wanneer hij zich voor het laatst zo misselijk gevoeld heeft.

Hij protesteert niet, verzet zich niet. Hij helpt zelfs mee zijn knopen los te maken en zijn kleren af te stropen.

En Kerewin zegt geen woord.

Alleen nam ze, toen hij naakt was, een van zijn handen en draaide hem voorzichtig rond, hem ondersteunend zodat hij niet nog duizeliger werd, en hief zijn gezicht naar haar op, en staarde in zijn verdronken ogen, alsof ze er daar een verklaring voor zocht.

'Waarom heb je nooit iets gezegd?' Er klinkt pijn in haar stem. 'Waarom heb je erover gezwegen?' maar hij schudt zijn hoofd.

En dat was alles wat ze zei.

*Dag wordt tot nachtmerrie.*

Wat moet ik nu in vredesnaam doen?

O, ik weet wel wat ik hoor te doen. De Kinderbescherming bellen en rapporteren in wat voor situatie de jongen verkeert.

'Neemt u mij niet kwalijk, maar ik heb een klein kind leren kennen dat mishandeld wordt... het lijkt erop dat hij met een zweep geslagen is (O God, ik hoop van niet).'

Ik kan het me al helemaal voorstellen.

'U kent het kind al hoeveel weken? En hebt u nooit het vermoeden gehad dat hij zo slecht behandeld werd?'

'Eh tsja, hij kan zijn pijn heel goed verbergen.'

Ik kan het me al helemaal voorstellen.

Ze is razend op zichzelf, en niet alleen omdat ze hem pijn gedaan moet hebben.

Joe, jij goede vriendelijke geduldige goedaardige zachthandige
liefhebbende KLOOTZAK.

Maar ik heb het vanaf het begin geweten, herr Gott. Het gevoel
dat er iets fout zat.

Nee, dat wist ik niet.

Ik had mijn vermoedens toen hij hier kwam met zijn kapotgeslagen gezicht.

Maar hij heeft nooit gezegd dat Joe het was en Joe heeft nooit
toegegeven dat hij het was.

Ik heb gezien dat hij geslagen werd.

Verdorie, iedereen slaat zijn kind wel eens.

Ik wist het echt niet. Echt niet. Alleen van het begin af aan het
vervelende gevoel gehad dat er iets mis was tussen die twee.

Christus, geen wonder dat hij altijd in zo'n rare houding slaapt.

Joe.

(Niet meer schaken.)

(Geen vrolijke avonden met drank meer.)

(Geen grappige maaltijdrituelen meer.)

(Geen vriendelijk voortkabbelende gesprekken meer.)

(Niet meer delen wat we op ons hart hebben.)

(Het eind van de vriendschapsdroom.)

Joe Bitterhart Gillayley, wat bezielde je in vredesnaam om Simon in elkaar te slaan?

Ik bedoel *Simon!*

Dat is Haimona, de gekoesterde, geknuffelde en gekuste.

Dat is Haimona, snel van begrip, met de lachende ogen, pienter
als wat.

Dat is Haimona, iets meer dan een meter hoog en veel te weinig
kilo's Sim.

Goed, hij kan af en toe een ettert je zijn, maar je weet waarom hij zo is.

Verdomme, zelfs ik weet waarom hij zo is.

Het is de ziekelijk verdraaide geheimzinnigheid van alles.

Ik durf te wedden dat hij gedreigd heeft hem te vermoorden als hij iets van zijn verwondingen zou laten merken.

En het kereltje kromp de eerste ochtend dat ik hem kende al in elkaar.

(En waar heb je die prachtige afweerreactie geleerd? Geconditioneerde reflex, mevrouw.)

En aan de littekens te zien, is dit al een hele tijd aan de gang. Man, ik zou een hond nog niet zo slaan als jij je zoontje hebt geslagen.

Ik zou hem afschieten als hij onverbeterlijk was, of een bijter, maar ik zou hem nooit op een dergelijke manier mishandelen.

Aue, Joe.

Hij zit onder de plekken en striemen, van zijn nek tot zijn dijen en op zijn kuiten. Er zitten plekken op zijn schouderbladen waar de... wat je dan ook gebruikt hebt, klootzak... het vel eraf gerukt heeft tot op het onderliggende bot. Zijn ribben en borstkas zitten onder de bloedblaren.

En een gebied bijna ter grootte van mijn hand, en dat is verdomme een groot deel van het kind zijn rug, is ontstoken. Het is rauw en gezwollen en er komt geïnfecteerd vocht uit.

Dat was de eerste aanwijzing dat er iets mis was. Ondanks het feit dat zijn kleren doorweekt waren, bleef zijn T-shirt aan zijn rug plakken.

Hij gaf geen kik. Het huilen was over.

En hij wilde me niet aankijken.

Op de een of andere manier, Joe, e ho a, beste vriend, ben je erin geslaagd hem een schuldig gevoel te bezorgen over wat jij gedaan hebt.

Knap werk.

Ze veegt het gemorste van de mat – de tatami is heel dicht geweven en min of meer waterdicht – en boent de vlek weg die de crème de cacao heeft gemaakt.

Ze verzamelt de scherven van de fles en tikt met haar nagel tegen de gebarsten ruit.

Ze loopt naar de radiofoon en belt een nummer in Christchurch om een nieuwe ruit te bestellen. Ze kraaien van blijde verrassing, ja mevrouw Holmes, het is onderweg...

...raam? Een massieve komvormige kromming, die speciaal werd gemaakt, speciaal werd vervoerd en speciaal werd geïnstalleerd. Vrij prijzig was dat geweest. Maar de barst is niet om aan te zien, doet pijn aan je ogen, hoewel het raam nog wel regen en wind buiten houdt.

Ze gaat zitten met een kop oploskoffie, en maakt zich een vuur als gezelschap.

Simon is boven en slaapt hopelijk.

(Met de uiterste voorzichtigheid gewassen en afgedroogd; zalfjes en smeerseltjes in de hoop dat ze hem goed zullen doen. Alle plekken waar de wonden open zijn of het bot bloot is komen te liggen, zijn bedekt met gaasjes en pleisters. Een dessertlepel magnesiummelk om zijn gekokhals te stoppen.

'Dat krijg je nu wanneer je zoveel drinkt,' liegt ze opgewekt tegen hem, terwijl ze op een kille manier bidt dat hij niet te hard in zijn maag geslagen is. Het kind wist een zwak lachje te voorschijn te toveren.

En een kop warme melk om te helpen de smaak te verdrijven van de lepels pijnstiller en slaapmiddel die hij gehoorzaam had ingenomen.)

Verdomme, ik had hem gemalen glas kunnen voeren, dan had hij even passief zijn mond opengedaan en het doorgeslikt... laten we hopen dat de pijnstiller werkt. Ik kan er niet tegen dat hij zo rilt en beeft en huivert.

Nadenkend neemt ze een slok van haar koffie.

Joe zal wel in de Duke zitten. God mag weten wanneer hij daar weggaat. maar kort daarna zal hij waarschijnlijk wel hier komen. De hemel sta me bij dat ik die rotzak niet doodschop als hij eindelijk komt. Dus, zieltje van me, je hebt nog een paar uur om te beslissen wat je nu moet gaan doen.

En wat kan ik doen?

Ik kan niets doen.

Zorg dat Simon niets zegt over deze ontdekking. Hoe?

Zeg niets tegen Joe – op het moment zou ik echt mijn tong moeten afbijten.

Zeg het tegen niemand -laat het doorgaan, laat het kind het in zijn eentje verdragen.

Ik denk er niet aan.

Ik zou het Joe kunnen vertellen en er verder met niemand over praten.

Wie zou ik het trouwens moeten vertellen? De politie? Maatschappelijk werk? Dat zou betekenen dat de experts zich ermee gaan bemoeien, maar wat zegt het Wetboek van Strafrecht hierover? Mij staat bij dat er een maximumstraf van vijf jaar staat op kindermishandeling, en dat het kind weggehaald wordt uit de omgeving die nadelig of schadelijk is voor zijn of haar fysieke of mentale gezondheid en welzijn... godallemachtig, dat is ook geen oplossing.

Maar het alleen tegen Joe zeggen lost ook niets op... dan zou ik een oogje in het zeil moeten houden, en dat is nogal wat. Dan raak ik erbij betrokken.

Ze huivert.

Dat gebeurt nou altijd.

Je vindt een thuis en raakt het weer kwijt. Vindt een vriend, bouwt een vriendschap op en dan komt er iets tussen dat het de nek omdraait, dood maakt.

Dus wat kan ik in vredesnaam doen?


Ze pakt een lang, smal in zwarte zijde gewikkeld bundeltje uit de nis bij de gitaren. Steekt wierook aan, maakt de tafel in orde en manipuleert dan de duizendbladstelen. De negenenveertig stelen zijn versleten tot de gladde en olie-achtige glans van een veel gehanteerd bot, en op de een of andere manier brengen ze een verbinding tot stand met een oude, barmhartige wijsheid.

Het hexagram dat gegeven wordt is Kwai, De Doorbraak (De Vastberadenheid). 'De Doorbraak. Vastberaden moet men aan het hof van de koning de zaak bekend maken. Naar waarheid moet zij worden verkondigd. Gevaar! Men moet zijn eigen stad verwittigen. Niet bevorderlijk is het, naar de wapenen te grijpen. Het is bevorderlijk iets te ondernemen.' Maar ook: 'Machtig in de voorwaarts schrijdende tenen. Gaat men heen en is men tegen de zaak niet opgewassen, dan begaat men een fout.'

Doortastendheid en terughoudendheid...

En de geheimzinnige regels van de Hertog van Chou, akelig toepasselijk, maar verontrustend:

Op de dijen is geen huid,
En het lopen valt zwaar.
Liet men zich leiden als een schaap,
Dan zou het berouw verdwijnen.
Doch als men deze woorden hoort,
Zal men ze niet geloven.
De dennegeur van de wierook is koel, scherp, ver weg.
Liet men zich leiden als een schaap...
Ze wiegt heen en weer.

Het aanvullend hexagram, dat uit de bewegende lijnen kan worden samengesteld, is Siu, Het Wachten.


Simon die langs het strand stampt en hoorbaar snikt. Hij is moe en heeft het koud en zijn armen doen pijn van het gesjouw met twee stukken drijfhout. (Zij draagt een halve ton rata, althans zo zwaar lijkt het en ook Joe gaat gebukt onder een flinke stapel.)

'We zijn zo thuis, tama.'

'Het is nu niet zo ver meer, Haimona.'

'Nog maar een klein eindje, hoor.' Het gesnotter gaat maar door.

Plotseling draait Joe zich om en hurkt voor de jongen neer. Hij steekt zijn armen naar hem uit en raakt zachtjes zijn lippen aan. Stil... in Simons taal. De jongen lacht hem stralend toe. Aandacht, aandacht, hij is er dol op.

'Goed, klim maar naar boven, schat,' Joe tilt het kind met een arm op, zet hem op zijn heup en strompelt verder langs het strand.

Voor de tweede keer op deze nachtmerriedag pakt ze de gouden gitaar, maar speelt dit keer het aarzelend begin van een liedje. Dan barst het los, het vliegt, het glijdt... het klinkt magertjes, de gitaarstem die in zijn eentje de ouverture van La Gaze Ladra zingt. Er is een heel orkest of een synthesizer voor nodig om dat recht te doen. Of zelfs maar die speeldoos.

Ze opent het deksel van het opzichtige, kleine doosje en de melodie klinkt schril op.

Nou, nou, een van mijn lievelingsstukken... de ouverture van de Stelende Ekster, waar heb je die vandaan?

Joe grinnikt. 'Het is niet van mij. Himi heeft hem voor zichzelf uitgezocht.' Hij raakt het lichtgevend roze deksel aan. 'Wat muziek betreft gaat het wel, maar zijn gevoel voor eh... kleur laat wat te wensen over... Vorige maand kocht ik sigaretten en hij was met me meegegaan. Begon met Emmersens collectie speeldozen te spelen, terwijl wij tips bespraken. En Emmersen zei toen ineens: hé, kijk eens naar je zoontje, hij danst; en daar stond Himi te showen.'

'Sim dansen? Dat wil ik wel eens zien.'

'Hij doet het vrij vaak... speel het wijsje maar eens, dan zul je het gauw genoeg meemaken. Hoe dan ook, hij was helemaal weg van dat dingetje en ik zie hem graag gelukkig. Ik zei tegen hem dat hij er vanaf moest blijven, maar gaf Emmersen een knipoog en hij nam het weg zonder dat Himi het kon zien en pakte het in bij de rest van mijn spullen.'

Hij kijkt haar stralend aan. 'Je had tama's gezicht eens moeten zien toen ik het uitpakte. Hij luistert er nog steeds wel zo'n twintig keer per dag naar. Als hij thuis is.'

Ze denkt: ik wacht af. Ik doe niets, houd alleen een oogje op de jongen. Zeg niets tegen Joe, maar wacht een geschikt moment af om hem mijn mening te zeggen over deze toestand. Bij voorkeur door middel van mijn vuisten.

En er zijn ogen op mij gericht.

Ze keert zich om naar de deur.

'Hallo.'

Wat moet je anders zeggen? Op de een of andere manier heeft de wetenschap van de wirwar van open striemen en littekens die het kind ontsieren, hem weer tot een vreemde gemaakt.

Hij is bleek en onvast ter been en er ligt een uitdrukking op zijn gezicht alsof hij last van zijn gal heeft. Een heel boze, knorrige jongeman. Hij staat heel chagrijnig te kijken, gehuld in een van haar zijden overhemden.

'Een hazeslaapje?'

Hij reageert niet op haar woorden, staat flink te rillen, maar heeft zijn wenkbrauwen arrogant hoog opgetrokken.

Het is een verrassend arrogante blik, neus in de lucht, kin omhoog, hoofd trots gedragen. Het gereserveerde van zijn houding, compleet met wankelen en huiveren – het feit dat hij er nog steeds in slaagt er gereserveerd uit te zien ondanks zijn rillen – is aanmatigend.

En wat heb ik in vredesnaam gedaan om deze koele behandeling te verdienen?

Als je dit vaak doet kan ik me voorstellen dat Joe zich niet kan inhouden... ach, kom nou, Holmes! Hem zo mishandelen als gebeurd is, alleen omdat hij een of ander kinderachtig spelletje speelt? En hoe vaak doet hij dat? Nog nooit eerder met jou.

Maar ze staart net zo koel, net zo arrogant terug. Dan zakt het kind in elkaar, valt als een hoopje op de grond, en er verschijnt een heel verbaasde blik op zijn gezicht, alsof dit iets was wat hij helemaal niet van plan was te doen.

En het enige dat Kerewin, in haar schuldige verbazing, kan bedenken is:

'Gaat het wel goed met je?'

'Die griep waar je het over had?' vraagt Kerewin.

'Eh... ja.'

'Ik geloof dat hij er flink veel last van heeft.'

'O, tsja. Gaat het wel met hem?'

'Ik geloof dat hij beter in bed kan blijven. Ik heb hem wat te drinken gegeven en een slaapmiddel en een warme kruik en een van mijn hemden als pyjama, en heb hem naar bed gestuurd.'

'Uitstekend.'

De man slaapt bijna, ligt losjes en zorgeloos op de schapevacht voor het vuur, net als zijn zoon dat kan.

Een uur geleden heeft hij Kerewin hartelijk en aangeschoten begroet, heeft haar het pakket kip gegeven dat hij in het café gewonnen had, praatte honderduit over een wedstrijd die hij die middag had zien spelen, dronk een kop koffie en rolde zich toen op voor het vuur.

Tot nu toe heeft hij niets gemerkt. Haar manier van doen is misschien wat gereserveerd, haar stem wat te beheerst en gespannen, maar hij heeft warmte en gezelschap genoeg voor tien en hij is vastbesloten er wat van weg te geven. En hij is vastbesloten om na het gesprek te gaan slapen.

Waarom moet je nu over Himi beginnen, denkt Joe dromerig. Het is goed dat hij naar bed is, want het is al laat, en als hij een griepje heeft – had ik, gezegd dat hij griep had? – nou, daar komt hij wel weer overheen. Hij is zelden erg ziek.

'Maar zodra hij beter is, is het een goed idee om naar het zuiden te gaan voor onze vakantie.'

Dat dringt tot hem door.

Joe tilt zijn hoofd op.

'Onze vakantie?' vraagt hij blij. 'Wij allemaal? Ga je ook mee?'

'Ja,' zegt ze, 'het lijkt me een verdomd goed idee dat ik meega voor het geval je,' en blijft steken, in haar woorden,

> Bijt, uitglijdt, wat kan er gebeuren? denkt Joe slaperig, ik weet het niet...

en ze eindigt: 'In ieder geval zal de verandering van lucht mij ook goed doen.'

Joe lacht traag en stiekem, verbergt de lach in de holte van zijn arm.

> Ahh tama, ze mag ons wel hè. Ze wil graag zijn waar wij zijn.
> Alles komt in orde, Himi alles komt in orde.

En hij geeft het op nog langer te luisteren naar wat Kerewin te zeggen heeft en valt heel vredig in slaap.

# 11 De zeeronde

# 4 Een plek om overdag te slapen

## I

'Theetijd,' zegt Kerewin en stuurt de auto van de hoofdweg af.

'Stomme dennebomen,' moppert ze tegen zichzelf.

'Hè?'

'Kijk toch eens.'

Ontboste velden schieten voorbij. Waar het niet ontbost is, groeien dennen. Het begint een stukje van de bosrand af en gaat maar door en door in een sombere parade.

'Hier groeiden vroeger de mooiste kahikatea van het hele land.'

'En hebben ze die gekapt om hiervoor plaats te maken?'

'Ja,' zegt ze chagrijning. 'Dennen groeien sneller. Als ze tenminste groeien. De arme, oude Kahikatea doet er twee- of driehonderd jaar over om tot volle wasdom te komen, en dat is niet snel genoeg voor die geldwolven.'

Ze trekt op. 'Ik haat dennen,' zegt ze ten overvloede.

Joe glimlacht. 'Dat dacht ik al. Ze hebben echter ook hun nut.'

'O, er is ruimte genoeg voor ze in het land, dat verzeker ik je, maar waarom moeten ze nu een goed bos kappen, om plaats te maken voor misselijkmakende dennen? Kijk dat zootje toch eens, het ziekelijke druipt ervan af... verdomme, dit land is niet geschikt voor immigranten uit Monterey of god mag weten waar vandaan. Breng de kete eens.'

Bij het uitstappen smijt ze de deur dicht.

Hij kijkt zijn zoon aan.

'Waarom heeft ze zo'n slechte bui?'

Simon krimpt ineen. Joe laat zijn stem dalen. 'Heb je pijn?' De jongen zegt Nee. Hij heeft de afgelopen drie dagen in bed doorgebracht, werd helemaal verzorgd door zijn vader die passend medelijden toont en dit keer dankbaar is voor het griepje.

Het mag dan een leugen geweest zijn toen ik het zei, maar bedankt voor het waarmaken. Hij streelt het haar van zijn kind.

'Weet je het zeker?' fluistert hij.

Zeker, knikt hij.

'Nou, misschien hebben de dennen haar van streek gemaakt.'

Hij buigt zich over de stoel heen en pakt de kete op, die vol broodjes en theespullen zit. 'Heb je honger, tama?'

Zijn gezicht vertrekt.

'Oh, is dat het probleem?' lacht Joe vrolijk. 'Maak je maar geen zorgen. Wij eten jouw portie wel op en jij krijgt een dubbel portie wanneer we gaan eten vanavond, of wanneer we aankomen.'

Hij tilt zijn zoon op en voegt zich bij Kerewin.

De plek waar ze staat is prachtig, ondanks de binnengedrongen dennen. Twintig meter verderop is een kreekje met rotsachtige bodem, en de grond loopt er naar af. De zon staat hoog en de lucht is warm en windstil.

Kerewin heeft haar jas uitgedaan en schopt denneappels weg.

'Zo, dat is een goede manier om je mening kenbaar te maken.'

Hij laat de kete op de grond vallen en zet Simon ernaast op de grond.

Ze schopt met haar laars tegen een nieuwe denneappel, die vijftig meter verderop tegen een boomstam aanvliegt.

Joe fluit. 'Allemachtig! Maar dat was vast toeval...'

Als antwoord schopt ze opnieuw een denneappel weg, die tegen dezelfde stam te pletter slaat. Ze poetst haar nagels op aan de manchet van haar overhemd en ademt er zorgvuldig op.

'Juist,' zegt Joe die de uitdaging aanneemt. Hij geeft een schop tegen een grootvader-denneappel, dik en hard, met stomp eindigende schubben. Hij explodeert.

Hij schudt zijn hoofd in gemaakte verrassing.

'Goh, arme boom...'

'Eerder arme, stomme denneappel. Maar goed, dat was natuurlijk een toevalstreffer,' doet Kerewin zijn voltreffer af. 'We gooien er drie. Je moet de onderkant van de stam raken en denneappels die uit elkaar vallen voor ze de boom raken, tellen niet mee.'

'Agesproken. Haimona, hou jij de stand bij?'

De jongen, die er wat minder ongelukkig uitziet nu hij niet in de auto zit, gaat op zijn knieën zitten om beter te kunnen kijken.

'Om de beurt,' zegt Kerewin. 'Jij mag beginnen.'

Zijn denneappel raakt de onderkant van de stam, iets uit het midden, waardoor hij in een rechte hoek wegspringt, maar wel intact blijft.

Simon kucht en bedekt zijn ogen met zijn hand.

'Nog meer vervelend commentaar van jou, Himi, en je kunt straks alle stukjes oprapen.'

'Niet slecht,' zegt ze en Joe gnuift: 'Ja, dat was niet al te...'

'Ik doelde op het waarschuwende vingertje,' zegt ze en gaat een onschuldige denneappel te lijf.

Hij schiet recht op zijn doel af en splijt bijna in tweeën, de helften liggen verslagen aan de voet van de boom.

'Hallooo,' verzucht Kerewin, 'wie doet me dat na?'

De jongen fluit en steekt twee vingers op.

'Een punt extra voor mijn bekwaamheid? In dank aanvaard, maar nodig is het niet'

'Valsspelen. Hadden we niet afgesproken.'

'O nee? Hij is de officiële scheidsrechter. Je hebt hem zelfbenoemd.'

Joe moppert voor zich uit, zucht en zendt de denneappel met een korte, boosaardig felle schop weg.

'Laten we zeggen, net zo goed als de mijne?' zegt ze nadenkend.

De denneappel barst precies op de stam in een regen van schubben uiteen.

Ze schopt de volgende weg. Hij gaat niet kapot, maar wordt door de scheidsrechter als beter gekwalificeerd dan Joe's eerste poging.

'Neem maar een flinke hand gemengde drop, mijn jongen,' en draait zich om naar Joe, vals lachend: 'Ik krijg iets te drinken aangeboden van de verliezer, hè?'

'Omkoperij en corruptie,' moppert hij en schopt hard.

Het is een spectaculair schot: de denneappel schiet in een magnifieke parabool weg en belandt fluitend midden op de stam. Hij wrijft in zijn handen en lacht gemeen. 'Een lekker, groot, koud glas bier voor mij.'

Kerewin kijkt fronsend naar een denneappel. Het is een kleine dikke bruine, de schubben zijn nog dicht, niet te zwaar, maar gewichtig genoeg. Ze haalt uit met haar been en raakt de denneappel met berekende kracht.

'Prrrachtig, prrrachtig,' betoont ze plechtig en luistert naar het neerkomen van de denneschubben. Precies het doel getroffen en dan nog deze spectaculaire desintegratie tot slot.

Ze draait zich om naar Joe, die zich op de grond geworpen heeft.

'Twee perfecte en een uitstekende tegen twee perfecte en een aardige, is het niet Simon, Zonneschijn?'

Joe dreint:

'Je kunt mij niet wijsmaken dat hij een onpartijdig rechter is.'

Omdat hij met zijn gezicht naar beneden ligt, kan hij de kilte die in Kerewins ogen verschijnt niet zien.

'O, hij doet het prima. Ik heb dus een glas puur, ijsgekoeld sinaasappelsap van je te goed, en probeer of je er wat tequilla in kan krijgen.'

Hij tilt zin hoofd op en veegt wat dennenaalden uit zijn haar.

'Afgesproken,' zegt hij op normale toon, en laat zijn hoofd weer hangen en zegt snikkend: 'Verslagen, verslagen en nog wel door een vrouw. Ik kan het niet uitstaan,' en slaat met zijn vuist op de grond.

'Ik denk dat je je pappie beter snel iets te drinken kunt brengen. De zon is hem in zijn bol geslagen. Of misschien komt het door de dennegeur. Sommige mensen krijgen daardoor wel eens last van vreemde verschijnselen...'

De jongen komt naar hen toe, een en al bezorgdheid uitstralend, mond vol drop, in zijn hand een beker frisdrank. Hij giet de beker voorzichtig leeg over zijn vaders haar; de man gilt verrast.

'Verdorie tama!' krabbelt overeind en graait naar zijn zoon.

Ze verstijft. Als je hem slaat, laat ik je vallen als een baksteen.

Maar Joe lacht en Simon duikt al giechelend weg achter Kerewins rug en glipt steeds net op tijd weg als Joe hem probeert te pakken.

'Zeg grapjassen, wanneer jullie me niet meer nodig hebben bij het krijgertje spelen, kunnen we misschien wat gaan eten en drinken,' zegt Kerewin op klagende toon.

Ze rijden het MacKenzie-landschap in.

'Daar, kijk daar ligt Simons Pas,' zegt Kerewin.

'O? Simons Pas?'

Joe kijkt naar Simon. Simon zegt niets.

'Wie was die Simon eigenlijk?'

'Ik weet het niet. Het enige dat ik erover weet, is dat hij een Maori jongen was die op een schimmel reed die Dover heette.'

'Intrigerend.'

'Ja... als we hier langs kwamen toen ik klein was, zei mijn moeder altijd: "Dat is Simons Pas, we zijn er bijna" en dan vroegen wij wie Simon was en dan vertelde ze wat ik net vertelde.'

'Zijn we er dan bijna?'

'Nee, nog lang niet. Dat zei ze alleen maar om ons rustig te houden.'


De zon is weer te voorschijn gekomen.

Toen ze uit het hoger gelegen land kwamen, waren ze omsloten geweest door mist en grauwheid.

De kou was tot in de auto binnengedrongen, de vochtigheid in hun ziel en ze hadden zwijgend voortgereden.

Maar hier, terug bij de zee, is het weer licht en warm.

'Laten we even stoppen,' stelt Joe voor. 'Even thee zetten, en misschien wat rondkijken?'

Kerewin werpt hem een blik toe.

'Heb je geen haast er te komen?'

'Jij wel?' werpt hij tegen. 'Ik meen dat we drie weken de tijd hebben.'

Ze lacht.

'Goed...'

De auto mindert al vaart.

'... wat is er met Simon? Nog steeds last van die griep?'

Ik denk dat ik het wel weet, maar we zeggen er nog niets over.

Nog niet.

'Wagenziek,' zegt Joe en de jongen verroert zich. Hij is bleek en stil. Hij kijkt haar aan en knikt.

'Jee, wat stom van jullie, waarom hebben jullie dat niet eerder gezegd?'

'Ach, het valt wel mee. Hij heeft er altijd last van. Wat frisse lucht en een vers kopje thee doen wonderen. Daarom stelde ik voor om even te stoppen.'

Verwonderd schudt ze haar hoofd. 'Ik moet zeggen dat ik het gebrek aan gezeur zeer op prijs stel. Alle andere kinderen die ik ken, mezelf incluis vroeger, beginnen onmiddellijk te krijsen dat ze moeten overgeven, zodra ze zich een beetje misselijk voelen worden. Om de 101 die je hebt omdat de auto aan de kant wordt gezet en je ouders groen worden. Heel beschaafd jongen, heel stoïcijns, maar als je het eerder had laten weten, hadden we die misselijkheid al uren geleden kunnen verhelpen.'

Bij een eenzame denneboom slaat ze af. 'Nog zo'n verziekt exemplaar,' knorrig, maar klaart dan op. 'We kunnen die stakker als brandstof gebruiken.'

Ze heeft een waterkoker neergezet en heeft die al volgeladen met dennenaalden en bast tegen de tijd dat de man en het kind uit de auto zijn gestapt.

'Dat is het enige vervelende van de doorsnee den die je opstookt... roet. Daar kan de schoorsteen aardig verstopt van raken,' en stopt er nog een jong takje bij.

De waterkoker bestaat uit twee delen: een cilinder op een kegel. De cilinder vul je met water, je propt brandbaar materiaal in de smalle opening van de kegel en daar gaat ie. Het vuur is beschermd: het water kookt opmerkelijk snel.

De zwarte rook is verdwenen: er dansen bleke vlammen uit de mond van het vuurgat.

'Zo klaar... e jongen, kijk eens in die blauwe canvas schoudertas op de achterbank, dan zie je een klein flesje... nee, wacht even, je ziet natuurlijk een heleboel kleine flesjes. Neem die hele tas maar mee.' In een terzijde tot Joe: 'Ik wacht al jaren op een goede gelegenheid om dit brouwseltje eens uit te proberen,' en grijnst gemeen terwijl ze het zegt.

Hij glimlacht. 'Soms ben je heel aardig,' zegt hij raadselachtig, en ze heeft tijd daarover na te denken tot het kind terugkomt met de tas.

De flesjes hebben allemaal een inhoud van 1/8 liter of iets minder, en bevatten olie of poeder of bleke vloeistof.

Ze giet een lepel vloeistof uit een van de flesjes in een kopje koud water.

'Langzaam opdrinken,' en het kind slikt het, gehoorzaam langzaam, door.

Soms, Sim, ben je te goed van vertrouwen.

'Wat is dat?' Joe is bij hen neergeknield en heeft zijn armen om het jongetje geslagen.

'Aha.' Ze kijkt Simon eens goed aan. 'Een gepatenteerd mengseltje van Holmes. Kruidenextracten en dingen. Ik heb dit trouwens zelf geproefd en het smaakt helemaal niet slecht.'

'Je zou haast zeggen dat het werkt,' zegt hij even later. De kleur komt terug in het gezicht van het jochie. 'Welke kruiden? Daar kunnen we goud mee verdienen.'

'Een aftreksel van munt, koromiko topjes, de binnenbast van de manuka en nog wat heksenkruiden... ik denk het niet. Het verzamelen en brouwen kost veel te veel tijd voor commerciële doeleinden. Maar prima om voor eigen gebruik te doen, dat wel. Het helpt heel goed tegen menstruatiepijn en het soort misselijkheid dat je bij griep wel eens hebt, dus dacht ik dat het misschien ook wel tegen wagenziekte zou helpen.'

Hij gebruikt zijn ene hand om flesjes op te pakken en te bekijken) met de andere hand houdt hij nog steeds de jongen vast.

'Geheimzinnige etiketjes maak jij zeg... wat is Morf en Tovhaz? En wat is Verbrande Billen olie in hemelsnaam?'

'Kom zeg, ze spreken voor zich. Puzzel dat zelf maar uit.'

Maar ze stopt het flesje snel weer in de tas terug.

'Gaat het weer't en Simon steekt zijn duim in de lucht.

'Goed, dan drinken we wat thee en gaan weer op pad. Wil jij het laatste stuk rijden, Joe?'

'Alleen als je moe bent. Ik neem hem op schoot om naar het landschap te kijken. Dan voelt hij zich minder snel weer misselijk.'

'Ik geloof je best. Ik ben nog nooit ziek geworden. Niet in de auto en niet in trein, vliegtuig of op zee. Maar ik heb nog nooit per olifant of kameel gereisd. Trouwens ook nog niet per vliegende schotel of tapijt.'

'Eens komt de eerste keer, spotvogel. Ik dacht ook altijd dat ik immuun was, tot ik een keer ging kanovaren op Waitangi Dag.

Lieve hemel, wat was ik blij dat ik omsloeg en ik keurig en ongemerkt kon overgeven in het water.'

'Vies voor de andere zwemmers... of waren die allemaal verdronken?'

'De Waikato is een snelstromende rivier... er waren er trouwens
meer die wat witjes zagen. Ik denk dat het door de mosselen kwam
die we daarvoor gegeten hadden, misschien waren die bedorven...
of misschien kwam het door de pilsjes die ik op had, of door dat
grote stuk varkensvlees. Of de kina's, of de...'

'Heb je honger, man? Even volhouden. Nog een kilometer of
zestig voor we thuis bij de haard zitten.'

Er kwam een grote baai, zo groot dat de heuvels in het noorden
paars en wazig zagen in de late namiddagzon. Er kwam een klein
stadje, met verspreid staande huizen en schuren met een vissers-
vloot en visafslag als reden om ze te verenigen.

Daar reden ze voorbij.

Er waren ronde, groenachtige heuvels waar vlas en iele, door de
wind geteisterde bosjes in greppels groeiden. De stranden waren
bedekt met grijs zand, maar er waren ook stranden die bedekt waren met okergoud grind.

En daar was de zee.

Ze stuurt de auto de hoek om, geeft flink gas en corrigeert de slip
tot een bocht door een behendige stuurbeweging.

'Jezus! Ze hebben er een weg van gemaakt.'

Joe bijt op zijn lip.

Het lijkt niet erg op een weg. Een dubbel grindspoor, distels
ertussenin. Gammele afrastering aan weerszijden hangt bijna op
de grond, haast geheel door onkruid overwoekerd.

'Kerewin zegt dat we er bijna zijn, slaapkop,' en het kind gaapt
en gaat overeind zitten op zijn schoot.

Dicht op elkaar groeiende macrocarpa overschaduwen de volgende bocht in het karrespoor. Een lief klein huisje staat er links
van, en twee oude hondenkennels staan onder de schaduwrijke bomen met de schedel van een rund ertussenin.

'Het huis van Ned Pita,' zegt Kerewin. 'Vroeger waren hier altijd,' en remt hard. Er zijn twee stieren voor hen opgedoken uit de schaduw van de bomen. 'Doodgewoon, er is niets veranderd,' en in Joe's oren klinkt ze opgelucht, alsof ze verwacht had dat alles veranderd zou zijn.

Een van de twee rent op een holletje de heuvel af, en de andere draait zich om en loeit klaaglijk, kop omhoog. Ze stuurt in de richting van de stier, waarop hij terugdeinst, kop van links naar rechts schuddend, zet eerst zijn ene, dan zijn andere voorpoot naar achteren in een ongemakkelijke aftocht. Er loopt veel vee rond. Het staat met lege ogen bijeen, afgezien van het beest dat voor hen uit hard wegloopt. Ze geeft gas en het dier schiet in een hotsende galop en werpt zijn staart hoog in de lucht.

'Stohom beest,' grauwt ze, alsof hij haar persoonlijk beledigd had. Uiteindelijk zwenkt hij naar de kant, zijn borstkas en flanken gaan zwaar op en neer van inspanning.

'Het hek staat zeker open?'

'Er zijn haast geen hekken. Het is schraal, moeilijk land om te bewerken.'

Ze rijden over het laatste stuk van het karrespoor. Het voert naar het strand. Een groepje huisjes in een heuvelkom aan de linkerkant, en drie aan de rechterkant. Voor hen staat een rij schuurtjes op het strand en daarachter ligt de Stille Oceaan.

'We zijn er. Dit is thuis.'

Ze stopt de auto bij een okerkleurig huisje aan het einde van de strandlijn, onder de beschutting van een enorme bos Afrikaanse stekeldoorns. Ze stapt uit, en strekt haar armen hoog boven haar hoofd en beweegt haar lichaam heen en weer onder haar stijve schouders. Plotseling laat ze haar armen zakken gooit haar hoofd achterover en schreeuwt:

'JAAAHIIIIAAA!'

En rent naar het strand. Joe kijkt Simon aan.

'De zeelucht,' zegt hij vergoelijkend tegen het kind dat de rennende vrouw ongelovig nastaart.

Ze staat op het oranjerode kiezelstrand, armen over elkaar en neemt het strand in zich op, absorbeert de zee en het verwaaide schuim, slurpt het op in haar stoffig geheugen. Alles is er nog, levend en zilt, en bulderend en echt. De uitgestrekte koude oceaan en de golven die vijf meter verderop uiteen spatten en de warme wetenschap dat thuis vlakbij is op de kust.

'Ahhh,' zingt ze zonder woorden en omarmt zichzelf, zich niet bewust van de twee die vlak achter haar staan. Ze stampt met haar voeten op het kiezelstrand, buigt zich voorover en gooit haar laarzen uit en stampt opnieuw; blote voeten krommen zich tegen de vochtige, koude stenen.

'Ik ben terug!' roept ze met een hoge, wilde stem. 'Ik ben er weer!'

Het lijkt wel of het harder gaat waaien, en een grotere breker dan alle andere voordien krult vlak voor de vrouw om en zendt lange witte vingers naar haar uit. Het schuim kolkt om haar voeten en Kerewin schreeuwt het uit van plezier.

'O, Gij staat boven het goede, maar dit land en deze zee moeten u waarlijk een rustplaats vormen...'

Ze draait in de rondte, danst, spreidt haar armen wijd uit in een welkomstgebaar, haar ogen lichten op.

Ranken van vreugde en bezetenheid kruipen van haar naar hen toe, en de man rent over de afstand die hen scheidt, roepend: 'Tihe mauriora!' en Kerewin lacht, houdt hem vast en hongi't. En het kind rent tegen hen op, letterlijk blind in zijn behoefte bij hen te zijn.

Ze tilt hem op en zet hem met een hand op haar heup. 'Tihe, mauriora, egeltje.'

Eén arm rust nog steeds op Joe's schouder,' ze zijn door haar armen met elkaar verbonden. Ze kan de echo van hun hartslag voelen.

Zachtjes, maar duidelijk verstaanbaar boven het donderen en beuken der golven uit, zegt ze:

'Welkom. Dit is mijn ware thuis. Nu is het ook jullie thuis.'

Minutenlang zegt niemand iets.

Aue, konden we maar zo blijven, denkt Joe, en aan haar andere zijde staart Simon zonder enige angst naar de golven die zo dichtbij zijn.

Dan schudt Kerewin haar hoofd en zegt: 'O jee, zien jullie mijn laarzen ergens?'

'Die grote zee,' voegt ze er peinzend aan toe, en zet Simon weer op de grond, en maakt haar arm los van Joe's schouders. Ze lacht naar het kind: 'Een kwartje per sok, en een gulden per laars, moet ik dat toelichten?'

Hij lacht terug en schudt zijn hoofd. Niets voor niets, zijn handen tekenen nullen en cirkels in de lucht.

Ze vinden een sok, die kleddernat is en onder het zand zit.

'Nou, de zee zal de rest wel teruggeven,' zegt ze gelaten. 'Of niet natuurlijk. Ik loop toch liever op blote voeten.'

'Of je wat mag?' vraagt Joe en kijkt naar Simon. De jongen hurkt neer en begint een sandaal los te maken en kijkt zijn vader vragend aan.

'Natuurlijk, als je daar zin in hebt. Het zijn jouw voeten.'

O jee ja, terwijl ze naar het kind kijkt dat zijn sokken en sandalen uittrekt, dat is iets dat ik vergeten was over mijn jeugd. Stel je toch voor te moeten vragen of je op blote voeten mag lopen of niet...

Maar nu schieten haar soortgelijke verzoeken en verboden te binnen van twintig jaar of nog langer geleden. 'Je kinderjaren zijn de mooiste jaren van je leven...' Degene die dat bedacht heeft had weinig verstand in zijn hoofd, prototype van een stomme idioot. Het leven wordt leuker naarmate je ouder wordt, tot je natuurlijk te oud wordt.

Simon staat stil, loopt een paar passen en vertrekt zijn gezicht.

Koud en hard hè, dat grind onder je tere voetzolen. 'Ja,' zegt Kerewin de meedogenloze en lacht als een hyena, 'wat hard onder je voetzolen als je daar niet aan gewend bent, hè... O, en nog een waarschuwing voor je. Zie je die doornstruik?'

De enorme struik rijst achter hen op, een helse, groene, ondoordringbare massa, bezaaid met vervaarlijk uitziende bleke stekels.

'Blijf daar uit de buurt. Overal op het strand liggen stukjes ervan, en als je daar op trapt, zul je met me eens zijn dat die splinter van een poosje geleden volkomen in het niet valt. Goed? Kijk goed uit waar je loopt, vooral in de buurt van die struiken.'

Joe zegt: 'Om de een of andere reden spreekt het idee schoenen te dragen me enorm aan hier. Het is winter, weet je nog wel? Kijk

eens naar je voeten, Kerewin. Jezus, ze zien al helemaal blauw.'
Haar tenen hebben een donkere, gekneusd paarse kleur aangenomen.

'Het is wat aan de frisse kant,' geeft ze schoorvoetend toe. 'Ik denk dat we maar een vuur moeten gaan aanleggen... kom, ik zal eens een paar huisjes open maken, dan kunnen we ons installeren.'

Ze vertelt: 'We bezitten vijf van deze huisjes, maar gemeenschappelijk, ze zijn niet van iemand afzonderlijk.'

'Wat gebeurt er als een van je familieleden opduikt en een huisje wil?'

'Nou, wij nemen er maar twee in gebruik. Trouwens,' en haalt haar schouders op, 'ik heb ze een telegram gestuurd waarin stond dat ik hier tot half juni zou zijn. Dat is voldoende om ze uit de buurt te houden.'

De twee huisjes die ze openmaakt staan naast elkaar, met een ijzeren botenhuisje ertussenin. Het zijn ruw bepleisterde gebouwtjes, het ene is voorzien van elektriciteit, het andere wordt verwarmd door een oud kolenfornuis. Klein en ongekunsteld als de binnenkant van schepen, compact als een stuurhut en met een minimum aan meubilair.

'Dat daar staat bekend als het Nieuwe Huisje,' zegt ze, en wijst op een okerkleurig bouwsel naast de doornstruik, 'omdat we dat het laatst van allemaal verkregen hebben. Dit: terwijl ze over een smal voetbruggetje lopen langs het botenhuis, 'heet het Oude Huisje, want dit hadden we het eerst. We zijn hier nogal prozaïsch waar het gaat om het verzinnen van namen.'

Het beekje dat tussen de twee huisjes door naar het strand loopt, is volgens haar niet geschikt om van te drinken. 'Als jij het vee erin had zien pissen, wist je ook wel hoe laat het was, niet? Regenwater is het enige water dat we hier hebben. De watertanks zijn vol, maar het is de moeite waard er zuinig mee om te springen.'

Joe, die achter haar aan over het voetbruggetje loopt naar het oudste huisje merkt op: 'Die omheining ziet er nogal stevig uit... wie of wat komt hier binnenslenteren en houden jullie liever buiten de deur?'

'De zee. Zie je dat daar?' en gebaart naar het zuideinde van het strand. 'Die betonnen funderingen?'

'Ja.'

'Daar bovenop stonden vroeger ook huisjes. De zee heeft ze verslonden. Ons zwarte huisje dat helemaal aan het eind staat – dat noemen we trouwens ook het Zwarte Huisje,' ze glimlacht even naar hem, 'heeft het alleen maar overleefd omdat het zo goed in de rotsen geplant staat. De zee is erin binnengedrongen, maar de terugtrekactie is nooit geslaagd... Ik denk,' haar stem klinkt ineens wat dromerig, 'dat ik daar maar eens naartoe ga om te kijken hoe het eruit ziet. Het bootje dat we kunnen gebruiken, ligt daar ook. Als ik dat begroet heb, ga ik een poosje langs de vloedlijn lopen. Tot straks.'

Joe bekijkt het Oude Huisje.

Het schijnsel van het fornuis flikkert op het plafond. maar de kerosinelampen branden fel en gelijkmatig. Er staan twee stapelbedden.

De twee onderste bedden zijn opgemaakt en hij rolt de slaapzak van het kind uit op het bed boven hem. Op het bovenste deel van het andere stapelbed legt hij hun koffers en de twee gitaren neer. De proviand die ze hebben meegenomen heeft hij over de beschikbare kastjes verdeeld. Brood, boter en bacon in de vliegenkast in het botenhuis; melk in de koelkast in het Nieuwe Huisje; groente en fruit netjes opgeborgen in dozen en schalen; de cake en koekjes van Marama in blikken... 'Pas op voor de grijze, harige jongens,' waarschuwde Kerewin. 'Muizen vinden het hier heerlijk.'

In alle kastjes zijn sporen van ze te vinden... of waren te vinden. Hij is flink in de weer geweest met desinfectiemiddel en heet water. Het lijkt erop dat er een hele tijd niemand meer in de huisjes geweest is.

En om het compleet te maken heeft hij een pan soep tegen de kook aan op het fornuis staan en ernaast staat een waterketel vrolijk te zingen.

'Haimona?'

De jongen kijkt neer vanaf het bovenste bed.

'Ben je bezig met iets?'

Hij glimlacht en schudt zijn hoofd.

'Zin om Kerewin te gaan zoeken terwijl ik het brood rooster?'
Hij knikt en gaat op zijn knieën zitten, met uitgestoken armen.
'Kom maar,' en tilt hem naar beneden. 'Je zult er wel even aan moeten wennen dat je boven slaapt, hè?'

'Luiwammes,' voegt hij eraan toe, en veegt het haar uit de ogen van de jongen. Simon trekt zijn wenkbrauwen op... als jij het zegt.

Joe lacht. Het is grappig hoeveel hij zegt, althans je laat denken dat hij veel zegt, met zo weinig... wat zijn je ogen groen vanavond, tama... ik ben blij dat je gelukkig bent. Hij buigt zich voorover en kust de jongen.

'Trek je schoenen aan voor je naar buiten gaat. Het wordt al donker en dan kun je niet zien waar je je voeten neerzet.'

De wind is gaan liggen.
Het wordt erg donker.
De aalscholvers zijn teruggegaan naar Maukiekie, vogel na vogel tegen de schemerhemel.
De golven zuigen aan de rotsen en laten ze met spijt in het hart achter. We komen terug, ssssppoeoeoedig... sissen ze vanuit het donker.
Maukiekie ligt daar bij avond,
rots van een eiland,
niet meer dan een paar vierkante kilometer
en volkomen kaal
op een armzalig bosje en wat bruinig, door guano opgegeten gras na,
waar de aalscholverkolonie haar vleugels uitspreidt in het zonlicht
en 's nachts kibbelt door ruimtegebrek;
Maukiekie bij het vallen van de avond,
een grote zwarte rots, bedekt met zout en vogellijm en slapend leven, en de stenen havik,
het dichtst bij het land,
blinde wachtpost
die naar de rotsen kijkt.

Aiii, pijn en verlangen en opluchting... ik ben hier te lang weggeweest. Te lang alleen maar herinnering geweest.

De tranen komen in mijn ogen als ik een meeuw hoor krijsen of een rij aalscholvers zie langskomen met hun fluitende vleugelslag.

O land, je zit te diep in mijn hart en geest.

O zee, je vloeit me door de aderen.

De nacht valt.

Het is te makkelijk om, zittend op een rotszetel, woorden in de geluiden van de zee te leggen. Woorden uit de golven te halen die op de kust beuken, op de rotsen slaan. Vooral nu, nu het stil is, en alleen jij zit te luisteren in het donker.

(Nou ja, zij zijn er... en ik denk dat het een vergissing was ze hier te brengen... maar hoe kan ik ze nu nog wegsturen?)

Maar mijn familie is weg. Ik ben alleen.

Waarom toch heb ik die avond mijn geduld verloren en iedereen met woorden en herinneringen gekwetst?

(Het kwam door die afschuwelijke rotgewoonte van je al het slechte van iedereen te onthouden en je hele leven op te zouten en te koesteren...)

Zij waren begonnen.

Ik heb het voltooid.

Ze zijn onherroepelijk weg.

Ik ben ook weg.

Het maakt allemaal niets meer uit.

Ze staart in de duisternis. Maukiekie is alleen nog een schaduw op het water, omcirkeld door krijsende vogels.

Vijfentwintig jaar. Dat is een hele tijd. Een kwart eeuw. Een generatie. Zij waren de enige mensen die mij kenden, iets van me wisten, en ze bleven van me houden tot ik de band verbrak... zouden zè nog van me houden?

Zes jaar is lang om alleen te zijn. Niet gekend, niet geliefd te worden. Van je wortels afgesneden, ziek en op drift geraakt.

Ze moeten me uit hun hart en geest gevaagd hebben... waarom kan ik dat niet?

Waarom blijf ik maar.., voorzichtig, je bent weer aan het zwelgen, terug in het moeras van zelfmedelijden en vettige wanhoop... maar waarom blijf ik er maar om treuren? Terwijl alle banden van betekenis verbroken zijn... voorgoed.

(Omdat hoop blijft. Zie van je hoop af te komen, Holmes met

je gangreneuze ziel. Denk je nu echt dat jij je zou kunnen verontschuldigen? Zou kunnen toegeven dat je ongelijk had? Om vergeving zou kunnen vragen, wetende dat het geweigerd zou kunnen worden? Nooit!)

Aie, hou toch op. Je moet naar de zee luisteren, niet naar de woorden in je hoofd...

Een vreemd geluid, een knerpend geluid alsof iemand... oh ja. Ze kijkt toe hoe hij in het donker voortploetert.

Je bent ook wel een heel stom kind. Voor hetzelfde geld loert er iets afschuwelijks bij de beschaduwde rots vlak naast je, wachtend op een goed moment om zijn klauwen in je te kunnen slaan... (Een dolgeworden schaap soms, vrouw? Doe niet zo raar!)

Maar ze komt er echt voor in de stemming.

En wie weet wat er uit de zee opduikt en tastend week en onvermijdelijk, je voorgoed komt smoren? Doem! Doem! De taniwha is gekomen! Je moet absoluut geen fantasie hebben, onintelligente kleine engerd, anders was je 's nachts nooit zover langs een vreemd strand gelopen. Ik had hier kunnen liggen wachten op een kans je de zee in te duwen... kijk toch eens naar dat stomme joch! Hij loopt vast door tot halverwege de vuurtoren voor hij tot de conclusie komt dat ik die kant niet opgegaan ben...

Ze vraagt zich af wat er zou gebeuren als ze hem ging schaduwen en plotseling te voorschijn zou springen en zich op hem zou storten. Hem waarschijnlijk de dood injagen door een hartaanval.

Hou daar mee op, Holmes. Hij kan niet roepen, hij kan je niet zien, hij doet ongetwijfeld op povere wijze zijn best, en het is een aardig kind, het grootste deel van de tijd.

Het aardige kind staat nu stil, huivert en kijkt het uitgestrekte donkere lawaaierige strand af.

O Kerewin, waar zit je?

Ik wou dat ik kon

Hij slikt met moeite.

Als je gaat huilen, Clare, dan schop ik je.

Ik denk dat ik maar beter terug kan gaan om Joe te halen.

Nee, je zei dat je zou gaan kijken.

Maar...

'E Sim!' roept Kerewin achter hem, 'hier, jongen.'

Hij hoopt maar dat ze zijn tranen niet kan zien, want er is geen reden om te huilen. Het is donker, stelt hij zichzelf gerust, het is heel donker.

Kerewin fluit, zodat hij op het geluid kan afgaan. Hij komt voor een zwarte rotswand te staan. Het gefluit komt van boven zijn hoofd, maar hij ziet de vrouw nergens.

'Kun je naar boven klimmen?' vraagt haar stem.

Hij staat verbijsterd en schudt zijn hoofd.

'Steek je handen omhoog,' en als hij dat doet, O verrassing, pakken warme sterke handen uit het niets zijn polsen.

'Rustig aan maar,' zegt ze en trekt hem naar boven. 'Jee, Sim, wat weeg je eigenlijk? Een vis uit het water halen kost me meer moeite...'

Hij weet het niet. Het kan hem niet schelen ook. Hij is eerder geneigd zich af te vragen waar hij is, waar zij zijn, maar hoe kan hij dat vragen?

Kerewin is nog steeds aan het tststs' en over zijn schriele lijf. In haar armen voelt hij zich klein en broos, ribben een breekbaar kooitje voor zijn hart, nek een dun steeltje waar het hoofd op kan rusten. Toch ben je een taaie rakker, anders was je nooit zo oud geworden.

'Moeilijk praten in het donker, hè?'

Ja

'Heeft Joe eten gemaakt? Moest je me halen?'

Hij geeft twee tikjes op haar hand.

'Nou, dan kunnen we maar beter gaan, denk ik... ik zal je morgen laten zien waar we nu zijn. Een goede plek als je rustig wilt zitten en nadenken. Of dromen.'

Ze gaat staan, het kind nog in haar armen.

'Kun je wat in het donker zien? Afgezien van aura's?'

Hij draait zich om om te zien of ze hem voor de gek houdt. Maar afgezien van de witte flikkering van ogen en tanden en het leven dat haar omhult, kan hij niet veel zien. Hij schudt zijn hoofd.

'Aha... dat is nou een van de dingen die ik kan... als een uil, een konijn, een buidelrat. Ik kan 's nachts het land zien. Niet te veel bewegen, anders breng je ons nog uit balans.'

Vanaf haar zitplaats op de rotsen loopt ze de heuvel af, en loopt sneller, sneller tot ze over de rotsen rent met een serie sprongen en snelle passen van het ene rotsblok naar het andere, geen stap op gelijk niveau, tot ze aan het eind van de rotspartij het strand bereikt.

'Pjoe!' ademt ze zwaar. 'Het is lang geleden dat ik dat deed.'

De jongen staat te wankelen op zijn benen als ze hem neerzet.

'Moe of bang?' vraagt ze op luchtige toon. Hij is doodstil blijven zitten terwijl zij rende.

Simon draait zich om en heft als antwoord zijn armen naar haar op. Bang of moe, de idioot blijft vol vertrouwen.

Ze lacht.

'Ahh, het is niet zo ver lopen... er is nog een ander spelletje dat ik je hier een keer zal leren. Je speelt het met de golven en wij noemden het eb-en-vloed. Het is waarschijnlijk een stuk leuker dan 's avonds over de rotsen rennen, zeker wanneer je niet kunt zien waar je naartoe gaat... maar dat bewaren we voor een andere dag, zonnekind.'

Ik was niet bang, jij wist de weg, maar ik wil je vragen, ik moet je vragen, hij slaat zijn armen om zich heen in een poging de warmte en kracht waarmee ze hem had vastgehouden te herwinnen, en volgt haar.

Voor de deur van het huisje, waar voldoende licht is om haar gezicht te kunnen zien, voor haar om zijn handen en gezicht te kunnen zien, wijst hij eerst op zichzelf en dan op haar ogen.

'Of ik je zie?.. O, je bedoelt daarnet, toen je me aan het zoeken was?' Er trekt een spiertje in haar ooglid.

'Ja hoor, al die tijd,' zegt Kerewin en lacht weer.

Ze schrikt met kloppend hart wakker. De lucht is vol vreemde ge-luiden en bewegingen. Joe is op,' ze hoort hoe er water over de vloer wordt gegooid. Er hangt een zurige lucht.

'Wat is er aan de hand?'

Ze komt rillend overeind.

'Is er iets mis?'

Joe komt naderbij, met een zaklantaarn in zijn hand. Ze kan

net zien hoe de jongen tegen hem aanhangt, gedragen door zijn andere arm.

'Het valt wel mee,' fluistert hij. 'Sim is misselijk geworden, dat is alles.'

'O.' Ze gaat snel weer onder de dekbedden liggen. 'Kan ik helpen?'

'Nee, ik ben alleen maar aan het opruimen.' Zijn stem klinkt geamuseerd. 'Voor zo'n klein jochie kan hij ongelooflijk veel overgeven.'

Jakkes.

'Ja, dat zal wel.' Ze is blij nooit iemands kots te hebben opgeruimd.

'Waarschijnlijk komt het door de auto, het reizen. Naweeën. Je weet wel.'

'Ja,' zegt Kerewin. 'Mmmmm,' slaperig.

Joe gniffelt voor zich uit.

'Weet je wat?' vraagt hij aan Simon, heel zacht, met zijn mond vlak bij het oor van het kind.

Simon tikt tegen zijn nek, Nee?

'Ik geloof dat ze blij is dat ze niet hoefde te helpen... ze is tenminste verdacht snel weer in slaap gevallen, niet?'

De jongen giechelt.

'Stil.'

Hij knielt weer neer en ruimt nog meer braaksel op van de grond.

'Ze klonk alsof ze zelf was gaan overgeven als ik ja gezegd had. Dat zou niet zo leuk voor me geweest zijn, hè?'

Vingertje aait zijn nek, licht als de aanraking van een mot, Nee.

'Brutale aap,' fluistert Joe.

Ze hoort het murmelen van zijn stem, en het snelle, onderdrukte lachen van de jongen, maar de zee is luid, luider...

Het is fijn om zo tegen Joe aan te liggen, denkt Simon. Al zijn spieren zijn ontspannen, tijdelijk krachteloos. Hij heeft zijn eigen lichaam volkomen slap laten worden, ontspannen in de kromming van zijn arm, tegen de welving van zijn vaders borst.

Joe is klaar met de vloer en schijnt met de zaklantaarn in de rondte ter controle – jakkes, braaksel op mijn bed hij heeft maar net de rand van zijn bed kunnen halen.

'Over grondig werk gesproken, Himi... dit moet zo ongeveer alles geweest zijn wat je sinds vorige week gegeten hebt.'

Nadat hij klaar is met boenen en schrobben, sluipt hij naar de andere kant van het huisje en zet een pan op het nog nagloeiende fornuis en warmt wat melk.

'Denk je dat je kunt slapen zonder nog meer slaapmiddel in te nemen?'

Simon knikt, lacht hem toe bij het schijnsel van het vuur. Hij gebaart naar Joe.

'Bij mij?' fluistert de man. 'Het is wat krap in zo'n stapelbed, mijn jongen.'

Hij schenkt de melk uit in twee bekers.

'Maar misschien is het toch geen slecht idee... hoef je echt niet meer over te geven?'

Het kind giechelt weer zachtjes en schudt van Nee. Hij heeft de hele toestand blijkbaar als lachwekkend ervaren.

Joe hijst hem wat hoger tegen zijn schouder en gaat met de jongen op schoot op de vloer zitten.

'Voel je je echt weer beter?'

Hij knikt en laat dan zijn hoofd achterover hangen om Joe te kunnen aankijken. Een van zijn handen rust stil en losjes op de pols van de man. Met de andere raakt hij zijn voorhoofd aan, en dan zijn rug vol littekens en gebaart naar het bed waar Kerewin in slaapt.

Hij kan voelen hoe zijn vaders hart angstig hard begint te slaan. Hij reikt omhoog en raakt Joe's lippen aan.

'Zegt zij er niets over? Of moet ik mijn mond erover houden?'

Het fluisteren klinkt hoog en gespannen.

Beide, zeggen de opgestoken vingers. Het is goed, vormen zijn lippen, het is goed, en plotseling wordt het woord een vraag, een smeekbede, Goed? Goed?

'Aue, aue... goed, tamaiti, goed...' hij aait over Simons haar, strijkt het uit zijn ogen, en kust hem. 'Taku aroha ki a koe, e tama.'

Alles is stil, alles zwijgt, behalve de zee.

Ze kunnen zelfs Kerewins ademhaling niet horen.

Joe zucht.

'Ach, ik weet niet waarom ik je sla,' zegt hij op zachte toon, meer tegen zichzelf dan tegen het kind. 'Ik ben dan dronken of ik ben boos, ik ben mezelf niet... zelfs wanneer het nodig is je te slaan, ach ik weet het niet, is het niet alsof ik jou sla, mijn zoon...' Simon beweegt en hij buigt zich voorover om te zien wat hij zegt.

Zo voelt het wel, zegt Simon droog.

Hij vouwt zijn handen om de kleine handjes van het kind.

'Dank je voor het feit dat je niet haatdragend bent,' zijn stem klinkt heel laag, hees en een beetje beverig, 'God weet dat ik je haat verdien... maar jij voelt geen haat,' zegt hij verbaasd, 'jij voelt geen haat.'

De jongen kijkt hem aan, ogen glinsteren in het licht van het vuur, zegt niets. Dan glimlacht hij en buigt zich voorover en bijt in Joe's hand, zo hard hij kan.

'Godver!' roept de man uit en sist van de pijn en trekt zijn hand weg, naar zijn mond toe. 'Rot jong, waar is dat goed voor?'

Aroha, vormen de lippen van het kind, aroha en zijn glimlach is breed en geniepig.

Joe zuigt aan zijn hand tot de pijn wegsterft en houdt hem dan bij het schijnsel van het vuur.

'Kijk nou eens, jij...'

Keurige tandafdrukken, halve maan aan een kant, kwart cirkel aan de andere kant.

'Aroha, mijn reet, dit is meer utu,' zegt Joe droevig.

'Drink je melk op, dan gaan we naar bed.'

Ligt 's nachts wakker terwijl iedereen slaapt, verwarmd door de jongen aan zijn zijde. (Simon. slaapt, met zijn gezicht op de arm van de man. Kerewin heeft zich niet meer geroerd in haar dichte, ongeschonden afzondering.)

Mijn hand behoedt je, houdt je hoofd tegen mijn handpalm.

Verschuift zijn arm een beetje.

Je bent nog steeds te mager, maar je bent altijd zo iel geweest... en het is vooruitgegaan sinds de komst van Kerewin. Nou ja, niet zozeer de komst als wel dat je haar ontdekt hebt... ik vraag me af wat ze nu echt van ons denkt?

Van mij?

Ze laat nooit veel merken.

Ze is nog steeds op haar hoede voor je. Ik kan me niet voorstellen dat ze jouw troep net had opgeruimd... wat zou ze zeggen als ik vertelde dat je af en toe nog in bed plast? Waarschijnlijk zou ze heel koel en beleefd doen. 'O ja? Nu, gebrek aan beheersing over de sluitspieren is niet ongewoon voor kinderen van Simons leeftijd, zeker niet in periodes van spanning.' Taha, Ngakau, je legt haar woorden in de mond. Je weet immers niet wat ze zou denken.

Hij laat zijn hand vallen, weg van het hoofd van het kind.

Himi, wat zullen we doen? Voor jou is het makkelijk te zeggen dat ik mijn mond moet houden, maar wat moet ik morgenochtend? Hoe kan ik haar nu nog in de ogen kijken? Net als jij dat eerst deed zeker, eerste klas toneelspeler.

Vandaag ging het goed, houdt hij zichzelf voor. De hele week ging het goed... wanneer zou ze het aan de weet gekomen zijn? En hoe? Hij wilde het niet vertellen, om de reden die hij gaf: het zou haar doen geloven dat hij niet deugde.

Dat is soms ook zo.

Lucifers wegschieten en stelen.

En als hij kwaad wordt, kan hij gemeen zijn... wat had Timote hem gedaan? Ik was degene die hem plaagde, en wie werd bijna de kop ingegooid? Het kind van Piri, een omstander... Ja, maar wie behandelen Himi gemeen wanneer zij kwaad worden?

Ongemakkelijk gaat hij wat verliggen in het door gefluister van de zee beheerste donker.

Er zijn moeilijkheden op school.. ik weet niet precies wat er is, maar er is iets aan de hand... Jezus, waarom moet hij ook naar school? Hij is slim genoeg om er buiten te kunnen. Als Kerewin hem maar een poosje wilde opnemen... of kon ik maar thuis blijven... het is een veel te groot gevecht hem er elke dag naar toe te krijgen, hoewel iedereen er nu welwillend tegenover staat. Zelfs de meeste van zijn klasgenootjes.

O, maar hij heeft al vroeg geleerd dat zijn handicap hem bijzonder maakte, en dat maar één ouder hebben niet normaal was, niets over zijn ouders of zijn afkomst te weten, en zelfs zijn naam niet te kennen ronduit verkeerd was.

En hoe heb ik hem bij dit alles geholpen? denkt Joe vol berouw. Het niet naar school willen gaan was de aanleiding tot de allereerste keer.

De lucht is zoet, maar zijn longen doen pijn terwijl hij grote teugen lucht inademt. Er is geen ander geluid dan het refrein van de boomkikkers dat voortdurend weerklinkt.

Geen lichten.

Geen vragen.

O, waarom heb je dit gedaan?

Je moet ziek zijn, man. Hij zegt het hardop, experimenterend met een schuldig excuus.

Ik moet wel ziek zijn, maar wie kan ik dat vertellen?

En abrupt slaat zijn rasperige ademhaling om in snikken. Een volwassen man op zijn knieën onder de koele maan, die de pijn in zijn hart en de schuld die aan zijn handen kleeft eruit huilt en niemand meer die hem kan horen.

('Behalve ik nu,' fluistert Joe. 'Bijna twee jaar later kan ik mezelf horen huilen...')

Er bleef een kloof bestaan. Het liet een wond achter, ondanks het feit dat het kind hem weer accepteerde. Hij was weer naar binnen gegaan en had de jongen zo goed mogelijk verzorgd, een en al verontschuldiging en lieve woordjes en tedere, liefhebbende verzorging... en vreemd genoeg had Simon niet meer met zijn vroegere extreme angst gereageerd als hij werd tegengehouden of gedwarsboomd. Het was haast alsof hij dit al heel lang verwacht had en nu op een gedrukte manier opgelucht was dat het ergste gebeurd was. De vreemde sporen, herinnert de man zich, de littekens die de mensen in het ziekenhuis verbaasd hadden... misschien zelfs al eerder... maar hij keek me aan zonder verwijt of angst, keek alleen maar. Observeerde me zonder te communiceren. Die keer leek hij te begrijpen hoe dicht ik bij het breekpunt was... maar nu? Hij moet wel denken dat ik al mijn grieven en ellende op hem afreageer. Dat is het niet, maar hij wordt zo vaak gestraft dat hij waarschijnlijk niet meer gelooft dat ik hem uitsluitend wegens wangedrag sla. Of zou hij denken dat hij zo slecht is? Nergens anders voor deugt?

Dan komt ze erachter dat ik slecht ben.

Wacht hij er nu op dat Kerewin hem ook begint te mishandelen? Joe rilt.

Op het moment zou hij liever zijn eigen keel doorsnijden dan zijn zoon pijn te doen, maar hij weet door eerdere verbroken beloften dat als het kind de volgende morgen chagrijnig en onbeleefd is of bokt wanneer hem wat gevraagd wordt, hij hem met koele eigengerechtigheid zal slaan. Je bent slecht, tama, en je zult het zo zeker als twee keer twee vier is afleren... haat ik hem dan? Maar hoe kun je nu iemand haten en het niet weten? Ik houd van hem. Ik word alleen af en toe razend op hem. Net als ik tegen hem zei, het is niet alsof ik hém sla. Zijn ongehoorzaamheid of zoiets, ik weet het niet. Ah, je bent niet helemaal goed bij je hoofd, Ngakau... en ergens anders is er ook het een en ander mis, maar het is allemaal terug te brengen tot het hoofd.

Zijn penis staat overeind, trots onder zijn hand. Hij begint zich behoedzaam, doch mechanisch af te trekken. Hij kan Kerewins rustige ademhaling horen, een vrouw een meter verderop. Een kilometer ver weg.

God, wat beweegt haar? Zij zal zich toch ook wel eens zo voelen... maar ze laat er nooit iets van merken. Ze is zo afstandelijk als een steen. Ik heb haar nog nooit opgewonden gezien, behalve dan over bijzondere kleuren en archaïsche woorden... en ze haat aanrakingen. Ze probeert zelfs Haimona's knuffels en kusjes te ontwijken, en wat de mijne betreft... hai! Toch had Hana altijd net zoveel zin als ik, sterk, altijd tot liefde bereid, tot op de nacht dat ze haar bij me kwamen weghalen... iemand moet Kerewin ooit gekwetst hebben. Zoals ik gekwetst en teleurgesteld ben. Maar de confrontaties met Himi komen niet door een gebrek aan seks. Het jaar voordat ik Hana leerde kennen heb ik celibatair geleefd en hoe dan ook, ik kan het krijgen wanneer ik het hebben wil... niet zo prettig, gewoon als ontmoeting tussen twee lichamen, maar het zou me niet wreed moeten maken. Ik ben nog nooit wreed tegen iemand geweest, ook toen niet.

Hij huivert licht en ontspant zich, opgelucht nu.

Het kind heeft zich niet verroerd. Stil alsof hij flauwgevallen is.

Zo stil alsof hij dood is.

Wat gebeurt er als ik hem ernstig verwond? Of hem dood?
Hij klemt zijn tanden op elkaar.

Net als toen ik met die klootzak Luce gevochten heb over zijn insinuatie dat Himi, onder mijn invloed, ook wel de voorkeur aan jongens zou gaan geven.

'Die blik in je ogen, Hohepa, als je praat en kust, mijn god, die is heet genoeg om mij op te winden op twintig passen afstand. Laat staan dat knappe kind zelf. Er schuilt iets heel aantrekkelijks in het half wilde, halfgetemde – en je weet wat ik daarmee bedoel, schatje. En de manier waarop hij terug zoent... heb jij hem dat geleerd? Of Taki? Hana niet, ik verzeker je dat die puha-mond niet kon kussen...'

'Hou je mond over Hana. En hou je mond over Taki. Dat is verleden tijd en daar wordt niet meer...'

'O, ik heb het hem verteld, liefje. En weet je hoe hij erop reageerde? Hij giechelde. Vertederd. Die pappa toch, hij vond het een leuk idee. Genoot er duidelijk van.'

Wham. Precies op de fijne, rechte neus van Luce.

Later was hij naar huis gegaan en had Simon wakker geschreeuwd. Hij was begonnen het kind uit te schelden, maar werd al kwader door de slaperig-verwarde blik van het kind – expres, hij verschuilt zich erachter, ik weet hoe uitgekookt hij is – en sloeg hem met zijn riem tot hij flauwviel. Strompelde daarna naar de keuken, misselijk van het feest, misselijk van de vechtpartij met Luce, misselijk. Maar de enige manier om minder misselijk te worden is meer te drinken. Daar ging dus het grootste deel van een fles whisky door zijn keelgat. Mompelde: 'Gevallen jongen, gevallen jongen' en dacht terug aan de droefzoete maanden met Taki. Ik wist dat het verkeerd was, ik wist dat het onnatuurlijk was, maar hij was zacht, ik hield van hem en het was goed.

En waarom waarom waarom moest hij daarom lachen? Razernij stak de kop op. Me uitlachen, hè? Lachen, hè?

(En dit herinnert hij zich de volgende morgen vol schaamte, want hij had alleen Luce's woord ervoor, en Luce is een geboren intrigant.)

Het kind was een stuk teruggekropen in de richting van zijn

slaapkamer. De vermoeide, zieke manier van voortbewegen, de mislukking, zijn ineenkrimpen, zijn kruiperigheid, het hoge, fluitende ademhalen in plaats van normaal te schreeuwen – e dit ding is geen kind van mij, sleurt de jongen overeind, duwt hem tegen de muur en stompt hem in zijn gezicht en op zijn lijf tot hij afschuwelijk wit wegtrekt en voor de tweede keer flauwvalt.

En hij had het bewusteloze kind zonder enig gevoel in zijn hart, behalve haat, opgepakt en had hem op bed gegooid. Hij was slap en gebroken neergevallen en lag zonder zich te bewegen, urenlang stil uitgespreid alsof hij dood was.

En hoewel hij bij daglicht overliep van spijt over wat hij Himi had aangedaan, kon hij zich er niet toe brengen om hulp te zoeken. Aiieee, stel je voor wat ze zouden doen, wat ze zouden zeggen... dus loog hij in briefjes aan school, Simon P heeft griep, komt niet, leugens tegen Marama, O Himi heeft een vriendje, leuk hè, gaat daar graag naartoe, liegt van alles en nog wat, twee weken lang. Toen kwam Piri erachter, en nu denken ze allemaal dat ik ziek ben, gek, en een monster van wreedheid. Hem treft geen schuld, hij is in hun ogen een door god gezonden engeltje... en wat denkt Kerewin er nu van? Aue, denk daar maar niet aan.

Het kind geneest, althans, zijn lichaam geneest; maar daarna wordt hij telkens opnieuw onverschilliger en ongehoorzamer... en het ergste is nog dat hij nog steeds van me houdt. En wat kan ik anders doen dan hem terug kussen, hem stevig vasthouden en maar hopen dat de slechte tijden snel voorbij zullen gaan.

Ik kus hem te veel. Ik houd hem te veel vast. Niet over nadenken, leef bij de dag... drink niet zoveel, doe zulke dingen nooit meer. Vergeet het maar.

Hij bijt hard op zijn hand en knijpt zijn ogen dicht tegen de tranen.

Axoha, had het kind gezegd, terwijl hij dat kwaadaardige, uitdagende lachje vertoonde, aroha.

'Ka nui taku mate, ka nui taku mate' en houdt vol afschuw op met fluisteren als Simon zijn gezicht aanraakt.

'Aie tama, een nachtmerrie, meer niet...' hij voelt dat de ogen van het kind op zijn gezicht gericht zijn,'... alleen maar een boze droom.'

...en Kerewin draait zich naar hem om en zegt: 'Is dat goed, zonnekind?' vanaf het gebouw waarop ze staat. Joe knikt, vergenoegd en trots op de achtergrond, en hij kan de opwellende vreugde die hij voelt maar nauwelijks beheersen. Hij werpt de ketenen van hoofd en voeten en hij roept: 'Ik ben thuis!' en Kerewin schreeuwt: 'Hé, Clare zegt Thuis!' en Joe zegt trots: 'Ik hoor het! Wat een vreugde!'

Hij doet zijn ogen open.

Het is grijs buiten, ziet hij door de spleet tussen de gordijnen. Hij kan de regen horen vallen. Onder dat geluid sust de zee het strand op, heen en terug, heen en terug.

Hij zucht.

Het is de eerste dag, toch is er al tijdnood.

Hij leunt over de rand van het bed.

Joe's hoofd is bijna begraven onder de dekens. Het enige dat te zien valt zijn lange zwarte lokken... hé, wacht eens even, ik sliep toch beneden? Zijn vaders hand ligt stijf samengeknepen boven zijn hoofd.

Moet me hier terug gelegd hebben...

Hij kijkt eens naar Kerewin.

Ze ligt lekker opgerold, haar hoofd op haar arm. Ze heeft zelfs geen kussen. Ze schijnt buiten van alles te kunnen. Ze trekt ook geen pyjama aan als ze gaat slapen. Ze was naar buiten gegaan toen Joe en hij zich klaarmaakten om naar bed te gaan, en had, toen ze terugkwam, de laatste lamp uitgedaan en zich in het donker uitgekleed. Het fornuis gaf nog zoveel licht af dat hij kon zien dat ze niet de moeite nam zich weer te kleden voor het slapengaan.

Nu ligt ze opgekruld en stil, haar haar valt in dikke krullen om haar gezicht.

Hij zucht opnieuw.

In die droom had ze haar haar heel kort geknipt. Hij hoopt dat ze dat niet zal doen. Hij kan er niet tegen wanneer zijn eigen haar geknipt moet worden.

Ik snap ook niet waarom het geknipt moet worden, denkt hij wrokkig.

Maar Joe zegt: als je oud genoeg bent om je eigen haar te verzorgen, kun je zelf uitmaken hoe je het wilt dragen. Tot die tijd beslis ik. Begrepen?

Daar kon je geen nee op antwoorden, niet zonder een gevecht uit te lokken. Door ervaring wijs geworden zou je geen Nee meer moeten zeggen...

Hij rekt zich uit, strekt een arm uit om de groene muur naast hem aan te kunnen raken, en strekt de andere om de gele wand achter zijn hoofd te kunnen aanraken.

Ik wou dat er iemand wakker werd.

Hij draait zich voorzichtig op zijn rug, verstrakt. Nog steeds... hij kijkt naar het plafond. Daar zitten haken voor de lampen en honderden spinnewebben... Kere's familie moet wel op haar lijken en thuis ook spinnen houden... hij vraagt zich af of Kerewin weet dat er een klein bruin mannetje met blauwe lijnen over zijn gezicht in de vloer woont. Niet erop, het leek net of de vloer voor hem niet hard was, hij ging gewoon liggen en zakte er half in weg. Toen hij er zich van bewust werd dat Simon hem lag aan te staren, lachte hij naar hem en zei iets op zachte, moeilijk-verstaanbare toon met veel keelklanken.

Het was Maori, wat Joe spreekt wanneer hij thuis een goede bui heeft, of in een slechte bui is en me wil uitschelden waar anderen bij zijn. Maar, denkt Simon met gefronste wenkbrauwen, het klonk niet precies hetzelfde. Een aantal woorden klonk raar. Bovendien kan ik me niet herinneren wat hij zei. Het was vlak voordat ik zo misselijk werd.

Nou ja, laat maar.

Er zijn een heleboel legplanken hier. Een aantal bij het stapelbed in de breedte, en aan het andere eind van de kamer bij het fornuis, en boven het aanrecht, allemaal volgeladen met boeken, en nog meer boeken, en kaarsen en lampen en dozen en blikjes eten. Je kon zo zien dat dit een huisje was van Kerewins familie... boeken en lampen en voedsel, allemaal hetzelfde.

De lap die Joe gebruikt had om zijn braaksel op te ruimen is kreukelig opgedroogd aan het waslijntje boven het fornuis. Daarboven, op de schoorsteenmantel vermoedde hij, nog meer lampen en kaarsen en dozen... anana! dat is een muis! Een levende muis...

238

Het beestje zit op de schoorsteenmantel en lijkt niet te merken dat hij wordt gadegeslagen. Hij wast zijn pootjes, gaat op zijn achterpoten zitten, neusje beweegt op en neer, oortjes waakzaam, ogen helder, als kralen, en op elke beweging voorbereid.

Maar Simon verroert zich niet. De verrukking is terug.

Hé, een echte muis! Heb ik nog nooit eerder gezien...

Hij richt zich oneindig voorzichtig op, langzaam, langzaam – maar de muis laat zich op alle vier zijn pootjes vallen en schiet weg achter een lamp.

Aue, denkt hij, maar is niet erg teleurgesteld. Hij zal wel ergens in het huisje wonen en ik zie hem nog wel een keer. Vandaag of morgen... niets tegen Kerewin zeggen, anders zet ze een val.

Ze had teleurgestelde kreten geslaakt toen ze de lege vallen in het nieuwe huisje had gezien.

Hij zit nu overeind, de sprei opgetrokken tot aan zijn middel. Aiii, terwijl hij recht gaat zitten, ik wou dat het eens een dag geen pijn deed. Maar zo erg is het nu ook weer niet, trekt voorzichtig proberend zijn schouders op. Het gaat wel, Claro, het gaat wel.

Hij hangt weer over de rand van het bed.

Niemand heeft zich nog verroerd. Ze ademen rustig, zonder gesnurk. Wanneer hij heel goed luistert, kan hij Joe horen maar de slagregen overstemt Kerewin.

Ik kan me wel vast aankleden.

Hij rilt

Hij graaft zijn T-shirt op, doet zijn pyjamajasje uit, en trekt het T-shirt aan. Het verband dat Kerewin had aangelegd is losgeraakt. In de loop van de dag zal ik het haar vertellen. Of zal ik iets anders doen? Hij sluit zijn ogen en wacht op een idee, maar het is te koud om lang geconcentreerd te blijven.

Waar voor den duivel heb ik toch die rottrui neergelegd? Ik weet het al weer, aan het voeteneind. Kruipt ervoor uit de warme slaapzak, maar hij ligt er niet. Werpt een blik over de rand. Ja, dat dacht ik al. Op haar verduivelde vloer.

Dus sluipt hij het laddertje af, trekt zijn trui en spijkerbroek aan, en gaat behoedzaam zitten om zijn sokken aan te trekken.

Wat nu?

Zou Kerewin boos worden als ik probeer een vuur aan te leggen? Nee, dat maakt lawaai.

Ik heb dorst.

Hij loopt zachtjes naar de kraan en laat een glas vol water lopen. Hetiskoud,koud,koud.

Ik heb honger.

Hij stampt zachtjes op de vloer. Harder nu, maar ook nu reageert er niemand.

Ach, ze kunnen me wat. Ik kan maar beter iemand wakker maken.

Hij blaast tegen zijn vingers. Die beginnen ook te bevriezen.

Hij denkt gemelijk: wat hen betreft zou ik zo dood kunnen vriezen.

Wie zal ik eens proberen?

Joe? Nee, die had nare dromen, dus zal hij wel een rotbui hebben vandaag.

Rotbui? Vechtpartij? Ahh, wie weet.

Het voelt goed, denkt hij terwijl hij op zijn tenen naar Kerewin loopt en naast haar bed neerknielt.

Ik zal haar eens verrassen, bij voorbaat al grinnikend om de manier waarop ze altijd op kusjes reageert. Trekt haar hoofd weg en kijkt je aan alsof ze wil gaan spugen.

Hij hangt over haar heen en kust haar op haar mond, maar even komt er geen reactie.

Dan fronst Kerewin. Ze doet haar ogen open en staart hem aan.

E Kere, ik ben het, kijk niet naar me alsof ik er niet ben.

Zijn mond hangt open van wanhoop, dan begint ze te lachen.

'Hallo jij,' fluistert ze. 'Al helemaal aangekleed?'

Ze wrijft in haar ogen en geeuwt, wendt zich van hem af en rekt zich uit. 'Alle goden, het is koud... ben je wel warm genoeg aangekleed?'

Hij drukt zich dicht tegen haar aan en gaat op haar benen zitten.

'O leuk. Hoe kan ik nu nog opstaan?' Maar ze lacht nog steeds en praat nog steeds op een fluistertoon. Hij schurkt dichter tegen haar aan, zijn lippen vormen Koffie?

'Wil jij koffie of vraag je of ik een kop wil?'

Hij maakt duidelijk: Jij en ik.

240

'Drie keer raden wie dat mag gaan maken?' Ze sluit haar ogen weer.

Hij knipt met zijn vingers. Wakker worden, anders kan ik niet met je praten... hij kruipt naast haar op bed en blaast op haar gezicht en op haar gesloten ogen en tegen haar haar. Haar arm glijdt naar buiten en pakt zijn armen vast en schuift hem naar achteren. Maar ze doet het zachtjes en Simon kust uit dankbaarheid haar arm.

'Ach Jezus,' zegt Kerewin overdreven kreunend, 'je bent een onmogelijk kind. Ga even een mimi doen? Dan kan ik me aankleden.'

Maar hij voelt zich lekker waar hij is, dank u, wordt weer warm. Hij lacht naar haar en pikt meer dekbed in. Shiesh, zegt ze en stopt hem onder het dek en laadt de rest van het dekbed boven op hem. Ze zwaait haar benen over de rand en pakt haar kleren van het bovenste bed.

Hij kijkt naar haar.

Hij heeft Kerewin nog niet eerder naakt gezien. En ze is bleek, roomkleurig, behalve haar armen en voeten, en gezicht en nek. Die zijn bruin en sproeterig. Ze heeft geen littekens, zelfs niet van die bleke zoals Joe links heeft, helemaal geen plekken, behalve die vreemde die over haar keel lopen, maar haar groeit dik en vreemd onder haar armen en tussen haar benen. Haar borsten zijn klein en spits, en hangen op haar borstkas. Hij heeft wel eerder borsten gezien – Lynn van Piri heeft Timote wel een jaar lang borstvoeding gegeven, maar de hare waren dik en bruin. Kerewins borsten zijn roomkleurig, anders van kleur aan de uiteinden.

Hij realiseert zich plotseling, voor het eerst in zijn leven, dat zijn huid diezelfde bleke teint heeft, behalve daar waar littekens zitten.

'Godkelere, weer zo'n ijskoude dag,' rilt ze en de dingen die om haar nek hangen, een lang stuk groensteen en het kleine zilveren kruis en de penning die bedekt is met heldere blauwachtige steen, tinkelen en kletteren tegen elkaar aan.

Ze trekt een zijden overhemd en een trui aan, gaat staan, trekt heel snel haar onderbroek en spijkerbroek aan en laat zich weer op bed terugvallen terwijl ze mompelt: 'Waar zijn mijn sokken nou, verdorie? Schuif eens op baasje, ik heb ze ergens aan het voeten-eind laten liggen.'

Hij maakt een luchtig gebaar met zijn hand. Ik pak ze wel.

Hij duikelt ze voor haar op, bedolven onder de dekens en kruipt op Kerewins schoot en houdt een pols vast, zodat ze hem er niet zomaar afkan duwen.

'Je zit in de weg, jij.'

Met een hand slaagt ze erin haar sokken aan te trekken, en kijkt hem aan. 'Wil je geknuffeld worden? Of ben je zomaar lastig?'

Precies, lacht hij.

Waarom kan het toch niet altijd zo zijn, dat ze me aardig vin-den? Waarom kunnen niet alle ochtenden zo goed zijn?

Ze legt haar handen op de schouders van de jongen.

'Beter?' vraagt ze fluisterend.

Hij trekt zijn wenkbrauwen op en knijpt zijn lippen op elkaar.

'Begrepen... ik zal eens kijken of ik iets kan bedenken dat snel helpt. Kom er eens af, Sim.'

Ze pakt zijn sandalen van het andere bed.

'Trek maar aan,' fluistert ze nog steeds. 'Zoals mijn Nana altijd zei: anders slaat het nog op je nieren.'

Ze is in staat het haardrooster heel snel en heel stil schoon te maken en de levende kooltjes uit hun vale asjasjes te rakelen en het vuur tot leven te brengen.

Twintig minuten later zitten ze hun pap te eten en heeft Joe nog steeds geen teken van leven gegeven.

Hij werd plotseling wakker, toen de jongen het bord dat hij aan het afdrogen was liet vallen, en hij voelde zich kloterig.

Hij ging zo snel overeind zitten dat hij met zijn hoofd tegen het bovenste bed aansloeg, wat zijn humeur niet bepaald ten goede kwam.

'Wat doe je? Kom hier!'

'Het is niets, Joe. Hij liet een bord vallen. Per ongeluk.' Let op de laatste twee woorden.

Joe mompelt iets onverstaanbaars, houdt zijn hoofd met beide handen vast.

'Wat zeg je?'

'Ik zei, Jezus wat een ochtend.'

'O. In dat geval zal ik je maar niet de traditionele vraag stellen die nieuwkomers in Moerangi altijd voorgelegd krijgen.'

'Hè?'

'Ik bedoelde: heb je goed geslapen? Het antwoord luidt onveranderlijk Ja.'

'O.'

'Heb je je hard gestoten, Joe?'

'Ja,' zegt hij kortaf.

Kerewin kijkt Simon aan en laat haar ogen rollen. 'Nou, wij gingen net naar het andere huisje. Sta maar vrolijk op. Als je nog opstaat tenminste... het is tien over tien.'

Hij gromt.

Een plek om overdag te slapen?

Kelere.

Alleen maar omdat je 's nachts niet aan slapen toekwam.


Het is een bittere dag.

Zijn mond smaakt bitter.

Zijn ogen voelen zanderig.

Zijn gewrichten doen pijn, hij heeft kramp in zijn ene schouder en koude nieren lijkt het wel.

De helft van zijn beddegoed ligt op de grond.

De lucht is bitter koud en buiten stormt het.

'Hoe uitnodigend. Heeeeerlijk. Echt een leuk vakantieoord,' gromt hij tegen zichzelf. 'O, dit wordt een hartstikke leuke tijd.'

Onhandig klautert hij uit het stapelbed, schaaft zijn dijbeen aan een onzichtbare opstaande rand en stoot opnieuw zijn hoofd.

Hij trekt zoveel mogelijk kleren aan, trui en wollen vest en een dik wollen overhemd en wollen jeans. Handen en voeten zijn stijf van de kou en hij hurkt voor het fornuis in een poging ze wat te warmen.

'Jezus, ik moet plassen.'

Hij bedelft zich onder nog een laag kleren, jasje, parka, sokken, trekt zijn laarzen aan en trotseert de wind. En regen, blijkt. Het toilet heeft een lek recht boven de pot, wat prachtig is voor de wc maar heel lastig voor degene die daar zijn behoefte kwijt wil. De wind tocht onder de deur door, om zijn oren, om de pot en tegen de tijd dat hij klaar is, weet hij dat hij nog nooit zo verkleumd koud geweest is.

Terug in het oude huisje, ontdekt hij dat het vuur bijna uit gegaan is. De pap die Kerewin gemaakt had is ingedikt en grijzig aangekoekt.

Hij kijkt ernaar en rilt. Het rillen gaat door terwijl hij zich wast. Het water is lauwwarm en lijkt te bevriezen op zijn gezicht en handen.

Hij geeft het op. Zijn ogen mogen zanderig blijven en zijn mond kan ook smerig blijven. Hij trekt al zijn kleren wat dichter om zich heen, vecht tegen het schijnbaar permanente rillen dat zich in zijn maag genesteld heeft en loopt langs de omheining over het voetbruggetje naar het andere huisje.

Kerewin kijkt op van de vloer. Ze ligt voor de kachel. 'Zo, daar hebben we de verschrikkelijke klerenman!' grinnikt ze. 'Heb je het soms koud, Joe?'

De woorden hebben een plagerige klank. 'Heb je het koud, Joe?' bauwt hij haar na. 'Wat dacht je anders?'

Kerewin kijkt hem een halve minuut lang aan, maar zegt niets.

Hij denkt ongemakkelijk: haar ogen veranderen van kleur. Ze zijn kil lichtgrijs geworden.

Hij loopt langs haar heen.

Ze zegt tegen zijn rug: 'Ik heb het niet koud, Sim heeft het niet koud. Als jij het wel koud hebt, maak je maar een kop koffie, of neem een whisky, of weet ik veel wat. Maar reageer je rotbui niet op mij af.'

De kamer was erg warm toen hij binnenkwam. Het is nu merkbaar kouder, alsof de temperatuur tien graden gedaald is alleen omdat hij de kamer binnengekomen is.

Hij herinnert zich wat Simon gisteravond verteld had en het rillen en huiveren in zijn buik gaat door, zelfs nadat hij twee koppen koffie gedronken heeft.

Speel de clown, argumenteert een deel van hem. Vrolijk de zaak een beetje op. Ik denk er niet aan, ik ben het zat de gevallen engel te spelen. Ik negeer ze.

Hij bestudeert de talrijke boeken op de plank aan de tegenovergelegen wand lange tijd. Westerns, lichte romannetjes, thrillers, misdaadverhalen, en daartussen ineens een Chinese Materia Medica. Ietsje verderop Parasitaire Infectie van Stekelhuidigen, een Inleidende Studie. Het Beste. National Geographic, damesbladen en dan de Nautilus Nieuwsbrief, een uitgave van het Museum voor Nationale Historie in Delaware.

Eclectisch, denkt hij gefascineerd. Van alles en nog wat, en dit is waarschijnlijk alleen nog maar de vakantiebibliotheek.

'Heliogalbalus: Een Historische Analyse' zij aan zij met 'Het Houden en Africhten van uw Staffordshire Bull Terrier'. Stapels Giles, twee Leunigs, en een vroege Searle onder zestien Mijn Geheimen.

Op de achtergrond, achter de geluiden die hij maakt bij het onderzoeken en sorteren, vindt een mysterieuze conversatie plaats.

'Schudden maar.'

Krikkelkrikkelkrikkel.

Stilte.

'Nee, drie van één soort gaat boven twee paren, Sim.'

Snel gevolgd door: 'Waarom zei je niet dat het om twee paar achten ging? Ellendeling.'

Gerinkel wanneer een stapel centen wordt binnengehaald, waarschijnlijk naar Simons kant.

'Nee.'

'Goed, ja dan.'

'Vraag dat jezelf maar, ik niet.'

'Nee, nee, mijn aardige gevederde vriendje, deze gaan beslist boven de jouwe.'

Krikkelkrikkel, slip, slip, slip.

'Hahaha,' gevolgd door zacht gegiechel van de jongen.

'Waar lach je om?'

Stilte.

'Ach, jezus.'

Dan, tussen de kaartgeluiden door, vier Nee's van Kerewin, elk nog geïrriteerder dan de vorige.

Dit wordt een vreselijke vakantie, denkt hij. Ik heb zo het vermoeden dat deze dag niet voor de ochtend wil onderdoen.

Hij vermijdt het een van hen aan te kijken wanneer hij zich omdraait en, verdiept in zijn keuze, aan tafel gaat zitten. Uit de flarden van het gesprek die tot hem doordringen maakt hij op dat het
pokeren al gauw afgelopen was, dat Simon niets wil doen dank u,
en dat Kerewin er niet over peinst hem de hele dag te laten rondhangen.

Hij grinnikt in zichzelf, ik geef deze onderneming nog twee dagen, dan gaan we naar huis, en verdiept zich in zijn lectuur. Hij had
geen idee dat de nautilus zo'n fascinerend diertje was, noch dat een
geest zo zachtaardig en fantastisch geil kon zijn als die van Leunig.

Als er al onenigheid was tussen de vrouwen het kind, duurde het
niet lang. Ze zitten aan één kant van de tafel en babbelen tijdens
het middageten en laten hem eenzaam gestrand aan de andere
kant aan zijn lot over.

Het is niet dat ze hem opzettelijk buiten het gesprek houden.
Hij heeft zichzelf buitengesloten, en hij wordt niet, door woord of
gebaar, uitgenodigd eraan deel te nemen.

Een keer waagt hij een poging.

'Mijn mond smaakt naar zaagsel.'

'Bedoel je dat het eten vies smaakt?'

'Nee, nee,' zegt hij haastig, 'ik heb me vanmorgen niet de tijd
gegund me rustig te wassen. Het water was een beetje koud eh, en
ik heb nog steeds dat dunne bloed van een Noordeilander.'

'Je had wat kolen in het fornuis kunnen doen om het water te
verhitten. Wat me eraan doet denken, jochie, dat je de pan van de
pap even moet halen wanneer je gegeten hebt, dan doen we alle
afwas in een keer.'

Dat wat betreft mijn poging, denkt hij, en keert terug tot zijn
lectuur.

En wanneer hij de stapel die hij had meegenomen heeft doorge-
werkt, staart hij uit het raam.

Het is bijna vloed. De wind is nog steeds niet gaan liggen. Golven donderen het strand op, spatten op en vormen schuimkoppen, die worden platgeslagen tot zeewaarts stuivende nevel. Maar
daar bij dat eiland – hoe noemde zij het ook al weer? Mahikea of
zoiets – waar de golven beschut zijn tegen de aflandige wind, breken ze uiteen in grote wolken wittig schuim. Meeuwen nemen een

loopje met de wind en zeilen in mooie soepele spiralen weg naar het zuiden. Andere vogels klapwieken ertegenin op een manier die ze niet veel verder brengt.

'Kawau pateketeke? Kawau paka? Kawau tuawhenua? Kawau tui?'

'Je bent warm,' Kerewin ligt weer op de vloer poker te spelen. 'Kuifaalscholvers van Stewart Eiland, maar ik weet niet hoe ze in het Maori genoemd worden... kawau rakiura misschien wel? Maar dat zijn het hoogstwaarschijnlijk. Ze wonen en broeden op het eiland.'

'Van Stewart Eiland? Zo ver naar het noorden?'

'O, ik heb ze wel noordelijker gezien. Maar vraag me niet hoe of waarom ze hier naartoe zijn gekomen.'

'Die arme stakkers zijn hier vast door de wind naartoe gejaagd.'

'Ongewone wind dan. De overheersende bries is hier altijd noordelijk, of een kleine variant daarop.'

'Bries is zeker zo'n typisch Holmes eufemisme?'

'Tsja, het enige nadeel van deze plek, afgezien van dagjesmensen, kustvisserij door de Japanners en de algehele vervuiling, is de eh, tamelijk constante wind die we hier krijgen.'

'O,' zegt Joe wanhopig.

'Maar daar moet je niet zo zwaar aan tillen, man,' ze zegt het vriendelijker dan hij die dag van haar gewend is.

'Goh, ik ben hier eens een hele maand geweest en toen waren er wel twee windstille dagen.'

Een opening. Een uitnodiging.

En dan, waar is die waardigheid eigenlijk goed voor? Borst vooruit en neus in de wind?

'Nou, dat klinkt niet zo slecht als ik dacht... heb je hier niet ergens een lekker bergje calcium liggen?'

'Ik zou wel wat kunnen versieren als je dat echt wilde.'

Kerewin klinkt voorzichtig en kijkt hoe hij opstaat.

'Ik dacht erover om een mooi gestroomlijnde schelp te laten groeien op het strand, zodat ik me lekker kon ingraven.'

'Een geweldig idee... maar heb je net die dingen langs het raam voorbij zien waaien?'

'Ja, die bladeren?'

'Nee, dat waren puntkokkels...'

Wat is er zo leuk, vraagt Simon, waarom lachen jullie?

Joe hurkt naast hem neer en woelt door zijn haar.

'Om het ter ziele gaan van de somberheid, jongen, daarom.'

Laat in de middag gaat de wind liggen. Het ene moment wordt het huisje nog gebeukt door de wind en zingt het ijzer op het dak, het volgende moment is alles ineens stil. De zee klinkt nu heel luid.

Kerewin staat op. 'Iemand zin in een wandeling? Ik zit tot hier,' haar middel kennelijk, 'vol met rook en de laatste molecuul lucht ontsnapte twee seconden geleden, huilend om al zijn dode generatiegenoten.'

'Ja, het is inderdaad een beetje benauwd... waar gaan we naartoe?'

'Wat wil jij? We kunnen die kant opgaan naar het noordelijke rif. Of we kunnen die kant opgaan naar het zuidelijke rif. Of we kunnen natuurlijk landinwaarts gaan om een paar gebelgde stieren te bekijken.'

'Noord, laten we maar naar het noorden gaan... ik heb het gevoel dat elke stap die ik doe in zuidelijke richting me weer zoveel dichter bij Antarctica brengt.'

'Naar het noorden dus. Dan kan ik je niet laten zien waar we gisteravond waren, schurk met je snelle vingers, maar daar heb ik op het moment eigenlijk ook niet zo'n zin in.'

De jongen trekt een gek gezicht.

'Weet je,' zegt ze terwijl ze haar windjack aantrekt, 'ik dacht je kind een plezier te doen door hem twintig centen te geven en de grondbeginselen van poker bij te brengen. Tot dusver heeft hij drie dollar van me gewonnen en had het lef me de oorspronkelijke lening terug te betalen. Typisch oud-Iers geluk.'

Simon vindt het niet leuk. Hij kijkt donker.

Innerlijk siddert hij. Daar gaan we dan...

Joe zegt: 'O ja?' maar klinkt niet erg vriendelijk. 'Hoe bedoel je dat je niet mee wilt?' vraagt hij zijn zoon. 'Trek je jas aan en kom onmiddellijk weer terug.'

De jongen stampvoet naar buiten en gooit de deur achter zich dicht.

'Zo gaat dat niet,' zegt Joe en beent naar de deur.

'Laat maar,' zegt ze en legt haar hand tegen de deur. 'Laat hem maar.' Ze trekt haar hand weg.

Nog een stap man en dan is het gebeurd.

'Als hij echt geen zin heeft om mee te gaan wandelen, waarom zou je hem er dan toe dwingen? Een last voor jou, en voor mij, om maar te zwijgen over Simon P.'

'Niet onredelijk,' zegt hij na een poosje, 'niet onredelijk.'

Buiten wachten ze op de jongen. En wachten. 'Ach wat, hij heeft zich waarschijnlijk onder het bed verstopt of zoiets.'

'Nou, dan laten we hem daar lekker zitten... doet hij dat soort dingen echt?'

'Af en toe,' zegt de man bitter. 'Verstopt zich liever dan dat hij doet wat van hem verlangd wordt.'

'Leg maar een briefje voor hem neer dat we weggegaan zijn,' nadat er nog een minuut verstreken is. 'Die wind blijft geen uren weg.'

'Voor Haimona luidt het vijfde gebod als volgt,' Joe past zijn tempo van spreken aan bij het schrijven, het briefje lijkt wel bespikkeld met uitroeptekens, 'eert uzelf en uzelf, en trek je geen bal aan van ouderen, het land, of de Heer. Zo, daar kan hij het mee doen.'

'Wat staat erin?'

Hij heeft het al gevouwen en duwt het door een spleet onder de deur.

'Geen dreigementen... e Himi! Haere mail'

Hij roept het nog een keer terwijl ze in de richting van het strand lopen.

'Stilte en er bewoog niets... laat die kleine termiet nou maar lekker in zijn hol zitten, Joe. Zet hem eens een poosje uit je gedachten.'

'Ja.' Hij schudt zijn schouders en ademt lang uit. 'Ik maak me alleen maar zorgen, dat is alles.'

'Te veel,' zegt ze zorgeloos, 'en kijk uit waar je loopt.'

Lichtvoetig rent ze over de rotsen.

Kijk uit waar je loopt, denkt Joe in de nacht. Kijk uit waar je loopt.

Hij mompelt het hardop, in het oor van zijn slapende zoon.

Aue, wat een dag.

Maar die is nu voorbij.

En met een beetje geluk en niet nog meer moeilijkheden, zijn we uit de zorgen, hai.

Hij zucht.

Hij fluistert Aue tegen zichzelf.

Kerewin de snelle, zij met de erg snelle, erg harde voeten, slaapt geluidloos als altijd.

'Levende Christus,' zegt hij in zachte verwondering, 'levende Christus, het is een vreemde dame. Wat zei ze ook al weer? De wereld is een vurige, onvoorspelbare plek, waarom heeft ze mij verslonden?'

Krom van de buikpijn, knieën diep in het zand gegraven; Kerewin was bleker geworden dan hij ooit iemand gezien heeft.

'Ik brand om eruit te komen en zal eruit komen,' had ze in een soort snauw gekreund, en had hun handen geweigerd.

Hij rekt zich behoedzaam uit, legt zijn beurse lichaam in een andere positie, zonder het kind aan zijn zijde te wekken.

Maar het zal wel goed komen met haar, die kleine oorlog-en-vrede-maakster, net als het met jou nu wel goed zal komen.

Net als met mij. Omdat we allemaal samen zullen zijn.

Droom maar zoet, zegt hij tegen zichzelf, en valt glimlachend in slaap.


Kerewin droomt over tanden.

Beginnend met een herhaling van de keer, de laatste keer dat ze in Moerangi was, toen ze na een week van ondraaglijke pijn in de spiegel naar de binnenkant van haar mond had gekeken.

Kaakabces.

Opgezet tandvlees, met door pus gezwollen randen.

O God, laat het weggaan.

Er zat een nog niet opengebroken uitgang voor het pus, een abces op het tandvlees waar de infectie zich concentreerde.

Het constante karakter van de pijn maakte het onverdraaglijk.

De droom had zich toegespitst op het moment waarop ze een scheermesje had gepakt en, met de spiegel als leidsman, had geprobeerd voor chirurg te spelen en de uitgang die het abces zich had gebaand, open te snijden.

Ze was er niet in geslaagd.

Het volgende moment keek ze nog steeds in de spiegel en zag hoe haar twee voortanden veranderd waren in zachte bloedbesmeurde stompjes. Het emaille er afgesprongen, het sponsachtige zenuw- en botcentrum lag bloot... hoe moest ze nu bijten? Ze hoefde ze maar aan te raken om te vergaan van de pijn. Dan duiken de tanden vanzelf dichterbij op.

Haar zes voortanden doemen verbazingwekkend wit op. Maar er zaten kleine gele haarden van verrotting als zweren bij haar tandvlees en er waren bruine vlekken zichtbaar van teer en nicotine en koffie. Van haast elke kies werd het emaille ontsierd door zwarte of zilverkleurige vullingen... behalve die onverwacht helderwitte bovenvoortanden.

Overvloeier.

Er is een heldere flits als van een vulkaanuitbarsting, die door de laatste beelden van de witte tanden schiet.

Zich terugtrekt door een donker raam.

'Jezus, wat was dat?'

'Vuur,' zei Nummer Twee laconiek.

'Lassen,' stelde een ander voor.

Gaat overeind zitten, worstelend tegen het gewicht van kleren en waren het lichamen? 'Wat? Wat?'

Er is een aanhoudend scherpe pijn tegen haar keel alsof iemand zijn lippen ertegen vastgedrukt heeft, zuigt.

Worstelt nog steeds. Armen komen eruit, en ze zijn te warm. Ze omsluiten.

Het is vuur daar in het landschap van donkere maanschaduwen.

Nogmaals de scherpe pijn bij haar keel.

Ze zegt tegen de man met het grauwbruine gezicht en een schimmige zweem van een snor op zijn bovenlip:

'Ben je me aan het kussen?'

Hij antwoordt loom, zwaar en met een spoor van gealarmeerdheid in zijn droge stem:

'Ik zou het geen kussen willen noemen.'

De pijn neemt toe.

Zo hard ze kan, doodsbang: 'Is hij me niet aan het kussen?'

De schaduwmensen rennen naar binnen, trekken. Warmte doorstroomt haar keel.

Verzwakt tot zwarte afschuw.

Ze wordt bevend wakker.

God, heb ik gegild?

Ze luistert scherp. Het kind ademt door zijn mond. Gewoon. Achter het gelijkmatige, lawaaierige ademhalen kan ze het zachte, regelmatige snurken van de man horen. Slaapt nog steeds. Moeder van ons allen, heb dank. Voor deze kleine genade in elk geval. Ze beeft nog steeds.

Droomvampieren... waaraan in de naam van alles wat heilig is, heb ik die te danken?

Ze schuift zijdelings onder de dekbedden vandaan, huivert en trekt snel haar spijkerbroek en trui aan.

Glipt de kamer uit, opent en sluit de deur met de grootst mogelijke voorzichtigheid. Ze pakt uit het zijkamertje een dikke deken met aan een kant canvas en loopt de nacht in.

Het is stil en donker en het miezert. Hoewel ze niet veel kan zien, voelt ze dat het niet lang kan duren voor het licht wordt. Geestesuur.

'Aue,' zucht ze. Ze maakt een tentje van haar deken en zoekt er beschutting in. Ze steekt een sigaartje op, rookt, kalmeert haar ademhaling, luistert naar de zee.

De afschuw over de nachtmerrie zakt weg.

Na een poosje – het is harder gaan regenen, het is bijna dag, het zand wordt hard onder haar achterste, haar sigaar is op en haar hoofd is helder – gaat ze terug naar bed. Er is een aanhoudende, maar milde pijn in haar ingewanden. Als menstruatiekramp, of als de pijn nadat je een klap in je maag hebt gehad.

Maar ze is daar niet geslagen.

Ze is helemaal niet gewond geraakt.


De lucht is vol schuim. De rotsen zijn zwart en puntig en nat. Geen kale rotsen: bedekt met allerlei vormen en leven, druivenwier en kelp, koraalmosverf en trage groene slakken. Maar ze maken een verlaten indruk: zwarte afgebroken rotsen, stromend zeewater.

Ik voel me een indringer, denkt hij. Onwelkom. Alsof dit eeuwen geleden is en er nog geen mensen geleefd hebben.

Zij vindt het waarschijnlijk huiselijk genoeg. Ze lachte toen ze begon weg te lopen.

Hoe verder ze van me weg ging, hoe vreemder ze me werd.

Ze staat nu op het uiterste puntje van het rif bij de zee, op een zwarte rotstong. Een vreemd wezen in blauwe spijkerkleding, die soms verdwijnt in de mist van de golven die exploderen als geisers uit het spuitgat. Ze ziet er gespannen en wanhopig ongelukkig uit. Alsof ze in oorlog is met zichzelf. Als een zwaard dat verslijt tegen de schede. Ze ziet er helemaal niet uit als een vrouw. Hard en gespannen, iemand uit verleden of toekomst, een hermafrodiet. Ze staat op de rotsen en heeft zich de afgelopen tien minuten niet bewogen. Zelf zo stil als een rots.

Het woempffi en sissen van het spuitgat klinkt weer; de nevel omringt haar, verbergt haar opnieuw.

Ze had niet veel gezegd terwijl ze met hem meeliep tot het rif.

Ze had helemaal niets gezegd toen hij zei: 'Ik kom hier even bijzitten en een sigaretje roken. Ik denk niet dat mijn schoenen erg geschikt zijn voor die rotsen.'

Ze had alleen gekeken en was toen weggelopen.

Hij zucht en rilt. Zelfs de lucht is vochtig. En koud. Hij buigt zich voorover om zijn sigaret uit te maken en wanneer hij opkijkt rent Kerewin over de rotsen naar hem terug. Ze beweegt zich snel voort over zeewier en hoopjes slakkehuizen en puntkokkels, zonder ook maar een keer uit te glijden of te struikelen.

Ogen in haar voeten, denkt hij, zich afvragend wat haar zo doet rennen. Iets in het water?

Komt het tij opzetten?

'En je zag de zee,' zegt hij tegen haar, met opgetrokken wenkbrauwen.

'Ja.' Verder niets. Ze hijgt zelfs niet.

'Ik zag iets,' gebaar met een hand in de richting van het strand. 'Kijk eens wat er uit het houtwerk is komen kruipen.' Het kleine figuurtje dat langs het strand loopt, zwaait niet terug.

Simon komt schoorvoetend naar hen toe lopen, kijkt hen beiden aan en verklaart hen de oorlog.

Door Joe's briefje in de lucht te houden en het zorgvuldig in kleine snippertjes te verscheuren.

Joe schudt zijn hoofd en zuigt adem in, voordat hij zegt: 'E tama, tama...'

Kerewin staart hem aan. 'Wat staat er toch in? Een uitnodiging om seppuku te plegen?'

De jongen lacht spottend.

Joe staat op. 'Niets daarvan. Voor zover ik me kan herinneren stond er vrijwel letterlijk in: "Wij gaan nu. We hebben geen zin de hele dag te wachten. Kere is verbaasd over je. Geen wonder! Je gedraagt je erg dom. Wees maar niet bang, ik ben niet boos. Het is jouw zaak als je je liever wilt verstoppen dan een lekkere wandeling te maken. Wanneer je er genoeg van hebt, kom je maar te voorschijn en maakt iets te drinken voor ons. Het is koud buiten, en daaronder zal het ook wel niet warm zijn!" Dat was alles.'

'Onschuldig, vriendelijk zelfs... waarom doe je dan zo moeilijk?'

De jongen kijkt stuurs voor zich uit.

'Je hoeft niet met ons mee te gaan, weet je. Je kunt linea recta teruggaan naar de huisjes als je in zo'n slechte stemming bent. Om voor mezelf te spreken, ik heb al genoeg gezien om mijn dag te verpesten zonder ook nog een recalcitrant jongetje om me heen te hebben.'

Hij blijft haar nors aankijken.

'Godallemachtig!' lacht Kerewin. 'Of is Ierland bang voor een revanche aan de pokertafel?' en het kind bukt zich plotseling en pakt wat hem het eerst voor handen komt en gooit het naar haar.

Het is een groene slak, een pupu, die Kerewins oog maar net mist.

In een snelle beweging schiet haar hand naar een kant.

'Pas op,' zegt ze en lacht niet meer. 'Doe dat niet nog eens, knaap. Ik ben onfatsoenlijk genoeg om iets veel zwaarders terug te gooien.'

Joe heeft zich niet verroerd, maar zijn vingers jeuken.

'Ik weet het niet, maar er moet iets in de lucht zitten waar jullie heren niet tegen kunnen. Kom, laten we maar teruggaan. Het tij komt op en het zal wel gauw weer gaan stormen ook.'

Ze tuurt naar de lucht. 'En ik sluit ook niet uit dat het binnen een minuut of tien gaat regenen.'

'Goed,' zegt Joe kalm. Hij keert zijn zoon de rug toe en klautert over de rotsen naar het strand.

Simon blijft staan.

Terwijl Kerewin verder loopt, zegt ze: 'Je zult erg nat worden als je daar nog veel langer blijft staan. Maar anderzijds is het jouw zaak als je nat wilt worden.'

Terug op de kust vraagt ze Joe: 'Is hij verstandig genoeg om weg te gaan als hij het water ziet stijgen, of moeten we hem wegdragen als een zak piepers?'

'Als hij daar nog veel langer blijft staan, schop ik hem de hele weg naar huis,' bijt hij haar met opeen geklemde kaken toe.

'Ach, kom. Het sop is de kool niet waard. Als hij zin heeft om dwars te liggen en drijfnat te worden, is dat zijn zaak. Maar je kunt hem er misschien, als jullie met zijn tweetjes zijn, op een geschikt moment op wijzen dat ik het niet op prijs stel dat er dingen naar mijn hoofd gegooid worden. Zelfs niet door die lieve, kleine Gillayley zelf. Als die pupu me geraakt had, had ik hem geslagen. Zelfs nu ik weet hoe vaak hij een pak rammel van jou krijgt.'

De lucht is stil, wacht op de wind.

'Pardon?' zegt Joe.

'Jij weet het en ik weet het, het is een erg moeilijk kind om op te voeden. Het enige dat ik erover kan zeggen, is: doe rustig aan. Heel rustig. Met zachte hand, bij wijze van spreken, in plaats van met de zweep erover, of wat het dan ook moge zijn dat je de laatste tijd zo kwistig hebt gebruikt.'

'Wat?' zegt Joe.

In zijn wildste dromen had hij niet kunnen vermoeden dat het zo ter sprake zou worden gebracht, zo zou worden afgedaan. Kalm, haast schertsend – geen dreigement, geen raadgeving. Het heeft iets van beide.

Kerewins ogen zijn nu op hem gericht. Nu zo donker en koud als de rotsen.

'Ach Jezus!' ontglipt hem. 'Kijk dan toch naar hem, e hoa! Kijk dan toch... hij wil een ruzie uitlokken en hij blijft doorgaan tot hij zijn zin krijgt. Zo doet hij vaak. Uit een soort perversiteit maakt hij moeilijkheden.'

'En je bedient hem op zijn wenken? Verdomme man, jij bent een volwassene. Negeer hem.'

Ze staan tegenover elkaar. Joe zet zijn vuisten op zijn heupen.

'Jij hoeft me niet te vertellen wat ik moet doen, Kerewin. Ik hoef van jou niet te horen hoe ik mijn zoon moet opvoeden,' zijn stem wordt hoog. Hij denkt: hoor dezelfde woorden als een jaar geleden, ik heb jou niet nodig om me te vertellen hoe ik moet handelen, Piri, jij hoeft me niet te vertellen...

Kerewin knippert met haar ogen. Ze doet haar armen over elkaar.

'Ik vertel je niets. Ik geef je alleen maar een suggestie over hoe je hier de vrede een beetje kunt bewaren. Dit is een prettige, vredige plek, en wij...'

'Ach, kom nou. Het is hier vreselijk. Vanaf het moment dat ik hier gekomen ben, heb ik me koud en ellendig gevoeld.'

'Nou, ga dan weg,' Kerewins stem is gevaarlijk laag.

Ze staan elkaar nu woedend aan te kijken, Kerewin denkt: Stom, Stom!

Doorbreek het! klinkt het in haar hoofd, en kijkt ongelovig hoe Joe's lippen onbeheersbaar trillen.

Jezus, hij heeft het breekpunt bereikt,
en Simon stapt van de rotsen op het okerkleurige zand.

'Kom hier jij!' roept Joe, en elk woord dreunt. Het litteken op zijn ribbenkast staat in brand en Piri's beschuldigingen klinken nog schril na in zijn hoofd.

De jongen stopt, en kijkt, en spuugt naar hem. Zijn ogen schieten naar Kerewin en weer weg, en hij loopt weer door.

Ongelooflijk, Kerewin schudt vol ontzag haar hoofd, fantastisch... kijk toch eens? Mishandelde bonestaak flirt met de dood. Je zou zeggen dat hij nog nooit een klap gehad heeft, geeft geen moer om de consequenties. Wandelt achteloos en schijnbaar zorgeloos verder... ruzie zoeken? Zeker, je hebt gelijk, man... maar ik vraag me wel af waarom?

Het speeksel trof geen doel – Simon stond meters verderop – maar Joe verschoot alsof hij geraakt was. Hij schreeuwde onverstaanbaar en wilde zich op het kind storten.

Verliest zijn zelfbeheersing!

Laat zich gaan!

Stomme idioot!

Innerlijk schatert ze het uit van verrukking, trilt van donkere woede. Vechten. Vechten. Vechten.

Ha, mijn vechtersnatuur, in zijn element. Boven op mijn schouders, tanden bloot, breed grijnzend.

En min of meer onder controle, jammer.

'HAI,' en de man stopt willekeurig een halve seconde.

Tijd genoeg, tijd zat, zingt Kerewin tot zichzelf, en zweeft over de barrière van ruimte tussen haar en het kind, dat ook in zijn beweging gestopt is, terwijl hij wegdook.

Onnozele hals, denkt ze teder, als tot zichzelf, terwijl ze abrupt naast hem stopt, je probeert het allemaal alleen op te lossen, niet? En nog wel met geweld, tsss, tsss. Ze merkt op, ziet elke haar op het hoofd van het kind afzonderlijk, dat hij een gaatje in zijn linker oorlel heeft. Alsof er een klein rondje vlees uit het lelletje gestanst is. Een oorbel? Een merkteken? Het priemteken van de slaaf?

Het zand stuift opzij, en Joe blijft maar komen, handen grijpen naar de jongen. De ogen van de man zijn leeg.

Heb ik hem zo ver gedreven?

Haar lichaam neemt soepel een verdedigingshouding aan.

Hoe kan zij zich nou zo snel bewegen? Het voelt alsof ik in de lijm rondzwem. Nee, het valt wel mee met hem. Als die opstopper op je schelpvormige oor was gekomen, was je slaapbeen gebroken, mijn lieve kihindje

en de processus mastoïdus,

en de processus styloïdus, hojo,

terwijl haar hand de zijkant van zijn vuist te pakken kreeg en hem naar beneden stuurde, onschuldig. Haar rechtervoet trof zijn knieschijf een fractie van een seconde later.

Hij ziet de slagen aankomen als wazige vlekken en kan ze niet ontwijken. Hij komt hard neer op het zand, maar weet zich door buitengewone kracht en snelheid weer op de been te brengen.

Okay vrouw, denk je te kunnen vechten als een man? en haalt uit naar Kerewins gezicht.

Schijnbaar ontwijkt ze hem. Haar hand vloeit tussen zijn bewegende vuist en haar gezicht in, op een of andere wijze een vacuüm creërend dat zijn hand naar boven zuigt, zijwaarts over haar schouder. Ze draait zich weg van zijn vallende lichaam.

Terwijl hij valt: dit is verkeerd dit had ze niet moeten doen, en opnieuw valt hij botbrekend hard op het zand. Kerewin schopt hem in zijn zij en danst om Simon heen. die vlakbij ligt, plat op zijn gezicht. Ze roept: 'Wat een makkie! Slapjanus!' Ze grijnst woest. tanden ontbloot.

Terwijl hij onhandig en naar adem snakkend opkrabbelt, vraagt hij zich al af waarom het uitjouwen hem zo boos maakt.

Voorzichtig, dat is Kerewin, zegt iemand in zijn hoofd, maar hij schreeuwt: 'Klotewijf!' terug en hurkt terwijl hij schreeuwt en zijn vuisten balt tot een jacht van slagen op haar. Daar, denkt hij met voldoening, me godverdomme schoppen hè?

Maar geen van de slagen komt aan. Alsof je op lucht slaat. Ze glipt langs de wild maaiende handen en slaat hem met de zijkant van haar geopende hand op zijn mond. Alsof je met een lat geslagen wordt. Hij wankelt, wordt rond gedraaid en krijgt een gemene trap in zijn rug.

'Hopla,' roept Kerewin. Ze is dol van genoegen, wipt en springt heen en weer op haar voeten en grijnslacht als een waterspuwer.

Razend staat hij op. Stop het jennen, grijp haar, houd haar tegen, maar hij kreunt als ze hem opnieuw in het gezicht slaat, vervolgens een pas opzij doet en met haar knokkels op zijn middenrif slaat. Zijn adem stokt. Hij voelt hoe zijn handen naar beneden zakken, zijn buik vastgrijpen, denkt: Nee wat heb ik deed zij nou? voelt zijn knieën het begeven, en de harde slagen van een vuist onder in zijn rug, tegen zijn nieren, zijn naakte ruggegraat. Terwijl hij valt, schopt Kerewin hem nog eens tussen zijn ribben. 'Huh,' snakt voortdurend naar adem, kreunt halfbewusteloos om adem. Het doet pijn wanneer hij adem probeert te halen, borst en maag, en zijn rug krult nog steeds weg van de pijn in het midden ervan. Hij voelt bloed uit zijn kapotgeslagen mond druipen. En ergens op de achtergrond, huilt Simon.

Maar ik heb je niet geslagen... O lieve God, wat zou het makkelijk zijn om te sterven...

Hij kan iets makkelijker ademen. Hij houdt zijn ogen gesloten.

Maar ik kan beter opstaan, anders wordt Haimona bang.

En dat is Haimona.

De hele ochtend is het gevoel toegenomen, lok een ruzie uit & maak een eind aan de onlustgevoelens tussen Joe en Kerewin. Zorg dat de woede om de vrouw heen verdwijnt, stop de tweedracht met slagen, met pijn, dan medelijden, vervolgens goed maken, om weer in een goede bui te komen. Zo werkt het... zo werkte het altijd. Er is niet veel tijd meer over om iets te kunnen laten groeien. Het moet aan de plek liggen, of de breuk zal ontstaan, en er zal niets meer groeien.

Lok dus een ruzie uit.

Makkelijk.

Dat was het geweest.

Maar hij had geen idee wat er zou gebeuren nadat Kerewin gewonnen had. Hij had gedacht,' ze kussen elkaar en leggen het weer bij, of ik krijg een pak slaag, of misschien allebei, maar hij had zich ervoor gewacht er te veel over na te denken. Hierop had hij niet gerekend, Joe bebloed en kreunend en ademloos, en Kerewin die wit weggetrokken en gillend naast hem op haar knieën lag, en geen van beiden tot iets anders in staat.

Alles is verkeerd gelopen. De wereld staat op zijn kop. Simon huilt.

Ze had zich een minuut lang staan verlustigen nadat Joe voor de laatste keer onderuit was gegaan. Ahh, kleine eter van mensenharten, geniet ervan... ben je niet blij dat je me nooit hebt losgelaten in oorlogszuchtiger tijden? Of misschien jank je het uit en knarsetand je met je puntige tanden omdat het moment verkeerd gekozen was? Over janken gesproken, reken maar dat onze hartebloem de ogen uit zijn hoofd ligt te huilen... waar liggen jouw sympathieën mijn kind? Helemaal buiten jezelf? Zo werkt overleven niet, Sim... hoewel ik zelf vagelijk ook wel wat medelijden voel met die vent... ze begint zich een beetje onpasselijk te voelen door Joe's zware, pijnlijke ademhaling, dus gaat ze naar hem toe om hem te helpen. Op twee punten drukken: een aan beide kanten van de neus, druk op de hiel en alles houd op, man... knielt neer om het te doen, en begint krampachtig te schreeuwen. Ze valt de laatste paar decimeter naar de grond. Ze draait zich op een zij, handen diep in haar buik gedrukt, schaduwbeeld van Joe's hevige pijn een minuut geleden.

Het is geen aanstellerij. Het enige dat ze over de stekende pijn in haar ingewanden kan denken is dat iemand haar met een mes gestoken heeft.

'Dat is het niet, dat is het niet,' kreunt ze hardop, haar handen kneden door.

'Wat is er?'

Hij heeft zich op handen en knieën weten op te richten.

'Braaaaaand,' het woord wordt snikkend verlengd door de snijdende pijn, 'O nee, dat is het niet.'

Het neemt af. Ze buigt zich voorover, drukt haar handen stevig tegen haar buik voor het geval haar ingewanden eruit vallen. Ik stak de draak met seppuku, nou, dit is geen grapje... wat ontglipte er, of raakte er in de knoop, of doorboorde me? Joe drukt zachtjes tegen haar schouder.

'Hou je handen thuis,' ze hijgt hees en er rollen gestadig zweetdruppels van haar gezicht.

Hij haalt zijn hand weg. Hij gaat met bezorgd gezicht op zijn hielen zitten, en steekt een arm uit naar zijn kind. Fluisteren is het enige dat hij kan doen. 'Aue, tamaiti...' en Simon kruipt naar hem toe alsof zijn arm de laatste veilige plaats op aarde is.

Ze was nog steeds ziekelijk bleek en misselijk en slecht gehumeurd toen ze terugkwamen bij het Oude Huisje.

Ze had alle hulp bij het lopen geweigerd, zowel van Joe als van Simon.

'Goed, mag ik dan op je schouder steunen, Himi, die kan ik wel gebruiken,' de man zegt het quasi-meelijwekkend, en steunt net genoeg op het jongetje om hem het gevoel te geven dat hij hem helpt.

Ze had alle voedsel en drank en verzorging die aangeboden werd afgewezen en had Joe's voorzichtige verontschuldiging genegeerd. Ze was in bed geklommen met haar kleren aan, had zich onder de dekbedden begraven en was onmiddellijk in een diepe, onnatuurlijke slaap gevallen.

Ze werd pas wakker toen het donker was.

Joe zegt, ongewild wat luider dan de andere dingen die hij de afgelopen twee uur heeft gezegd: 'Nou, misschien doen ze het alleen als zij ertegen fluit of zoiets, liefje, maar ik kan ze niet aan krijgen.'

Ze fluit, een paar scherpe tonen, als iemand die haar hond fluit.

'Gebeurt er niks?' vraagt ze in de stilte. 'Tjee zeg, dan zullen we toch maar lucifers moeten gebruiken.'

Ze lachen. Ze lachen hartelijk en wat te lang om het nogal flauwe grapje, maar het is warm, vriendelijk lachen.

En nog met een ondertoon van angst, denkt Kerewin, maar ze lacht ze hartelijk toe om de zijkant van haar bed heen, een soepele lach, een makkelijke lach, een lach als witte vlag op hun lachende witte vlag.

Het lijkt belachelijk de strijd levend te houden. Ze voelt zo'n diepe vrede dat zelfs haar botten er zacht door lijken. En ze wachten af, hun glimlach gereed. Joe met zijn handen om de schouders van het kind, Simon hangt met beide handen aan een arm van zijn vader.

Alsof hij hem in de heupworp wil nemen, denkt ze ongewild, maar is blij met de vergeving en acceptatie die uit hun houding blijkt.

'Goed, mensen,' zegt ze en zwaait haar benen over de rand van het stapelbed. De beweging veroorzaakt zelfs geen spierpijntje bij haar buik.

> Vreemd, mijn liefje... door kreupelhout en doornstruiken gesleurd, leeggezogen door dorens... snede opgelopen in het brandende braambos, of een geestesdolk in mijn buik, maar zelfs niet een klein herniaatje of licht opgezette spier waaraan je kunt zien waar...

De jongen is uit de bescherming van zijn vaders handen weggedanst en komt naar haar toe, is bij haar voordat haar voeten de vloer raken.

> Ogen zo groot en donker dat je de vraag er even helder en duidelijk uit kunt lezen als van een scherm met letters. Gaat het nu weer goed met je?

'Prima in orde, Sim,' zegt ze nog steeds glimlachend, en hij omhelst haar, vermengt zijn tranen met een breedbekkikkerlach. 'E Joe, dat afgrijselijke kind van je kust mijn knieën,' ze tilt de jongen snel op en komt samen met hem overeind. 'Dat bedoelde ik niet op een vervelende manier, zeeëgeltje, echt niet. Het is gewoon een rare plaats om gekust te worden.'

Joe zegt alleen maar: 'Hij maakte zich zorgen, nu is hij blij. Ik was ook hartstikke benauwd.'

Ze loopt naar het fornuis waar Joe staat, de armen nu over zijn borst gevouwen, zijn gezicht zo opgezet door de blauwe plekken, dat zijn lachje wat scheef is.

'Jezus,' zegt hij vurig, 'ik ben blij dat het weer goed met je gaat.'

'Ja. Wat is er te eten?'

Je overdrijft het een beetje, maatje. Niemand kan zo opgewekt en vrolijk klinken nadat hij zo in elkaar is gefrommeld.

'We hebben nog niets gemaakt. We waren veel te bezorgd om je,' zegt hij weer. 'Toen jij in slaap viel, wist ik niet of ik een dokter moest laten komen of niet. Ik wist trouwens toch niet waar ik hem vandaan had moeten halen. Je ademhaling ontspande zich een beetje en klonk na een poosje weer vrij normaal, dus duimden we maar dat het goed zou gaan. We hadden geen flauw idee of je, eh, de pijp uit zou gaan, of dat je woest wakker zou worden of wiets. Dus hebben we maar onze respectievelijke wonden gelikt en een oogje op je gehouden. En toen werd je wakker van ons... was het niet zo?'

'Nu, het was prettig jullie stemmen weer te horen, luid en duidelijk.'

De bruine ogen recht tegenover haar zijn zo open dat ze het gevoel heeft er zo in te kunnen glijden en in de kamers van zijn ziel te kunnen rond snuffelen.

Hij meent het echt, Holmes. Helemaal geen wrok.

'Wat was het? De ehh?' gebaart met zijn hand om zijn eigen buik heen.

'Ik heb geen flauw idee. Ik heb het nog nooit eerder gehad, maar het zou een maagzweer kunnen zijn. Ik drink genoeg om er een te kunnen hebben.'

'Ik hoop het niet.'

'Je bent niet de enige, man. Hoe is het met jou?'

Gemaakt achteloos ondervragen ze elkaar.

Joe grijnst scheef.

'Beurs, maar niks gebroken. Het doet zeer en ik zit onder de blauwe plekken, maar dat is niet erg. Op een of andere vreemde manier is het een soort boetedoening.'

'Dat kan ik me voorstellen.' Ze haalt haar schouders op. 'Sinds vorige week was ik razend op je. Sinds ik erachter kwam dat je hem zo slaat. Niemand verdient zo geslagen te worden, om wat voor reden dan ook. Laten we het maar vergeten. Ander onderwerp. Als je je kunt voorstellen dat ik zowel blij ben je in elkaar geslagen te hebben als dat het me spijt, kun je ook wel geloven dat de zaak wat mij betreft afgedaan is. Er wel van uitgaande dat je hem niet nog eens zo slaat.'

'Eerst dit,' zegt hij langzaam, en Kerewin denkt: ja, daar begint het al met 'je hebt dit keer geluk gehad en meer van die onzin', maar hij vervolgt: 'Ik zal alle waaroms betreffende het verleden beantwoorden, wanneer je maar wilt. Intussen zweer ik op zijn hoofd,' hand gebaart naar het lichte haar van het kind, maar raakt hem niet aan, 'dat ik hem niet meer zal slaan. Als hij het echt verdient, zal ik het je zeggen en dan kun jij beslissen... ik bedoel dat als, oh god.'

'Ervan uitgaande dat ik bereid ben enige verantwoordelijkheid voor hem op me te nemen,' valt ze hem koeltjes in de rede.

De man staart weg in het vuur.

'Ja.'

'Dat had ik een beetje gehoopt,' voegt hij eraan toe en zwijgt weer.

En ik geloof echt dat hij zo in snikken gaat uitbarsten.

Snel zegt ze:

'Laten we zeggen een heel klein pietsie verantwoordelijkheid, een klein beetje, een bewijsje verantwoordelijkheid wil ik wel nemen. Zo groot ben je per slot van rekening niet, jongen.'

Het kind grinnikt.

Joe snift en wrijft met zijn handen over zijn ogen.

'Ah Kerewin, ik weet niet... ik heb een woordenboek nodig om met jou te kunnen praten.' Hij denkt: stomme trut, jij koude, kille tante. 'Nou, hoe dan ook,' zwaar uitademend, 'dat zou prachtig zijn. We zouden het heerlijk vinden als je ons wilde helpen... en het andere wat ik je wilde zeggen is dat ik geen wrok koester of zo, maar dat dit toch echt de eerste keer was dat iemand me de baas was in een gevecht zonder wapen of iets dergelijks te gebruiken. Hoe heb je dat voor elkaar gekregen?'

'Aha,' zegt Kerewin, 'ga eens zitten,' en laat Simon op de grond zakken. 'Als jij nu eens die fles Tattinger die ik voor een speciale gelegenheid heb bewaard, uit het Nieuwe Huisje haalt. Dan kunnen we het daar eens over hebben. Ik zal dan ondertussen wel wat te eten maken. Maar om heel eerlijk te zijn, je maakte net zoveel kans als een sneeuwbal in de hel.'

Joe antwoordt niet maar vraagt heel zacht voordat hij de fles champagne gaat halen:

'Je maagzweer?'

'Die voelt zich prima en rustig bij een glaasje goede wijn... als het een maagzweer is. Misschien kwam het wel doordat ik spieren en technieken gebruikte die ik jaren niet meer gebruikt heb... dus: toch maar champagne, zodat we het kunnen vieren.'

Terwijl ze het vuur oprakelt zegt ze peinzend tegen Simon:

'Hoewel het me niet helemaal duidelijk is wat we gaan vieren. Zeker niet wat er gebeurd is. Misschien de toekomst...'

Simon leunt tegen haar aan en staart in de vlammen. Zijn gezicht is uitdrukkingsloos en in zijn ogen valt niets te lezen.

Tegen de tijd dat Joe terugkomt, heeft ze aardappels geboend en in de oven gezet; heeft ze een pittige mayonaise gemaakt van yoghurt en honing en tarwekiem olie; heeft ze wortels geraspt en een appel in dunne plakjes gesneden. Het is een grote groene Granny Smith en ze heeft hem maar gedeeltelijk geschild.

De jongen houdt de schil voor zijn tanden voor hij hem opeet.

'Zo heb je er weer een paar bij die je miste, eh?' en hij lacht een afgrijselijke groene lach. Zo lacht hij naar Joe als die binnenkomt.

'Hè jakkes, geen gezicht,' hij gebaart naar de fles, 'zal ik hem openmaken?'

'Ja graag.' Ze gaat door met het snijden van de groenten: kool in dunne plakken; teentje knoflook in kleine snippers; stuk groene gember wordt geschild en in kleine stukjes gesneden... 'Even door elkaar roeren, mayonaise erdoor en je hebt een kant en klare salade...'

Joe ruikt eens.

'Ruikt naar dennen. Lekker.'

'Smaakt ook naar dennen. Heerlijk, als je van terpentine houdt tenminste... waar heb ik nou de varkenskarbonades gelaten?'

'Ze liggen in de ijskast. Ik zal ze wel even halen, dan kun jij misschien verder vechten met de kurk?'

'Nee, je doet het prima. Ik pak ze wel.'

De sterren schitteren en blinken in het holst van de nacht. De regen valt nog steeds zacht op haar huid.

> Het was net begonnen toen we weer op het strand waren... jezus, ik begrijp niets van hem. Van geen van beiden. Het slaat nergens op om geen verwijt te voelen... of zijn het allebei masochisten? Ik geloof het niet, maar het is een vreemd soort liefde, met geweld als stille vennoot. En Sim omhelst Joe alsof hij nooit afgeranseld is, en Joe grijnst me toe tussen alle blauwe plekken door. Boetedoening? Buitenissigheid? Hei, ik weet het niet...

Wanneer ze weer binnenkomt, vraagt Joe:

'Zijn er champagneglazen?'

'Nee. Wel schone pindakaaspotten die een dubbelrol vervullen, voor bier en water. Champagne gaat er ook wel in.'

'Heiligschennis,' zegt hij op toneelfluistertoon. Op normale toon vraagt hij: 'Twee of drie?'

'We zijn met zijn drieën.'

'Ka pai.'

De speldeprikbelletjes trillen en proesten aan de oppervlakte. De wijn is zo bleek als licht dat op stro valt.

'Ahhh... op vrede en verlichting voor allemaal.'

'Ook namens ons... en moge de rest van de vakantie net zo, eh, stimulerend zijn als de eerste dag, maar iets kalmer en rustiger.'

'Bravo, bravo,' zegt Kerewin met een diepe, holle stem. Een minuut en enige slokken later vraagt ze: 'Vind je het niet lekker, knaapje, of is dat vertrokken gezicht vanwege de prik?' Joe werpt een blik op het kind.

'Hij vindt het niet lekker. En dat wil je niet toegeven, hè?'

'Juist. Redt wat er nog in zijn glas zit en geef hem maar wat mede.' Ze reikt naar een fles op de plank achter haar. 'Dit lust hij wel. Althans, hij drinkt ervan.'

De jongen bloost.

'O?' vraagt Joe, 'woorden met een dubbele betekenis?'

'Als je eens wist... hiermee is het allemaal begonnen, geloof het of niet, maar Himi kan je erover vertellen als hij wil. Maar alleen als hij het wil.'

Hij wil niet. Hij wil zeer nadrukkelijk niet.

'Okay, wat geweest is, is geweest,' zegt Kerewin en vult hun glazen opnieuw.

Er valt een diepe stilte. Joe kijkt naar Simon, en de jongen staart opzettelijk naar de champagnebelletjes in Kerewins glas, en Kerewin kijkt van de een naar de ander en schudt haar hoofd. 'Hebben jullie ooit opgemerkt,' probeert ze het onderwerp te veranderen, 'hoe hard het klinkt als je slikt en er geen andere geluiden zijn?'

'Mmmmm. Ach, wat kan het ook schelen. Duurt het nog lang voor het eten klaar is?'

'Ongeveer een half uurtje. Heb je honger'

'Enorm, maar ik vroeg me af hoe je hier een bad zou kunnen nemen en of er nog genoeg tijd zou zijn voor Himi om een bad te nemen voor het eten.'

'Tsja, hij zou kunnen gaan douchen – er is een geïmproviseerde douche achter in het botenhuis – maar waarschijnlijk vriest hij eerder dood dan dat hij schoon wordt. De andere mogelijkheid is dat je water warm maakt op het fornuis en de oude zinken teil vult. Die staat ook in het botenhuis, maar die kun je hier mee naar toe nemen. Het duurt ongeveer een minuut of tien voor het water warm wordt, dus dat zal net lukken voor het eten.'

'Goed. Dan zullen we dit varkentje maar eens wassen.'

Joe verwijdert zonder een woord te zeggen het verband dat Kerewin had aangelegd. Even lijkt hij griezelig veel op zijn zoontje en durft haar niet aan te kijken. Dan kijkt hij haar aan, zijn ogen staan vol tranen. Pas nadat Simon langzaam zijn hoofd heeft geschud, hem recht in de ogen staart, vol afschuw, vol ongeloof, zo overdreven: Spijt? Nu? Ach kom nou! breekt de spanning.

'Ach jij,' zegt Joe half lachend, half huilend. 'Ja, ach jij,' Kerewin lacht hulpeloos als reactie op het slinkse lachje van het kind.

Er valt inderdaad niet veel anders te zeggen.

Dat vreemde onpersoonlijke bezitterige gevoel dat ouders ten toon spreiden ten aanzien van het lichaam van hun jonge kinderen... hier naar kijken, dat onderzoeken, hier eens gluren, daar wat schoonmaken, alsof het een verlengstuk is van hun eigen lichaam, in plaats van een ander mens...

Het amuseert haar.

Ogenschijnlijk draait ze haar ersatz champagneglas (Madame de Poitier zou hele rare tieten gehad moeten hebben om dit te kunnen vormen, worstvormig, zonder tepels...) in de hand en kijkt hoe de belletjes sterven. Maar vanuit haar ooghoeken slaat ze de man en zijn kind scherp gade.

Het grootste deel van de tijd zit Joe op zijn hurken toe te kijken, Simon is allang oud genoeg om zichzelf te kunnen wassen, maar hij ziet toe op wat de jongen doet en wanneer hij hulp nodig heeft, helpt hij zacht, competent.

Jezus, het jochie ziet er verschrikkelijk uit. Onder de striemen. Die littekens zal hij zijn leven lang met zich meedragen. Toch lijkt het hem niet veel te kunnen schelen. Af en toe schrikt hij terug, niet voor zijn vaders handreikingen, maar voor de aanraking met water... en het idiote is dat Joe telkens zijn adem inzuigt, alsof hij het is die pijn heeft.

Wat een raar stelletje, denkt ze, geschift in hun hoofd, maar hun hart werkt nog.

En nu ben ik erbij betrokken. Om haar narrigheid te verbergen vraagt ze:

'Dat gaatje in zijn linker oorlel, hoe komt hij daaraan?'

'Hè?' en ze draaien zich beiden naar haar om, verschrikt.

'Vanmiddag zag ik tussen de bedrijven door dat Sim een klein gaatje in zijn oor heeft. Is dat van een oorbel?'

'God sta me bij,' Joe klinkt stomverbaasd, 'heb je dat gezien terwijl je met mij aan het vechten was?'

'Ja, ik ben niet vergeten dat ik je zou vertellen waar ik heb leren vechten.'

'Ik weet niet of ik dat wel wil weten... waarschijnlijk een verbond met en persoonlijk onderricht van een of andere taipo,' hij zegt het in een gefluisterd terzijde tegen het kind, maar met de bedoeling dat zij het zal verstaan. 'Dat gaatje, ja, dat is van een oorbel. Er hing een zwaar gouden dingetje aan, als een talisman, toen hij kwam. Hij heeft het tot begin dit jaar gedragen. Toen werd hij er op school zo mee geplaagd, dat ik het er voor hem uitgehaald heb. Hij draagt het nog steeds bij zich... zit nu in je tas zeker?' en Simon knikt.

'O. Zaten er geen tekens op?'

'Niets.'

'Jammer... en jammer dat je het eruit hebt laten halen, Ierland, want zigeuner of hippie, visser of piraat, het zou je goed staan. Afgezien van het feit dat het gewerkt zou hebben als de altijd alerte Charonpenning, wat tot voor kort handig geweest zou zijn,' merkt ze droogjes op. 'Maar die heb je niet meer nodig nu we tot een afspraak zijn gekomen... en nu we het daar toch over hebben, e hoa, ik zal je nu vertellen waarom ik je vanmiddag zo makkelijk kon inmaken,' en ze begint het verhaal te vertellen van haar jaar in een Japanse aikido dojo.

Ze voelde zich aangetrokken tot aikido omdat ze gehoord had dat het een soort super-karate was, kung fu ten top. Het was niets van dat alles, zei ze, maar het duurde een poosje voor ze daar achterkwam. 'Om een van de meesters te citeren: "Aikido volgt de weg van het universele en heeft zich de vervolmaking van de mensheid als enig doel gesteld." De technieken zijn gebaseerd op het verenigen van geest, lichaam en ziel, maar zijn oneindig praktisch bij elk soort gevecht. Je faalt echter wanneer je als enig doel stelt je tegenstander in elkaar te slaan. Dat kon ik niet begrijpen... ik was het prototype van een oorlogszuchtige barbaar. Wham, bam, daar komt Holmes... laat het morele en geestelijke deel liever achterwege, laat me nou maar zien hoe ik ze binnen een halve seconde tegen de vlakte werk. Stomp, wurg en verlam, jippieie! Ik ben er niet zo lang gebleven, niet lang genoeg om er een expert in te worden, maar zes gewone aanvallers kan ik heel makkelijk aan, tegelijkertijd.'

'Geen wonder dat je zo over me heen walste...'

'Ja, dat was niet zo moeilijk... maar ik heb in de dojo van Hombu een oude vrouw gezien die tien mannen aan kon, en zij waren gewapend met messen, stokken en flessen. Eigenlijk liet ze hen aanvallen en maakte ze dan finaal in. Nog beter gezegd,' ze liet ze elkaar afmaken... een aardig schouwspel,' ze schudt langzaam haar hoofd. 'Afmaken in figuurlijke zin,' voegt ze er ernstig aan toe.

'Ik hoopte al dat je het zo bedoelde.'

'Nou ja... na een jaar ben ik uit Japan vertrokken en had de mond vol over elke dag om vijf uur opstaan om te oefenen, oefenen, oefenen. Ik had de mond vol over elke dag twee uur besteden aan de misogi-ademhaling. En had een grote mond over het eten, over het feit dat ik de technieken die ik leerde niet in wedstrijdsituaties kon uitproberen, had een grote mond over van alles en nog wat.'

'Geen wedstrijden?'

'Dat is verboden... luister, ik zal wat citaten geven, dan wordt alles misschien iets duidelijker. Een moment.'

Ze pakt haar gitaarkoffer van de wand en haalt er een klein boekje uit.

'Toen ik na het Japanse fiasco terugkwam naar ons oude, vertrouwde Aotearoa – ik werd er trouwens niet weggestuurd, ik heb mezelf weggestuurd – begon ik na te denken over alles wat ze me trachtten bij te brengen, en was het uiteindelijk volkomen met ze eens. Ik deed er niet zoveel mee, ik was begonnen met bouwen in Whangaroa, en bovendien schaamde ik me diep. Maar ik heb toen veel van de dingen die tegen me gezegd waren opgeschreven en heb er wat dingen van mezelf bijgevoegd,' en zwaait met het boekje in de lucht. 'Dat is een deel hiervan.'

Ze gaat gemakkelijk onderuit zitten bij het fornuis. 'Die aardappelen ruiken alsof ze gaar zijn... zijn jullie ook bijna klaar?'

'Alleen nog even zijn haar wassen.'

'Goed. Daar gaan we dan... Aiki is geen vechttechniek... het is de manier om de wereld te verzoenen en van mensen een grote familie te maken. Winnen betekent dat je de geest van tweedracht in jezelf overwint. Het houdt in dat je de jou opgedragen taak volbrengt. Addendum van Holmes: en om te ontdekken wat de jou opgedragen taak is. Liefde is de beschermende, goddelijke kracht achter alles. Zonder dat kan niets bestaan. Aikido is de realisatie van liefde. De weg,' stopt met lezen en legt uit: 'Do is Japans voor weg, een manier. Ai betekent liefde, harmonie en ki is de levensgeest. Aikido kan dus betekenen: de weg van de krijgshaftige geestelijke harmonie, snap je?'

'Ja,' zegt Joe.

'...de weg betekent één zijn met de wil van het goddelijke en het in praktijk brengen daarvan. Hoe kun je je verwarde geest ontrafelen, je hart zuiveren en in harmonie zijn met de activiteiten van alle dingen in het universum? Je moet eerst Gods hart tot het jouwe maken. Liefde kent geen tweespalt. In liefde bestaat er geen vijand.'

Joe fronst. Hij zegt niets, behalve: 'Doe je ogen dicht, tama,' terwijl hij water over het schuimende hoofd van het kind giet.

'Het is al genoeg met mijn rug naar een tegenstander te staan. Wanneer hij aanvalt, slaat, zal hij zich verwonden door zijn eigen intentie om te slaan. Ik ben één met de liefde van het universum en ik ben niets anders dan dat. Er bestaat geen tijd of ruimte voor Uyeshiba van Aikido alleen het universum zoals het is.'

Ze gaat staan en stopt het boekje terug in de gitaarkoffer. De snaren van de gitaar neuriën zachtjes als het deksel dicht gaat.

'De schrijver was Morihei Uyeshiba, vader en meester van Aikido.'

Het blijft stil.

Terug bij het fornuis, opent ze de deur van de oven en prikt in de dichtstbijzijnde pieper.

'Gaar, e hoa ma...'

Simon staat op in een vloedgolf en stortbad van druppels. Joe slaat een handdoek om hem heen en tilt hem zo uit de tobbe op een stoel.

Joe, die het kind droog dept:

'Dus je hebt je de technieken eigen gemaakt, maar niet de geest ervan?'

De vraag kwam onverwacht. De stilte had zo lang geduurd dat ze al dacht de man verveeld te hebben met de lange citaten. Ze antwoordt:

'Omdat de technieken eigenlijk een bepaalde geestelijke ontwikkeling vereisen, heb ik niet veel meer opgepikt dan fysieke kennis die me tot een uiterst gevaarlijke tegenstander maakt in elk gevecht met iemand die geen aikidoexpert is. Ik ben goed genoeg om een beginneling aan te kunnen... ik begon met een rothumeur, een snel reactievermogen, een instinct tot doden en ik had Maori-voorouders... en dat alles maakt me tot iemand die je maar beter kunt vermijden als ik in een slechte bui ben. Kijk maar niet zo bezorgd,' zegt ze grijnzend, haar tanden glanzend rood door het licht dat uit de oven komt, 'de filosofie is voorlopig weer even van de baan, en ik beloof dat ik niet meer met je zal vechten. Niet zonder ernstige provocatie, tenminste. Zoals het niet eten van dit voortreffelijk klaargemaakte maal... O jee, de karbonades lijken wat aan de knapperige kant...'

'Ik ben dol op verbrande karbonades,' zegt Joe. 'Trek wat aan, liefje, dan drogen we je haren na het eten. Waar laten we het bad-water, Kerewin?'

'Gooi maar de deur uit.'

Nadat hij dat heeft gedaan, vraagt hij zonder verdere omhaal: 'Heb je je niet afgevraagd of die pijn een gevolg zou kunnen zijn van het misbruiken van bepaalde kennis?'

'Ja, maar ik heb het idee van de hand gewezen. Goden nemen over het algemeen op iets subtielere wijze wraak?'

'Ja?' Hij klinkt niet erg overtuigd.


Toen ze voor de tweede keer wakker werd, was het al bijna twaalf uur 's middags. Ze rekte zich behoedzaam uit, maar alle pijn was verdwenen. 'Ontzettend raar,' zei ze en kleedde zich aan.

De Gillayleys waren vertrokken. De bedden waren opgemaakt, de ontbijtbordjes netjes afgewassen en neergezet om uit te druipen en te drogen.

'Kia ora!' stond er op het briefje dat Simon had geschreven. 'Wij maken wel middageten. Tot ziens. Arohanui, H & H.'

Door Joe gedicteerd ongetwijfeld... alleen hij zou onderteke-nen met Hohepa en Haimona.

Het miezerde nog steeds buiten. Voorlopig wordt er nog niet gevist, dacht ze, starend over zee en zuchtte. Nog een dag bin-nenzitten... roken en kaartspelletjes en voorzichtig aftastende ge-sprekken en elkaar allemaal schuin zitten aankijken...

Ondanks de openlijke vriendelijkheid en tekenen van verzoe-ning gisteravond, kan ze niet geloven dat het vroegere plezier in elkaars gezelschap er weer zal zijn. Hoe eerder we ons verblijf hier beëindigen, hoe beter, houdt ze zichzelf voor en opent de deur van het Nieuwe Huisje.

Joe draait zich om en lacht. Simon is er niet. 'Eh, goedemorgen, waar is...' en Joe glimlacht nog breder. 'Goeiemiddag jij!' zegt hij opgewekt. 'Vlak achter je, hij was alleen even naar buiten gegaan om te plassen.'

En jij bent vlak langs me gelopen, terwijl ik daar stond, Simons mimiek is zowel beeldend als grappig. Net als zijn vader is hij een en al glimlach en ze merkt dat ze hun gebaar beantwoordt.

Misschien valt het allemaal wel mee,

haar hart veert op, maar zelfs dan is ze niet voorbereid op de golf van affectie die ze voor hen voelt wanneer Joe zegt:

'Nu je er weer bent, Himi, kunnen we het haar laten zien.' Tegen Kerewin: 'Omdat jij gezegd hebt dat het hem mooi zou staan... moest ik het er vanmorgen meteen weer in doen,' strijkt Simons haar naar een kant van zijn gezicht.

In het doorboorde lelletje van het kind hangt een gouden cirkel. Helder als de glimlachjes, schijnbaar even ongeschonden als hun vriendschap.

# 5  Springtij, Doodtij, Eb, Vloed

## Hoogwater

De dag is warm en de wind is mild, maar de zee is nog altijd ruw, met witte schuimkoppen.

'Morgen maar,' zegt Kerewin, 'we kunnen maar beter tot morgen wachten, vind je niet?'

Joe haalt zijn schouders op. Het maakt hem niet veel uit, bedoelt hij. De vis wacht wel. 'Ik zal eens achter de paua aanzitten. Wat is de beste plek?'

'Probeer de tweede arm van het rif, daar waar ik een paar dagen geleden stond. Dat is de enige plek waar ik iets van hun aanwezigheid heb gemerkt.'

Dus gaat Joe naar het noorden, de vork over zijn schouder, terwijl Kerewin naar de andere kant van het strand loopt.

'Ik ga wat tekenen.' Ze neemt een tekenblok mee en viltstiften en houtskool.

Maar ze tekent niet, denkt Simon. Slapen, ja. Dat kan geen zonnebaden zijn. Ze ligt in een plaid gewikkeld onder een parasol.

Hij richt zijn aandacht opnieuw op de rots die boven het Zwarte Huisje uitsteekt.

Daar zit een gat, van zo'n zestig centimeter doorsnee. Hij kan haast een meter naar binnen kijken, dan loopt de gang in een bocht weg en de schaduwen worden te donker om nog iets te kunnen onderscheiden. Hij zou zich er graag gedeeltelijk willen inwringen, zijn armen uitstrekken, onderzoeken, maar verderop zou iets stils kunnen zitten wachten, met tandjes.

'Het is een konijnehol,' zegt Kerewin. 'Er zijn er nog steeds een paar van. In dit gebied wordt om de paar maanden jacht op ze gemaakt met geweren en honden en de hele santenkraam, maar een paar hebben de dans weten te ontspringen. Konijnen dan, niet de holen.'

Zo, worden ze dood gemaakt, denkt hij. Misschien is het hol nu wel leeg. Misschien zijn ze allemaal wel dood.

Hij vindt een stok en duwt die heel voorzichtig naar binnen. Hij gaat tot in het beschaduwde gedeelte, maar bij het uiteinde van de stok voelt hij nog meer ruimte, zelfs wanneer hij zijn arm tot aan zijn schouder naar binnen duwt.

Hij gaat naar Kerewin, neemt haar hand en schudt haar wakker en begint het uit te leggen. Hoe kan ik erachter komen wat erin is? vraagt hij uiteindelijk schriftelijk. Kerewin zegt slaperig: 'Uitgraven... wil je dat?'

Hij knikt verwoed.

'Nu, verwacht niet iets geweldigs te vinden,' maar legt hem uit waar hij in het botenhuis een schop kan vinden. Hij groef het grootste deel van de middag voor hij het eind van de gang bereikte.

Er is een ronde ruimte, niet groot. Het is bekleed met zacht haar en daarop liggen, tegen elkaar aangedrukt, twee gemummificeerde baby-konijntjes.

Hij kijkt lang naar ze, raakt ze niet aan. Zweet druppelt in zijn ogen, dat prikt, maar hij staat doodstil en kijkt.

Hun vacht is dof geworden, de oogjes zijn dicht en ingezonken. Hun oren zijn stijve stukjes leer en liggen achterover op hun bottige schouders.

Hij legt het zand weer op hen terug.

Het spijt me, denkt hij sneller scheppend. Ik wilde jullie niet bang maken. Ik had jullie niet opgegraven als ik geweten had dat jullie er waren.

Hij gooit al het zand dat hij had opgegraven weer terug en gaat een poosje op het bergje zitten om uit te rusten. Zijn handen en schouders doen pijn, en hij zweet nog steeds, zelfs nu het werk klaar is.

Even later komt Joe bij hem langs, nat tot zijn middel en fluitend.

'Hé, we hebben paua voor het eten, Himi!' roept hij en komt aan de voet van de rots staan.

'Wat heb jij gedaan? Druk gehad?'

'Gegraven,' zegt Simon, en laat zien hoe. Op een ander stukje.

'Heb je iets gevonden in dat hol?' vraagt Kerewin tijdens het eten.

Simon schudt zijn hoofd. Nee, helemaal niets.

Het is een verdwaasde droom. Hij weet, terwijl het gebeurt, dat het een droom is.

Daar bij dat hol kniel je. Het is warm in de zon. Je hebt zin om te huilen, maar je weet iets beters, en je wilt ze levend. Dus begin je ze muziek te voeren, vrijwel onhoorbaar gezang en beetje bij beetje komen de verdorde leren oortjes weer tot leven: floep, floep, een voorzichtig bewegen en schudden. De droge dorre vacht begint overeind te staan en te huiveren en te glanzen. De verzonken oogleden en neusgaten worden geleidelijk roze, zoals een blos opkruipt, de ogen worden vochtig, donkerder, de neusvleugels trillen, en dan gaan hun ogen open en kijken je aan en ze stralen bezield.

De muziek zwaait en draait nu, komt omhoog als een golf, en het licht is veranderd van doodgewoon zonlicht in een dieper wordend blauwgroen, doorschoten met goud... je bevindt je in een bewegende golf van geluid en licht en snelle vreugde, en het komt tot rust, blijft, voor de dalende beweging kan inzetten, en alles doet verbleken.

De konijnen beginnen langzaam te bewegen en te verliggen, beginnen met zachte bruine voorpootjes een blijde krabbelpartij om zich te bevrijden uit het hol der duisternis en weg te komen in het groene waterlichte schijnsel.

'Ik wil jullie zeggen,' zingt hij innig tegen Kerewin en Joe, die nu zijn schouders vasthouden. en zij keren zich om en staren elkaar verrukt aan. Maar wanneer ze omkijken, beginnen hun gezichten onduidelijk te worden en te veranderen, en de golf begint te bewegen, sneller en sneller, en het licht verandert in nacht.

Hij kan het touw weer om zijn polsen voelen. Er is geen ruimte om te bewegen. en er is niet genoeg lucht om te kunnen ademen, en de stem, rijke warme machtige stem, verhoort. stelt vragen die hij nooit kan beantwoorden, en lacht wanneer hij worstelt. De stem zwelt aan en galmt, en de pijn neemt toe en hij probeert het te overschreeuwen, maar er komt geen geluid. Een bittere pijn in zijn arm, en dan bijten de vingers, priemen in de plekken waar het het meeste pijn doet, en sturen hem terug naar de duisternis waar hij geen adem kan halen. Het luik sluit zich over zijn stille schreeuwen, en zwart overspoelt alles.

En wanneer hij, naar adem snakkend en huilend en vergeefs worstelend, wakker wordt, kan hij in zijn hoofd nog altijd de stem horen, die zijn naam zingt uit het holst van de wijkende duisternis.

Ze zitten vriendschappelijk zwijgend bijeen en drinken whisky.

Joe vraagt: 'Wat was hij vanmiddag aan het doen met die schep?'

'Een konijnehol aan het blootleggen. Hij wilde weten wat er aan het uiteinde van de gang zat.'

Hij lacht zacht. 'Dat kun je wel aan Himi overlaten... heeft zichzelf aardig uitgeput. Hoefde voor de verandering geen slaapmiddel te nemen.'

Meer stilte, gevuld door de langzame ademhaling van de zee.

'Weet je?' Hij schudt zijn hoofd. 'Dat was voor het eerst dat ik hem iets heb zien doen dat op spelen leek.'

'Ach ja...' Staart in zijn glas. 'Hij speelt haast nooit, ik weet niet waarom. We hebben het geprobeerd, Hana en ik, gaven hem in het begin allerlei soorten speelgoed. Blokken en poppen en autootjes, maar als het op spelen aan kwam, had Timote er minder moeite mee dan hij. Niet dat hij het negeerde, het was meer alsof hij niet goed begreep waarom hij zich daarmee bezig zou moeten houden. Uiteindelijk speelden wij er meer mee dan hij, om te laten zien hoe of wat, en dan keek hij ons welwillend aan, maar de superioriteit straalde eraf... en vervolgens zorgde hij ervoor dat het speelgoed wegraakte. Hij gaf ook openlijk dingen weg aan de kinderen van Piri.'

'Kinderen? Ik dacht dat hij er maar eentje had?'

'Nee, hij heeft er vier. Lynn, zijn vrouw, heeft drie kinderen meegenomen, en hij zorgt voor Timote. Het is idioot,' zegt hij, terwijl hij zijn whisky laat ronddraaien in zijn glas. 'Timote is degene die zijn moeder het hardst nodig heeft, en de oudste, Liz, hangt enorm aan Piri en wilde liever bij hem blijven... maar ja, je kunt je niet met andermans leven bemoeien, eh?'

'Nee, dat kan niet... dus Piri en mevrouw Piri zijn gescheiden?'

'Zijn bezig zo ver van elkaar gescheiden te raken als maar mogelijk is, en Piri wil het niet... maar, hoe dan ook, over hem en zijn speelgoedfobie, nou ja, geen fobie, maar desinteresse. Had je al gehoord over die speeldozen?'

'Ja.'

'Er zijn twee speeldozen. En nog een hele berg kleine dingetjes, voornamelijk onderdelen van oude wekkers en ik geloof dat hij die gebruikt voor zijn rare constructies. En hij had altijd dat zwarte etui met zijn kralen erin... daar speelde hij een poos mee, als hij dacht dat er niemand in de buurt was die ze zou kunnen afpakken. Meer niet eigenlijk.'

'En hoe zit het met de dingen die eh... hij leent?'

Hij trekt rimpels in zijn voorhoofd.

'Dat doet hij niet zozeer om mee te spelen, als wel om naar te kijken, geloof ik. Het principe van de stelende ekster.'

'Ik kan het me voorstellen, ja... bewaart hij al die spulletjes thuis? Je struikelt bij wijze van spreken over hordes schaakstukken en andere interessante zaken?'

Ondanks zichzelf schiet hij in de lach.

'Nee hoor, niks daarvan. Sommige dingen die hij gepikt heeft, houdt hij in zijn zakken. Ik vermoed dat hij ergens in huis nog een geheime bergplaats heeft voor andere dingen.'

'Ik weet dat je dit wat pijnlijk vindt, maar eh, omdat ik dat greintje verantwoording voor hem ga dragen, wil ik weten of hij ook in winkels steelt? Of wordt de buit alleen bij vrienden en familieleden vergaard?'

'Ik zou het niet weten, e hoa. Ik zou het echt niet weten.'

Hij schuift ongemakkelijk heen en weer in zijn stoel en staart in zijn whisky. 'Vroeg of laat pikt hij van iedereen, ook van jou, en ook op school wordt hij wel eens beschuldigd van diefstal. Maar dat kon niemand bewijzen,' en denkt even aan wat Binny Daniels had verteld. Hij schudt zijn hoofd, alsof hij fysiek de woorden van de oude man van zich af probeert te schudden. Hij voegt er nadrukkelijk aan toe: 'Niemand heeft hem nog betrapt op winkeldiefstal. Nog niet.' Gehaast slikt hij zijn whisky door. 'Me, ik weet het allemaal niet, Kerewin... hij heeft al vaak op zijn donder gehad voor dat stelen, ik heb hem ervoor geslagen, maar hij blijft ermee doorgaan.'

'Dat laat alleen maar zien dat slaan niet bepaald de juiste manier is om Sim iets bij te brengen.'

Ze schenkt zijn glas vol en neemt zelf ook nog een bodempje. Ze begint met nadenkend gezicht haar pijp te stoppen.

'Wat moet ik anders?'

'Je zou eens met hem kunnen praten bijvoorbeeld. Proberen erachter te komen waarom hij het doet.'

Joe zegt, terwijl hij met zijn kin op zijn handen steunt: 'Vorig jaar heb ik hem na een aantal hints van Bili Drew van school meegenomen naar een kinderpsycholoog. Die vent vroeg wel veel, maar... het was best wel een aardige man, geloof ik, maar hij verhief zijn stem nooit boven een vertrouwelijke fluistertoon en zijn adem rook, geloof ik, naar knoflook en pepermunt en hij zei steeds: "Maakt u zich maar geen zorgen, meneer Gillayley, we zullen nu gauw genoeg weten wat eraan scheelt."'

Kerewin gniffelt. 'Wat een opgeblazen klootzak!'

Hij kijkt haar aan en de rimpels in zijn gezicht verzachten iets. 'Ja... ik verzeker je dat hij absoluut niets aan de weet is gekomen, want het enige dat Himi daar deed, was zitten en voor zich uit kijken. Die knaap haalde allerlei soorten puzzels te voorschijn en stelde steeds maar vragen op zo'n vertel-het-mij-maar-toon en Himi vertrok geen spier. Zat daar maar met open mond, zag eruit als een debiel. Hij kreeg boe noch bah uit hem, niets, helemaal geen reactie op wat dan ook. Na een half uurtje vroeg de kinderpsycholoog: "Is hij altijd zo weinig, eh, responsief, eh, meneer Gillayley?" En Sim, dat rotjoch, werpt me een zijdelingse blik toe, waaruit ik kan opmaken dat hij alle moeite moet doen om ernstig te blijven kijken. En ik moest met een serieus gezicht zeggen: "O nee hoor dokter, meestal is hij erg levendig. Ik denk dat het door de eh, vreemde omgeving kome' En dat was dat. Die knaap heeft nog een andere afspraak met ons gemaakt, maar we besloten unaniem dat het niet lonend was nog eens helemaal naar Taiwhenuawera terug te gaan.'

'Ik vind dat je zoontje een nogal venijnig gevoel voor humor heeft.'

Joe verzucht, weer ernstig geworden: 'Hij heeft een ander gevoel voor humor. Een ander gevoel voor alles.'

'Mmmm.' Ze steekt haar pijp aan en kijkt toe hoe de lucifer kronkelt, zwart wordt en uitdooft. 'Ben je ooit nog naar een ander gegaan op dat gebied?'

'Dan zouden we naar Christchurch hebben moeten gaan.'

'Mmmm.' Even later: 'Er klopt niets van. Verwaarloosde en ongelukkige kinderen stelen om aandacht te krijgen. Sim wordt niet verwaarloosd, maar hij is waarschijnlijk wel ongelukkig door de manier waarop hij behandeld is, en,'

er gaat een schok door Joe heen,

'afgezien van zijn achtergronden, zijn handicap, heeft hij alle reden gehad om te gaan pikken en mensen te laten zien: "Hé, hier ben ik, ik wil dat je me helpt." Maar dat klopt weer niet met het niet-spelen, niets willen hebben. Tenminste, dat geloof ik niet.'

Ze neemt haar pijp uit haar mond en drinkt het glas whisky leeg.' Eh... speelt hij überhaupt wel eens met andere kinderen?'

'Nee, op school niet. Volgens de onderwijzers. Meestal hangt hij er maar een beetje bij als er wat gedaan wordt, kijkt toe... en hij heeft nog nooit iemand mee naar huis genomen om te spelen en is, voor zover ik weet ook nooit bij anderen wezen spelen. Meestal zoekt hij het gezelschap van volwassenen op, of trekt er alleen op uit. Hij speelde wel met Whai en Liz en Maurie – dat zijn de kinderen van Piri, en het zijn aardige kinderen – maar er ontstond altijd en eeuwig ruzie.'

'Waarover?'

'O, over van alles en nog wat. Het ene moment zijn ze allemaal lief aan het verstoppertje spelen, en het volgende ogenblik bam! stort Sim zich vol overgave in een vechtpartij.'

'Maar er moet toch steeds wel een provocatie of misverstand geweest zijn?'

'Het is niet zo eenvoudig aan de weet te komen wat de oorzaak van alles was, als je met een erf vol joelende vechtende kinderen zit.' Hij voegt eraan toe: 'Liz koos meestal Himi's kant...'

'Lief van haar... maar je had het toch achteraf wel kunnen uitzoeken, Joe?'

Hij haalt zijn schouders op. 'Nou ja, in ieder geval is het daar nooit van gekomen.'

'O.' Ze steekt haar pijp opnieuw aan en trekt er in alle rust aan. Hij lijkt niet erg diepgaand over het kind nagedacht te hebben. Over waarom Sim vreemd doet of razend wordt of slechte dingen doet... hij schopt het kind of kust hem en hoopt er het beste van. Denkt dat Sim wel zal stoppen met stelen als hij hem maar genoeg slaat, zonder te proberen erachter te komen wat hem beweegt tot stelen. Of zou het spinnekind altijd van die grijpgrage handjes hebben gehad?

En dat wil ze hem net vragen als de deur open gaat en de jongen naar binnen stommelt.

Joe ziet in één oogopslag: 'Ach Jezus, nachtmerries,' knielt neer en neemt zijn zoontje in zijn armen.

Volgende keer, denkt ze.


### Laagwater

Heel vroeg in de ochtend, mooi en zacht.

('Vind je dat we toch moeten gaan? Na gisteravond?'

'Ja, het gaat wel weer. Rare snuiter.')

De zee is kalm en rustig, al weer op de terugweg. Het water krult loom op het strand, blijft even liggen als een dun zilveren laken, en sijpelt dan in zichzelf terug. Er is nergens een golf van enige betekenis.

'Eh, zeg, is hij al eerder aan boord van een boot geweest na zijn schipbreuk?'

'Nee.' Hij fluistert, heeft geen zin de stilte van de vroege ochtend te doorbreken.

'Grote goden en kleine visjes...'

Wat zou het worden? Een pandemonium? Of zou hij het gewoon in zijn broek doen van angst?

Ze pakt een reddingsvest.

'Geef hem dat maar, dat is het kleinste... dan is dit voor jou. O, en zeg hem dat hij beter nu even naar het toilet kan gaan, want overboord plassen gaat nog wel, maar de rest...'

Joe kijkt haar aan, zijn ogen twinkelen. Op gewone toon zegt hij: 'Maak je geen zorgen, hij is al geweest. En ik ook.'

'Goed...'

'Zal ik wat van je overnemen om te dragen?'

'Nee. Ik neem de hengels en het aas, dan kun jij hem meenemen. Aan de hand, gedragen, op welke manier dan ook.'

Hij loopt terug naar het huisje en Kerewin kuiert naar de boot.

Haar boot op Whangaroa is een omgebouwde visserstrawler van zo'n twaalf meter lang, met een 100 pk binnenboordmotor. Er zit een keukentje in, kooien en kastjes en is uitgerust met alles waarvan ze vond dat het nuttig kon zijn of decoratief was. Radar, een diepte-peiler, elektronisch kompas, marifoon, een kaartenbibliotheek. Ze zou aan boord kunnen wonen, want alle noodzakelijkheden zijn aanwezig, van een kleine koelkast en kooktoestel tot een uiterst merkwaardige douche en wc. Tot nu toe heeft ze slechts drie keer een trip gemaakt om te vissen. De Aihe 11 is, vooralsnog, een van de vele speeltjes.

Het vaartuig dat aan de rand van het water op haar ligt te wachten is een vier meter lange, overnaadse sloep en wordt aangedreven door een grillige vijf pk buitenboordmotor.

Bij de boeg is een spatscherm aangebracht, er zijn drie zitplaatsen en er is geen overbodige apparatuur. En, zoals Kerewins broers plachten te zeggen, verdomd weinig comfort.

Maar de boot is even oud als zij is. Ze is er praktisch in opgegroeid, heeft vanuit deze boot leren zwemmen, leren roeien en heeft haar in alle weertypes leren besturen. Ze kent en houdt van elke vierkante centimeter van dit naamloze kleine bootje, van de sporen die de schroeven van de motor op het achterschip hebben gemaakt tot de groeven bij de boeg waar ze ontelbare keren het anker heeft opgehaald.

Er is voor je gezorgd, denkt ze. Iemand heeft het bootje geschilderd de afgelopen zes jaar – het blauw is donkerder dan de laag die zij het laatst had aangebracht – en een van de gebogen spanten waaraan aan bakboord de roeiklamp is bevestigd, is vervangen. Nieuw zeildoek bedekt het raamwerk van de bodem, en het ankertouw is nu van nylon en niet meer van sisal.

Had ik jou maar kunnen meenemen toen ik de koffiemolen
wegpikte...

Ze zou haar onmiddellijk ruilen voor de Aihe.

Ze bergt de twee hengels op onder de doften, doet de thermosfles samen met het fruit, de rookartikelen en de boterhammen en de eerste-hulp trommel voor in de punt. Ze hoort voetstappen knarsen in het zand achter zich en Joe die voortdurend zachtjes praat.

'Alles in orde?' terwijl ze uit de boot klautert.

'Min of meer. Zal ik je een handje helpen met afduwen?'

'Zorg er alleen maar voor dat ze vlot komt, dan stap jij met Simon aan boord. Ik zorg wel voor de rest.'

De sloep is zwaar en aan land moeilijk te verplaatsen, maar in het water is het een geheel andere zaak. Ze staat met het water tot aan de rand van haar laarzen, en houdt de boot stevig vast terwijl Joe met zijn zoontje naar het achterschip waadt en hem aan boord tilt.

'Ga maar in het midden zitten,' zegt Kerewin tegen het kind, dat zo gauw hij kon op de bodem is gehurkt.

'Ik ga wel bij hem zitten.' Joe klimt onhandig aan boord. Het bootje schommelt heen en weer en kantelt en de jongen krimpt ineen alsof hij geslagen werd.

  Jezus, we zouden hem hier moeten laten,
maar op haar gezicht valt niets te lezen.

Ze duwt de boot hard weg en springt in dezelfde beweging behendig op het achterdek, knielt even neer bij de motor voor ze op het bankje gaat staan.

'Zo, dat heb je wel eens eerder gedaan...' Joe is op de middelste doft gaan zitten en houdt Simon vast.

'Ja, maar je had eens een paar van die andere voorstellingen moeten zien. Zeer onelegant, vriendelijk gezegd... ik heb haar wel dwars binnengevaren en ze is eens bijna omgeslagen. Ben ooit op een verkeerde golf uitgevaren zodat ze met haar kont in de lucht dreef en mijn laarzen god-weet-waar. Riemen kwijtgeraakt, haar boeg heeft flink wat opdonders te verduren gehad, een van de bladen van de schroef verboog eens op een rotspunt die ik niet gezien had. Een van de aardigste keren was toen,' ze wikkelt het startkoord om het motorhoofd heen, 'toen ik half-zat was. Ik had nooit moeten uitvaren, maar ik wilde wat fuiken controleren,' ze trekt aan het koord, en de motor sputtert, maar slaat niet aan, 'verdomme.' Ze knijpt nog eens in de benzineleiding. 'Nou ja, ik deed in ieder geval het volgende. Ik weet haar vlot te krijgen, duw haar af – de zee was zoals nu, zo glad als een spiegel – en spring aan boord. Ik kwam onder water terecht. Ik herinner me nog dat ik dacht: "Verrek, waar is die boot nou gebleven," terwijl ik zonk.' Ze trekt opnieuw aan het koord en dit keer komt de motor tot leven. Ze laat hem even in zijn vrij lopen, het lawaai knettert door de hele baai als ze het toerental opvoert. Voor ze hem in zijn vooruit zet, voegt ze eraan toe: 'De mensen die aan wal stonden lachten zich dood. Ze zagen het aankomen. Kennelijk kwam ik wel op het achterdek terecht, maar vergat dat ze vaart had. Ze schoot zo onder me door, terwijl ik nog aan het bedenken was waar ik mijn voeten eens zou neerzetten.'

Ze zet hem in zijn vooruit en de boot tuft langs het rif naar open zee. Joe zegt iets tegen Simon, en misschien ook wel tegen haar, maar ze kan hem boven het lawaai van de motor uit niet verstaan, dus lacht ze maar naar hem en haalt haar schouders op.

De sloep vaart niet lekker, terwijl ze haar normalerwijs bij elk weertype goed kan manoeuvreren. Het komt door het gewicht van de Gillayleys, die in het midden zitten, waardoor de boeg omhoog komt.

'Hé! Ga eens wat naar voren!'

'Wat?'

Kerewin zet de motor even uit. 'De boot is uit haar evenwicht. Te veel gewicht aan deze kant. Als jij wat naar voren komt, vaart het een stuk makkelijker, eh?'

Joe kijkt naar beneden.

'Ach Jezus,' zegt ze en zet de motor uit.

Ze heeft opzettelijk vermeden naar Simon te kijken onder het motto dat als je iets negeert, het vanzelf wel verdwijnt of overgaat. Als het knaapje moet overgeven, wil ze daar liever niets van weten. Het is echter niet eenvoudig om iemand die een meter van je af zit niet te zien, zeker wanneer je aandacht er eenmaal naar getrokken wordt.

De jongen zit in elkaar gedoken, hoewel zijn vaders armen hem omsluiten. Zijn gezicht is wit weggetrokken en zijn ogen houdt hij gesloten. Waarschijnlijk denkt hij ook dat de zee wel zal verdwijnen als hij er niet naar kijkt.

Is hij misselijk van het bewegen van de boot, van angst of door herinneringen? Hij maakt er gelukkig geen toestand van.

Maar, zegt de Snark, dat doet hij eigenlijk nooit, hè?

Naderhand weet ze niet meer waarom ze het zei. Ze gebruikt wel vaker woorden uit een andere taal, maar waarom juist deze woorden op dat moment, behalve dan om haar keiharde image te bewaren, weet ze echt niet.

'Kelere,' zegt Kerewin, 'we moeten teruggaan. Je kunt het pauvre petit niet en souffrant laten,'

en de ogen van het kind schieten open. Ze zijn zwart en leeg en zijn gezicht is vertrokken van doodsangst. Hij springt weg uit zijn vaders armen alsof hij uit een katapult wordt afgeschoten en valt tegen de zijkant van de boot. Het volgende ogenblik hangt hij over het dolboord over te geven.

Joe reageert al net zo snel als zijn kind. De sloep schommelt hevig nu het gewicht zich zo gevaarlijk naar een kant verplaatst heeft.

Ze gaat abrupt aan de andere kant van de boeg zitten, barst los in een stroom van scheldwoorden, zegt dat Joe terug moet gaan naar zijn plaats, vraagt of iemand haar in godsnaam, vredesnaam of hemelsnaam wil vertellen wat er aan de hand is.

En al die tijd gaat door haar drukke geest: steenkolenfrans, MC de V, wedden dat het 't strand van Saint Clare was, Citroën-auto's... ik durf er een duizendje om te verwedden dat er een link met Frankrijk bestaat. Wereldlijke omzwervingen, toch? Waarom ook niet naar Frankrijk? Kijkt toe hoe de jongen zijn keel schraapt en zijn hoofd uitgeput tegen het hout laat rusten, het overgeven is voorbij; ze denkt wrang: maar ik denk dat ik daar nu beter niet op in kan gaan...

'Goeie God,' zegt Joe op beverige toon, 'gaat het weer een beetje? Ik dacht dat je overboord ging springen.'

'Strand en bed binnen tien minuten,' zegt Kerewin vastberaden, en steekt haar hand al uit naar het startkoord.

Maar verbijsterend genoeg tilt de jongen zijn hoofd op en zegt Nee en schudt zijn hoofd met nadruk.

Dus wacht ze af, wisselt verbouwereerde blikken uit met Joe. Even later spuugt Simon een laatste keer overboord en schuift gedecideerd weg van de rand van de boot. Hij heeft nog steeds een zieke botbleke kleur, en hij heeft zijn tanden stevig op elkaar geklemd, maar zijn vingers beduiden OK, tikt op zijn borst, OK.

'Himi, je hebt recht op een medaille,' zegt Joe met stralende ogen.

'Of een pilletje tegen zeeziekte die liggen voor in de punt, Joe. Als hij er een hebben wil nou nou, mijn jongen, dat was een prachtige demonstratie van de vastberadenheid van ingewanden... eh, op een of andere manier,' waarop ze een binnensmonds 'Kreng' toegemompeld krijgt van Joe en het jongetje haar een waterig lachje toewerpt.

'Nu we het toch over het boegkastje hebben Joe, wil jij me een sigaartje aanreiken? En er zit citroenlimonade in een van die flessen – wil je daar wat van, Sim? Nee? Hokee, als je geen last van de rook hebt, steken we er eentje op en gaan weer verder.'

Het wordt steeds lichter. Ze kletst wat, voornamelijk tegen Simon, wijst hem een cirkelende malrnokalbatros aan, en een sliert aalscholvers die wegvliegen van Maukiekie, en een pinguïn die niet ver van de boot opduikt. De jongen ontspant zich, beetje bij beetje. Hij gaat op zijn knieën zitten om naar de pinguïn te kijken, en lijkt zich niet te bekommeren om de lichte schommeling en deining van de sloep onder hem. Joe zit peinzend bij de boeg in het heldere groenblauwe water te staren.

Alsof je hem in de ogen kijkt... hier roert zich alleen helemaal niets.

'Goed,' zegt ze terwijl ze het eindje van haar sigaar in zee schiet, 'zijn we allemaal zo ver?'

'Ae.' Joe buigt zich voorover. 'Zit je goed daar beneden, Himi? Zal ik je op schoot nemen?'

De jongen schudt zijn hoofd en Kerewin zegt: 'Ik zal heel rustig aan doen, hakkepuf. We hebben alle tijd. Voor een uur of elf komt er toch nog geen wind.'

Ze lacht naar het kind dat nog steeds op het zeildoek gehurkt zit, met zijn rug naar de boeg gekeerd.

'En met een beetje geluk, jochie, zul je binnen niet al te lange tijd hier je eerste vis kunnen vangen.'

'Eerste vis,' zegt Joe en voegt er met een lachje aan toe dat Simon de spreekwoordelijke pechvogel is. 'God mag weten wat hij zal vangen.'

Ze laat de motor een tijdlang heel rustig pruttelen en houdt intussen heimelijk het jongetje in de gaten. Er komt weer wat kleur op zijn gezicht en terwijl de sloep rustig door het water glijdt, waagt hij het erop overeind te komen en op zijn knieën te gaan zitten. Met zijn ellebogen steunt hij op de doft achter hem. Okido, denkt ze en geeft met een discrete duw tegen de handel vol gas.

Het duurt niet lang voordat ze haar favoriete stek bereikt. Ze loopt de oriëntatiepunten na: vuurtoren die Puketapu aanduidt, Rima omgeven door verre bleke stippen, die kribben voor de kust zijn, en voelt de tranen achter haar ogen prikken.

Zo lang, O mijn hartje, zo ontzettend lang geleden...

Ze zet de motor uit en in de plotseling klinkende stilte glijdt de boot nog even door.

'Theoretisch bevinden we ons nu boven een enorme school kabeljauw die in de loop der jaren nooit begrepen heeft dat veiligheid en grote aantallen niet goed samengaan.'

'O?'

'Dit is een kabeljauwstek. Aangenomen dat deze plek nog niet door iemand anders ontdekt en leeggevist is, garandeer ik je dat je er binnen vijf seconden een kabeljauw uithaalt.'

Ze doet het aas aan de haken van een hengel.

'Wil jij deze, of zal ik hem aan Sim geven?'

'Ach, voor hem is het hiermee waarschijnlijk makkelijker iets op te halen dan met een lijn.'

'Goed. Lijnen liggen al kant en klaar in dat mandje daar.' Ze gooit hem wat kleingesneden botervis toe; gisteravond op het rif heeft ze er drie gevangen.

'Maak voor mij ook een lijntje klaar, wil je?'

Ze buigt zich naar Sim. 'Ga je daar vandaan vissen, of vanaf de doft, O gij nieuwlichter?'

'Hij is met mij wel eens wezen vliegvissen. Hij is heel goed in het aan de haak slaan van bomen.'

'Maak er dan maar zeevisnieuwlichter van, oh,' de jongen is op de bank komen zitten en gebaart snel Krijg de ziekte naar haar. 'Nou, mijn lieve kind,' zegt Kerewin liefjes en geeft hem de ver-

keerde kant van de hengel in handen, 'ik hoop dat je grootvaderhaai vangt.'

Joe knipoogt.

'Kijk,' zegt hij, 'je moet hem zo vasthouden, dit stuk in deze
hand, en je rechterhand op de molen. Nu moet je die knop naar
beneden duwen... je moet hem niet zo in de lucht steken, het uiteinde moet naar beneden wijzen. Het zinklood moet de lijn naar
beneden brengen. Je hoeft hem niet op te houden... jezus christus,
kijk toch uit waar je naartoe slingert!'

Ze zit lekker achterover, voeten tegen de dolboorden, voor zich
uit te neuriën.

Haar lijn is aan de roeiklamp bevestigd en de zinker van haar
hengel is bijna op de bodem. De lijn beweegt.

'Als we eens een wedstrijd deden? Ik neem het op tegen jullie
tweeën?' Ze grijnst van oor tot oor, terwijl ze het uiteinde van de
hengelstok onder haar dijbeen klemt en de handlijn binnen begint
te halen.

'Godverdegodver,' moppert Joe. 'Hoe heb je het klaargespeeld
om dit hier omheen te krijgen?'

De jongen zegt niets.

'Twee!'

Flinke kabeljauwen, blauw-groen glanzend. Ze spartelen en
worstelen, maar ze haalt ze snel van de haak, slaat ze bewusteloos
met een klein koperen knuppeltje. Ze windt de lijn op.

'Ahhh, tel er maar twee bij op... hebben jullie al beet gehad?'

'Nee,' zegt Joe kortaf, en trekt aan een warboel van nylon.

'Jammer. Ze bijten goed.'

Ze steekt beide vissen snel in de ruggegraat, en snijdt dan de
dunne verbindende buikzijde van de ruggegraat open. De koraal-
rooskleurige kieuwen gaan nog een laatste keer open, stuiptrek-
kend. Ze legt ze alle vier, bloederig nu terwijl de blauwgroene
pracht vervaagt, in een mand onder een vochtige zak.

'Tatatata,' en doet vers aas aan haar haken. 'Hoe staat het met
jullie?'

Joe ontbloot zijn tanden.

'Weet je wat, man, geef mij die warboel maar, dan kun jij je lijn
in de gaten houden, hè?'

'Het is dat je er zelf om vraagt.'

'Tjee, wat een zootje.'

'Jaja,' een stuk vrolijker nu en laat zijn zinklood bij de boeg in het water zakken.

Kerewin doet haar best op de nylon wirwar, onhoorbaar mopperend. Simon staart naar de zee, de lucht, de dode vissen, naar van alles, behalve naar haar.

En net wanneer Joe 'Beet!' roept, krijgt ze de haak vrij van de fijne draad.

'Voorzichtig nu,' zegt ze tegen de jongen en hij slingert hem de zee in.

Joe haalt zijn handlijn in, vuist na vuist, de draad snijdt in het hout van de boeg.

'Een grote. Misschien wel een paar aan elke haak, eh?' De jongen slaakt een gil en sjort aan de hengel. Het is een lichte boothengel van fiberglas en de punt buigt bijna door tot op het water.

'Hé, grootvaderhaai...' De molen van zijn hengel is geblokkeerd en hij doet geen enkele poging hem op te halen. Hij heeft al zijn krachten nodig om te blijven vasthouden. 'Een moment en dan kom ik je helpen,' zegt Kerewin. 'Hij moet maar even geduld hebben.'

Joe kijkt over de rand van de boot. Zijn gezicht vertrekt. 'Haimona,' zegt hij met verstikte stem, 'je hebt mijn vis gevangen.'

Ze buigt zich voorover om te kijken. 'Grote goedheid, het is nog een flinke kanjer ook,' en lacht een poosje, helemaal in haar eentje.

Tegen de tijd dat Joe de verstrikt geraakte hondshaai heeft losgehakt, gesneden en anderszins bevrijd heeft, heeft Kerewin al weer een stuk of tien kabeljauwen, drie terahiki en verscheidene zeebaarzen gevangen. Van de laatstgenoemde gooit ze de meeste weer terug.

'Zoals ik het zie,' leunt comfortabel achterover tegen de motor, 'verdient een vis die opzichtig en stekelig is en een grote bek heeft, het niet om ook nog aan de haak geslagen te worden. Diep in mijn hart ben ik namelijk een zachtaardig mens, weet je. Ze zijn trouwens niet lekker ook.'

Joe gromt wat.

Simon zit weer naar de lucht te turen.

Vijf minuten later doet de man nieuw aas aan zijn eigen haken en zendt de lijn naar de bodem. Met merkbare beheersing controleert hij het aas van de jongen, neemt de hengel van hem over, kijkt toe hoe het zinklood door het water glijdt en wacht tot het op de bodem belandt is.

Hij geeft hem de hengel in handen.

'Gewoon hier blijven zitten en je hengel vasthouden,' zegt hij koeltjes. De jongen kijkt hem bedrukt aan. Met beide handen vol kan hij niet veel duidelijk maken, maar zijn lippen vormen een woord.

'Vis? Hoe bedoel je, vis? Die heeft Kerewin waarschijnlijk allemaal al gevangen,' en lacht bitter, 'maar als ze er nog een paar heeft overgelaten, ben ik van plan er minstens eentje te vangen. Als je beet hebt, haal je hem er zelf maar uit. Zonder ook maar iets ergens in te verstrikken.'

Kerewin gniffelt.

'Maak je geen zorgen, Sim. Met dat spreekwoordelijke geluk van je, vang je waarschijnlijk een octopus. Die klimt via je lijn naar boven en wordt verliefd op je vader en nestelt zich arm, na arm, na arm tegen hem aan, gadver,' ze spuugt heftig. De man gooide een tamelijk smerig stuk aas. 'Joe,' zegt ze op gekwetste toon, 'dat ik je een beetje op stang jaag is een ding, maar ik hoor beet te krijgen, en niet gevoerd te worden,' en lacht kakelend als een harpij. Ze stopt onmiddellijk. 'Zonde van die goede botervis,' zegt ze zuinig, en begint al weer een kabeljauw op te halen.

Joe ving twee zeebaarzen. Hij gooide ze niet terug.

Simon kreeg beet. Hij hield de schokkende hengel stevig vast en hoopte dat de vis los zou schieten.

Dat gebeurde ook.

Toen, ineens, wilden de vissen niet meer bijten. Kerewin sneed een zeebaars aan stukken, maar zelfs die verandering van aas kon ze niet verleiden.

'Nou, dan houden we maar een theepauze. De vissen houden ook even rust, geloof ik. Daarna kunnen we naar de goed geluk-stek gaan. Die zo heet, moet ik eraan toevoegen, omdat je er op goed geluk wat rondvist, en niet omdat het er vol zit met hapuku.'

De jongen weigert boterhammen en fruit. 'Voel je je nog steeds misselijk?' vraagt Joe. Simon zegt Nee, maar kijkt onwillekeurig naar de mand bloederige vis.

'Geeft dat je een beroerd gevoel?' Kerewin tilt hem op terwijl de jongen zijn neus dichtknijpt. 'Ja, vissebloed ruikt niet al te fris... het zijn waarschijnlijk ook de resten van de haai bij jou in de buurt, Joe.'

Ze zet de mand op het dolboord en laat er met behulp van het hoosvat wat water over lopen. 'Zo, dat is koud. Maar zo blijven ze wel langer vers.' Joe verwijdert bloed en ingewanden die tijdens de episode met de haai in de boot belandt zijn. 'Kijk maar eens hoe snel de scherp-getande heren daar op af komen. Kannibalistische engerds.'

'Ik zal het eens met de speer proberen,' zegt Joe.

'Hoe lang zitten we al op zee?'

'Bijna twee uur.'

'Zoiets dacht ik al. Dat betekent dat ik een gemiddelde heb gehaald van een vis en een halve haai per uur.'

'Geeft niet. Ik heb genoeg gevangen voor een flinke maaltijd en heb dan nog wat over om te roken. En wie weet wat we vangen op de goed geluk-stek?'

De duim van Simon.

Alles verloopt gladjes tot dat gebeurt.

Kerewin heeft het anker overboord gegooid zodra ze de motor uitzette. Het is een kleinere stek dan de vorige, zegt ze, en als ze afdrijven, drijven ze er vandaan.

Er staat nu een briesje, net genoeg om het water te rimpelen.

Een tijdlang vangt niemand iets, maar het is lekker om in het zonnetje te zitten. De zee is hier zo groen als jade en, nu het briesje weer is gaan liggen, zo glad als een vijver. Er komt een kwal langs drijven, glazige schijfvormige samentrekkingen, lange paarse tentakels bengelen er schuin achteraan. In de diepte schiet iets langs en zilverigs voorbij, maar te snel om te kunnen zien wat het was.

Twee albatrossen scheren met hun bleke poten over het water en strijken vlak bij de boot neer.

'Die zijn optimistisch,' zegt Joe, maar volgens Kerewin is het een goed teken. 'Ze verwachten dat we iets zullen vangen waar ze van kunnen meeëten,' en vlak daarna slaat de man een grote horsmakreel aan de haak. 'Geweldig!' roept ze blij, 'die heb ik in tientallen jaren niet meer gezien, en ze zijn heerlijk.'

'Dan zal ik er nog maar een paar vangen,' grapt hij en tot hun luidruchtige verrukking en verbazing slaagt hij daarin. 'Jezus, wat goed,' zegt Kerewin. 'Laat die terahiki maar zitten, dit zijn de jongens die we als avondeten gaan gebruiken... kom op, Sim. Vang eens iets spectaculairs voor ons.' Hij lacht. Angst en misselijkheid zijn vergeten. Hij gaat op de middelste doft zitten, hengel klaar.

De albatrossen schreeuwen, en zwemmen hoopvol dichterbij en de jongen bedelt om iets dat hij ze kan voeren. 'Kijk toch, ze zijn al zo vet als varkens... maar goed, dat is hun recht.'

Ze snijdt een zeebaars in gefileerde stukken en geeft ze aan de jongen.

De vogels krijsen en spatten en verslinden de vis. Er komt een derde albatros langs vliegen die midden in het festijn landt.

'Het lijkt wel een circus... hè, die ziet er anders uit. Niet toroa.'

'Een variëteit, denk ik,' zegt Kerewin fronsend, 'maar dat soort heb ik hier nog niet eerder gezien.' De nieuwkomer is even groot als de andere twee, maar hun kop is mooi grijs met donker voorhoofd, en de zijne is stralend wit. Zijn snavel is oranje, donkerroze aan het uiteinde, en de andere albatrossen hebben vlijmscherpe, zwart met gele snavels. De zeebaars smaakt ze allemaal even goed, dat wel.

'Gooi die nieuwe knaap eens een stukje toe, Himi. Ik geloof dat de anderen hem willen wegjagen.'

De jongen kromt zijn arm, mikt, en juist op dat moment wordt de tip van zijn hengel naar beneden getrokken. Hij grijpt het uiteinde en houdt hem stevig vast. De albatros, oog gericht op het stuk vis, komt bijna aan boord om het te pakken.

'Weg jij, brutale aap,' roept Kerewin, en: 'Volhouden, jongen.'

Joe komt van de boeg naar hen toe en gaat achter zijn zoon zitten. 'Zal ik helpen?'

Simon schudt met zijn hoofd. De lijn schiet naar beneden, neer, neer, met harde, heftige rukken. De top van de hengel is onder water, maar het kind wil duidelijk wat er te vangen valt, alleen vangen.

'Goed, deze hand is er alleen voor het geval het nodig is.' Hij gaat schrijlings op het bankje zitten en houdt het bovenste deel van de hengel losjes vast.

'Als je even wilt uitrusten, neem ik het van je over.' Sim knikt. Hij doet wat hij kan en zet zich schrap om de hengel terug te buigen.

'Het lijkt me een stevige knaap.' Onder een van de banken vandaan pakt ze een knuppel en trekt de hijshaak te voorschijn. 'Hou vast, Sim... misschien is het gewoon een grote haai, maar het kan ook een tandbaars zijn...'

Het rukken stopt en de hengel trekt recht. Simons gezicht is vleesgeworden ellende. 'Inhalen,' dringt Joe aan. 'Snel inhalen, misschien is hij alleen maar moe.'

Zonder veel hoop haalt de jongen in, met hangende schouders. Draait drie keer aan het molentje, vier keer, vijf, en wham! daar gaat de top van de hengel weer.

Iedereen gilt.

Dit keer trekt de vis wel een minuut of vijf voordat de lijn weer slap komt te hangen.

Joe houdt de hengel met beide handen stevig vast en Simon haalt in tot de vis de lijn opnieuw naar beneden trekt.

'Verdorie, ik wou dat ik een fototoestel had,' zegt Kerewin.

De jongen knarst met zijn tanden, zijn handen hebben witte knokkels van het knijpen in de hengel. Het is maar goed dat Joe zijn armen om hem heen heeft geslagen, denkt ze. Als dat ding echt hard gaat trekken, geloof ik niet dat het ventje hem zou loslaten, zelfs niet als dat zou betekenen dat hij in het water zou belanden... ben benieuwd hoe lang hij het nog kan volhouden?

Het is een grimmige doodstrijd: de vis mag dan misschien moe worden, misschien, maar het kind is dat zeker. Het zweet gutst over zijn gezicht, stroomt over zijn jukbeenderen en druipt langs zijn kin. Al zijn inspanning is gericht op het vasthouden, wachtend op de volgende periode van genade waarin de vis even niet vecht om in dieper water te kunnen komen.

Het is maar goed dat er een vertrager op die hengel zit, anders was je allang een vinger of op zijn minst wat huid kwijt geraakt, met de krachtige duikbewegingen die deze vis maakt.

Simon krijgt nog twee keer de kans om lijn in te halen, de tweede keer zelfs wel een paar meter, en steeds daarna trekt de vijand aan het andere eind de top van de hengel weer naar beneden.

'Godallemachtig, mijn polsen beginnen pijn te doen,' zegt Joe en Simon kreunt van pure ellende wanneer de vis weer naar beneden duikt.

Maar hij is nu dicht genoeg onder het oppervlak zodat Kerewin hem kan zien.

'Geen haai, jongen! Hel eens de andere kant op, Joe.' Ze balanceert tegen het dolboord, gereed met hijshaak en knuppel.

Simon hijgt doodop en zwaar, maar hij kan nu gestadig lijn inhalen.

Er ontstaat een korte spartelpartij wanneer de vis het water doorbreekt, maar het is afgelopen. 'Tandbaars,' roept Kerewin en slaat de hijshaak in de mondzijde van de kieuwen.

'Blijf draaien, jochie. Ha, mooi!' en slaat de vis hard. 'Mooi exemplaar!'

'Himi of de vis?'

'Beide! O, magnifiek.'

Simon lacht met gesloten ogen en hangt met zijn hoofd achterover tegen Joe aan.

Nu ze de versufte vis over het dolboord hijst, ziet de man hem voor het eerst in volle omvang.

'Goeie god, die is bijna net zo groot als hijzelf...'

'En weegt heel wat meer,' steunend van inspanning om de tandbaars aan boord te krijgen. 'Goed, maestro, u kunt uw hengel neerleggen.'

De jongen doet zijn ogen open en staart, vol ontzag. Blauwgrijs, indrukwekkend, enorme bek, alles wat hij maar zo gauw in zich kan opnemen. Hij staat te bibberen nu de lange strijd voorbij is. Legt de hengel aan de boegzijde van de doft neer: er is voldoende nylon over voor Kerewin om de vis te kunnen manoeuvreren.

'Is dit echt je eerste vangst?' en wanneer de jongen nog steeds wat verbouwereerd knikt, 'nou, dat is de beste eerste vis die ik in mijn leven gezien heb. Groot en het meest eetbare soort uit de hele zee, althans naar mijn smaak. Slaat zelfs Joe's horsmakreel,' zegt ze lachend.

Hij glimlacht en werpt zijn hoofd achterover om zijn vaders reactie te kunnen zien.

'Ka pai,' zegt Joe en geeft hem een kus.

De tandbaars kiest juist dat moment uit om te stuiptrekken in een laatste poging te ontkomen.

'Tjezusss!' krijst Kerewin als de haak losschiet.

'Pak hem,' brult Joe en neemt een duik om de staart te grijpen.

De kop van de tandbaars ligt op de middelste doft en zijn staart slaat op het dek: nog een paar centimeter en de vis glipt de zee in. Simon grijpt het nylon vast, Kerewin pakt de knuppel en slaat de vis gemeen hard bam bam bammerdebam bam, de slagen dreunen door de boot. De ogen van de tandbaars verstarren in hun kassen en puilen uit. De kieuwen openen zich rasperig voor de laatste keer en klemmen zich dan op elkaar. Hij valt terug op de bodem van de boot.

'Pioeoe,' zegt ze zwak, eindelijk eens om woorden verlegen.

'Volgens mij heb je zijn schedel verbrijzeld,' Joe staart gefascineerd, vol afgrijzen naar de vis. 'Tjee, als we die verspeeld hadden,' draait zich lachend om naar zijn zoontje, 'dan had ik niet geweten hoe...'

'O God,' zegt hij, zijn stem vol afschuw, enkele seconden later. 'Kijk toch wat hij gedaan heeft.'

Er zit een $^5\!/_0$ haak diep in zijn duim.

De ruggegraat van de tandbaars is doorgehakt. Hij is uitgebloed, in de resterende natte zakken verpakt en onder de middelste bank gelegd. Ze heeft de lijn doorgesneden en de haak in zijn bek laten zitten. Het nylon aan Simons haak heeft ze voorzichtiger doorgesneden, de lijn strakhoudend zodat de haak niet kon bewegen. Ze onderzocht de duim vluchtig.

'Die zit er te diep in,' zei ze en borg de eerste-hulpdoos weer terug in de kast.

De jongen zat naar zijn aan de haak geslagen duim te kijken. Zijn gezicht weer een wassen masker.

Kerewin wond de startkabel op en de motor sloeg bij de eerste poging aan. Ze liet hem in zijn vrij lopen.

'Klaar?'

Joe nam zijn zoon in zijn armen en zei: 'Rustig maar, idioot,' terwijl hij dat deed. Maar hij hield hem vast alsof het kind in zijn handen kon breken.

'Klaar,' antwoordde hij.

Ze liet de motor harder lopen en wendde de boeg naar het strand van Moerangi.

Joe stapt op het zand, zijn zoon nog steeds in zijn armen.

'Neem de auto maar. De sleutels liggen op de schoorsteenmantel van het Oude Huisje.'

Hij fronst. 'Waarvoor?'

'De dichtstbijzijnde dokter zit in Hamdon. Dat is te ver om te lopen.'

'De dichtsbijzijnde dokter die hij niet te lijf zal gaan zit 450 kilometer verderop. Ik haal hem er hier wel uit.'

'Ach, kom nou, dat wordt een kleine operatie. Hij heeft een dokter nodig.'

Ze draait zich om terwijl er een golf breekt bij de kont van de boot.

Simon slikt eens. Hij fluit om haar aandacht te trekken, maar zijn keel is te droog.

'Ach, Kerewin...'

Ze draait zich om. De jongen schudt opzettelijk, nadrukkelijk zijn hoofd.

'En dat betekent zeker "geen dokter" hè?'

Ze staren haar aan met dezelfde vastbesloten gezichten, strakke monden.

'Aue. Nou, dan moeten jullie dat maar doen.' Ze haalt haar schouders op en zucht. 'Ik zal de boot terugleggen en de vis schoonmaken.'

'Red je dat wel, de boot in je eentje?'

'Er zit daar een windas. Dat gaat best.'

'Goed.' Hij keert zich af.

'Eh... Joe?' en hij draait zich snel weer om.

'Boven in de kast staat een fles brandy. Als je hem er langzaam flink wat van laat drinken, zal het voor jullie allebei een stuk makkelijker zijn.'

'Ja.' Hij loopt in de richting van de huisjes. 'Bedankt.'

Ze haalde de kieuwen van de kop van de tandbaars af en deed die in een aparte emmer. Goed voor de soep en er gaan heel wat porties uit een paar wangen.

Ze maakte de vis zelf schoon en dacht ineens, terwijl ze daar mee bezig was: 'Verdorie, we zouden eigenlijk een foto moeten hebben van het beest in zijn geheel. Maar als ik de kop er nu eens bij leg, krijg je toch een aardig idee van de omvang...'

Zonder kop en ontdaan van zijn ingewanden woog de vis meer dan veertig pond.

'Indrukwekkend, ventje, indrukwekkend.'

De zeemeeuwen die zich verzameld hebben, vliegen op nu ze haar stem horen.

Met de kabeljauw is ze langer bezig. Ze fileert ze stuk voor stuk, waarop de zeemeeuwen weer terugkomen, hard krijsen en zich storten op lange roze ingewanden en gelige klieren en graten en vellen.

Een paar van de gefileerde vissen bewaart ze voor kreeftefuiken.

De horsmakreel en de terahiki gaan makkelijk,' ze haalt de koppen eraf, wipt de ingewanden eruit en haalt de schubben eraf.

Ze doet alle schoongemaakte vis, op de tandbaars na, in drie emmers en wandelt terug naar de huisjes.

Joe is gitaar aan het spelen in het Nieuwe Huisje. Ze schopt tegen de deur.

'Een ogenblikje!' zingt hij haar toe. 'Hallo!' zegt hij vrolijk en houdt de deur wijd voor haar open, 'dat heeft niet lang geduurd.' O sterre der zee, wie heeft van de brandy geproefd?

'Nee,' zegt ze vermoeid. 'Wil je deze in de ijskast leggen?' en wijst op de terahiki en de horsmakreel. 'De rest kun Je gewoon in de emmer laten zitten. Ik kom zo terug. Ik moet de tandbaars nog ophalen.'

Ze reikt hem de emmers aan. 'Gaat het goed met Sim?'

'Prima, prima. Zit tot aan zijn nek vol met drank en er is een interessante hap uit zijn duim, waar hij, vreemd genoeg, nogal trots op schijnt te zijn... Hij wil zijn vis hebben, ik weet niet zeker of hij hem mee naar bed wil nemen of niet.' Joe blijft maar tegen haar glimlachen.

'Ik snap het.'

'Goed.' Hij pakt de emmers, loopt ermee naar buiten, en sluit de deur.

'Dat was op een of andere manier heel vreemd,' zegt ze tegen zichzelf en loopt met grote passen terug naar het strand.

In het huisje schenkt Joe zich nog een glas van het brouwsel in. Port en brandy, afgrijselijk zoet, maar hij slaat het zonder te proeven achterover.

Innerlijk kookt hij van woede, het zoemt in zijn hoofd als een verstoord wespennest, maar hij is vastbesloten er niets van naar buiten te laten blijken.

Ze had eraan kunnen denken. Ze had het kunnen aanbieden. Als we met zijn tweeën waren geweest, had de een hem kunnen vasthouden, terwijl de ander sneed. Zelfs Himi kan niet stil blijven zitten wanneer iemand in zijn hand zit te hakken.

De jongen was passief en giechelig van de drank toen hij hem op de sofa legde.

'Doe wat je wilt Himi, schreeuwen of schoppen, dat maakt niet uit. Ik zal het zo snel mogelijk doen.'

Hij had de hand van de jongen voor zich gehouden, zodat Simon zelf niet kon zien wat hij ging doen.

Snijden, de snee wijd open houden, zodat de haak niet nog meer schade aan kan richten wanneer hij eruit gehaald wordt.

Hij had het allemaal zorgvuldig uitgedacht tijdens de terugtocht in de boot, alles: met welk mes, welk ontsmettingsmiddel, waarmee hij het bloeden zou kunnen stelpen, zelfs hoe hij de wond weer dicht zou kunnen krijgen, want hij zag niet dat een van hen beiden het zou kunnen opbrengen om de wond met naald en draad te hechten.

Dankbaar voor de eerste-hulpcursus die hij ooit eens gevolgd had op de lerarenopleiding, was hij erin geslaagd alles in gedachten voor elkaar te krijgen, zodat het zo snel en pijnloos mogelijk gedaan kon worden. Maar hij had er niet op gerekend dat Kerewin het zou verkiezen hen te negeren. Of dat de haak in het zachte bot vast zat. Twee harde rukken om het kreng eruit te krijgen. Hij wordt misselijk nu hij eraan terug denkt, en hij kan het maar niet uit zijn hoofd zetten.

'Jij nog eentje, tama?' zijn stem is beheerst, zijn glimlach zit gebeiteld.

Na vier glazen port en brandy is Simon bijna buiten westen. Hij ziet koortsachtig rood en zijn ogen blijven dichtvallen, terwijl hij ze open wil houden. Met zijn rechterhand maakt hij een krachteloos gebaar van Ja. Het enige wat hij op dat moment wil is slapen. Zijn linkerhand doet verschrikkelijk zeer. Steeds opnieuw begint hij weer te denken over Kerewin, en waarom ze niet wilde helpen en over wat ze gezegd had in de boot – hij deinst opnieuw terug voor de woorden, maar de stem is er weer, en de melodieën beginnen uit zichzelf op te klinken in de duisternis die om hem heen sluit.ʼ

('Jij lieve kloterige nutteloze Clare, jij kan ook niets goed doen.')

Joe komt met vertraagde bewegingen naar hem toe, zegt iets liefs en houdt het glas vast zodat hij er makkelijk uit kan drinken. Hij glimlacht heel breed naar hem om te laten zien.

dat alles
goed


Ze glipte terug naar het Oude Huisje om haar fototoestel te pakken. In het botenhuis bij het Zwarte Huisje legde ze het lichaam van de tandbaars zo neer dat het intact leek, als je tenminste niet al te goed keek. Ze legde er een meetlat naast en nam er vanuit drie verschillende hoeken foto's van.

'Nu heb je tenminste iets tastbaars dat je kunt laten zien voor al je inspanningen, Simon P. Gillayley.'

En nog een litteken erbij, zegt de Snark.

Ach, hou toch je kop, kaatst Kerewin terug. Daar wil ik helemaal niet over denken.

Ze loopt moeizaam langs het strand, gebukt onder het gewicht van de tandbaars, houdt zich de hele weg voor het te vergeten, en raakt bij iedere stap meer van streek en wordt steeds bozer. Lafaard, lafaard, je kunt niet tegen andermans pijn, stop het weg, verdonkeremaan het, veeg het onder het kleed en vaag het uit je gedachten.

Waarom moest dat stomme joch nou ook dat nylon vastpakken? Ik redde het prima... net wanneer alles lekker begint te lopen, maakt dat klotejoch er weer een rampzalige puinhoop van.

Ze legt de zeebaars in de vriezer in het botenhuis bij het Nieuwe Huisje.

Als hij het stomme ding wil hebben, gaat hij hem zelf maar halen.

Ze gooit de deur strijdlustig open, laat de jongen het eens wagen een toestand te maken, of de man, laat iemand het eens wagen haar te herinneren aan wat er gebeurd is.

Joe kijkt op en glimlacht.

Hij legt zijn gitaar neer en staat op.

'Ga hier maar zitten, dan maak ik thee,' biedt hij vriendelijk aan. 'Jij hebt al zoveel gedaan.'

'Dank je.'

Ze werpt een blik op de sofa. De jongen vormt aan een kant van de sofa een bult, bedekt met een deken.

'Slaapt hij?'

'Hij ligt eerder in een alcoholische coma.' Hij zegt het luchtig, almaar glimlachend.

Het is meer dat de pijn en de schrik hem eronder hebben gekregen,

ziet Simon, die weer in bewusteloosheid wegzakt, midden in een glimlach,

en verbijstering over je weigering te helpen.

'Brandy én port?'

'Dat maakte het wat zoeter voor hem. Van alleen brandy ging hij kokhalzen. Maak je geen zorgen, ik zal van beide een nieuwe fles kopen.' Zijn glimlach wordt wat star.

Kerewin fronst en pakt de gitaar op. 'Ach laat toch... als hij mijn tokai had gewild, had hij die kunnen krijgen. Met liefde.' Ze laat haar vingers over de snaren lopen, maar fronst nog steeds. 'Ik kan maar niet begrijpen waarom je je poot niet stijf gehouden hebt en hem naar een dokter hebt gestuurd. Ik bedoel, die zijn er toch aan gewend dat kinderen bang voor hen zijn. Ze zijn gewend om daar goed op te reageren.'

De glimlach verdwijnt van zijn gezicht.

'Of hij had de hele weg er naartoe gevochten, of hij was hysterisch geworden. Als hij gevochten had, had hij zich nog meer pijn gedaan. En wanneer hij begint te gillen, is dat niet voor een paar minuutjes. Het duurt uren voor hij daar weer overheen is. Nu heb ik hem in eerste instantie misschien meer pijn gedaan, maar het was snel voorbij en hij vond het niet erg. Geloof me nou maar, Kerewin, hij is niet zomaar een beetje bang voor dokters, hij is doodsbang voor ze.'

'Waarom?'

'Ik weet het niet,' en hoopt dat ze het onderwerp zal laten vallen.

'Waar is hij dan zo doodsbang voor? De omgeving? Voor de dokters zelf?'

Hij haalt zijn schouders op en geeft geen antwoord.

Ander onderwerp, dame.

'Een tijdje geleden zei je dat hij al in een ziekenhuis opgenomen was geweest voor jij hem op het strand vond, en dat uit zijn reacties bleek dat hij toen een hele zware tijd gehad heeft. Reageerde hij ook zo toen jij hem voor het eerst meenam naar een dokter?'

Ze probeert te helpen, op haar manier. Beheers je, Ngakau.

Hij ademt diep uit. 'Zodra hij zich realiseerde dat Elizabeth Lachlan arts was, ja. Hij had haar echter bij ons thuis al eens ontmoet – ze was een goede vriendin van Hana en hij vond haar toen erg aardig. Hij vindt haar nog steeds aardig, maar hij slaagt erin tegelijkertijd doodsbang voor haar te zijn. Heb je ooit wel eens iemand van angst zien overgeven?'

'Afgezien van vanochtend niet, nee.'

'Telkens wanneer het nodig is dat we naar Elizabeth gaan, doet hij dat. En wat andere artsen betreft, hij weigert er naartoe te gaan. Er zijn grenzen aan hoever je iemand kunt krijgen. Ik kan hem toch moeilijk slaan omdat hij bang is.'

'Welke andere artsen?'

'O, de vervanger van Elizabeth. De artsen in het ziekenhuis. Een knaap in Hamilton, dat was toen we met die bus mee op vakantie waren gegaan... hij werd beroerd van almaar wagenziek zijn en, denk ik, van het constante gevecht dat we leverden. Ik dacht dat een arts hem misschien iets beters kon voorschrijven dan Dramamine, maar, eh, zodra Haimona de tas zag, was het afgelopen. Hij schreeuwde tot hij volslagen hysterisch werd en dat is niet bepaald een pretje om aan te zien, noch om mee om te gaan. Die arme dokter had geen idee wat hem overkwam. Was het wel mijn kind, of had ik hem zomaar ergens vandaan geplukt? Uiteindelijk heeft hij hem vol kalmerende middelen gespoten, maar ik dacht dat de naald zou afbreken, zo stijf was Himi's arm.'

Kerewin stopt, deng, midden in een akkoord.

'Naalden, injectienaalden. Een heleboel mensen zijn pathologisch bang voor die dingen.'

'Ik geloof het niet.' Het theewater kookt. 'De eerste keer dat we hem meenamen naar Elizabeth, kwam er geen naald aan te pas...' hij stopt, zijn gezicht vertrekt van opwinding. 'Wacht eens even, ik geloof van wel. Dat was ik helemaal vergeten... hij had een zware kou op de borst die Hana maar niet kon genezen. Dus gingen we naar Liz, die een of ander drankje voorschreef, en tot die tijd was er niets met hem aan de hand. Ze stelde voor dat ze hem een herhalingsinjectie tegen tetanus zou geven, omdat hij er in het ziekenhuis al een van had gehad... ja, zo was het.'

Hij knipt met zijn vingers. 'Plotseling gebeurde er toen van alles. Simon raakte helemaal over zijn toeren, maar toen pas. Pas toen hij door had wat ze ging doen en voor wie die injectie bestemd was. Misschien komen al die toestanden wel daardoor.' Dan haalt hij zijn schouders op en begint thee te zetten.

'Nou?'

'Nou ja, wat maakt het uit? Hij zal er toch een spektakel van blijven maken als hij naar een vreemde dokter moet.'

'Niet wanneer hij weet wat hem zo bang maakt. Als je begrijpt waarom je zo bang bent, neemt je angst af.'

'O ja? Dat is nu precies waar het om draait, Kerewin. Waarom is hij zo bang voor injecties?'

'Misschien heeft hij een echte fobie. Daar valt iets aan te doen. Er kan ook een andere reden voor zijn. We kunnen proberen daar achter te komen en hem helpen.'

Joe trekt een grimas.

'Ik neem aan dat je dat nog niet geprobeerd hebt, hem vragen stellen over zijn verleden?'

'Nee.' Een snelle riedel.

'Je komt niet snel iets aan de weet. Ik geloof dat hij wel probeert om antwoorden te geven, maar hij wil zich niets herinneren. Ik geloof trouwens niet dat hij zich veel kan herinneren, en het schijnt allemaal naar geweest te zijn. Als je hem vragen blijft stellen, gaat hij huilen, of wordt misselijk of, zoals hij met Hana een keer deed, vliegt je aan.'

Hij schudt zijn hoofd. 'Misschien was het toen de enige manier die hij kon verzinnen om haar te laten ophouden met vragen stellen, maar het maakte haar van streek... Himi ook. In ieder geval, als je blijft aanhouden, krijgt hij nachtmerries als hij weer gaat slapen, ongeacht hoeveel slaapmiddel je hem geeft.'

'O,' zegt Kerewin, en kijkt naar het slapende kind. 'In dat geval moet ik mijn volgende onderzoeksfase maar laten vervallen.' Ze begint een liedje te tokkelen en kijkt naar haar vingers. 'Wat betreft zijn prachtige reactie op mijn schoolfrans vanochtend – is je dat opgevallen?'

Hij knikt, zijn ogen staan koud.

'Ik was van plan achteloos eens een liedje te gaan zingen, zoiets als dit,' een eenvoudig wijsje, 'Sur le pont d'Avignon en eens te zien of hij daar überhaupt op zou reageren. Ik was ook van plan mijn Frans eens wat op te halen en heel terloops eens een zinnetje in een gesprek te laten vallen. Gewoon om te zien wat er dan zou gebeuren.' Ze stopt abrupt met spelen. 'Of hebben Hana en jij geprobeerd om Frans met hem te spreken?'

'Nee, dat deden we niet. Ik spreek geen Frans en Hana kon het ook niet.' Zijn stem klinkt kortaf. Voor het eerst schemert zijn woede door zijn woorden heen.

Ze lacht zachtjes.

'E Joe, mijn vriend, denk je nu echt dat ik dat arme stomme kleine opdondertje haat?'

Het is niet zijn bedoeling, maar plotseling schiet het eruit:

'Ik weet het niet, maar je was verdomme niet zo'n geweldige hulp net en toen had hij je nodig. Hij bleef almaar vragen... ach, barst ook.'

'Bleef almaar vragen waarom ik niet kwam om voor opera-tiezuster te spelen? Omdat ik absoluut niet had kunnen helpen zelfs niet door hem vast te houden of van een afstand troostende woordjes in te fluisteren. Ik was de hele tijd bezig geweest me net zo misselijk te voelen als hij vanmorgen. Maar dan wel aan één stuk door.'

Alle spot en humor is uit haar stem verdwenen.

'Ik heb een achilleshiel, Joe, vreemd voor een strijder, maar toch. Ik kan er niet tegen te zien dat een ander pijn wordt gedaan, of dat nou is om hem te helpen of niet. Ik dood zelfs de vissen die ik vang meteen... ik had jou of Sim echt niet kunnen helpen, zelfs niet als ik eerst een flinke dosis van dat afgrijselijke port en brandy-brouwsel achterover geslagen zou hebben. Het spijt me dat je er boos over bent, en ik zal Sim, zodra hij wakker wordt, het hoe en waarom uitleggen. Maar ik wilde hoe dan ook geen deel hebben aan jullie operatie.'

De gitaar klinkt weer op als contrapunt van haar woorden.

'Maar om terug te komen op wat ik begon te vertellen... ik zal Sim niet verbaal door de mangel halen. Als hij al zo vol overgave begint te kotsen na een zo'n verminkt zinnetje, denk je dan echt dat ik het in mijn hoofd zou halen hem nog vragen te stellen als: "Quelle appellezvous in de donkere dagen van weleer, ma petite chou?"' De eerste maten van de Marseillaise zijn in haar spel bin-nengedrongen. 'Ik hou van die kleine Ier en ik zal mijn best doen hem niet met woorden te kwetsen... ik zal het uiterst voorzichtig en tactvol proberen te doen. De vis ligt in de vriezer van het huisje hiernaast,' een arpeggio van harmonieën, 'ik heb er, min of meer in zijn geheel, wat foto's van gemaakt,' een serie kleinere, vlotte akkoorden, 'hoewel ik me niet kan voorstellen dat hij er nog aan herinnerd wil worden,' ping, als ze een heel hoge noot langs een stuk of tien frets naar beneden laat komen, 'e hoa?'

Hij glimlacht weer breed.

'Ik weet het niet, Kerewin, ik weet het niet... als het iemand anders was geweest had het ons geen moer kunnen schelen, maar we houden van je. Dus laten we het maar afkussen en bijleggen,' en omdat hij kan voelen dat ze zich terugtrekt, hoewel ze nog geen beweging gemaakt heeft, zodra hij dat zei, voegt hij er haastig aan toe: 'Bij wijze van spreken hoor, anders konden we hier verdorie wel aan de gang blijven.'

Ze lacht en zet de gitaar weg. 'Ja, het zal de zeelucht zijn of zoiets.'

'Wat de vis betreft, hij zal dolblij zijn met de foto's. Hij wilde weten wanneer we weer gaan vissen, dan kan hij er weer een vangen... hij stelde voor om vanmiddag te gaan.'

'Ah, jeugd en herstellingsvermogen... als hij echt vandaag nog wil gaan vissen, haal ik de boot te voorschijn, zelfs al moet ik gaan zwemmen om hem vlot te trekken.'

Joe antwoordt droogjes dat vandaag misschien wel voldoende hernieuwde kennismaking met de zee is geweest. De jongen blijft trouwens slapen tot het al donker is.

Hij wordt vrij ontspannen en in vrede met zichzelf en de wereld wakker. Zijn duim doet niet zoveel pijn meer en hij is gelukkig met Kerewins verontschuldigende uitleg over waarom ze aan het andere eind van het strand bleef en niet aanbood om te helpen. Hij vergaapt zich aan zijn vis die stijf en glanzend in de vriezer ligt opgebaard, en gaat wel drie keer terug om te kijken.

Hij eet wat en blijft een hele poos op, speelt nog een kaartspelletje met Joe en Kerewin, en wint. Door vrolijk gecamoufleerd oneerlijk delen, zorgen ze ervoor dat hij achter elkaar hele straten, vier gelijken of azen in zijn hand krijgt, voor het geval het geluk hem niet toelacht. Hij neemt lachend zijn trichloral in, kust hen beiden goedenacht, en gaat tevreden naar bed.

Om hen om drie uur 's morgens wakker te maken, het is nog donker, door onbeheerst schreeuwen. En dat gaat maar door en door en door.

Joe spant zich in, vleit en pleit in het Engels en Maori, gebruikt smekende vraagwoordjes die in geen enkele taal voorkomen, om het kind te bereiken, waar hij dan ook mag zijn.

Ze rilt. Het is niets voor de jongen om niet te reageren.

Dit ligt dus achter die terloopse zinnetjes die Joe gebruikt.

Hij heeft nachtmerries, weet je? En: hij lijkt dan wel behekst.

Dit is de schaduwkant van Simons licht.

De zelfbeheersing, de onkinderlijke scherpzinnigheid en rationaliteit die hij vaak aan de dag legt, de vreemde vermogens die hij heeft, worden met deze munt betaald.

Het geluid is vol hopeloze angst, van iemand die zover gedreven is dat er alleen nog maar doodsangst en verschrikking bestaat. Niets, zelfs niet de herinnering aan iets anders, klinkt alsof het blijft.

Nog erger dan het gillen onder de douche, mijn liefje... en jij wilde nog wel vrolijk wat rondneuzen en poeren in die diepten? Interessant... aue.

Het is te koud om zo naakt te blijven zitten. Ze vindt haar trui en overhemd en trekt die aan, en gaat in kleermakerszit boven op haar dekens en dekbedden zitten.

Joe heeft iets gedaan of gezegd dat hielp.

Of misschien duurt zo'n aanval van angst en paniek niet zo lang als het klinkt, eeuwig.

Nu kan ze de zee weer horen, een breker die op het strand komt, het doffe dreunen van het waaigat in het noordelijk rif. Het sissen van terugtrekkende golven.

'Kerewin?'

'Kerewin?' vraagt Joe opnieuw. 'Ben je wakker?'

Er klinkt een vreemd en prachtig sprankelt je van een lach in zijn stem door.

'Ja,' zegt ze en haar stem klinkt droog en effen, zelfs in haar eigen oren.

Hij grinnikt, dan zucht hij.

'Nou...' als hij er al iets aan toe wilde voegen, besloot hij het maar achterwege te laten. Ze hoort dekens verschuiven. 'Wil jij een paar minuten een bedgenoot?'

'Het ziet ernaar uit dat ik er een krijg, of ik nu wil of niet,' merkt Kerewin droogjes op. 'Steek eens een lamp aan, Joe. Ik heb mijn sigaartjes hier ergens neergelegd, maar zelfs mijn uileogen kunnen ze niet meer terugvinden. O hallo, wie hebben we daar?'

Ze zegt: 'Gegroet en welkom in het onvolprezen bed van Holrnes, mijn kwikstaartje. Zullen we je vermaken met stilte en de heerlijke geur van moeie voeten, of beloven we trouw aan wijn en gezang en nachtegaalhartjes op siroop?'

Als het moet, kan ze urenlang achtereen de meest baarlijke nonsens uitkramen, met welluidend en beheerst stemgeluid. Ze zegt niets over het feit dat het kind ligt te rillen, of dat hij in zijn broek geplast heeft, noch vraagt ze waarom hij zo begon te schreeuwen. Het zou middernacht in een oase duizenden kilometers verderop kunnen zijn. Ze houdt hem in een troostende omarming vast en kweelt hem een Holmes-achtige parafrase van Duizend-en-één-nacht in zijn oor tot hij hulpeloos daarnaar luistert in plaats van naar de dreun in zijn hart.

Joe luistert ook mee, en moet vaak lachen om de dubbelzinnigheid en de grapjes. Kerewin heeft een bevreemdende zeer uitgebreide kennis van pornografie en een tot nu toe niet eerder vertoonde aanleg voor schunnigheden. Hij hoopt dat het meeste het ene oor in en het andere weer uit zal gaan bij het kind.

Tegen de tijd dat hij de kolen weer tot een vuur heeft kunnen aanwakkeren en melk aan het warmen is, heeft zij Simon in een staat van ontspannen, zij het verdwaasde kalmte gebracht.

'Wil jij ook wat melk?' Hij neemt Simon van haar over en wikkelt een deken om hem heen.

'Ach ja, waarom niet.'

'Het duurt nog heel even... wij gaan even naar het andere huisje. Daar heb ik zijn slaapmiddel laten staan, maar we zijn zo weer terug.'

'Goed...'

Laten we maar hopen dat het goede nz-gebruik van Je Niet Mee Bemoeien hier ook nog opgaat. Ik weet dat er nu ook nog andere mensen zijn, en iedereen langs het strand moet hem gehoord hebben. Als iemand denkt dat we hem mishandelen en komt kijken...

Voor het eerst dringt tot haar door dat ze zich schuldig maakt aan het verhullen van een strafbaar feit.

Tjee, buiten de wet stellen, en kleine oorlogjes naar believen, mysteries en een pandemonium... wat voerde ik in godsnaam uit voordat de Gillayleys ten tonele verschenen?

En ze vraagt zich af hoe het zou zijn als ze vertrokken.

# Hoogwater

Joe is een ongelooflijke goede dartsspeler.

Hij heft hem, en tsjk! de dart zit zo stevig in het cijfer, de dubbel of in de roos, alsof hij er uit gegroeid is. Hij mist slechts zelden.

Hij heeft het dartbord uit Hamdon meegenomen, gelijk met levensmiddelen en een aanvulling voor hun drankvoorraad.

'Ha darts!' zegt Kerewin op een jubeltoon, wrijft zich in de handen en voorziet een nieuwe serie overwinningen.

Joe had wat gelachen.

Hij won elk spelletje.

'Het is verdomme geen wonder dat ik je in het café nooit heb zien spelen,' moppert ze. 'Daar hebben ze je waarschijnlijk uitgesloten... hoe doe je dat? Hypnotiseer je de veren, of maak je de punten magnetisch of zo?'

'Jaren van oefening. Jaren en jaren van oefening.'

Die avond vertelde hij er meer over.

Ze hebben nu een soort ritueel opgebouwd. Thee en een drankje of twee, het kind in bed, en dan schaken en ellenlange verhalen en vertrouwelijkheden uitwisselen tot het vuur uitgaat.

Simon ligt te slapen op het bovenste bed.

(Hij is de hele dag wat lusteloos geweest, maar was over het algemeen zeer opgewekt.

'Het put hem altijd uit,' zegt Joe in een terzijde tot Kerewin. 'Hij heeft een paar nachten nodig om er overheen te komen. Ik ook.'

Ze zegt dat ze zich dat wel kan voorstellen.

'Heb je die prachtige paarse kringen onder zijn ogen gezien? Wie of wat hem ook tot zo'n staat brengt, moet wel een esthetisch genoegen aan hem beleven. Paarse schaduwen onder zeegroene ogen... vrij decadent, maar een boeiende combinatie.')

De ketel op het fornuis zingt een ijl-metalen melodie.

De zee is nu duidelijk hoorbaar, spoelt flap flap hush langs de afscheiding. Kerewin rookt haar pijp, nadat ze als gewoonlijk de partij schaak gewonnen heeft; de lamp gaat uit omdat de druk wegvalt en de kerosine opgebrand is. En Joe zegt voor zich uit in de nacht:

'Wat betreft mijn enige vaardigheid, darts... ik heb een rare jeugd gehad.'

'O?'

'Afgrijselijk raar.'

Ze neemt de pijp uit haar mond en werpt een schuine blik in de kop.

'Ik heb, geloof ik, een goede jeugd gehad.'

'Dan heb je geluk gehad.' Hij staart in het oplichtende vuur. 'Ik vraag me af, ik heb me afgevraagd...'

Kerewin schraapt de verbrande tabak aandachtig uit de kop, maar dringt niet aan op verder vertellen.

'Ik heb vaak gedacht dat wat er in je jeugd gebeurt vrij bepalend is voor de rest van je leven. Wat je bent en wat je doet en op een of andere manier ook wat er met je gebeurt.'

'Ik denk dat dat tot op zekere hoogte waar is.'

'Ik bedoel, mijn moeder is uit haar geboortestreek weggegaan en is niet met iemand van haar eigen mensen getrouwd. Wat ik ook deed. Ik werd aan mijn grootmoeder gegeven toen ik drie was en ik kreeg Himi toen hij ongeveer even oud was. Hana stierf erg jong, ik ben maar vijf jaar met haar getrouwd geweest, en mijn pa stierf toen ik vier was. Ik was enig kind, hoewel dat niet de bedoeling was, en hij is dat ook, hoewel dat ook niet mijn bedoeling was. Het houdt allemaal verband met elkaar.'

'Alsof hij jouw jeugd herhaalt?'

'In zekere zin lijkt het daarop... of misschien herhaal ik het leven van mijn moeder. Ik weet het niet.'

Ze stopt haar pijp met tabak en duwt met haar duim de losse eindjes netjes naar binnen.

'Toen mijn moeder mij aan mijn Nana gaf, verwachtte ze nog heel wat kinderen te krijgen. Maar mijn vader stierf een jaar later... en ik heb altijd gedacht dat dat mijn schuld was. Ik was weggegaan en had hem alleen gelaten, je weet hoe kinderen zijn, hè?' Hij zucht. 'Ik heb hem nooit gekend... ik ben zelfs niet bij zijn begrafenis geweest. Er was iets goed mis tussen zijn moeder, mijn Nana, en hem, en dat ging niet alleen over mij. Ze placht dingen te zeggen als: "Ik haatte hem vanaf zijn geboorte, hij werd slecht geboren." En: "Ik laat jou niet tot zo'n slechte man opgroeien als hij, daarom ben je bij me." Ze is nooit naar de tangihanga gegaan. Ik voelde me een soort lepralijder, omdat ik een vader had die zo slecht, zo verdorven was dat zijn eigen moeder niet naar de begrafenis ging. Ik kan me niet veel van hem herinneren, maar hij leek me altijd heel goed en vriendelijk te zijn.'

Ze vraagt voorzichtig: 'Behandelde hij je wel altijd goed, dan?'

'Ik geloof dat ik wel weet waar je op doelt.' Hij lacht. 'Misschien kan ik mijn grootvader de schuld geven van dat trekje in me. Hij werd alom gerespecteerd, was ook ouderling, maar van de kerk, niet van zijn mensen. Hij ging de marae uit de weg... ik geloof dat hij zich schaamde, heimelijk schaamde, over mijn Nana en haar Maoriafstamming. Maar O jee, O jee, wat had die oude dame een wilskracht! Wat ze wilde hebben, kreeg ze, of het nu om mij ging of om iets anders... maar ik geloof dat de oude man het me kwalijk nam dat ik op haar leek, donker was en eerst Maori sprak, dat soort dingen... hij reageerde het op mij af. Hij leek altijd wel rechtvaardig, tenminste, hij gaf me altijd wel een reden, maar hij was hard voor me. En mijn Nana was nu ook niet bepaald iemand die zachtaardig met kinderen omsprong. Ik denk niet dat ze mij ooit om mezelf gewild heeft, maar meer om mijn vader duidelijk te maken wie de baas was. Misschien wel om hem een lesje te leren omdat hij getrouwd was met een dame die zij niet mocht of zoiets.'

Hij lacht weer.

'Dat klinkt als een tamelijk verknipte familiesituatie, hè? Dat was het ook in meer dan één opzicht. Mijn moeder bracht, na de dood van mijn vader, een jaar of zes in een gesticht door. Ze woonde niet bij haar familie, en zijn mensen mochten haar niet erg, dus dat zal niet makkelijk geweest zijn... in de weekeinden of als ze zich goed gedroeg, mocht ze er wel eens uit... ik heb nooit kunnen achterhalen waarom nou precies. In ieder geval kwam ze dan, maakte een enorme scène met mijn Nana en viel dan huilend en wel over me heen. Janken en kussen en toestanden, maar niet omdat ze me wilde troosten of me wilde opbeuren. Ze wilde dat ik haar opbeurde... die indruk kreeg ik althans. O God, dan zei ze:"E tama, ka aha ra koe? Ka aha ra koe?" En dan begon ik te huilen en toestanden te maken, en dan ging zij nog harder huilen... en de oude mensen stonden wat achteraf spottend te lachen... kwalijke toestanden. En het was nog veel erger toen ik wat ouder werd en naar school ging, omdat ze in staat was zich midden op straat op me te storten, en dan stonden er allemaal kinderen die ik kende omheen, die giechelden en elkaar aanstootten... jezus, wat was dat gênant. Uiteindelijk werd ze naar een inrichting op het Zuidereiland gestuurd, toen ik een jaar of zeven was. Vrij kort daarna kreeg ik een soort polio.'

'Godallemachtig, echt?' Ze zegt het met opperste verbazing.

'Ae, ko te pono tena.'

De lamp heeft het eindelijk opgegeven.

Er moeten kolen op het vuur gedaan worden.

Ze voert het vuur kooltje na kooltje, en wacht op de volgende ontboezemingen.

> Lieve hemel, je wist toch maar nooit wat mensen in het verleden hadden meegemaakt.

De kamer licht op. Het vuur knettert.

Simon beweegt in zijn slaap, slikt heftig, draait zich op zijn andere zij.

'E tama, ka aha ra koe?' zegt hij, zacht maar sarcastisch. Het lijkt alsof het sarcasme tegen hemzelf gericht is. 'Ik zou beter moeten weten, zou je zo denken, hè?'

'Ik weet het niet. Ik weet niet wat ik in jouw situatie zou doen.' Ze blaast een kringeltje rook uit dat in de opgaande luchtstroom wordt meegenomen naar het plafond.

Dan zegt ze:

'Jij hebt dan waarschijnlijk polio gehad voor het vaccin was ontwikkeld en voordat ze het afdoende konden behandelen. Hoe komt het dan dat je niet ligt weg te teren in een ijzeren long? Of betekent "een soort polio" dat het geen polio was?'

'Het betekent dat de medici het er niet over eens waren. Weet je, Nana was een groot voorstandster van de traditionele geneeswijze en vermeed Pakeha-dokters. Maar ook Maori-dokters die een Pakeha-opleiding hadden gehad. Wat haar betrof waren de oude gewoonten en handelswijzen het beste, zelfs voor nieuwe ziektes, dus dat was wat ik kreeg. Tegen de tijd dat de koorts helemaal over was, konden de dokters die mijn grootvader het huis had binnengesmokkeld niet meer met zekerheid vaststellen welke ziektekiemen het geweest waren, alleen maar dat ik daar plat op bed lag met een paar benen die aanvoelden als twee rollen deeg... Goeie God! Je had de taal eens moeten horen die mijn Nana uitsloeg toen ze eens per ongeluk zo'n smerige Pakeha-dokter tegen het lijf liep, die het lef gehad had zich met een van haar krielkippetjes te bemoeien... dat loog er niet om! In minder dan twee minuten heb ik wel tien nieuwe woorden geleerd voor smerigheid en etterende wonden. Ze was goed in talen, de oude dame, beide talen... ik werd niet naar een of ander ziekenhuis gebracht. Dat zou niet gekund hebben, niet dan over haar lijk en ik vermoed dat het een hele klus zou zijn geweest haar dood te maken. Ik bleef het bed houden en maakte daar al mijn werk voor school en als dat begon te vervelen, kreeg ik aardappels om te schillen, wol om te kaarden, vlas om te hekelen en te vlechten – ik kan vlechten en weven als een vrouw, neem dat maar van mij aan. Later werd het houtsnijden... afgewisseld met boeken. Maar van haar kreeg ik een keer een dartbord. Ik weet niet waarom ze me dat gaf... maar goed. Ik maakte draadjes aan de pijltjes vast, zodat ik ze ook weer uit het bord kon trekken. Wanneer je een paar jaar zo gespeeld hebt, plat op je rug liggend, met darts die je niet goed kunt richten, is het staande werpen van darts een eitje.'

'Twee jaar in bed?'

'Nou, het was eigenlijk eerder vier jaar voor de oude dame me weer zo ver had dat ik kon lopen. Ik geloof dat ze dat door pure wilskracht bereikte... ik wil dat je weer loopt, en bij God, dan zul je ook lopen, polio of geen polio. Lopen! Hier ben ik dan en ik loop.'

'Godallemachtig,' dit keer met ontzag in haar stem, 'niemand zou ooit aan je kunnen merken dat je invalide geweest bent.'

'Ik heb rare, stakerige benen als aandenken, he iwi kaupeka ne i? Maar ik ben tenminste niet invalide geworden als de arme stakkers die in dezelfde tijd als ik door die ziekte getroffen werden.'

'Wat een Nana... ze had je alleen nooit dat dartsspel moeten geven.'

'Ae.'

Hij is verzonken in persoonlijke mijmeringen, en lijkt haar niet gehoord te hebben.

Ze stond stilletjes op en ging een nieuw pakje tabak halen in het

311

aangrenzende huisje. Ze nam een paar glazen mee en de nieuwe fles whisky en liep monter terug. Rijp glinstert in het licht van haar zaklantaarn, op het grindpad over het strand, op het dode gras bij de rivier. De sterren zijn helder en staan dicht opeen en de maan is als een stralende koude zilveren sikkel. Weer binnen, stelt ze een toost voor.

'Op de vuile was die we allemaal hebben.'

Zonder te lachen zegt Joe: 'Op het buiten hangen van die vuile was.'

Maar de whisky ontlokt hem nog een woordenstroom. Hij vertelt over de dood van zijn grootmoeder bij een auto-ongeluk toen hij zestien was en hoe hij onmiddellijk na de begrafenis haar huis verliet. Hij vertelt over het hertrouwen van zijn moeder. 'Met een andere idioot, maar hij leek toch wel een aardige vent,' en haar verhuizing naar het verre noorden. Hij vertelt dat hij haar sinds zijn trouwen niet meer gezien heeft. 'Ze beschouwt me als onderdeel van haar slechte verleden, dat je maar beter kunt vergeten. Trouwens, ze mocht Hana niet.' Hij praat even over zijn grootvader, met toenemende bitterheid. 'Ik ben nooit meer teruggegaan om hem op te zoeken sinds ik uit Whakatu wegging, en dat was nadat Nana gestorven was. Het geld om mijn opleiding daar te bekostigen heb ik aan de lopende band moeten verdienen. Die oude klootzak kan wat mij betreft in een mandje naar de hel gestuurd worden. Misschien is hij daar al wel. Als hij nog leeft, moet hij tegen de tachtig lopen.'

Hij vertelt over de twee jaar vol religieuze toewijding. 'Ik ben zelfs naar het seminarie gegaan. Dat heeft geduurd tot ik Hana ontmoette bij een interkerkelijke bijeenkomst. Zij was Ratana en ik was katholiek, maar we waren heel diplomatiek op het gebied van religie. We spraken af dat we beiden onze gang moesten kunnen gaan en dat de kinderen maar voor zichzelf moesten beslissen wat ze wilden... kinderen, aue.'

Hij is daarna een hele poos stil, en nipt aan zijn whisky alsof het brandt op zijn tong.

Ten slotte vertelt hij dat hij gestopt is met de leraren opleiding voor hij afgestudeerd was. 'Hana wilde dat ik het zou afmaken, maar ik wilde haar een huis kunnen bieden en dat kon niet als student.' Hij stopte met het praktizeren van zijn godsdienst nadat zijn vrouw gestorven was. 'Ik heb voldoende van beide roepingen kunnen proeven om te weten dat ze niets voor mij zijn.' Hij lacht wat bitter. 'Ik blijk toch een typische hori te zijn, voorbestemd voor werk aan de lopende band, of fabrieksarbeider, maar niet geschikt voor hogere posities.'

'Hogere posities in wiens wereld? En het is maar wat je hoog noemt... ik heb zwervers gekend die wisten dat ze een belangrijke functie vervulden binnen het geheel en ik heb eens een minister gesproken die er zich van bewust was dat hij nog minder was dan een mesthoop.'

Ze legt niet uit waar ze deze mensen heeft gekend. Ze geeft maar heel weinig over zichzelf prijs, hoewel ze heel veel lijkt te vertellen. Na nog een paar glazen whisky brengt ze het gesprek handig terug op Joe's familie, met name de Tainuis. 'Ik weet dat jullie nauw verwant zijn, e hoa, maar ik ben er nog niet uit wie ze nou precies zijn.'

'Wherahiko is de broer van mijn moeder.' Hij begint een beetje met dubbele tong te praten. 'Ik mag hem en Marama ontzettend graag. Ben alleen niet zo dol op hun zoons, heb vooral een hekel aan Luce, die kloterige gifkikker. Kannie begrijpen dat Marama hem voortgebracht eh, heeft. Hij had een aangenomen kind kunnen zijn of zo. Nooit iets over gehoord. Nooit naar gevraagd. Maar hij lijkt niet op een van de twee oudjes, en van zijn broers heeft hij ook niet veel weg. Nee,' hij wrijft over zijn voorhoofd, 'nee, hij is niet geadopteerd. Het is gewoon een hufter. Slecht geboren. Ik blijf maar denken, snap je?'

Dat kan ik me voorstellen. Bijvoorbeeld over wat er van Sim terecht zal komen. Of hij op Luce zal gaan lijken?

Ahhh man, maak je geen zorgen... hij is van een heel ander slag...

'Ben is de oudste, die valt wel mee. Maar hij heeft nogal wat problemen. De boerderij eist al zijn tijd op en meer geld dan een van hen bezit, en hij maakt zich zorgen over de hartklachten van de oude man. Marama heeft een beroerte gehad, maar daar is ze weer bovenop gekomen... Piri werkt nu voor Ben maar is altijd eigen baas geweest. Hij denkt dat hij zich met mijn leven kan bemoeien, maar verder is het een aardige vent... behalve wanneer hij dronken is. Hij drinkt wat veel de laatste tijd, maar ja, wie ben ik, hè? Maar hij wil die scheiding niet, en hij realiseert zich dat hij Timote niet had moeten houden... dat was voornamelijk om Lynn een hak te zetten... Marama zorgt het grootste deel van de tijd voor het kind. Ook voor Simon, vroeger meer dan nu.'

Ze merkt voorzichtig op: 'Het lijkt wel of Simon Piri niet zo mag.'

Joe lacht en hikt tussendoor. 'Tjeeee... ah, ik weet eigenlijk niet precies waarom dat is. Ik ken een reden en dat is een grappige, heel gek. Piri heeft een keer met me gevochten op een avond dat ik Himi daar een pak slaag gaf. Himi werd witheet toen Piri mij een klap met een fles verkocht. Dat heeft hij hem heel lang niet kunnen vergeven. Die arme Piri begreep daar niets van... en nu,' hij haalt zijn schouders op, 'misschien weet Piri iets wat Himi liever voor zich had gehouden, of zoiets... ze weten daar allemaal hoe de situatie ligt, ze zijn op de hoogte van wat er de afgelopen twee jaar is gebeurd...' Hij staat moeizaam op. 'O, ik word oud en moe, of zou het de whisky zijn?'

'Whisky en het feit dat Simon je gisteravond wakker gehouden heeft? Ga je naar bed?'

'Ja.'

'Ik blijf nog even op, tot het vuur uit is.'

Tot het licht begint te worden blijft ze op om het beeld dat ze van Joe in haar geest had gevormd bij te stellen. Pas wanneer de whisky op is en de kolenkit leeg is, op wat gruis na, sluipt ze naar bed.

Uiterst storend.

Heb je iemand net in een hokje geplaatst, gaat hij dingen doen en zeggen die er niet mee in overeenstemming zijn.

Zoals Simon de gezonde glimlachende geest die zich ontpopt tot een krijskop.

En Joe, heilige moeder sta ons bij, van wie je dacht dat hij een van zelfmedelijden druipend kindermishandelend monster was, met ja, misschien wel een paar goede kanten...

Hoe zou het zijn om priester te willen worden, om leraar te

willen worden, om echtgenoot en vader van een gezin te willen zijn, en in al die dingen te mislukken? Hoe zou het zijn om zo'n macabere jeugd te hebben gehad, verpest door krankzinnigheid, en vol ziektes? En die verkapte toespelingen over tegen hem gericht geweld... geen wonder dat hij niet veel afweet van hoe je met kinderen omgaat.

Ze kan zich voorstellen hoe het moet zijn om thuis te komen in een koud huis, dat nog vervuld is van herinneringen aan een dode vrouwen een dood kind, na een dag zwaar monotoon werk gedaan te hebben dat je haat.

Ze kan zich voorstellen hoe het moet zijn om keer op keer geconfronteerd te worden met de wetenschap dat hij faalt in het opvoeden en grootbrengen van een toevallig verkregen kind, een vreemd, moeilijk en verontrustend kind, net als hij het gevoel moet hebben gefaald te hebben in al die andere dingen uit zijn bittere verleden.

En hij blijft proberen en hij heeft het nog steeds niet opgegeven.

Let wel, zegt de Sn ark, je kent alleen maar zijn versie van zijn verleden.

Ach kom nou, denkt ze, je moet wel een dramatisch genie zijn om die pijn te kunnen voorwenden en Joe is op zijn best een slecht acteur... ze had liever gehad dat hij het haar niet verteld had, maar nu is het te laat. Prijs de Heer voor whisky en de zee... de zee gaat het tij van naderende slaap in en uit.

Waaruit bestaat je ontbijt?

Uit whisky, zegt Kerewin slaperig. En je avondeten? Uit whisky.

En je lunch?

Drambuie, zegt ze en likt haar lippen af.

En wat is je constante metgezel? (Whiskyongetwijfeld.) Het zwijgen van mijn hart in mijn linkeroor. De zee bezet mijn rechter...

'Ga je op blote voeten naar buiten?'

De jongen knikt.

'Nou, als je maar geen medelijden verwacht als je verkouden terugkomt,' zegt Joe grimmig.

Ze kijkt op van haar ochtendblad.

'Maak je niet druk, kinderen hebben niet hetzelfde zenuwstelsel als wij. Ik geloof dat ze pas gevoeliger worden naarmate ze ouder worden.'

Simon blaast haar een kus toe.

'Zenuwen zijn iets heel anders dan kou-bacillen.'

Kerewin haalt haar schouders op. Ze kijkt Sim eens aan en schokschoudert opnieuw. Hij schokschoudert vrolijk terug en verdwijnt naar buiten.

'En weet je, iets geheel anders?' gromt Joe.

'Koning geeft zich op voor Egyptische dynastieën, hoe je een inktvisfuik kunt bouwen, wanneer...'

'Nee, verdomme. Mensen met jouw nieren en constitutie zouden verboden moeten worden.'

Hij slaat nog een deken om zich heen, maakt een geluid als van een misthoorn, drinkt nog wat citroenkwast, en gaat nijdig verder met het uitzweten van zijn kou.

Ze giechelt onbeschaamd.

'Hoe kon ik nou weten dat jij gisteravond kou zou vatten? Maar ik zal in ieder geval een fles whisky voor je kopen om dat citroenspul mee te verdunnen. Zodra ik de krant uit heb, afgesproken?'

Ze leest verder, en fluit, niet bepaald zachtjes, voor zich uit.

Hij zucht. Geen enkel teken van een kater nadat ze bijna een liter whisky soldaat heeft gemaakt.

Gezond, levenslustig, stralend zelfs in deze verdomde kou. En Haimona, die op blote voeten naar buiten rent terwijl het zowat sneeuwt. Waarom heeft Onze Lieve Heer er niet voor gezorgd dat ik dik was, toen hij besloot een Maori van me te maken en naar dit koude eiland te sturen? Een keurig, gelukkig stereotype? Of toch op zijn minst bestand tegen bacteriën?

Hij rilt en hoest blaffend.

Nu ik het toch over u heb, lieve God, hou een oogje op dat wispelturige kind van me, want ik ben er niet toe in staat. Ik ga weer naar mijn bed.

Hardop: 'Ik ga naar bed.'

'Goed.'

Ze slaat om naar de volgende pagina, fluit nog steeds. Wat moet ik doen om wat medeleven van haar los te krijgen? Doodgaan?

Triest loopt hij terug naar het Oude Huisje.

Simon loopt langs de vloedlijn. Het zand is zacht, meer zand dan grind. Hij heeft nog niet eerder langs dit strand gelopen. Hij heeft nog helemaal niet in zijn eentje langs het strand gelopen. De andere keren waren Joe of Kerewin, of beiden, met hem meegegaan. Er is niets engs aan langs de zee lopen, zegt Kerewin.

'Een dezer dagen zal ik je vertellen over ponaturi en krakens en andere scherpgetande en interessante engerds, maar tot die tijd kun je in gelukkige onwetendheid rondzwerven. Je kunt hooguit een paar zonnebadende zeehonden tegenkomen. Dat is alles.'

Hij kijkt meer uit naar groensteen dan naar zeehonden.

Kerewin vertelde dat ze langs dit strand een hanger gevonden had. 'Een oude? Hé, dat is boeiend,' Joe had heel enthousiast geklonken. 'Heb je hem hier? Mag ik hem eens zien?'

Ze was dichtgeklapt. 'Ik heb hem thuis,' zegt ze voorzichtig. Joe had gezucht. 'Dat is een van de dingen die ik altijd heb willen hebben. Nana had een oorring, maar die heeft ze aan mijn grootvader nagelaten. Dat was het enige stuk dat mijn familie bezat, eh.'

Kerewin klemde haar lippen op elkaar, alsof ze zich afvroeg of ze meer zou vertellen. Uiteindelijk zei ze: 'Mijn familie heeft veel in haar bezit. Een van mijn stamvaders was Ngati Poutini, en zo heette een van mijn grootvaders ook. Het was nu ook weer niet zo dat ze van pounamuborden aten, maar ze hebben ons toch heel wat nagelaten. Je moet maar eens komen kijken en iets uitzoeken als we terugkomen, eh?' Maar dat was helemaal niet wat ze had willen zeggen. Grappig, dacht Simon en vergat het weer.

Nu moet hij eigenlijk beslissen waar hij zal gaan zoeken. Bij de rotsen of in de zee? Hij kijkt langs het strand.

Er fladdert iets op het zand bij de zee.

Kerewin leest de krant uit en zet koffie voor zichzelf. Daarna rijdt ze naar Hamdon en slaat wat whisky in. Ze gaat het café binnen voor een biertje. Het is net elf uur, maar het is er vol vissers en boeren die het alcoholisch equivalent van een kop koffie tot zich nemen. Het valt haar op dat de bordjes die altijd overal hingen om minderjarigen en mensen met proefverlof te wijzen op het geldende verbod om hier binnen te komen, verdwenen zijn. De barkeeper zegt haar beleefd goedendag, hoewel ze maar een biertje genomen heeft.

Daar moeten we eens naartoe gaan om lekker door te zakken voor we weggaan, denkt ze terwijl ze op haar gemak terugrijdt naar Moerangi.

Hij kan niet zien wat het is.

Het lijkt vrij groot.

Hij besluit om die kant op te lopen en onderweg uit te kijken naar groensteen. Hij vindt er verscheidene maar geen een met die waterige aanblik van Kerewins ringen. Misschien zijn die gepolijst? denkt Simon en gaat dichter onder de kust lopen.

Het ding flappert weer.

Ze schenkt whisky-grog in een groot glas en brengt dat naar Joe. Ze knielt neer bij het bed en blaast een stroom whiskylucht naar de man die onder een berg dekens schuil gaat.

'De dood-of-geneesmachine is gearriveerd en wacht op jou.'

'Huh?'

'Whissssky.'

'O... dankjewel.'

'Lieve hemel, man, ik zou het maar snel opdrinken als ik jou was. Het klinkt alsof de bacillen aan de winnende hand zijn.' Grinnikt.

'O?' zegt Joe met aanzienlijke beheersing.

Wat moet ik doen? Wat moet ik doen?

Hen gaan halen.

Het is een heel eind terug.

De vogel vecht weer, de kapotte vleugel gaat langzaam op en

neer, het gewonde lichaam schuift zijdelings door het zand.

Zijn kop houdt hij iets meer naar een kant. De snavel opent zich en er druipt donker schuim uit.

Een steen. Die zou ik hard kunnen gooien.

Hij houdt een van de groene kiezels gereed in zijn hand.

Ik zou kunnen missen. Dat zou alleen maar pijn doen. Hij laat hem vallen.

Clare, doe iets. Zijn armen omklemmen zijn lijf van ellende.

De snavel gaat geluidloos open en dicht.

Als ik even wacht, gaat hij misschien wel snel dood.

De vogel klapwiekt naar voren, de vleugel krampachtig opgetrokken, krabbelt opnieuw in het zand.

Probeert bij hem weg te komen.

Ze legt een schapebout op het rooster en doet de groenten vast in de pannen.

Ze schenkt zichzelf een glas whisky in, ruimt de ontbijtboel op en veegt het huisje.

Wat zijn we huiselijk vanochtend. Kijkt op de klok.

Vanmiddag.

Vanmiddag? Waar hangt het ventje uit?

Ze gaat naar het Oude Huisje.

'Hé Joe, word eens even wakker.'

Hij is wat suffig door zijn griepje en een zevenvoudige dosis whisky en hij weet niet welke kant Simon is opgegaan.

'Maak je geen zorgen, die komt wel weer opdagen.' Ze glimlacht om zijn verstopte, neuzelige uitspraak.

'Ik denk dat ik toch maar even ga kijken. De strandvlooien hebben misschien zijn tenen wel opgepeuzeld, zodat hij op zijn enkels moet komen terughippen.'

Als ik ga...

Ik kan hem niet alleen laten.

Ik kan het ook niet aanzien dat hij zo doodgaat.

Hij valt op zijn knieën naast de vogel neer, sluit zijn ogen, houdt de steen stevig in zijn hand geklemd en slaat tot hij niets meer hoort en niets meer voelt bewegen.

Zeelucht en de geur van bloed.

De vogel is met rood besmeurd. De ene vleugel buigt om en beweegt door de lucht naar de grond toe. Hij komt in een vreemde hoek tot stilstand.

Simon legt zijn hoofd op zijn opgetrokken knieën. Er klinkt gezang in zijn hoofd en zijn keel zit bitter dichtgeknepen. Hij probeert te slikken, maar zijn maaginhoud komt naar boven. Hij kokhalst een aantal keren achter elkaar.

Ik kan niet huilen.


Kerewin hurkt neer om alle voetafdrukken op het strand goed te kunnen zien. Daar heb je hem, afdrukken van blote voeten in zuidelijke richting. Snap je nou dat iedereen verder schoenen draagt?

Hij is niet op,het eerste strand na de kaika. De voetafdrukken worde'n pas weer zichtbaar voorbij de rotsen die het begin markeren van het zuidelijke rif, en wijzen nog steeds duidelijk in zuidelijke richting.

Ze volgt ze en zwaait onder het lopen met de harpoenstok.

Twee jonge mensen op de top van de rotsen zwaaien naar haar. Een van hen draagt een geweer met zich mee. Ze zwaait terug.

Dat is een van de leuke dingen van het terug zijn in je oude omgeving. De bewoners zijn hier nog niet achterdochtig.

Een van hen kent haar van gezicht, of misschien wel allebei, hoewel ze kinderen geweest moeten zijn toen zij hier voor het laatst was.

Ze gaat de bocht om van het strand dat Koning en Koningin genoemd wordt. Twee rotstorens hebben het die naam bezorgd.

En daar zit ie dan, jongeheer Gillayley, een eenzaam inééngedoken figuurtje op het zand.

Zouden zijn voeten eraf gevroren zijn?

Ze schenkt een fikse hoeveelheid whisky in de citroenlimonade die ze had meegenomen, en moet erom lachen.


Na een poosje begint hij te rillen van de kou en de schrik.

Dit wordt te erg.

Hij doet zijn ogen open en kijkt naar het verminkte dode ding bij zijn voeten.

Het ligt stil en maakt geen geluid.

Hij graaft een gat, schraapt met zijn vingers door het zand tot het dunne vogelbloed eraf geschuurd is.

Hij gebruikt de steen om het lichaam op te lichten en om te rollen tot het in het gat valt. Het was zo'n vogel die Kerewin een albatros noemde en Joe een toroa. Zijn bruine ogen zijn nog open. Hij laat er zand op vallen, maar probeert die ogen zo veel mogelijk te vermijden. Hij zoekt wat heel fijn zand, dan grind, en strooit dat over de vogel tot er niets meer van te zien is dan een bergje op het strand.

Daarna gaat hij op zijn hielen zitten, houdt zijn geest duister en zingt voor het dier.

In het begin is het een schril geluid, nasaal en hoog. Het is de enige klank die hij uit eigen beweging maken kan, want zelfs zijn lachen en schreeuwen heeft hij niet geheel onder controle, en het is net zo geheim als zijn naam.

Het zingen klinkt hoger en wordt iets luider.

Voor Kerewin, die op katachtige wijze over het stille zand loopt, heeft het de vreemde bedwelmende zuiverheid van een contratenor.

Een paar meter achter hem hurkt ze neer en wacht, en beweegt geen spier. Haalt zelfs niet al te diep adem.

God, had ik nu maar mijn gitaar bij me...

Een aasvlieg met helder-groene schilden vliegt zzzzzz naar het bergje en zoekt zijn weg door het vochtige zand.

Het zingen houdt op.

Het enige geluid is nu het pulseren van de zee.

Ze heeft zich niet verroerd, maar op een of andere wijze is hij er zich plotseling van bewust dat zij er is. Zijn hoofd schiet naar voren en hij drukt zich plat tegen de grond, en poept in zijn broek van angst

Zij verroert zich niet.

En spreekt al evenmin.

Ze zit, stevig als een rots. Alleen haar vingers, die ze om de harpoenstok geslagen heeft, klemmen zich vast tot het pijn doet.

Langzaam, vechtend tegen zijn doodsangst, komt hij weer overeind. Zijn lichaam schokt krampachtig.

Als ik ook maar iets doe, praat, zing, hem aanraak, wat dan ook, jaag ik hem letterlijk de stuipen op het lijf. Zit het maar uit, mijn liefje. Het spijt me voor je, kind.

Hij wacht, zijn mond vertrokken tot een grimas van angst. Op bliksem, slagen, de duisternis.

Er gebeurt niets.

De zee komt, de zee gaat.

Een zeemeeuw weeklaagt boven het eiland.

Kerewin zit onbeweeglijk, kijkt naar hem.

De groene vlieg staakt zijn speurtocht en zoemt weg.

Er gebeurt niets.

Het waait een beetje: hij voelt zijn haar wapperen.

Zijn voeten zijn gevoelloos van de kou.

Ik heb mijn duim bezeerd.

Ik heb in mijn broek gepoept. Joe zal wel kwaad zijn.

Hij ademt uit in een grote sidderende zucht.

Er gebeurt niets.

Er gebeurt helemaal niets met hem.

Hij huivert opnieuw, maar dit keer uit vurige opgetogenheid.

Hij gaat op zijn knieën zitten, met zijn armen stevig om zich heen geslagen, maar het wilde huiveren stopt niet.

Moeder van ons allen, net toen ik dacht dat het wel over was.

Het gezicht van het kind is talkkleurig, en alle kleur is uit zijn ogen verdwenen, behalve het zwart van de pupil.

Niets! Ze heeft me horen zingen! Maar niets!

Wat kan ik in vredesnaam doen? Hem buiten westen meppen?

Ik kan zingen wanneer ik maar wil!

Ze staat snel op en op hetzelfde moment komt Simon beverig overeind. Hij strompelt naar haar toe en klampt zich aan haar vast als een drenkeling. Kerewin laat haar hand zacht over zijn nek gaan, als was het een streling. Haar vingers rusten een ogenblik, als ik hier druk, gaat hij uit als een nachtkaars, maar vlak voor ze die druk wil uitoefenen, kijkt ze hem in de ogen.

De zeegroene ogen worden steeds groter en ze glanzen, stralend van vuur.

Ze laat haar hand voorzichtig afglijden en legt hem op zijn schouder.

'Kind toch, je zit vol verrassingen...'

Ze knielt tot ze op ooghoogte is en houdt nog steeds zijn schouder vast.

'Dat klonk erg mooi... gaat het weer een beetje?'

Hij beeft nog steeds, maar niets in zijn gezicht wijst erop dat hij nog lijdt.

Ikmagzingen! Ikmagzingen! Ikmagzingen! het jaagt als wind door hem heen, een tumult als van aanzwellende muziek... lachen en huilen tegelijk is niet de manier om het haar te laten merken, maar het is het enige dat hij op het moment kan doen.

Ze wacht. Ze zegt heel weinig en wat ze zegt klinkt als de zee. Maar haar woorden dringen duidelijker door naarmate de vreugdevolle chaos in hem tot bedaren komt.

'... en daar zat jij. Prachtig...'

Even later vraagt ze: 'Wat was er gebeurd?'

Hij kijkt naar het heuveltje vlak bij hem.

Vogel, zegt hij, handen klapwieken als vleugels, en maken dan een gebaar alsof hij zijn keel doorsnijdt.

'Al dood toen je hem vond?'

Nee, zegt hij, met plots sombere ogen.

'Moest je hem uit zijn lijden verlossen?' Haar stem klinkt zo zacht dat het helemaal niet als de stem van Kerewin klinkt.

'Aue,' zegt ze op zijn Ja, 'ik heb dat ook een paar keer moeten doen. Het is altijd vervelend.'

De schaduw blijft nog een paar seconden bij hem, maar dan wint de opgetogenheid het. Hoorde je me? Raakt haar gezicht aan, zijn oor en mond, herhaalt de gebaren twee keer.

'Natuurlijk hoorde ik je zingen,' nu klinkt het weer als Kerewin. 'Wat dacht je dan dat ik deed? Het uitzicht bewonderen of zoiets? En ja, je bent een fantastisch kind... als we nu niet snel naar huis gaan, is het eten verpieterd en loopt Joe ongeduldig zijn gevreesde bacillen in 't rond te strooien.'

Het kind staat op, maar staat zo onvast op zijn benen dat hij zich aan haar hand moet vastklampen ter ondersteuning. Zijn voeten zijn donkerpaars.

Dat wordt dragen, Holmes... kou en paniek en opluchting en wat deze kleine beul zichzelf nog meer aangedaan heeft, eisen langzamerhand hun tol.

Ze staat naast hem en zegt: 'Simon Pi Ta Gillaylley, en dat mag je vertalen zo je wilt – ik ken wel vijftien betekenissen voor ta en ook een aantal voor pi, maar er is maar één passende vertaling voor elk – als jij bevroren voeten hebt opgelopen en ik als gevolg daarvan een glas citroenlimonade moet drinken,' tilt hem op zonder een spoor van afkeer, 'ga ik me vanavond bedrinken om die smaak uit mijn mond te krijgen. En een dronken Holmes is een gevaarlijke spin.'

Hij leunt lekker dicht tegen haar aan. Ah, alles is goed... dronken spinnen en Kerewin die grapjes maakt over zijn achternaam kunnen hem geen bal schelen, zoals Piri altijd zegt. Hij heeft het heerlijke opgetogen gevoel dat alles van nu af aan goed zal gaan, en dat gevoel is net zo koppig als bremwijn.

Hij trekt rimpels in zijn neus. Hooggestemd, zingt hij in zichzelf en grinnikt wat beverig helemaal tot huis.

# 6 Ka Tata Te Po

Het is een rustige, prettige week geweest: dit is de eerste wanklank.

Want zijn kou is in de recordtijd van twee dagen verdwenen;

('en met behulp van twee flessen whisky,' zegt Kerewin gevat.)

het weer is mooi en windstil gebleven

('Een Maori-zomertje,' zegt hij. 'Midden in de winter?' 'Wanneer zou je anders een beetje bruin moeten worden?')

en het vissen ging fantastisch.

Simon heeft kennis gemaakt met de barracuda, de leng, de trompetvis, de kleine haai en een heleboel soorten kabeljauw.

Hij leert om de schubben eraf te schrappen zonder dat zijn gehavende duim in de weg zit.

Hij maakt de ene filet na de andere schoon die Kerewin uit de stijve vissen snijdt. Soms lijkt de hele wereld uit niets anders te bestaan dan zilveren schubben, gelei-achtige oogballen en bloedkleurig zeewater. En het gekrakeel van kibbelende gulzige zeemeeuwen

Maar Kerewin pocht: 'Weer een recordjaar voor Visrokerij Holmes en Gillayley!' De rekken in de rokerij zijn gevuld met moten leng en couta en kabeljauw, die al gezouten en gedroogd zijn. 'Een centenaar minstens, en dan zit ik er geen onsje onder – daar kunnen we thuis in Whangaroa nog wel een poosje mee toe, e Joe?'

Blhg, denkt Joe. Want ze hebben vis gegeten bij het ontbijt, de lunch en het avondeten en het ziet ernaar uit dat er de komende maanden rijkelijk vis verwerkt zal worden in stoofschotels, hapjes, en andere gerechten. Hij zucht eens. Je kunt vis ook een keer zat worden.

Maar deze plek wor4 je niet gauw moe, denkt hij terwijl hij voor het Oude Huisje staat en zich afvraagt hoe hij Kerewin zal benaderen.

Hij geniet volop van de dagen aan zee, of ze nu gaan vissen of simpelweg in het zwakke winterse zonnetje liggen luieren. Hij loopt veel langs het strand: de riffen zijn niet vijandig meer. De zwarte rotsen hebben zo hun geheimen, maar hij voelt zich hier nu welkom. En het mooiste van alles vindt hij de rustige avonden wanneer de wind is gaan liggen en de huiswaarts kerende vogels hoog boven zijn hoofd mysterieus en eenzaam roepen. Ach, vrede, vrede... de naam is passend voor deze plek met zijn helende schoonheid waar het overdag volkomen veilig is om te slapen...

Alleen speelt Kerewin op het moment iets wreeds en disharmonieus.

Aue. Als ze zich zo voelt als die klank... daar zou zelfs Himi niet van houden.

En zijn kind is nu hartstochtelijk, met volle overgave, openlijk verliefd op muziek.

('Hij is nog erger dan die draagbare radio's,' zegt Kerewin. 'Hij loopt over het strand te kwelen als een demente kanarie... weet jij een manier om hem het zwijgen op te leggen?' 'Ik peins er niet over! Ik vind het geweldig.'

Hij weet nog steeds niet precies hoe het kwam dat zijn zoontje ineens ontdekte dat hij kon zingen – 'Nou, port a beul, woordenloze mondmuziek,' zegt Kerewin de encyclopediefanate – maar hij is er net zo verrukt en enthousiast over als het kind zelf. Het is de enige vocale vooruitgang die Simon ooit heeft gemaakt en bovendien, zoals Joe haar herhaaldelijk verzekert: 'Lieve hemel, het is melodieus. Hij kan echt zingen.')

Simon had de hele week goed geslapen en overdag waren er ook al geen moeilijkheden. Ach, we hebben het nog nooit zo goed gehad, denkt Joe. Het kind is immers goed gehumeurd, hij is gelukkig, hij is behulpzaam, hij is leuk gezelschap (en hij geneest goed, van de striemen van de riem op zijn lichaam tot zijn aan de haak geslagen duim).

Hij schrikt.

'Eh. Ik heb zeker staan dromen, tama. Wil je je overhemd en pak hebben?'

De jongen maakt een bevestigend gebaar en trekt rare gezichten.

'Vanwege die muziek?'

Ja.

'Ik ben er ook niet zo kapot van,' fluistert hij.

'Maar pak jij nu maar je kleren, dan ga ik wel eens met haar praten,' en begint te duimen.

('Waar is je oude spijkerbroek?' had hij een paar dagen geleden gevraagd. Kerewin zei nonchalant dat ze hem had weggegooid. 'Hij verdronk er bijna in. Kun je geen kleren voor hem kopen die een beetje passen? Ik ben het zat om die jongen er als zo'n voddebaal te zien bijlopen.' 'Bedankt zeg. Kan ik het helpen dat hij niet zo snel groeit als ik gepland had?' Maar ze bood aan, omdat haar gevoel voor esthetiek beledigd was, de jongen op nieuwe kleren te trakteren. 'Je hebt de vrije hand, jongen. Kies je eigen spullen maar.' Ze is tevreden over zijn voorkeur voor een spijkerbroek, en een spijkerpak, maar probeert hem op andere gedachten te brengen wanneer hij de keus laat vallen op een bloemrijk geel en oranje zijden overhemd. 'Ik bedoel maar, die felgekleurde bloemen gaan nog wel, Himi, maar denk je niet dat die blauwe draaikolken wat te veel van het goede zijn?' 'Dan mag je die van mij kopen,' zegt Joe, en op Kerewins gekreun: 'Ik denk dat ik er zelf ook een koop.' 'Ach jezus, straks word je nog aangezien voor een Eilander en god mag weten wat ze van hem zullen denken.' 'Ik heb wel een vaag vermoeden,' zegt Joe enigszins berouwvol en kijkt neer op zijn zoontje. Het haar van het kind reikt nu tot halverwege zijn middel en met het gebloemde overhemd en zijn oorbel en Kerewins turkooizen hanger die hij de laatste tijd vaak draagt – 'E, ze denken vast dat je een overgebleven mini-hippie bent,' en beide volwassenen lachen. Hij aait het haar uit Simons gezicht. 'Je ziet er echt mooi uit, tama. Tika.')

Hij luistert naar de woeste melodie die Kerewin uit haar gitaar wringt en denkt, ik zal met haar gaan praten, maar of zij zal willen luisteren?

Het is geen blues, geen rock & roll, het is geen folk of namaak elektronische muziek, en, dat is een ding wat zeker is, het is geen Maori muziek. Bij de tochtdeur zegt hij:

'E hoa?'

Noten verheffen zich en hakken op hem in.

'Wat ben je in godsnaam aan het spelen?'

'Haaiemuziek,' zegt Kerewin zoetsappig. 'Treurzangen en klaagzangen, lijkzangen en requiems, voor mijn medehaaien.'

Hij huivert ervan.

Zou ze zich zo voelen?

O God.

Toen ze terugkwamen had hij aan Simon gevraagd: 'Wat is er aan de hand? Heb je haar boos gemaakt?'

Het jongetje schudde zijn hoofd. Ik heb twee vissen gevangen, pochte hij weer.

'Dat heb ik gehoord. Al een paar keer. Maar daar zou ze toch niet kwaad om worden.'

Kerewin was meteen doorgelopen naar het Oude Huisje met een gezicht zo zuur als bedorven melk en ze had geen woord gezegd voor ze ging.

Simon zuchtte en schreef BROER.

'Haar broer? Hier?'

Hij nam zijn vader mee naar de deur en wees aan waar precies.

'En?'

Ze praatten, zei de jongen, zijn vingers openend en sluitend.

'En werd ze daarom kwaad?'

Simon trok een frons in zijn voorhoofd. Het had er niet uitgezien alsof de vrouw van streek was geraakt.

Zij en de vreemdeling hadden elkaar een minuut lang aangestaard zonder iets te zeggen. Toen had de man gezegd:

'Is, eh, die van jou?'

'Nee. Van een vriend.'

'Logeer je hier?'

'Nog een weekje of zo.'

'Gaat het goed met je?'

'Ja.' Lange stilte. 'En de rest?'

'Dot en Celia zijn dood. Mag is getrouwd. Twee kinderen. Met de rest gaat het goed.'

'Mmmmm,' zei Kerewin.

De man zuchtte.

'Ik vermoed dat je niet komt...?'

   'Dat klopt.'

Hij zuchtte nog eens.

'Goed dan.'

'Goed... Sim, we gaan op huis aan.' Ze had zich abrupt omgedraaid en was snel in de richting van de huisjes gelopen.

Hij was achtergebleven, had de man een glimlach toegeworpen en hem nagekeken tot hij uit het gezicht verdwenen was. Het was een merkwaardig uitziende man, een half-hoofd groter dan Kerewin, met zwarte ogen en roodachtig bruin haar, net zo dik en krullerig als dat van Kerewin.

Hij had wat triest naar het jongetje gelachen.

Grappig, dacht Simon en rende toen om de vrouw in te halen.

Wie, vroeg hij.

'Een broer van me,' en begon in het zand te schoppen en liet het in wolken verstuiven.

Simon bleef stilstaan.

'Wist je dan niet dat ik ook deel uitmaakte van een familie?' Nee, dat wist hij niet. Vragen komen bij hem op als paddestoelen op een boomstronk.

'Toch is het zo. Ik heb een moeder en een stuk of zes broers en zusjes en nog een kleine duizend andere familieleden, die ik over het algemeen alleen maar ontmoet wanneer ik toevallig iets doe wat niet goed is. Dan zeggen ze: ik zal het je moeder vertellen, Kerewin Holmes. Ik ben oudtante Tilda van vaders kant.' Boosaardig schopt ze nog wat zand in 't rond.

'En nu naar huis voor je vissen er vandoor gaan.'

Hij vertelde zijn vader wat er gebeurd was, en Joe zei: 'Tsja, ik weet het niet... ik kan maar beter even gaan kijken of ik haar wat kan opbeuren. Ga je maar wassen, doe je nieuwe kleren aan en dan zal ik eens proberen of ik die knorrige tante zover kan krijgen dat ze een middagje met ons uitgaat.'

Hij vraagt haar nu:

'Wat is er aan de hand? Wat kan ik doen?'

'Ik speel gewoon slechte muziek en –'

'Himi vertelde dat je broer hier was.'

'Vervelende klikspaan.' De toon waarop het gezegd wordt is luchtig.

'Ik vroeg hem waarom je met zo'n boos gezicht wegliep. Min of meer.'

'Dat was de reden, min of meer.'

'Dus dacht ik dat ik maar beter even bij je kon gaan kijken om te vragen of je misschien zin had met ons mee te gaan naar het café in Hamdon, waar ik je net zoveel drank zal aanbieden als je wilt en je zal troosten zoveel je wilt.'

Goh, wat subtiel, Ngakau. Nu zal ze zich wel op je storten.

Maar ze leunt achterover tegen het stapelbed en laat de gitaar met zijn buik naar beneden op haar knieën rusten.

'Weet je wat, mijn vriend Gillayley? Een familie kan de vloek van je bestaan zijn. Een familie kan ook je bestaansreden zijn. Ik weet niet of mijn familie vloek of bestaansreden was, maar dat ze uit mijn leven verdwenen zijn is zeker en ze hebben een groot gat in mijn hart achtergelaten.'

Ze is bijna in tranen en hij heeft Kerewin nog nooit zien huilen.

'Kweenie,' voegt ze eraan toe. 'Misschien hebben ze mijn hart wel meegenomen en alleen een gat achtergelaten...'

Een voordeel als je Himi als kind hebt: je leert aflezen wat mensen bedoelen maar niet zeggen.

'Ik ben Kerewin de ijzige en ik huil nooit. Ik wil je wel aardig vinden en zelfs van je houden, maar ik vertrouw nu niemand.'

Hij wacht drie ademhalingen lang voordat hij terloops vriendelijk zegt: 'En ik dacht nog wel dat mijn stam tot de verwoede kannibalen behoorde. Maar zij hadden tenminste het benul eerst even te kijken of er aan tafel nog wel behoefte was aan hart.'

Hij zou haar dolgraag in zijn armen nemen, alsof ze Himi was die getroost moest worden. Hij zou haar dolgraag willen kussen en de lieve woordjes willen fluisteren die hij niet meer gebruikt had sinds Hana's dood. Maar dat zou haar van streek maken, en haar niet helpen, en helpen wilde hij met heel zijn hart.

Kerewin maakt een geluid dat het midden houdt tussen een opwellende lach en een half-ingeslikt snikken.

'Die klootzakken, en ik bedoel mijn stamouders, zouden zich nooit druk maken over dergelijke kloppende kleinigheden...'

Hij lacht. Hij let erop dat het niet gemaakt klinkt. Maar hij denkt Aue! Je kunt het haar wel toevertrouwen om zich te verschuilen achter woorden. En als ze kleur aan de situatie kon geven, zou ze me overdonderen met roest en kopergroen, een hele regenboog vol...

'Aiii...' Ze ademt luidruchtig uit, snuift eens, en gaat staan. 'Lijkt me een goed idee, man... maar wat doen we dan met ons kleintje pils? Ik weet niet of hij er wel in mag.'

'Ach, je kent Sim toch... al wilden we zijn hart in gelei, om een gaatje te vullen bij wijze van spreken, dan nog zou hij het ons op een schotel aanbieden.'

'E rotzak! Je neemt mijn stijl over!'

'Nee, nee,' zegt hij minzaam. 'Het is eerder besmettelijk... Himi vindt het helemaal niet erg om in zijn eentje in de auto te blijven zitten, als dat nodig is. We kunnen hem wel wat te drinken brengen en hem lekker aangeschoten laten worden van de cola of zoiets.'

'Na zijn laatste voorstelling geloof ik dat er wel iets meer nodig is dan dat om hem onder tafel te krijgen.'

'Of zoiets, zei ik toch ook,' grinnikt hij.

'Ja, nou goed dan... joho joho ter ere van de jool en luid onbehoorlijk gejuich.' Ze legt de gitaar terug in zijn koffer en slaat het deksel dicht. 'Kleden jullie je ervoor om?'

'Tuurlijk... we zullen die inboorlingen eens een poepje laten ruiken eh?'

'Jullie misschien. Ik ben zo conservatief als een Tamaki varken.'

Wanneer ze tien minuten later in de auto stapt, denkt hij: het hangt er maar vanaf wat je conservatief noemt – inderdaad draagt ze een eenvoudig spijkerpak, en een pruisisch-blauwe coltrui, maar is het ook conservatief om zes grote ringen te dragen? Haar linkerhand wordt opgesierd door vier in zilver gevatte cabochon groenstenen, en er zit een stersaffier met drie dolfijnen die eromheen cirkelen in goud aan haar rechterhand. De indrukwekkende gouden zegelring die ze altijd draagt, zit om de middelvinger van haar rechterhand, en hij vindt persoonlijk dat die op zich al voldoende is.

Hij zegt slechts: 'Verwacht je een vechtpartij?'

'Kom nou, Gillayley. Ik ben toch pacifiste?'

'Dat herinner ik me nog maar al te goed,' zegt hij wrang, 'maar al te goed.'

Behalve de barman is er niemand in het café.

'Middag,' zegt hij glimlachend. 'Mooi weertje, hè?'

'De beste winter die ik me kan herinneren,' zegt Joe.

'Mag ik een kan bier en twee glazen. Wil jij nog iets anders Kerewin?'

'Op het moment niet.'

'Twee bier, komt eraan.' De barman vult de kan. 'Leuk om iemand binnen te hebben op dit uur van de dag. Normaal is het zo stil dat ik er treurig van word.'

'Geen vaste klanten 's middags?'

'Nee, die komen pas over een half uur.'

Simon glipt door de deur en gaat net om het hoekje staan.

'Ik dacht,' begint Joe, maar de barman lacht. 'Van u?' vraagt hij met zijn duim op Kerewin wijzend.

'Nee, van mij,' zegt Joe. 'Ik zal hem maar wegsturen, hè?'

'Welnee, ben je mal? Wil je wat limonade?' De barman vraagt fluisterend: 'Is het een jongen of een meisje?'

Kerewin grinnikt.

'Het is een jongen,' en Joe wacht gelaten af of er een grapje zal volgen over de haarlengte van het kind.

'Leuk joch,' zegt de barman. 'Ik heb er zelf ook een van zijn leeftijd. Hoe heet je?' vraagt hij Simon.

De jongen schuift dichterbij, zijn ogen schieten van het ene gezicht naar het andere.

'Beetje verlegen, eh?'

De barman lijkt vertederd. Hij is blijkbaar dol op kinderen.

'Ik zou hem niet bepaald verlegen willen noemen,' zegt Joe. 'Maar hij kan niet praten.'

'O lieve hemel,' de man bloost alsof hij het had horen te weten, 'jezus, dat was natuurlijk heel stom van me.'

'Het spijt me,' zegt hij hardop, en fluistert dan weer verder. 'Is hij, eh, achterlijk? Daar ziet hij niet naar uit.'

'Eerder wat te voorlijk,' zegt Joe. 'Kom Haimona, niet blijven mokken.'

332

'Het ziet ernaar uit dat je hier toch binnen mag,' en Kerewin wendt zich tot de barman voor een bevestiging.

'Ja, natuurlijk, niemand stoort zich daaraan. In het weekend nemen een heleboel mensen hun kinderen mee. Geeft wel een prettige sfeer als je begrijpt wat ik bedoel.'

'U bedoelt dat er minder gedronken wordt?'

Daar is de barman het roerend mee eens: 'Er wordt dan niet zo gauw gevochten en gescholden. Zelfs de ruwe klanten houden zich een beetje in... hoe noem je hem, vriend?'

'Haimona. Maori voor Simon.'

'Nou, aangenaam, eh, Haaimorna, eh, Simon... ik ben Dave.'

'Kerewin,' zegt Kerewin en Joe zegt: 'Ik heet Joe.'

'Mooi,' zegt Dave. 'Zo, en wat zal het zijn, Simon? Wat drinkt hij?' tegen Joe.

'Dat vertelt hij u zelf wel,' zegt deze en tilt het kind naast zich op een barkruk. Simon schrijft PIA op zijn blocnote.

'Geen sprake van,' zegt Joe vastbesloten en de barman verdraait zijn nek bijna om te kunnen meelezen. 'Je schrijft goed en netjes,' zegt hij tegen Simon, 'is dat Maori?' De jongen knikt en schrijft er BIERnaast.

Dave lacht. 'Wat leuk!' Hij tikt op de bierpomp. 'Maar dat mag ik je echt niet schenken, Simon... daar houdt de politie niet van. Maar als je vader je een slokje van zijn bier geeft, kijk ik wel even de andere kant op.' Hij knipoogt naar hen.

'Van mij krijgt hij niets... maar het is prettig eens een barman te ontmoeten die kinderen niet behandelt alsof ze van een andere planeet komen.'

'Ach ja, het gaat hier anders toe dan in de stad hè?' Zijn snelle blik op hen maakt duidelijk dat hij denkt met zulke kleren aan kunnen jullie niet van het land komen.

'Niemand vindt het erg als er een kind in het café is, als er maar iemand bij is. Beter zo dan ze alleen onverzorgd thuis te laten of ze in de auto te laten zitten, vindt u ook niet?'

'O zeker,' zeggen Joe en Kerewin in koor, en wanneer Joe het bier uitschenkt, vermijdt hij Simons ogen.

'Zal ik voor jou een cola bestellen?' en de jongen schrijft O ZEKER op. 'O gladjanus,' en schuift de bierkan buiten zijn bereik.

'Drink je er een met ons mee, Dave?' vraagt Kerewin.

'Daar zeg ik geen nee op,' en schenkt zichzelf een glas in uit hun kan, 'dat is heel aardig van jullie. De volgende is van mij, proost.'

Klok, klok, klok.

'Ach kijk nou, we zijn Simon vergeten... had hij al besloten wat hij wilde drinken, Joe?'

'Doe maar een cola.'

'Van het huis,' zegt Dave en knipoogt weer. 'Zo gaat het in de stad niet toe, hè?'

'Zelfs niet in het beste café,' zegt Kerewin plechtig, terwijl Joe aan Whangaroa moet denken met zijn bevolking van zo'n vierduizend zielen en de man zijn breedste, witste glimlach toebedeelt.

De vaste klanten druppelen binnen. Ze zeggen Dave gedag, lachen naar het jongetje, knikken naar haar en Joe en gaan aan hun vaste tafeltjes zitten.

Bont gezelschap, denkt ze. Vissers. Boerenknechten. Een enkele vrachtwagenchauffeur. En kroeglopers... zoals die daar.

Een grote man met een paarse gelaatskleur, vooruitstekende buik, dikke benen van het oedeem en hij spreekt alle woorden uit alsof hij voortdurend dronken is.

Triest. Elke bar heeft er wel een. Weduwnaar of ongetrouwd, zodat niets ze meer een bal kan schelen. Misschien moet ik het als een waarschuwing opvatten.

Maar de kan wordt leger: de glazen zijn weer vol. Het gaat erin als koek. Da's onze derde al en hij lacht zo gelukkig terwijl hij een nieuwe kan haalt.

Sim is nog steeds met zijn tandenbedervende cola bezig en vult zijn gevoelige maag met chips. Keurig kindje, neemt steeds een enkel chipsje en eet dat op of het een hostie is. Slokje cola. Likt dan het zout van zijn vingers. Lacht even naar mij en draait zich dan weer om naar zijn vader, ondersteunt alles wat die zegt met demonstratieve gebaren.

Ik ben nog steeds chagrijnig, hoewel het bier me helpt het te ontkennen.

Dave bengt een nieuwe kan, bam! De angostura, klonk! een glas... gemixte gin komt eraan. Degene voor wie het bestemd is

334

heeft een hoge tenorlach en een baritonboer en hij slist ook nog.

De vaste klanten mogen dan een bonte verzameling vormen, ze zijn een stuk toleranter dan het publiek uit andere kleine dorpscafés die ik gekend heb. Daar gaat hij, buigt zich voorover naar zijn vriend, wimpers knipperen voor hij gaat zitten. Gelijk heb je knaap...

Zei ik tolerant? Naast hen zit een dikke vent met een timmermansduimstok in zijn achterzak. Kijkt boos en afkeurend, terwijl hij demonstratief opstaat en zich ruw langs hen heen wringt naar de bar. Hij heeft tatoeages op zijn armspieren alsof het een teken van dapperheid is en hij heeft een buik alsof hij in verwachting is van een enorme spons. Zijn buik hangt in een dubbele rol over zijn heupen en valt in een grote kwab over zijn broekriem heen. Gadverdarrie. En naar mij hoef je niet lelijk te kijken, vriend.

Ze kijkt weg en hoort Dave zeggen: 'Een beetje geduld, ik kom er zo aan.'

Joe is in gesprek met een trio over vis en prijzen en het weer. En Simon is ook bij het gesprek betrokken. Hallo... wie had het toch over troosten? Nou ja, daar zal de drank wel voor zorgen en zij zien eruit alsof ze zich wel vermaken.

Gesprekken kolken om haar heen, ze vangt vreemde flarden op.

'Hij was altijd al een beetje vreemd, maar nu is hij echt gek geworden, zelfs zijn huishoudster is bij hem weggegaan...'

'...en zij met haar magere spillebenen, om maar te zwijgen over die vliegetietjes van d'r. Ik ging dus...'

'Hé George! Zo, leef jij nog... goed je te zien, oude...' Rabarberrabarberrabarber.

'Wie is dat daar met die krukken?'

'Die daar? O, die is pas uit het ziekenhuis ontslagen, dat is...'

'Huh huh! tehuh huh huh!'

Moet dat lachen voorstellen? Discussies, geredetwist, geklets, gezwets, langs de hele bar...

Dave komt langs en veegt met een vettig dweilt je het gemorste op.

'Vermaak je je een beetje, Kerewin?'

'Op een rustige manier, Dave.'

'Die vrienden van je zijn echte grappenmakers, hè?'

'Ze zijn goed gezelschap.'

'Tjee ja, dat kan ik me voorstellen. Ze hebben een aardig publiek om zich heen verzameld.'

'Mmmmm.'

Hij loopt fluitend verder naar de volgende klant.

Dat hebben ze zeker. Barkrukken in een halve cirkel om hen heen, de man en het jongetje in het midden. Joe lacht als een hyena en Simon slooft zich uit. Joe ziet er aantrekkelijk uit; schitterend zonnegeel overhemd & kastanjebruin pak; sterke handen houden het kind vast dat op het uiterste puntje van zijn knieën zit, zacht en beschermend.

Verdomd als het niet waar is... en het jongetje leunt tegen hem aan, veilig op zijn hoge zitplaats, een gelukkig kind, en als een plaatje zo mooi. En wie zou nu willen geloven dat zijn tere huid, verborgen onder bloemrijke zijde en frisse blauwe denim, bedekt is met striemen en littekens van die talloze afranselingen met de riem? Zij zeker?

en maakt in haar geest een obsceen gebaar naar de lachende, babbelende menigte in het café.

Zij denken waarschijnlijk dat het tussen hen altijd zo toegaat...

Ze veegt de rest van Simons chips bij elkaar en eet ze boos op.

Ik denk dat ik zo maar eens naar huis ga. Als ik in mijn eentje drink heb ik net zo'n goed gezelschap als hier.

'Tot ziens.' 'Daar gaan we dan.' 'Kun je het opschrijven, Dave?' 'Okay, bedankt.' 'O David,' dat is de elegante, wat verwijfde man, die terug is om de glazen opnieuw te laten vullen. Hij glimlacht even naar haar, en houdt zich verder bezig met het ordenen van zijn wisselgeld, dat hij in keurige rijtjes op de bar legt.

Ze staat op en veegt bierdruppels en chipskruimels van haar broek.

Even plassen, een paar halve liters meenemen en dan terugwandelen. Of zal ik de auto nemen en hen dwingen een taxi te bellen?

'Pardon, mag ik even passeren,' ze probeert zich een weg te banen door de menigte die voor de bar staat.

'Hé, Kerewin, klaar om te gaan?' roept Joe.

'Ja, zo,' zonder om te kijken.

Als ze terugkomt staat Joe met Simon in zijn armen de mensen uit zijn gehoor gedag te zeggen. Iedereen roept in koor: 'Ah, wat jammer' en 'De avond is nog jong' en 'Vanwaar die haast ineens?'

Behalve onze dikke vriend de timmerman, valt haar op.

Zijn lippen vertrokken in een verachtelijk lachje en hij was duidelijk blij dat de vreemden weggaan. 'Dat werd verdomme tijd ook. Dat zootje hier, Maori's en die enge kleine griezel.'

Ze draait zich naar hem om en hij blijft haar uitdagen, alleen niet met woorden, maar door middel van ogen en lippen. Zijn schouders rechten zich onder haar indringende blik.

'Zo, jij draagt het hart op de tong, vriend,' en drukt haar handen tegen elkaar, wiebelt lichtjes heen en weer, op de bal van haar voeten.

'Uhuh.'

'Kun je nu ineens niets meer uitbrengen?'

'Ach wijf, hou je bek,' hij spuugt een fliedertje tabak uit en zegt tegen de barman: 'Geef mij er nog een.'

'Ogenblik,' zegt Dave koeltjes en duikt plotseling voor Kerewin op. Hij fluistert: 'Let maar niet op hem, hij heeft altijd wat.'

'Ik ook,' zegt ze hardop, maar schijnbaar gelijkmoedig. 'Ik ook.'

Het is ineens heel erg stil geworden, alle oren zijn gespitst.

'Eh, wil jij nog wat drinken?' vraagt Dave.

Ze zegt niets, maar blijft de dikke man aanstaren. Hij staart terug, maar zijn ogen knipperen. In de stilte komt een vlieg aanzoemen.

Ze lijkt niet snel te bewegen, maar in een fractie van een seconde heeft haar linkerhand de vlieg gevangen, dood gemaakt en in de richting van haar tegenstander geworpen.

'Hé Kerewin' – Joe, en de stilte wordt nog intenser.

Voor de toeschouwers is die met jade beladen hand angstaanjagend geworden. Grapjes over haar ringen zijn definitief van de baan.

Dave zegt aarzelend: 'Eh, wat drinken?'

Ze draait zich glimlachend naar hem om. 'Ja, graag.

Doe maar een paar halve liters.'

'Okay.' Zijn stem klinkt luid van pure opluchting.

Joe komt bij haar staan, met Simon aan de hand. 'Die neem ik wel mee, e hoa... alles goed?'

'Ja hoor...' zonder glimlach.

'Jezusss,' zegt iemand achter haar_ 'Wie is dat? Een of andere beroepsbokser of zoiets?'

'Kweenie, maar het lijkt er wel op... Ik zou niet graag zo'n snelle linkse in de weg staan, vrouw of geen vrouw.'

En iemand anders voegt eraan toe: 'Zeker niet met die boksbeugels van d'r...' en al het andere gaat verloren in een vloedgolf van gesprekken, wanneer de vaste klanten zich weer om de bar groeperen.

Aan weerszijden van de timmerman blijft een plek open. Hij staat in zijn glas te staren waarin de dode vlieg ligt.

Sinds die daar in belandde, heeft hij zich niet meer verroerd.

'Alles goed?'

'Ja.'

Ze staat met haar armen over elkaar te kijken hoe de golven omkrullen en breken, omkrullen en breken.

'Het spijt me. Het was niet mijn bedoeling om je te negeren. Het liep toevallig zo.'

'Geeft niet. Ik was toch al in een klotestemming. Ik was toch niet zulk prettig gezelschap geweest.'

'Weet je zeker dat het weer goed gaat?'

'Mmmmm.'

Hij rilt. 'Heb jij het niet koud?'

'Neu... ik kom straks wel. Ik wil even een poosje naar de zee kijken.'

'Goed. Ik ga terug om te zien of Himi niet alle drank opmaakt.'

'Dat lijkt me onwaarschijnlijk.'

'O, hij heeft al een glas achterover geslagen.'

'Tjezus, die knaap heeft ongewone dorst naar dronkenschap. In het café zag hij er ook al uit alsof hij er een paar op had.'

'Nee, hij was alleen een beetje boven zijn theewater... maar niet van de drank.'

Zijn stem pleit: lach toch eens.

Ze doet haar best en glimlacht. 'Met mij gaat het echt wel, jongen. Dat slechte humeur van me gaat vanzelf weer over. Ik blijf almaar denken aan de dingen die we hier vroeger altijd deden, fikkie stoken, onze dromen delen, wilde, rare spelletjes spelen, met z'n allen... en achteraf blijkt dat het allemaal niets voorstelde, niets,' eindigt ze mat.

Hij pakt haar bij de schouders in een troostend gebaar. 'E Kerewin, e Kerewin.' Hij neemt zijn armen weg. 'Wij zouden ook van die dingen kunnen doen, samen...'

'Ja.'

Hij zucht.

'Ik zal vast thee zetten... kom je gauw?'

'Heel gauw.'

De golven rukken op.

Drie zilvermeeuwen worden door elke breker opgelicht, en gaan weer op het zand zitten als de zee zich terugtrekt. Een oude mantelmeeuw krijst en jammert terwijl hij rondscharrelt langs de vloedlijn. De aalscholvers zitten bij hun holle aardnesten op Maukiekie. Verder roert zich niets. Soms komen de golven even tot bedaren, maar de zee is er voortdurend, voelt, streelt en eet de aarde...

In het huisje achter haar kan ze Joe horen zingen. Daarna hoort ze zijn stem rijzen en dalen in gesprek met het kind, met onderbrekingen wanneer Himi iets zegt.

Aan de horizon is de lucht rokerig en rood geworden: de zee ziet er daar uit alsof warm bloed zich met het water vermengt.

Een wolk muggen komt dansend aanvliegen door de avondlucht, en ze wordt plotseling teruggevoerd naar de dag waarop ze op platvis was gaan vissen in de Taiaroamonding, in slaap was gevallen en wakker geworden was en een wolk muggen om haar hoofd aantrof.

De dag dat ze thuis kwam en een bang, stom kind op haar vensterbank aantrof.

Het lijkt jaren geleden.

Jaren... en het is pas een paar maanden geleden dat hij voor het eerst in mijn huis kwam. Ik ken hem heel goed, en toch weet ik maar heel weinig van hem af. Hij is doodsbang ge-

339

worden door iets dat zich in zijn verleden heeft afgespeeld. Hij verstaat wat Frans. Hij is waarschijnlijk heel bang voor injectienaalden; hij was beslist bang toen hij zich realiseerde dat ik hem had horen zingen... een angstaanjagend geheim, iets dat hij verborgen gehouden heeft. Ik vraag me af wat hij nog meer voor me verborgen houdt. En voor Joe. Misschien nog wel meer voor Joe dan voor mij...

Ik weet dat hij een bepaald soort moed heeft, een wrang gevoel voor humor, een abnormaal medeleven aan de dag legt en een enorm vermogen tot liefde bezit, en toch...

Alle kleur is uit de lucht weggetrokken. Het is grijs, en het wordt donkerder naarmate de aarde zich nog iets meer draait. De wolken zijn lang, zwart en gerafeld, als de vleugels van door storm geteisterde vliegende draken. Of hokioi... immense vogels...

De vogel die hij gedood heeft... was die echt zo zwaar gewond? Of heeft hij sinistere trekjes zoals Joe schijnt te denken? En vandaar ook die gewelddadigheden? Lucifers wegschieten, dingen gooien... ach, ik weet het niet. Ik weet eigenlijk haast niets van hem af.

En trouwens, hoeveel weet ik eigenlijk over Joe? Alleen maar wat hij me verteld heeft en wat hij gedaan heeft. En wat hij gedaan heeft bestaat uit een mengsel van sympathieke en onsympathieke dingen. Zachtaardig met zijn zoontje en wreed. Vervelende dronkelap en nuchtere scherpzinnige geest. Er rust te veel verleden op zijn schouders, denk ik. En emotioneel veel te betrokken bij het kind om hem ooit helder, zonder vertekening te kunnen zien... ik weet het niet.

Het wordt donker. Tussen de wolken worden bleke sterren zichtbaar.

Betelgeuze, Achenar, Orion, Aquila. Wanneer je het Zuiderkruis in het midden houdt, heb je een betrouwbaar kompas.

Maar er bestaat geen kompas voor mijn gedesoriënteerde ziel, alleen maar eeuwig-lokkend geesteslicht. In die ene zekere richting, naar dat ene zekere doel.

Ze huivert. Ze begint het knap koud te krijgen.

Maar wacht hier nog iets langer, denk er nog iets meer over na. Je hebt te maken met twee vreemdelingen, heel afwijkende en moeilijke mensen. Zelf ben je ook afwijkend en moeilijk, maar vreemd genoeg kunnen jullie goed met elkaar opschieten. Zelfs zo goed dat er sprake kan zijn van een echt gevecht, en vergeving en daarna hernieuwde vriendschap.

Maar waartoe, mijn liefje?

Weet je nog hoe afgrijselijk pijnlijk het was toen jij en je familie de banden verbraken? Zo pijnlijk zelfs dat een vluchtige ontmoeting met een van hen voldoende was om je wanhopig te doen worden. De pijn is er weer.

Wees voorzichtig. Houd wat afstand in deze vriendschap. Natuurlijk moet je een oogje op het kind houden – dat is het minste dat je kunt doen als mens maar laat ze niet te dichtbij komen.

En alsof hij op deze claus heeft gewacht, neemt Simon haar hand in de zijne.

Het kost haar al haar zelfbeheersing om zich daar niet meteen aan te onttrekken. Te wachten tot het plotselinge bonken van haar hart wat is afgezwakt, te wachten zonder te gaan gillen, tot ze haast toonloos kan zeggen:

'Ik hoorde je niet aankomen. Stond je hier allang?'

Een vinger knijpt een keer in haar hand. Zijn ogen glinsteren als hij haar aankijkt.

'Ik heb naar de zee staan kijken en heb over dingen nagedacht.'

Hij heeft haar hand tegen zijn borst gedrukt. Ze kan het gestadige kloppen van zijn hart voelen. Hij heeft geen ander gebaar gemaakt, maar ze heeft het gevoel dat hij iets zegt.

Wees heel voorzichtig, Holrnes... hij kan aura's zien, weet je nog wel? Voor hem is het zichtbaar, de elektrische perimeter van jezelf, het wassen en afnemen van de maan van je ziel. Al de strengen en stralen van je energie kan hij waarnemen... maar hoe kan ik nu in godsnaam

Probeert vergeefs de woede die ze voelt te bekoelen.

geestesrust uitstralen, terwijl het enige dat ik voel diepe ellende is?

'Ga maar naar binnen, eh. Ik kom ook zo.'

Weer dat vingerdrukje.

'Hé zeg, ga eens naar binnen als je dat gezegd wordt.' Haar stem

341

klinkt scherp en ze doet geen poging meer haar woede te verbergen. Zijn hart bonkt hevig tegen de rug van haar hand en ze voelt hoe hij begint te trillen. Met onaangename zekerheid dringt tot haar door dat hij bang voor haar is... voor mij? Kerewin de goedige, het antwoordapparaat, de witte ridder met de bereidwillige vuisten? Hij is het zeker, en hoe... maar in weerwil van zijn angst houdt hij nog steeds haar hand tegen zijn borst gedrukt.

Ach Jezus, wat ben ik aan het doen?

Ze zucht diep.

'Hai jochie, laat mijn hand eens los, wil je? Ik kom zo, echt, maar ik wil nog iets langer alleen zijn. Goed?'

Met tegenzin laat hij haar hand los. Met tegenzin gaat hij bij haar weg. Hij loopt schoorvoetend naar het huisje terug, zodat ze iedere ongelukkige stap kan horen.

Ze roept het kind na:

'E Sim, maak je geen zorgen... morgen is er weer een dag, en alles komt weer op zijn pootjes terecht. Wedden?'


Alleen in het donker, bijna in – door medicijnen afgedwongen – slaap, denkt hij:

Maar alles komt niet op zijn pootjes terecht, en daar kan ik niets aan doen.

Een plotselinge golf van wanhoop overspoelt hem.

Ik kan niets doen.

Het kleine bruine mannetje uit de vloer lacht droevig naar hem. Hij lijkt wel op de rand van het bed te zitten.

Kunt u iets doen?

Nee, dat kan hij niet. Hij is er niet echt.

Maar de geest zingt

*E tama, i whanake*
*i te ata o pipiri*

Hij valt in slaap en de woorden worden bedolven onder verdriet

*Piki nau ake, e tama*

Het klinkt flauwtjes in zijn oren terwijl de bulderende nacht steeds nader komt

*ki tou tini i te rangi*

Het slaapliedje is het afscheid van de geest. Hij ziet het mannetje uit de vloer niet meer terug.

Nog drie dagen, en toch zijn ze al souvenirs aan het verzamelen. Ze lacht wat wrang tegen zichzelf.

> Zij hebben tenminste tastbare herinneringen. Het enige dat ik heb is een lading gerookte vis en opgepoetste herinneringen, ontdaan van stof.

De jongen heeft het strand afgestroopt naar schelpen en door de zee gladgeslepen glas; door eb en vloed afgesleten botten en oude zeemeeuwveren; stukjes blaaswier die je kunt laten knappen en dode droge krabben. En stenen... het soort met de gaatjes erin, van boormosselen of steenboorders, of uitgesloten door andere stenen. Gewonde stenen, verliezers in de getijdenstrijd die gedoemd waren zand te worden tot de hand van het jongetje hen behoedde.

Ze had gevraagd: wat ga je ermee doen?

Niet mee naar huis nemen, zei Joe, je hebt zowat een karrevracht vol.

Een stuk of wat, beduidt de jongen, een paar.

De rest niet weggooien hoor: Maori zinklood.

Joe: O ja?

'Zo noemen we ze... we hebben er een bergje van liggen achter het Zwarte Huisje. Zelfs als de rest van de wereld geen lood meer heeft, gaat de Holmes-clan nog vrolijk uit vissen.'

Werpt haar een kus toe: 'Dat wordt dan mijn bijdrage ten toekomstige bate van de familie. Simons verzameling stenen.'

De jongen, die zijn vondsten aan het ordenen is in hoopjes en patronen, kijkt over zijn schouder. Op zijn gezicht valt O ja? te lezen.

> Nou ja, misschien krijg ik ze en misschien ook niet. Joe's aandenken zal ik vast en zeker niet krijgen.

> Over een man die verliefd is op een steen gesproken...

Hij was fluitend teruggekomen van het zuidelijk rif. Het klonk wat geforceerd en toen hij ermee ophield, bleven zijn lippen zich vertrekken alsof hij zijn uiterste best deed een glimlach te onderdrukken.

'Wat is er met jou aan de hand?'

'O, niets...'

Maar hij wilde het helemaal niet voor zich houden, alleen de spanning een beetje opvoeren.

'Kijk,' knielt voor hen neer en steekt zijn hand uit.

Slank ligt daar, met de kleur van de diepe zee, rijk doorschijnend groen...

Hij loopt nu al plannen te maken voor een hanger. Mijn eigen groensteen, mijn eigen hanger, zegt hij steeds. Me door de zee geschonken aan een van jouw stranden... oh Kerewin, deze plek houdt van mij!

Dus vertel ik hem maar niets over de graven op het klif en dat het waarschijnlijk bij zijn vorige eigenaar werd weggespoeld... hij zou het heel vervelend vinden te weten dat het verbonden is met de geur van beenderen. Laat hem maar gelukkig zijn met zijn hei matau... misschien hebben de ouden het hem wel geschonken. Ze hebben mij de mijne gegeven...

Toen de eerste opwinding weggestorven was, vertelde ze hun:

'Dit is de vierde keer dat ik hoor dat iemand een dergelijk stuk gevonden heeft in de buurt van het zuidelijk rif. Een van mijn broers vond er twee bijltjes – die bevinden zich nu in het museum van Otago. En ik heb Tahoro Ruku gevonden.'

'Duikende walvissen? Is dat een mere? Een familiewapen?'

Ze lacht. Beleefde manier om te zeggen: natuurlijk zou je geen erfstuk met naam houden als het niet in je familie thuis hoorde...

'Nee, het is een vreemd soort hanger. Ik weet niet tot wiens familie het behoorde. Ik heb bij al mijn familieleden navraag gedaan, en bij de meeste Ngai Tahu hapu. Het is in vergetelheid geraakt. Of misschien,' bedachtzaam, 'hebben ze er een andere naam aan gegeven. Toen ik het opraapte namelijk – ik wilde juist het rif opgaan om pupu te vangen, toen een golf het aan mijn voeten bloot spoelde – toen ik het opraapte, was het alsof overal om me heen stemmen klonken die zeiden: "Te tahoro ruku! Te tahoro ruku!" Het was op klaarlichte dag, de zon scheen stralend, ik was niet dronken en verderop waren andere mensen op het rif die niet om zich heen keken of zoiets, dus die stemmen moeten het werk van mijn verbeelding geweest zijn. Maar ze waren luid. Het echode...'

Ze rilt.

'Ik raapte het op, en die stemmen gingen maar door, en ik werd bang. Ik zei, misschien in mezelf: "E nga iwi? Mo wai tenei?" en daarop werd het stil. Pas na een poosje keerde een stem terug, een oneindig oude stem die fluisterde: "Tahoro ruku, tahoro ruku," – en weet je?'

'Nee,' fluisterde hij.

'Ik heb niets meer gevraagd. Ik heb het opgepakt en ben teruggerend naar de huisjes. Wekenlang heb ik het aan niemand durven laten zien, en toen–'

Ik weet dat ik niet zo beschaamd zou moeten kijken, maar dat gebeurt meestal toch.

'ik heb niet precies verteld waar ik het gevonden had. Dat kwam pas later.'

'Ik denk dat ik het had laten liggen...'

Ze zuchtte.

'Ik weet niet wat ik had moeten doen... ik heb lang genoeg in tweestrijd gestaan. De zee had het me niet gegeven als het niet voor mij bestemd was. De geesten van de ouden, of van wie die stemmen dan ook waren, zeiden niet dat het niet voor mij was. Ik vroeg voor wie het was maar dat hebben ze niet gezegd. Ik heb niets verkeerds gedaan en het heeft geen nare gevolgen gehad, dus moet het wel goed geweest zijn. Ik heb alleen een tijdlang vreemde dromen gehad.'

Joe knikt ernstig.

'Ze gingen over Maukiekie dat daar ligt. Soms zag ik een gat in de grond. Soms ging ik daarin en vond in het hart van het eiland een marae. Met tukutuku-panelen en poupou uitgesneden in de levende rots... er was nooit iemand om me te verwelkomen, maar ik hoorde altijd ademen. Trage, reusachtige ademhaling... pas na een paar dromen begreep ik dat het ademen was en geen onderaardse wind. Ik dacht: het is de ademhaling van het eiland, of Papa zelf. Ik weet het niet.'

Hij zuigt scherp zijn adem in, sssssss.

'De dromen probeerden me iets duidelijk te maken, maar ik kon het niet begrijpen. Nog steeds niet. De laatste keer hield het ademen op, en de marae werd plotseling verlicht alsof iemand de deksteen eraf lichtte, en een enorme, niet menselijke stem, bulderde:

345

"Keria! Keria!" Wat een idioot einde voor een droom, hè?'

Ze lachte. 'Ik maakte mijn broer wakker doordat ik riep: "Wat opgraven?" en hij dacht echt dat ik gek geworden was.'

'Dat was de oude vredeskreet...'

'Ik weet het. Dat hoorde ik later. Maar ik ken nog steeds de betekenis van de droom niet... ik heb Tahoro Ruku verkregen en het is me heel dierbaar. Hoewel ik vaak het gevoel heb dat ik alleen maar de bewaarder ben en het voor iemand anders bestemd is...'

'Draag je het niet?'

'Nee. In de eerste plaats is het te groot. In de tweede plaats heb ik geen geschikt koord. Nou ja, als we in Taiaroa zijn kun je het zien en me vertellen wat je ervan vindt.'

Hij kijkt naar de hanger in zijn hand. 'Ik ben blij dat de· ze niet door stemmen vergezeld werd... Ben je ooit wel eens op het eiland gaan graven?'

'Ja. Een heleboel guano en een kromgebogen schep. Maukiekie is zo hard als een rots.'


Het droomeiland.

Aalscholvers laten zich met slangachtige gratie, van de top naar beneden glijden.

Wier slingert en kronkelt zich aan haar voet.

    Rimu rimu tere tere e...

Waarom zou ik me verdrietig voelen?

Ik heb mijn herinneringen wat opgefrist. Zij hebben hun souvenirs. Het is een goede vakantie geweest. Het grootste deel van de tijd heb ik genoten. En zij ook.

Dus waarom zou ik me verdrietig voelen?

Ze weet het niet.

Ze staart nog lang naar Maukiekie voor ze naar de huisjes terugkeert.

De dag voordat ze vertrekken zwelt de wind aan tot stormkracht. Krachtige golven overspoelen het strand en op het rif buldert en dondert het waaigat uit boven het beuken der golven.

'De winter komt nog even wraak nemen,' zegt Kerewin en gaat onverstoorbaar verder met inpakken.

Ze heeft het Oude Huisje pijnlijk netjes opgeruimd. Het zand

dat ze naar binnen gelopen hebben is opgeveegd en de vloer is ge-
schrobd. Al de vertrouwde dode vliegen zijn van de vensterbanken
geveegd. Zelfs de spinnewebben die in dikke trossen aan de haken
van de lamp hingen, en die als wollige raggen in de hoeken van het
plafond zaten, bespikkeld met leeggezogen lijkjes – zelfs de spinnewebben zijn verdwenen. De stapelbedden zijn voor de laatste
keer opgemaakt, maar alle kleren die ze aan daarvoor zo handige
uitsteeksels hadden gehangen – boven aan ladders, voeteneind van
bedden, over stoelen – zijn uitgezocht en liggen opgevouwen over
drie stapels verdeeld. 'Dat is van jou en dat van jou,' zegt ze en
gaat naar het strand, opzij springend voor de golven, om daar op
te ruimen, schoon te maken en af te sluiten. Ze schrobt het bootje,
o blijf behouden tot ik terugkom, en bergt het anker, de riemen en
de visspullen op. Vergrendelt de deur van het botenhuis en doet de
luiken voor de ramen. Het Zwarte Huisje heeft geen ogen meer,
draagt oogkleppen tegen de vijand.

'Het wordt heel wild hoog water,' vertelt ze hun wanneer ze
terugkomt, 'maar het zal wel niet meer zo lang duren voordat de
wind gaat liggen. Het enige waar we ons dan nog zorgen over hoeven maken is over regen. Of sneeuw misschien.'

'Fantastisch.' Joe staart onafgebroken naar de furie voor hem.
Enorme golven rollen aan, schuim stroomt voor de wind uit weg
als lang wit haar. Bij de kust is de zee bedekt met een patroon van
gelig schuim. Er klinkt een voortdurend rommelend gedonder van
grote hoeveelheden stenen die heen en weer worden geslingerd
door het heftig kolkende water. Dan zegt hij:

'Aue tama, we kunnen ook maar beter onze spullen gaan pakken.'

De jongen is een uur bezig met het uitzoeken van zijn schatten. Hij kiest al het door de zee geslepen glas uit, twee volmaakte
lamp schelpen, een zwarte en een rode, en drie van de stenen met
gaatjes erin; een pauaschelp die Joe op het rif gevonden had en een
grote schaar van een krab die Kerewin gekscherend zijn kakkerlak-
grijper noemt.

('Kijk toch eens, in onbruik geraakte schaar van een Ozius
trunctatus, bij uitstek geschikt voor het pakken van zelfs de kleinste kakkerlak...

Allemachtig Kerewin, hij is al aan de drank verslingerd. Het lijkt me niet nodig dat hij hier ook aan begint.')

De rest van zijn collectie stopt hij in een kete en loopt er moeizaam mee naar de deur.

'Waar ga je dat laten?'

Op het strand, wijst hij.

'En de stenen die Kerewin wilde hebben?'

Simon trekt zijn wenkbrauwen op.

'Niet krenterig worden mijn jongen. Laat er wat achter op een plaats waar zij ze weer kan vinden. Misschien meende ze het wel dat ze ze voor haar familie wilde bewaren.'

Goed, beduidt de jongen en wankelt onder zijn vracht naar buiten.

Hij gaat achter de afrastering staan en gooit elke vondst afzonderlijk in de hongerige golven, bedankt hen en zegt: tot ziens. Als hij daarmee klaar is, is de zak nog steeds zwaar van de gaten stenen. Die neemt hij mee tot achter het Oude Huisje, waar een soort steegje is ontstaan tussen het gebouwtje en het landwaarts gerichte hek. Er liggen wat fuiken en een verroeste tank opgeslagen, maar het ziet eruit alsof het nergens anders voor gebruikt wordt. Toen ze hen rondleidde, had ze alleen even een blik om de hoek geworpen, maar verder niets gezegd. Hij gaat naast de tank op zijn hurken zitten en vormt woorden met de stenen. Hij zingt voor zich uit: ze zullen het niet weten. Ze zullen het niet weten, en maakt de letters groot en duidelijk. Maar hij heeft niet voldoende stenen en hij kan de laatste twee letters van het derde woord niet vormen. Hij kijkt een poosje naar zijn boodschap en vraagt zich af of het beter, veiliger, zou zijn de zin maar weer door elkaar te schoppen. Het ziet er zo wat dreigend uit. Hij haalt zijn schouders op. Daar is het nu te laat voor. Wat gebeuren moet, zal gebeuren en er is absoluut niets wat hij daar nu nog aan kan doen.

Hij laat de boodschap zoals die is.

Het is opgehouden met regenen. Deze ochtend is de hemel zo bleekblauw dat het op het eerste gezicht wit lijkt. De wind is gaan liggen. Het is heel stil in de lucht: het bulderen van de zee wordt erdoor versterkt en iedere vogelkreet klinkt doordringend helder.

Schoon, opgefrist land, denkt ze terwijl ze voor het laatst langs de zee loopt.

Misschien bestaat er wel zoiets als een tweede kans, zelfs als je dromen onvervuld blijven...

(Bij de auto zegt Joe: 'Ik heb ook geen zin om te gaan, maar jij moet naar school en ik heb mijn werk, dus hebben we niet veel keus, eh?' Zucht: 'Als ze maar met me wilde...' Hij glimlacht ongelukkig naar het kind, zijn woorden klinken in zijn hoofd na, als ze maar met me wilde... als... Simon lacht wat afgetrokken terug.

'Zou jij het leuk vinden als ik haar vroeg of ze met me wil trouwen?' en de lach van het kind licht op en zijn ogen worden ijsvogelgroen. 'O, jij dus ook,' lacht de man en zijn hart voelt ineens een stuk lichter.

Zou ik het haar vragen als ze bij ons terugkomt? Nee nee, nog niet, nog niet...)

Als ze vertrekken zegt hij alleen:

'Hebben we ons goed gedragen? Mogen we nog eens terugkomen?' breed lachend, met dansende ogen.

Is hij blij dat hij hier weg kan gaan? Ach, wat maakt het ook uit?

'Ja hoor,' zegt Kerewin koeltjes. 'Er is altijd een volgende keer.'

# III Toren die door de bliksem wordt getroffen

# 7  Spiegelpraat

HALLO, ALWEER GEGROET.

*Ik was van plan te trachten het netwerk van dromen en substanties waaruit ik, mijn familie, Moerangi zijn opgebouwd te ontrafelen... maar ik word overweldigd door de futiliteit ervan. Wat heeft het voor zin het te weten? Wat heeft het voor zin nu ik me uitgehold voel door het besef van mijn nutteloosheid?*

*In tijden van armoe, godsverlangen, en het familiedebâcle hield ik een gevoel van waardigheid. Ik kon uitbeelden en schilderen als niemand anders in dit door mensenhanden gewonde land: ik was de moeite van het leven waard. Nu is mijn talent dood. Ik zou het moeten volgen.*

*Maar dat kan ik niet.*

*Laat het scheermes door mijn vlees glijden. Laat de gevoelloze nacht, door overdosis verkregen, me stilte zenden.*

*Dus besta ik, een omhulsel dat hunkert naar verrotting in de zoete aarde.*

*Schrijf onzin in een dagboek dat niemand ooit zal lezen.*

'Ach, schiet toch op, Holmes, je neemt jezelf veel te serieus.' Bergt het boek weer op in de kast.

Ik kan het in het donker horen jammeren: Wanhoop, wanhoop, er is hier niemand. Ik zou erbij moeten gaan zitten, dan konden we elkaar gezelschap houden bij het jammeren. De een zich niet bewust van de ander.

Ze had de Gillayleys in Pacific Street afgezet en had hun aanbod om te blijven eten afgewezen.

De auto had ze bij de dichtstbijzijnde garage verkocht en ze was naar huis gelopen.

De Tasmanzee is grijs en woest, en er bestaat geen eiland met een droommarae in het hart... Alles in de Toren was bedekt met een dun laagje stof.

353

De zoneter zoemde door in de late namiddagzon, maar in een onregelmatig ritme, het kristal is wat beslagen.

Stilstand. Een hel op zich. Geen verandering. Al dat wachten op mij, zonder resultaat. Misschien moet ik de Aihe optuigen en ergens naartoe varen? Ach... Teruggaan naar Moerangi? Ach... Een week lang slapen? Mijn hersens verdoven met drank? Maakt niet uit met wat? Ach... Je bent gekwetst, mijn ziel, te zeer verwond om te kunnen genezen. Misschien. Ik weet het niet...

Terwijl hij de trap opstampt, zegt hij:

'Het was fijn om weg te gaan, maar het is nog beter om weer thuis te komen, eh?'

'Ja.'

'Een uur geleden waren we bij de Tainuis en Christus, wat een weerzien! Het leek wel een reünie. Je had erbij moeten zijn... iedereen kwam langs, Ben, de oudjes, Piri zit in het noorden maar stuurde ons een telegram ter verwelkoming, zelfs Luce was er... je zou haast denken dat we jaren zijn weg geweest in plaats van weken.'

'Ze mogen je graag.'

Hij pakt haar bij de schouder. 'E, jou ook.'

Hij spreidt zijn armen wijd uit in de cirkel van de woonkamer. 'Hai, het is ook fijn om hier weer te zijn.'

'Is Sim nog bij de Tainuis?'

'Ja, die laat zich verwennen. Iedereen vindt dat hij er fantastisch uitziet. En twee minuten nadat we er gekomen waren, liet hij al horen hoe goed hij zingen kan. Het is daar nu volop feest.'

Waarom ben jij er dan niet bij? Waarom kom je mij hier lastig vallen?

De whisky, waarvan ze heeft zitten nippen sinds ze haar nachtmerrieboek heeft weggeborgen, heeft haar bepaald niet vrolijker gemaakt.

Volkomen onverwacht zegt hij:

'Wat wil jij het allerliefst?'

'Wat ik mijn hele leven gewild heb, of nu, of wat?' en kijkt fronsend in het vuur.

'Laten we zeggen voor de toekomst.'

'Niet veel. Wat ik zou willen kan toch niet?

'Stel je eens voor dat het wel zou kunnen.'

'Ja, dat blijft inderdaad bij fantaseren. Ik zou graag een familie-reünie willen, een verzoening. Praten, drinken, lachen, zingen... wat jullie net gedaan hebben, waarbij niemand verwijten maakt. En wat ik het allerliefst weer zou willen is net zo goed te kunnen tekenen en schilderen als vroeger. Kan me niet schelen hoeveel moeite ik daarvoor zou moeten doen, als ik maar een schilderij kon maken waar we allemaal een stuk ziel in zouden kunnen terugvinden...'

Ze klinkt koel en beheerst alsof ze niet nauw betrokken is bij haar eigen wensen.

'En is dat alles? Alles wat je wilt?'

'Ja. Hoezo, wat bedoel je dan?'

Hij zwijgt. Dan zegt hij:

'Ik weet het niet. Het is duidelijk en onduidelijk... ik wil voornamelijk dat Himi en ik gelukkig worden. Het was er zo goed van-avond, met Wherahiko en al de anderen... dat is wat ik het liefste wil. Een goede, grote familiegroep, om me te helpen, zodat Himi tot een goed mens zal opgroeien. Met jou.'

Het komt er plompverloren uit.

'Hé Joe...' Haar eerste woord is langgerekt, waarschuwend langzaam.

'Je hoeft het niet te zeggen. Ik weet dat je er niet zo over denkt. Ik weet dat je ons allemaal een beetje zat bent. Dat is misschien nog wel verstandig ook. Zo word je in ieder geval niet gekwetst.'

Ze zegt verder niets.

'Maar het is een droom die we koesteren, Himi en ik, dat je het besluit zult nemen je weer onder de mensen te begeven. Dat je je lot met hen zult willen delen. Met ons... om precies te zijn... we kunnen lang wachten. We zijn meesters in geduld, allebei, en zijn gewend aan teleurstellingen.' Hij werpt haar een snelle lach toe, als om haar een grapje te ontlokken.

Ze staat op. Met verstikte stem zegt ze:

'Ik wil dat je meekomt om iets te bekijken.'

'Goed.' Hij komt beheerst overeind.

*Dun geëtste stormboog*
*en eierschaal-blauwe lucht ervoor;*
*in de verte, goud beschenen*
*door de ondergaande zon,*
*regenwolken grijze vegen en strepen*
*boven de kolkende Tasmanzee.*

Eenzame meeuw, wachter, koning, meeuw, bewaker, nacht-
zwarte vleugels, kop wit als een sneeuw golf
en een koud barbaars oog:
meeuw als soliditeit, al het andere
mist en schimmigheid
zeeschuim tot licht gesponnen.

*Een maan belicht van overzee*
*een oneffen weg;*
*verlaten vrouw, tot haar middel naakt,*
*wacht aan de rand van het maanlicht;*
*een schaduwfiguur die naar betekenis uitziet,*
*ergens.*

Ze zegt geen woord, haalt één voor één de doeken en panelen
achter haar bureau vandaan.

*Een groep lichtjes*
*die lijken te leven*
*gekristalliseerd in een kring;*
*een boom in het midden*
*wachtend.*

Zonlicht metalliseert horizon tot zilver;
langgerecht rimpelig grijs.
Een mat-witte branding.
Achter het staal rijzen wolken donker op
toppen vertonen schaduwen
door koud verstild licht.

Abstract, maar het geeft precies de essentie weer van winterzee
en winterzon, zoals hij die kent.

Ze laat ze snel door haar handen gaan, schilderingen vol vreemde lichten en verscheurd land en merkwaardige mensen die stuurs
kijken of staren of afstandelijk naar hem lachen.

De laatste grist hij haast uit haar handen.

Een paneel waar Kerewin op staat.

Woest krullend haar, donkerbruin, maar wat normaal oplicht is veranderd in goud en rood en grijs, tarwekleurig bij haar slapen; struikgewas dat zo levend aandoet dat hij er zich op betrapt te kijken of hij er handen en ogen tussen kan ontdekken. Breed bleek gezicht, vlezige wangen; de V van de huid van haar voorhoofd is zwaar beschaduwd, zodat het een merkteken wordt.

Samengeknepen cynische intense ogen, die blauw noch grijs zijn. Levendige stenen ogen, die het leven haten. Dunne, gekrulde bovenlip, dikke onderlip, kin vooruit, altijd op het ergste voorbereid.

Een grimmig gezicht, dom, maar verzacht door de gepijnigde ogen.

Wanneer je ervan opkijkt, staart de zelfde persoon je aan. Een stuk ziel dat in verf is vastgelegd.

Hij drinkt het schilderij in.

'Dit zijn de enige dingen die echt zijn in mijn leven.

Geen mensen, Joe. Geen relaties. Schilderijen. Die me eraan herinneren dat ik het ooit gekund heb.'

Ze schuift ze weer achter het bureau, schreeuwers en mysteries en de schreiend liefhebbende schilderingen van haar zee en haar land. Ze steekt haar hand uit naar het zelfportret.

'Iets, iets in mij is gestorven. Het is er nu niet meer. Ik kan niet meer schilderen.' Er klinken tranen in haar stem, maar ze worden niet zichtbaar in haar ogen. 'Ik ben dood van binnen.'

Hij houdt het schilderij nog steeds in zijn handen. 'Mag ik het hebben?'

De tranen staan in zijn ogen.

'Hebben? Niet kopen?' Haar scherpe lach snijdt door hem heen alsof ze hem slaat.

'Ik zal betalen wat je ervoor vraagt.'

Ze voelt zich ineens doodmoe. Het heeft hem niets gedaan.

'Ach, hou maar. Ik kan dagelijks beter werk zien in de spiegel...'

'Het is, het is zo echt.'

Ze is gewend aan bewondering. Ze is eraan gewend schilderijen

357

weg te geven. Ze is bestand tegen zijn ontzag. Ze geeft hem geen antwoord.

Hij zegt zachtjes:

'Wat je ook van me vraagt, ik zal het doen. Wat je ook van me wilt, ik zal het je geven.'

'Zelfs afwezigheid?'

Hij haalt eens diep adem.

'Als je dat wenst...'

Met de zijkant van haar hand slaat ze op het bureau en de klap schalt door de bibliotheek.

'Laat maar. Het schilderij mag je hebben. Ik hoop dat je plezier zult beleven aan dat stomme ding, een armzalig geschenk voor een goede vriend. Maar blijf een goede vriend. Kom me niet nader, maar na genoeg om altijd welkom te zijn.'

Met respect zet hij het neer. Hij buigt zich voorover en pakt haar bij de schouders.

Ze verstijft en trekt zich terug.

'Wil je niet met me hongi'en?'

Haar gespannen schouders ontspannen zich.

> Ik bewijs eer aan uw levensadem, die dezelfde is als die door mij wordt in- en uitgeademd, warme huid tegen mijn huid, gladde druk van neus tegen neus, ontmoeting van harde voorhoofden.
>
> Ik bewijs eer aan hetgeen ons leven schenkt.

Hij zucht luid en zegt dan, sterk, vrolijk:

'Wat een fantastische gave. Een passend moment voor een hongi, nei?'

Ze heeft zich weer teruggetrokken, en steunt op de andere kant van het bureau.

'Ik denk het.'

Ze huivert. Langs haar ruggegraat kruipt iets op, met klauwen aan alle duizend poten.

'Laten we teruggaan naar het vuur en nog wat drinken, eh? Laat dat ding voorlopig nog maar even hier staan. Ik zal het inlijsten en het binnenkort bij je langsbrengen, goed?'

'Goed.'

Hij zet het schilderij terug achter het bureau en zegt, alsof het hem net te binnen schoot: 'Ben je bang gekust te worden? Door mannen?'

'Ik hou niet van kussen.'

'Ik denk dat het een kwestie van smaak is.' Bedachtzaam, alsof ze hem zijn mening had gevraagd over iets zakelijks in plaats van dat korte afdoende antwoord te geven. 'Ik hou wel van kussen... Himi ook... hij denkt zelfs dat hij van alles kan aftroggelen en uitleggen en afkopen door zijn kusjes. Alsof ze deel uitmaken van zijn taal. Als hij in een goede bui is, mag iedereen ervan meegenieten.'

'Dat heb ik gemerkt.'

'Ik heb me afgevraagd of iemand je ooit,' haalt zijn schouders op, 'ach, ik bedoel, heeft iemand je ooit zo gekwetst dat je niet meer van kussen houdt? Van liefde?'

'Nee.'

Ze pakt de lamp op en de schaduwen wervelen langs de met boeken beklede wanden.

Hij verroert zich niet.

'Ik dacht dat iemand je in het verleden misschien slecht behandeld had, en dat je er daarom niet van hield dat mensen je aanraken en vasthouden.'

'Ach verdomme,' met een klap zet ze de lamp weer op het bureau. De vlam springt wild op en neer.

'Ik zei toch nee. Ik ben niet verkracht of afgewezen of op een of andere manier mishandeld. Dat ik zo ben als ik ben valt niet te verklaren door iets uit mijn verleden.' Ze kalmeert haar stem, haalt het ongeduld eruit. 'Ik ben gewoon het buitenbeentje, het zwarte schaap in mijn familie, want ze zijn allemaal normaal en fysiek aanhankelijk. Maar zo lang ik me kan herinneren, heb ik een hekel gehad aan intiem lichamelijk contact... heb ik contact afgehouden, emotionele contacten, maar ook alles wat neigde naar seksualiteit. Ik deins ervoor terug, omdat het net lijkt alsof de ander me leegzuigt. Ik weet dat dat niet erg rationeel is, maar zo voelt het nu eenmaal.'

Ze raakt de lamp aan en de onrustige vlam komt tot bedaren.

'Toen ik in de puberteit was, heb ik er veel tijd aan besteed me af te vragen hoe het toch kwam dat ik anders was, of er anderen waren zoals ik. Iedereen werd toen volkomen gefascineerd door hun ontluikende seksualiteit, en mij kon het geen moer schelen. Ik heb me nooit tot mannen aangetrokken gevoeld. Of vrouwen, of wat dan ook. Het is moeilijk uit te leggen, en als ik het probeerde, was er toch nooit iemand die me geloofde, maar hoewel ik een schijnbaar normaal vrouwenlijf heb, voel ik geen enkele drang tot seksuele activiteit. Het zegt me niets. Ik denk dat ik aseksueel ben.'

Hij pakt het schilderij weer op en kijkt ernaar. 'Misschien gaat er zoveel energie hierin zitten, dat je niets over hebt voor seks.' Het klinkt alsof hij niet aan haar woorden twijfelt en alsof het geen afschuw heeft gewekt. 'Sublimeren is de vakterm, geloof ik, hè?' Hij kijkt haar aan. 'Ik probeer niet lollig te zijn of zo, maar dat is typisch Maori, in zekere zin... ik heb veel houtsnijwerk gedaan en een van de voorschriften luidde dat wanneer je aan het houtsnijden was, je niet met een vrouw mocht slapen, of je mocht bevlekken, zoals het eufemisme luidt. Niet dat seks slecht was, maar omdat alle energie verbonden was met iets dat tapu was, daarvoor nodig was.'

'Wie weet,' zegt Kerewin zwaarmoedig, 'ik weet het niet.'

'Ben je nog maagd?'

'Ja,'

Hij zet het schilderij weer neer en lacht kwajongensachtig naar haar.

'Nou, neem maar aan van iemand die heel ervaren is, dat seks heel aangenaam is, maar niet het begin en eind van alles is. Het beste was het met Hana, mijn vrouw, en naarmate we elkaar langer kenden werd het steeds beter. Omdat we elkaar beter leerden kennen dan alleen maar fysiek, meer deelden dan alleen de lichamelijke opwinding... als het zo is, is het prachtig, echt waar. Maar nu voel ik het als een behoefte, iets waarvan ik me min of meer wil bevrijden, maar het is niet overweldigend. Je hoeft er nooit bang voor te zijn dat mijn pik mijn gedachten gaat regeren. Of mijn hart, eh.'

Hij is haar aan het troosten.

Hij doet broederlijk, vriendelijk, haast vaderlijk, denkt ze dat hij denkt, ontkent dat haar anders zijn rampzalig en vreemd is.

Heel even houdt ze van hem om zijn bezorgdheid.

Ze pakt de lamp op en de schaduwen tollen weer rond. 'E Joe, e hoa, ka pai.'

Ze voegt eraan toe: 'Toen ik tien jaar jonger was, heb ik alles gelezen wat ik erover kon vinden, om achter het hoe en waarom ervan te komen. Van de Kama Sutra en bioenergetica tot een hele stapel boeken in de trant van "Ken uw lichaam". Ik kwam tot de conclusie dat ik gewoon een nieuwe variëteit ben binnen de toch al rijk gevarieerde mensheid. Ik zit er nu niet meer mee, maar anderen schijnen zich er zorgen over te maken.'

'Ik niet meer. Je hebt het uitgelegd. Je bent Kerewin, en ik hou van je, net als Haimona, maar we houden het, zoals ze zeggen, platonisch. Goed, e hoa?'

'Goed,' voor het eerst die dag lacht ze. 'Laten we dan nu maar die borrel gaan drinken.'

'Okay, maar ik moet wel zo naar huis om Sim naar bed te brengen.'

Tijd, denkt hij, terwijl ze hem voorgaat en de trap afloopt, tijd en zorg en tederheid. Het dringt wel tot haar door. Ik kan wachten. Ik maakte geen grapje toen ik zei dat we meesters in geduld waren. Ik kan een jaar wachten, jaren als het moet, omdat ze de moeite waard is om op te wachten. o Lieve Heer, ondanks haar arrogantie en kilte, is ze zeer de moeite waard om op te wachten.

En terwijl hij de trap afloopt denkt hij dat er wel geen jaren van wachten voor nodig zullen zijn.


Die nacht droomde ze dat ze voor een tafel zat, waarvan de hoeken door schaduwen werden begrensd. Er lagen kaarten op tafel, maar er stond niets op. Ze pakte ze op en riep met zwakke, klagerige stem: 'Waar is de boodschap? Waar is de boodschap?'

En onmiddellijk verschenen er helder gekleurde plaatjes. Maar ze waren niet bestendig. De kleuren ebden weg en vervloeiden en de voorstellingen veranderden terwijl ze ernaar keek.

Het paar dat aan de zuil is vastgeketend in de kaart die de Duivel heet, verschoof en rekte uit en werd Het Liefdespaar. De Nar stapte lichtvoetig naar voren in de richting van de afgrond, maar het kleine hondje dat naar zijn hielen hapte, rende door om tegen de Maan te blaffen. Het zachte, onverstoorbare gezicht van de Keizerin kreeg holle ogen, ingevallen wangen, en de Dood maaide de menigte neer aan de voeten van zijn paard.

Hoe langer ze keek, hoe meer de archetypes dansten en veranderden, tot ze samenkwamen in een vloeibare regenboog die wit werd. Op een kaart na die in kleuren opgloeide.

De scène was een fractie van een seconde zichtbaar, maar in die flits werd ze de kaart ingetrokken. De hemel spleet open en bliksemschichten regenden naar beneden, en ze begon te vallen, uit pure wanhoop luidkeels weeklagend vanaf de door de bliksem getroffen toren.

En werd wakker, dicht tegen de schapevacht gedrukt waarop ze in slaap was gevallen, met een pijnlijk snel kloppend hart.

Een val-droom van de Toren van Babel? Astrale reizen en het Huis van God?

Toen dacht ze nog helemaal niet aan haar eigen Toren.


Ze besteedde het grootste deel van de dag aan het maken van een lijst voor het zelfportret. Van rewarewa hout, licht, met een fijne nerf en geschuurd tot het satijnzacht aanvoelde. De lijst is twee-eneenhalve centimeter breed: de schildering is op ware grootte, hoofd en schouders. Haar gezicht kijkt haar tartend aan, in hout gevangen.

'Van hetzelfde, wat je ook denkt. Ik denk dat je het juiste formaat hebt voor een dartbord, dus kijk maar uit.' Ze lacht in zichzelf en trekt een gezicht naar het portret.

Ze wacht tot na zeven en, tot ze denkt dat ze klaar zijn met avondeten, voor ze een taxi neemt naar Pacific Street.

Ze klemt het schilderij onder haar arm en loopt het pad op. Even gedag zeggen, schilderij afgeven en er vlug weer vandoor, neemt ze zich voor.

Maar als ze bij de deur is om aan te kloppen kan ze Joe al tekeer horen gaan.

Jezus, wat krijgen we nu weer?

Ze kan de woorden niet verstaan. Ze schopt hard tegen de deur zodat hij het horen kan, waarna het plotseling stil wordt. Snelle zware voetstappen als de man door de gang komt aanbenen. Hij trekt de deur open en kijkt strijdlustig naar buiten.

'O, ben jij het,' en zijn frons verdwijnt, 'kom binnen. Het is koud, hè?'

'Zeer koud... wat is er aan de hand?'

'Hoezo?'

'Ik hoorde je tekeergaan. Ik neem tenminste aan dat je het niet tegen de kanariepiet had?'

'Nee, dat is waar. Simon gooide een bord naar mijn hoofd.'

'Wat deed ie?'

'Gooide een bord... probeer jij maar eens of je hem tot de orde kunt roepen. Hij heeft een pestbui.'

Het schilderij laat ze bij de deur staan.

'Goed... daar staat trouwens het schilderij,' en loopt door naar de keuken.

De jongen staat achter de tafel, tegen de muur gedrukt.

'Zo,' handen op haar heupen, 'waarom heb jij het vaatwerk door de kamer gesmeten?'

Hij gromt wat.

Ze trekt een gezicht naar hem en keert zich om naar Joe.

'Ik heb alleen maar voorgesteld zijn haar eens te knippen en hup! daar ging het bord al. Hij raakte me ook nog bijna. Daarvoor zaten we rustig en vriendelijk te eten. Ik heb hem niet aangeraakt, alleen maar geschreeuwd. Hij schoot daar naartoe,' wijst op de tafel, 'zodra het bord gelanceerd was.'

'Tsja, dan zou ik ook geschreeuwd hebben. En waarschijnlijk had ik mijn bord naar zijn hoofd gegooid, met de bedoeling hem te raken.'

'Het is nog een knap servies. Ik kan me niet permitteren dat het zomaar door de kamer vliegt.'

Simon blijft hen maar aanstaren, nog steeds stijf tegen de muur gedrukt.

Ze kijkt hem opnieuw aan.

'Ik neem aan dat je het niet prettig vindt als je haar geknipt wordt?'

'Zeker niet. Hij verafschuwt het. Er ontstaat altijd ruzie over, maar het moet toch gedaan worden... nou, en je kunt je de scène bij de kapper misschien wel voorstellen, hè?'

'Ja. Maar wat vind je dan zo vervelend, Sim? Dat het kort geknipt wordt?'

'Maar ik knip het helemaal niet kort,' zegt Joe op klagende toon. 'Knip er alleen maar een klein stukje af, zodat het niet zo gauw in de knoop raakt. Ik mag barsten, maar ik begrijp echt niet waarom hij er zo'n toestand over maakt. Ze plagen hem zelfs met dat lange haar... andere kinderen, ik heb ze wel eens gehoord.'

De jongen blijft waar hij is, weerspannig, zonder zich te bewegen.

Openlijk ongehoorzaam en bang, denkt ze. Hoe zou het zijn om zo klein en bang te zijn, wetend dat elk van ons met hem kan doen wat we willen? En ik vraag me af hoe vaak hij zich daar al achter verschanst heeft, voordat hij er achter vandaan getrokken en geslagen werd?

'Hmmm,' zegt ze tegen Joe en loopt wat dichter naar hem toe, gaat voor hem staan en neemt hem wel een minuut lang op. Hij kijkt naar haar. De kanarie fluit.

Joe loopt naar het aanrecht en doet een kast open. Ze hoort hem met een stoffer over de vloer gaan, daarna het gerinkel van scherven die bij elkaar worden geveegd.

De jongen houdt zijn uitdagende boze blik lang in stand, maar kan het ten slotte niet langer volhouden. Kerewin kijkt alleen maar, haar blik verraadt niets. Hij slaat zijn ogen neer en begint te snotteren.

'Krijgt hij normalerwijs een pak slaag als hij een bord gebroken heeft?'

Onderbreking in het vegen.

'Ja,' zegt Joe.

Ze hoort hoe hij de stoffer neerlegt.

'Maar... de laatste keer gooide hij met de ontbijtboel en ik werd er razend om. Ik was al wat laat voor mijn werk en zijn woede uitbarsting was de druppel die de emmer deed overlopen.'

'O ja. Die avond ben ik hier even langsgereden, herinner ik me. Voordat we naar het café gingen. Er lag toen overal pap en scherven. Dat was de keer,' zegt ze nadenkend, 'ja, dat was de keer dat hij met een kapot gestompt gezicht in Taiaroa aankwam. Of had je hem geslagen?'

'Geslagen.' Een lage stem, maar de klank heeft de vlakke echo van de handeling.

Simon huilt nog steeds.

'En wat schoppen hier en daar, meen ik me te herinneren.'

'Ja.'

Ze hoort hoe de stoffer weer opgepakt en het vegen hervat wordt. Hij zegt: 'Dat was me nogal een vechtpartij. Hij zei dat hij niet naar school wilde, en zoals ik al zei, was ik erg laat. Dus toen hij voet bij stuk hield heb ik hem een paar klappen verkocht, en daarna nog een paar omdat hij begon te schelden. Toen gooide hij het bord naar me toe en raakte me. Deed nog zeer ook. Dus toen schopte ik hem.'

De kanarie fluit.

Gerinkel wanneer de scherven van het bord in de vuilnisbak worden gegooid.

De jongen snuft, tranen druppen bij zijn kin naar beneden.

'Nou, het komt me voor dat hij die keer een overdosis aan straf heeft gehad. Dan gaat hij dit keer vrijuit, hè?'

De jongen staart haar aan, open mond van verbazing.

'Ik zou hem niet geslagen hebben,' en nu staart de jongen hem aan. 'Ik heb gezegd dat ik dat niet zou doen, en dat meende ik, niet zonder jouw toestemming.'

'Ik heb gezegd.'

'Ja.'

'Goed dan.' Ze knielt op de vloer bij de tafel, vlak bij de jongen. 'Nu jij, wat is er zo vreselijk aan een kappersbeurt?'

Vrijuit? Betekent dat dat er niets gebeurt?

Hij begint te lachen.

Ze heeft hem nu een paar keer door zijn tranen heen zien glimlachen, en telkens opnieuw raakt het haar. Er blijkt waarschijnlijk uit hoe instabiel hij in emotioneel opzicht is, maar het is alsof de zon door de wolken breekt, kome wat komen mag.

Joe ziet de glimlach ook.

O Jezus, van nu af aan zal hij wel helemaal onhandelbaar worden. Hoewel ik het vermoeden heb dat hij het stevigste pak slaag zal krijgen dat hij zich kan heugen, als hij zich slecht gaat gedragen bij onze ijzige tante hier.

'Er is toch niets verschrikkelijks aan?' vraagt Kerewin, en de glimlach verdwijnt. Hij steekt een hand op, ogen vernauwen zich van concentratie, dan krommen zijn vingers zich en gaan zijn ogen dicht. Verslagen laat hij zijn hand vallen.

'Het geluid van de schaar die in je haren knipt?' oppert ze. 'Metaal bij je hoofd? Het feit dat iemand je hoofd aanraakt? Wat er daarna met je haar gebeurt?'

Simon schudt op alles zijn hoofd, ogen nog steeds gesloten.

Ze gaat op haar hurken zitten.

'Een kopje thee?' vraagt Joe rustig.

'Een goed idee, man... kun je meteen je schaar meebrengen?' waarop Simons ogen onmiddellijk opengaan. 'Rustig maar, zonnekind. Ik zal niet tegen je zin beginnen
te knippen.' .

Ze buigt zich voorover en pakt een handje haar. Hij deinst achteruit. 'Kijk eens. Kijk eens naar de punten.'

Het haar is dik, volkomen steil, goud met een zilveren gloed.

'Zie je hoe gespleten die zijn? En de knopen die er in zitten? Ik verzeker je dat je hier met een borstel haast niet meer doorheen komt.'

'Je bedoelt dat ik het moeilijk vind om doorheen te komen,' zegt Joe. 'Ik was en kam zijn haar nog steeds. Daar gaat het nou precies om, etarna. Als je je eigen haar kunt verzorgen, mag je het dragen zoals je wilt, en mag je zelf beslissen wanneer het geknipt moet worden. Maar nu nog niet, okay?'

De jongen mokt.

'Hè jakkes,' Kerewins stem is een en al afkeuring. 'Dit vind ik net zo onsmakelijk als dat nagelbijten van je.' Ze staat op en kreunt tot haar gespannen enkel en dijbeenspieren zich wat ontspannen. 'Allemachtig... ik word stijf... e bedankt, Joe,' als hij een kopje thee bij haar neer zet. De schaar legt hij onopvallend naast het schoteltje.

'Simon, blijf je als een vlieg tegen de muur geplakt staan, of wil je ook een kopje thee?'

T zegt de jongen, van twee vingers één makend, en gaat naast Kerewin aan tafel zitten. Een seconde later ontdekt hij de schaar. Hij werpt haar een snelle blik *toe* en grist hem weg.

Ze maakt geen aanstalten hem tegen te houden.

Maar baasje, als je hem naar mijn hoofd gooit, dan sla ik je van je stoel af,

maar zorgt ervoor dat die gedachte niet van haar gezicht te lezen valt.

Tot haar verbazing pakt het kind een van de lange lokken die altijd voor zijn ogen hangen en knipt die uiterst behoedzaam af. Hij vertrekt zijn gezicht alsof het hem pijn deed en wacht, ogen weer stevig dicht, schaar in zijn ene, pluk in zijn andere hand.

Wel, heb ik ooit: cliché nummer twee, wat zullen we nu krijgen?

Niets, naar het schijnt.

De jongen blijft in dezelfde houding zitten. Joe brengt twee kopjes thee, werpt een blik op zijn zoon, werpt een blik op Kerewin, gaat zitten en begint van zijn kopje te nippen.

De gaskachel sist. De keuken is warm, maar de lucht is zwaar; ruikt naar verbrand vet en de doordringende stank van stadsgas. Toch is de keuken, wanneer er mensen aanwezig zijn, een vriendelijke en comfortabele ruimte, besluit ze, en herinnert zich haar eerste indruk ervan. Het mag dan Spartaans zijn, maar op het moment benadrukt juist die soberheid de band die er bestaat tussen haar en de man, en de jongen.

De kanarie kwettert en kraakt zijn zaadjes. Als ze slikt klinkt dat luid in haar oren. Eindelijk beweegt Simon zich.

Hij legt het afgeknipte haar en de schaar neer en opent zuchtend zijn ogen.

'Je thee, tama,' en schuift een kopje zonder schoteltje in zijn richting. De jongen negeert het, steekt zijn hand uit naar Joe, palm naar boven.

Dat gebaar heeft ze hem nog niet eerder zien maken, maar is er blijkbaar een van verontschuldiging, want Joe legt zijn hand op die van zijn zoon en zegt:

'Het is goed. Geen dingen meer gooien, hè?'

Simon knikt. Hij ziet er ineens heel moe uit.

Maar wanneer de thee op is en Joe vraagt: 'Vind je het goed als ik nu je haar knip?' maakt hij er geen toestand meer over. Hij zit met opgetrokken schouders, doodstil, tot Kerewin aanbiedt hem vast te houden.

Waarom zou hij toch zo voelbaar bang zijn?

Eenmaal op haar schoot gezeten, ontspant hij zich. Joe maakt tijdens het knippen vrolijke opmerkingen. Hij knipt er een centimeter of tien af, zodat het op zijn schouders hangt. Hij verzamelt de afgeknipte lokken tijdens het knippen en legt ze op tafel neer.

'Je hebt nog geen vlecht voor die hanger van je, Tahoro Ruku?'

'Nee.'

'Zou je er een willen hebben? Je kunt het ook voor een andere hanger gebruiken natuurlijk.'

'Je bedoelt van Simons haar?'

'Waarom niet?' Hij grinnikt. 'Het heeft dezelfde kleur als vlas... vind jij het ook goed, Himi?'

De jongen zegt Ja door zijn vinger te laten bewegen, hij is nog steeds erg gespannen.

'Waarom ook niet?'

'Goed, Kere, ik zal er een voor je maken... even stil zitten nog, tama, alleen nog even je pony bijknippen.'

Joe is er heel handig in en wanneer hij vraagt: 'Hoe vind je het staan?' kan ze 'Hartstikke mooi' zeggen en het menen. 'Ben je kapper van beroep geweest?'

'Nee. Maar ik had een vriend die kapper was, en hij heeft me wat kneepjes van het vak geleerd.' Hij houdt de spiegel op voor het kind. 'Vind je het mooi, Haimona?'

De jongen bestudeert zijn spiegelbeeld aandachtig, trekt een grimas, maar de grimas verandert in een aarzelend en beschaamd lachje.

'Wat een gedoe om niets,' zegt Joe, en brengt de keurige haren van het kind liefdevol in de war. Het vuur in de woonkamercirkel is uitgegaan. Na de warmte en het gezelschap van de Gillayleys doet de Toren zo koud en ascetisch aan als een grafkelder. Mijn stille, bedompte graf. En slechts luttele maanden geleden waren zij het die in een kil, kaal hok leefden... wat is er gebeurd? vraagt ze zich treurend af. Zelfs mijn huis keert zich tegen me...


'Vergeet niet,' had Joe tegen Kerewin gezegd, 'dat dit de eerste keer was dat hij lang genoeg stil zat om er iets moois van te kunnen maken. Piri heeft eens geprobeerd hem vast te houden en liep een beet op als dank voor zijn moeite. De andere keren nadat Hana gestorven was,' hij zuchtte, 'god, al die andere keren... ik was hier altijd alleen, hè, wat betekende dat ik hem een pak slaag moest geven voordat hij wilde doen wat hem gezegd werd... heb je wel eens schapen geschoren? Onwillige schapen?'

'Ik heb wel eens op een boerderij gewerkt, maar nooit als schapescheerder. Ik heb ze wel bezig gezien.'

'Nou, hij is als een hele kudde schapen bij elkaar, alleen nog wat erger. Dus bedankt dat je het ons allebei dit keer wat aangenamer hebt gemaakt. Misschien gaat het van nu af aan wel iets beter?'

'Misschien wel. Laten we het hopen.'

Kort daarna ging ze weg.

De avond is nog jong, maar ze heeft geen zin de haard weer aan te maken.

> Zal ik deze depressie wegdrinken? Nee, ik zal eerst eens properen of ik haar kan wegslapen.

Ze neemt niet de moeite een lamp mee te nemen als ze in het sombere donker de wenteltrap beklimt.

Ze steekt wel de grote kaars aan die naast haar bed staat.

Een meter hoog en enkele centimeters dik, bedoeld om paaslicht uit te stralen in een kerk. Hij staat in een massieve aardewerken standaard die ze drie jaar geleden had gemaakt: de voet ervan is versierd met spiralen die samen draaien en vloeien, als rookkringels, draaikolken.

> Spiralen zijn zinniger dan kruisen, vreugde is zinniger dan verdriet...

Ze gaat op de rand van het bed zitten en kijkt naar de flakkerende vlam van de kaars.

> Sidderend vuur dat op deze kaars danst... kronkelt zich als een naar binnen gerichte spiraal, en schiet dan, oranje en rokend, weer omhoog...

Er zijn nachtuiltjes in de kamer. Berkachtig zilver van hun vleugels, in de begrenzing van de schaduw, een flikkerende onregelmatige vleugelslag, vangt ze vanuit haar ooghoeken op...

> Ik vraag me af of Simon aura's zo ziet? Een draaibeweging van grillig licht, of dikke wolkachtige rook. Licht, zei hij, maar...

Zou hij nu liggen te dromen? Joe zegt van wel, vandaar de trichloral en zijn aftocht naar bed nadat we zijn haar geknipt hadden... hoewel er volgens mij geen slaapmiddel nodig was om hem te doen inslapen. Hij was uitgeput... en wat zou er toch met dat haren knippen aan de hand zijn dat het hem nachtmerries bezorgt?

En verdomme, mijn liefje... Joe met zijn zorgzaamheid en liefde voor de jongen – om dan achteloos toe te geven dat hij Simon alleen onder de duim kan houden met een flink pak slaag. Hoe zit het dan met korero, Joe? Hoe zit het dan met onze beroemde stamgewoonte de dingen uit te praten met alle betrokkenen? Geef het ventje redenen en tijd om erover na te denken en hij reageert er beter op dan je had verwacht. Met wat praten, een beetje humor en sympathie kun je hem krijgen waar je hem hebben wilt.

E man, je kunt toch niet zo tekortschieten in begrip, zelfs niet gezien je verleden, dat je geen andere manier weet te ver- zinnen om Simon P. tot de orde te roepen dan door hem te slaan? En als hij zo'n last is, je hebt zelf al gezegd dat de Tai- nuis hem morgen zouden willen opnemen. Ervan uitgaande dat je van hem houdt, waarom neem je dan die extra tijd en moeite niet voor hem? In plaats van te gaan schreeuwen zoals vanavond... en ik ben benieuwd wat er gebeurd zou zijn als ik niet toevallig was langsgekomen?

Ach goddomme Holmes, wat heeft het voor zin hierover na te denken? Je weet donders goed dat je dit nooit tegen Gil- layley zou zeggen.

De kaarsvlam is rustiger gaan branden en de nachtuiltjes komen naderbij.

Als ik hier toch zit, kan ik net zo goed wat gaan drinken en die klote Gillayleys uit mijn gedachten zetten...

Daalt af naar de kelder, en gebruikt een zaklantaarn om de eti- ketten van de flessen te kunnen lezen.

Frontignac, pinotage, port en muscatel;
rijnwijn, riesling, sauterne en liebfraumilch;
honingwijn, bourgogne, chianti en paardebloemwijn;
Cider? Perencider? Arak? Bier? Donker bier? Ale?

Heilige Moeder, ik wist niet dat ik zoveel drank had opgeslagen...

Nog meer etiketten in de onbewogen lichtbundel; rum, tequila, Scotch, bourbon, cognac, en allerlei soorten likeur... bordeaux en sherry, madeira en Spaanse wijn, en aha! Wat is er nu geschikter dan champagne om m'n droefenis te verdrijven?

Er is nog een half kistje van. En ik dacht nog wel dat de fles die ik van boven had meegenomen naar Moerangi de laatste was... dierbare geesten, help me herinneren hier wat vaker te komen... neem er twee mee, laten we hopen dat dat genoeg is. Boven snel naar de woonkamer, waar de geur van dood vuur zwaar overheerst.

'Oh, al die keuzes...' terwijl ze voor de kast met de kleine drankvoorraad en glazen staat.

''s Kijken, wat is geschikt om uit te drinken op de gezondheid van God in bloedloze wijn?' Ze laat haar vinger langs de collectie wijnglazen gaan.

Een dunne aardewerken schil, ietwat asymmetrisch. geel en bruin van kleur, gespikkeld als de borst van een lijster; houten bokalen met bewerkte steel en voet; de drie zuivere bellen van kristal, fragiel op de dunst mogelijke steel; mat tin; gegraveerd zilver; een heldere halve bol van aquamarijn, met een klein barstje erin en juist aan die kant fonkelend; een wat gedrongen geslepen glas dat naar gerucht aan Charles, lang geleden prins van gedoemde, verre Stuarts, had toebehoord; doorschijnende porseleinen kommetjes van Japanse lak; een kelkje van jade waar net zoveel wijn ingaat als in een eierdop, op een hoog voetstuk van met snijwerk versierd ivoor... waarvan geen twee precies hetzelfde waren. Allemaal zeldzaam, allemaal bijzonder... met name het merkwaardige aardewerken kommetje dat Simon gebruikt had bij zijn slemppartij...

Ze houdt het even, eerbiedig, in haar hand.

Tweeënhalfduizend jaar oud, gevonden tijdens een opgraving in Griekenland, dierbaar ding... welk brouwsel nam men uit U tot zich?

Maar ze kiest voor een van de kristallen bellen, neemt een spiegel mee en loopt terug naar haar slaapkamer.

*Daar ga ik dan,*

371

*zal hem eens flink raken,*
*zal mijn hart openstellen*
*en hoop dat ik mijn geest*
*in de hand kan houden..,*
Onmelodieus geblèr, Holmes...
Ze ziet hoe de kaarsvlam oplaait door de tocht van de deur die openging.
Niet gaan dansen, niet opgewonden raken, vlam; ik ben het maar die binnen komt...
Ze opent de fles champagne, en plaatst de spiegel bij de kaars. Ze kan er haar gezicht in zien, een kaarsverlichte eivorm, met opalen ogen en een beschaduwde mond.
'Dag zelf. Ik ga met U spreken. Er is niemand zo welbespraakt, zo vol van stralende humor. U weet de juiste dingen te zeggen, om me te strelen, om me te ergeren. Ik verzeker U: prijs me, troost me... het zal weinig uithalen te spreken tegen een gespiegeld zelf.'
Haar stem ratelt door tot het stil wordt. Ze huivert.
Ik geloof dat ik gek word.
Ze zeggen dat wanneer je dat kunt denken, je niet gek kunt zijn.
De kaars laait op en de spiegel wordt door rook bewolkt.
Zonder enige reden hoort ze Joe praten in het huisje in Moerangi: 'Het was een goed idee. Ik kon zo uit het raam kijken en zien wie er de deur binnenkwam.'
O ja. Spiegel natuurlijk. Uit de tijd dat hij plat op zijn rug moest liggen als kind. En hij zei ook nog – hoe gingen die twee stukjes ook al weer?
'Ik was wel eens bang dat ik in de spiegel zou kijken en niets zou zien.'
En:
'Ik had een nachtmerrie. Op een dag zou ik in de spiegel kijken en zou iemand anders me uit mijn gezicht aanstaren.'
Niet zo mooi.
Ze buigt zich voorzichtig naar voren en draait de spiegel om zodat ze er niet in kan kijken.
Het was een leuk idee geweest om de oude discipline met de kaars en de spiegel weer eens op te vatten, om beeld en levend licht

372

als aanwijzing aan het zelf achter het zelf te gebruiken.

Maar niet in deze staat, mijn hartje. Het is niet zo'n goed teken dat je tegen spiegels begint te praten en ik geloof dat je momenteel labiel genoeg bent om andere mensen uit je ogen te zien kijken.

Ze gaat er eens lekker voor liggen, leunt tegen het hoofdeinde van het bed en begint gestadig te drinken.

Het koude witte oog van de maan kijkt naar binnen. Een fles leeg, nog een fles te gaan...

*Er vloeit een stroom*
*over de wassen lip,*
*vlam wordt rood, flakkert*
*laait op, verstilt,*
*en de stroom stolt...*

De zwarte pit buigt om, hangt buiten de vlam.

Nacht is de wereld, stille nacht.

Ze bevochtigt de rand van haar kristallen bel en gaat er langzaam over rond en rond. Het kristal begint te zingen.

'Gitaar?'

Met samengeknepen ogen staart ze naar de wijn.

Bij dit onrustige licht kan ze maar net haar eigen reflectie zien.

'Was U dat die sprak of ik?'

Stilte.

'Moet ik geweest zijn.'

Uiterst voorzichtig zet ze de bokaal bij de omgekeerde spiegel neer en stommelt de trap af.

'Stomme tuttebel, je had een lamp moeten meenemen.'

De paddestoelen bij de zevende tree lichten bleekgroen op. Ze steekt haar hand in de nis en plukt er een af en begint te grinniken.

'Hebbes!' op triomfantelijke toon. Maar de fosforescentie verdwijnt terwijl ze nog spreekt. 'Ach verdomme,' en gooit hem op de stenen. 'Ik hoop dat ik je verpletter.'

Om haar heen duisternis, duisternis.

Het verre huilen van de zee... of is het mijn hart in mij? U hoeft 's nachts niet bang te zijn voor ongedierte... dit moet nu toch wel de woonkamercirkel zijn... deze trede? Maar wat als ik uit mijn toevluchtsoord ben getreden en deze neerwaartse spiraal tot in eeuwigheid afdaal in de duisternis? Peilloze diepte, diepte waar licht gesmoord wordt en mensen tot nietige kruipende schaduwen worden die nooit worden gezien behalve door afgrijselijke...

Vraag me af wanneer het nieuwe raam komt?

Ze steekt snel een lamp aan, en nog een en nog een, en hun vlammen lijken samen te komen in een wazige, flikkerende gloed.

'Ik zie wat. Nieveel, maar wat. Ik bedoel niet veel. Niet. Veel. Dank u.' Ze buigt voor zichzelf, voor de lamp, voor de maan.

Rustig aan, Holmes, kalmpjes aan.

'Barst met die gitaar, ik heb honger, moet wat eten.'

Gaat op jacht in de kasten, herinnert zich met enige wanhoop dat ze de laatste blikjes gisteren en eerder op de dag soldaat gemaakt heeft en van plan was geweest nog wat in te slaan als ze naar Whangaroa ging, maar...

'Hoe typerend,' merkt ze spottend op. 'Je drijft op een meer van drank, zit op een berg tabak en sigaren en wat heb je te eten in huis?'

Een pot imitatiekaviaar.

Ze zucht.

'Beter iets dan niets.'

Ze blaast twee van de lampen uit en neemt de andere mee de wenteltrap op. Op de vloer naast de paddestoelennis zit een glanzende veeg. Haar ogen vullen zich met tranen.

'Het spijt me. Dat had ik niet moeten doen. Ben te ongeduldig, snap je? Snap je? Doe niet zo godvergeten stompzinnig, vrouw, hoe kan een paddestoel dat nou snappen? Nou, de Paddestoel kon zich hebben teruggetrokken om een oog uit te poepen, eh?' Ze begint te giechelen. Het ontaardt in een laag gegrinnik, geblaat, een emotioneel gemekker dat ze niet kan stoppen.

Rustig! zegt haar zelf, koud en woedend. Hou op!

Ze ontnuchtert even, bukt snel en kust de slijmerige plek op de trap.

'Spijt me echt,' zegt ze, en zet haar tocht naar boven voort en verwondert zich over het gemak waarmee ze zich voorover gebogen had. Nooit proberen als je nuchter bent, liefje, dan breekt je ruggegraat...

Ze blijft in de deuropening staan.

374

'Nog maar een halve fles over? Tjee... dat moet dan maar genoeg zijn...'

Ze zet de lamp bij de grote kaars neer en laat zich op bed vallen.
De lamp gaat uit. Gezicht ondergedompeld in de blozende duisternis... ebine! Haere mai ki te kai!!

O ja... gaat onhandig overeind zitten en graait naar het kleine
potje. Steekt er haar tong in en slurpt er een mondvol uit. Drukt
de kleine, olieachtige bolletjes stuk met haar tong... of het nou die
zilte sojasmaak is of het uiteen spatten tussen je tanden... het is in
ieder geval heerlijk.

Je hebt zojuist genoeg visjes in spe gegeten om een oceaan
mee te kunnen bevolken... nou en? En mijn pasteitjes met
kabeljauwhommetjes dan? Miljoenen en miljoenen kabel-
jauwtjes waar nooit iets van terechtkomt... en, nu we het er
toch over hebben, dat geldt toch voor iedere vis die je eet, van
welk soort dan ook... daarmee is al zijn potentieel verdwenen... en let wel, Snark, jij zou mensen als ik straffeloos kunnen eten: wij zijn vriendelijk voor moeder aarde en proberen
haar niet te voorzien van replica's van het zelf... we hebben
geen horens en geen vleugels, zoals Flaubert herschreef over
Agathon... dus: komaan menseneters en geniet in onschuld,
in zoverre het mijn potentieel reproductieve processen betreft... aardig van Joe om zo begrijpend te reageren, of althans een begripvol masker te tonen, dat is al meer dan de
meeste anderen konden opbrengen... god allemachtig, heb ik
toch weer een Gillayley in mijn gedachten gelaten... dichtbij
of ver weg, ze sluiten me in...

Ze steunt op haar elleboog om het lege kaviaarpotje te kunnen
wegduwen, maar die elleboog glijdt onder haar weg. Ze valt voorover, boven op de kaars. De vlam laait hoog op en schroeit haar
haar.

Ze schrikt terug, en woelt als een idioot door haar haar.

Er is een geschroeid spoor door de voorste krullen en ze ruikt
de walgelijke lucht van verbrand haar. 'Goddomme,' zegt ze traag,
'Goddomme.'

De kaars is uitgegaan.

Wordt een keer wakker door een ijl blikkerig fluiten, als de ademhaling van een aan bronchitis lijdende baby.

Dan een licht gekreun, en geschuifel ergens onder haar raam.

Gespannen, als verstijfd, met haar oren in de richting gekeerd waar het geluid het laatste vandaan kwam.

Het herhaalt zich niet.

De stilte is onheilspellend, zenuwslopend.

Wordt twee keer wakker omdat ze eruit moet om te gaan plassen.

Ze zwaait heen en weer op het toilet, voelt zich misselijk en zwaar in haar hoofd. Haar ogen schrijnen en haar oogleden plakken aan elkaar van de slaap. Haar hoofd klopt en bonkt.

'Je wordt oud. Oud, oud, oud. De rek is uit je blaas en je voelt je ellendig, alleen maar van een paar glaasjes.'

Er is de laatste dagen een vreemd, drukkend gevoel op haar blaas.

'Bierbuik,' zegt ze kritisch, terwijl ze zichzelf in de spiegel opneemt. 'Vies, dik varken dat je bent.'

Al die ingewanden die op elkaar drukken, denkt ze, boos om al die zelfkritiek. Geen wonder dat je je plas niet meer zolang kunt ophouden.

Ze gaat weer naar bed en ligt nog lange tijd rusteloos te woelen, wachtend op slaap.

Als ze weer wakker wordt, is het al laat in de ochtend, de zon stroomt binnen door het zeekleurige venster.

De lucht is verschaald en extra verpest door de stank van verbrand haar.

Gaat met haar hand over haar hoofd en ontdekt de verbrande plek opnieuw.

Jezus, wat een ochtend.

Ze verwacht half dat Simon zal komen, hoewel het de eerste dag van het nieuwe trimester is. Maar hij komt niet opdagen.

'Dat is maar goed ook,' moppert ze tegen zichzelf, terwijl ze weer voor de spiegel staat. 'De Gillayleys zitten me tot hier,' en maakt een gebaar alsof ze haar keel doorsnijdt, met de schaar angstig dicht bij haar huid.

Zo zo, we staan wel met een slechte bui op, hè? zegt de Snark.

En alleen omdat we in een roekeloze bui dronken werden en ons gebrand hebben, beginnen we te katten op dierbare vrienden.

'Dierbare vrienden... m'n reet... wat heb ik er in vredesnaam aan... Ze zuigen me leeg, zo voelt het tenminste. Emotionele vampiers, die alle sappen uit mijn huis zuigen, dat kunnen ze.' Zelfs het lichte gevoel dat de knipbeurt haar geeft, kan niet bewerkstelligen dat ze zich minder wrokkig en ongemakkelijk voelt.

Word maar weer je oude, vertrouwde zelf, mijn beste Holmes. Einzelgänger in de marge. Laat Joe en zijn zoontje gewoon weer uit je leven verdwijnen... maar ik geloof dat ik ze zou missen. Geloof? Je weet het zeker. Maar je moet niet denken... zie maar wat er gebeurt. En geniet van deze vredige eenzaamheid – dat is wel weer eens leuk voor de verandering. En over verandering gesproken... hier mag wel eens wat gebeuren, het lijkt wel een varkensstal.

Ze begint aan een grote schoonmaak. Nissen in de Toren die met rust gelaten zijn sinds de bouw klaar was, worden ruw opgeschrikt door een schoonmaakbeurt. De bonsais worden gesnoeid, het aantal paddestoelen wordt drastisch verminderd, en de insektenbevolking wordt op grootscheepse wijze gedeporteerd. En overal ontdekt ze muizen.

Ze ziet dat ze zelfs hun sporen hebben achtergelaten op de grote kaars, terwijl ze gemorst kaarsvet verwijdert. 'Wurgvallen,' met veel nadruk op het wurg. 'Dat is wat we nodig hebben.'

Hoe was ook al weer die regel van Nash? In 'De Geest van Professor Primrose'? O ja.' 'Hij zette een val voor de baby en vertroetelde de muizen.' Die had tenminste over prioriteiten nagedacht, die knaap...

Normalerwijs vindt ze het vervelend om muizen dood te maken. Iets in hun steels kijkende kraaloogjes en hun vol overgave bespioneren van mensen, dat appelleert aan haar vrijbuitersnatuur. Maar nu staan ze haar in de weg en zijn ze ten dode opgeschreven.

Ze verzint echter wat babyvallen, terwijl ze de vallen voor de muizen opstelt. Glitterende dingen, besluit ze, die ploink en bliep geluiden maken om de lieve kleintjes naar binnen te lokken. Maak ze van glanzend, vuurbestendig plastic: geef ze het aanzien van grote bellen. En dan komt het babytje spelen... zodra je slachtoffer binnen is, verstuift een automatische verstuiver een vleugje uiterst krachtig verdovingsmiddel, de doorzichtige wanden worden ondoorzichtig en de cel verbrandt de inhoud snel tot as. Daarna hoef je hem alleen maar ondersteboven te houden om de schone as weg te laten lopen...

Je bent een morbide, onmenselijke klootzak, Holmes... waar was jij toen ze Treblinka en Dachau bouwden?

Het is een stemming die ze niet bepaald prettig vindt. Ze trekt haar schouder- en rugspieren samen, ontspant ze, spant ze en probeert zo op fysieke wijze van haar rotbui af te komen. Dat helpt, tot ze in de middag een ronde langs de vallen maakt en ontdekt dat ze een fraaie oogst muizen kan binnenhalen; alle maten, van afgeleefde patriarch tot tere, roze-geneusde babymuisjes met een donzig vachtje. Ze werpt de meeuwen dertig lijkjes toe en de vogels met de kille ogen ruziën en vechten om de stijve kleine lichaampjes. Sommige worden heel doorgeslikt, andere in stukken gescheurd, voordat ze zich van het tafereel kan losrukken, en zo heeft ze er weer een nieuwe hoeveelheid gruwelijke beelden bij om te vergeten.

Tegen het einde van de middag is de Toren schoon, fris ruikend en stofvrij. De zeewind heeft er doorheen kunnen waaien, alle ramen hebben zo wijd mogelijk open gestaan. 'Die smerige rooklucht overal... vreemd dat me dat nooit eerder is opgevallen.'

Ze besteedt wat tijd aan het schoonmaken van haar rookattributen.

Als ik die viezigheid kon zien,
walgelijk slijm, donkergekleurde tabaksuitwerpselen die ze uit haar pijp en waterpijp lospeutert,
telkens wanneer ik rookte, geloof ik toch dat het me voor het leven zou afschrikken...
Maar ja, ik zie het niet.
en steekt opgewekt een pijp op voor ze naar beneden loopt om eten te gaan maken.

Ze is net bezig het fornuis aan te maken, als de radiofoon gaat.
Tien tegen één dat het Gillayley senior is. Laat maar lekker bellen.

Maar het is een niet aflatend lawaai, houdt maar aan, dus grist ze de microfoon eraf en zet de spreekschakelaar met zoveel kracht om, dat het lijkt alsof ze hem door het apparaat heen probeert te duwen.

'Hallo daar,' zegt de telefonist opgewekt, 'zeg maar niks, ik kan het wel raden. U komt net onder de douche vandaan.'

'Verkeerd geraden.'

'O. Gaat het wel goed met u?'

'Ja. Belt u alleen maar op om gedag te zeggen?'

'Nee. Ik heb vrienden van u aan de lijn,' alle opgewektheid is nu uit zijn stem verdwenen. 'Een ogenblikje.'

Prrr, klik, prr.

'Tena koe e hoa!' brult Joe. 'Kom je naar de Duke, Kerewin? Er is hier van alles te vieren!'

Je kan me de pot op.

'Nee, dank je,' zegt ze koel.

'Huh?'

'Ik zei, nee, dank je.'

'Zeg Kerewin, voel je je wel goed?'

'Ik voel me prima.'

Hij krabt op zijn hoofd. 'Heb ik iets verkeerds gezegd of zo, of Himi?'

'Jezus, wat ben je toch egocentrisch, verrekte egocentrisch. Waarom denk je in godsnaam dat het enige dat mij van streek kan maken de Gillayleys zijn?'

'Wat is er?' verbijstering in zijn stem. 'Wat is er aan de hand?'

'Niets. Ik heb alleen geen zin om uit te gaan en te gaan drinken vanavond.'

Hij staat ongetwijfeld in de telefooncel in de Duke. Ze hoort hoe een deur dichtgetrokken wordt en het gepraat en het lawaai op de achtergrond.

'E Kere, dat is toch prima,' zegt hij zacht. 'Het spijt me als het klonk alsof ik verwachtte dat je alles zou laten vallen om met me uit te gaan. Zo bedoelde ik het niet. Maar weet je, Piri en zijn vrouw zijn weer bij elkaar terug, daarom ging hij toch naar het noorden. En Ben heeft net een fokstier verkocht voor flink wat meer dan hij verwacht had te krijgen en iedereen is gelukkig. We vieren het een

379

beetje, en ik dacht dat je het misschien leuk zou vinden om langs te komen. Piri vroeg al waar je was. En Pi en Polly en de oude dame ook, snap je? En ik wilde ook dat je hier was.'

Ach man, je kunt zoveel willen.

'Ja, maar ik ben bezig.'

'Goed, e hoa,' en laat een teleurgestelde zucht horen.

'Eh, heb je het morgen ook druk? Ik heb namelijk een soort cadeautje voor je, als je het hebben wilt tenminste?'

Lokaas... zou het komen omdat ik zoveel vallen gezet heb vandaag?

'Goed, ik geef me gewonnen. Wat voor cadeautje?'

Hij lacht.

'Ik zal je een aanwijzing geven. He aha koa iti, he pounamu.' Zijn stem klinkt bij ieder woord krachtiger en meer ontspannen. 'Herinner je je gisteravond nog?'

'Ja, hoezo?'

'Ik heb niets over het schilderij gezegd, heb het zelfs niet uitgepakt en je bedankt... maar het is het beste zelfportret dat ik ooit heb gezien, dat van Rembrandt inbegrepen.'

'Ja ja, dat zal wel.'

'Nee echt, ik vind het prachtig. Ik heb het vandaag in de huiskamer opgehangen, boven de schoorsteen. De lijst is perfect. Ik denk dat ik de kamer een opknapbeurt ga geven, anders steekt het zo af, hè?'

'Ja,' teemt ze.

'Dat meen ik nog ook...' Ze hoort hoe hij een pakje sigaretten openmaakt, en de klik en het gesis van zijn aansteker. 'Nou, ik liep dus na te denken over wat ik jou zou kunnen geven. Niet zoiets geweldigs als jouw geschenk, maar wel iets bijzonders...'

'Die vlecht die je van Simons haar zou maken is meer dan voldoende.'

'O, die heb ik al klaar. Ik ben gisteravond opgebleven tot hij klaar was. Ik heb over alles nagedacht terwijl ik daar mee bezig was.'

'Dat zal best,' zegt ze droog.

Jee, stel je voor. Terwijl ik me door een zee van zelfmedelijden aan het drinken was, zat de volijverige Gillayley de blaren op zijn vingers te werken, de hele nacht opgebleven ongeacht het feit dat hij 's morgens weer vroeg naar zijn werk moest, om voor mij een halskettinkje te maken van het maneschijnhaar van zijn zoontje. Hij staat vast te liegen.

'Hoe dan ook, wat ik dacht, doet er nu niet toe... ik heb vandaag een cadeautje voor je gekocht, en ik wilde het vanavond aan je geven.'

Stilte.

Het geluid van gretig inhaleren van rook en de lange, trage uitademing.

He aha koa iti, he pounamu... dat betekent niet dat het een cadeau van groensteen is, maar dat het de emotionele lading van jade heeft. De waarde, de blijken van affectie en respect, de mana van pounamu.

'Okay, je krijgt je zin... ik zal mijn slechte humeur afleggen en op weg gaan naar de Duke.'

'E ka pai, ka pai,' van blijdschap krijgt zijn stem de hoogte van een tenor. 'Hoor eens, ik leen wel even de vrachtwagen van Piri en kom je halen, goed?'

'Nou, doe maar niet. Ik bel wel een taxi. Ik heb vandaag nog haast niet gegeten en ik kan maar beter wel een bodempje leggen voor ik ga drinken.'

Hij vraagt onthutst:

'Je hebt toch niet weer zo'n aanval van buikpijn gekregen als toen in Moerangi?'

'Nee, ben je gek. Het was gewoon een rotdag... Ik heb me eens flink kwaad gemaakt en mijn haar geknipt, en alles schoongemaakt en een slachting onder de muizen gehouden... een vervelende combinatie van moordzucht en huishoudelijke taken, je kent dat wel.'

Joe beweert dat hij dat niet kent. 'Maar ik ben blij dat het goed met je gaat... hei, hoe zit je haar nu? Ach, vertel ook maar niet, dat zie ik gauw genoeg... zeker de tijd dat de schapen geschoren worden, eh?' Gegniffel. 'Ik zal niet achterblijven en de mijne kortwieken. O, trouwens, Haimona is bij de ouderen. We waren met die koha op weg naar jou toe, toen hij ons plotseling bijna van de motor afwierp en gilde en wees en gebaren maakte naar een paar kinderen. Kostte me tien jaar van mijn leven en centimeters rubber van de banden voor we stilstonden. En die kinderen begonnen allemaal te juichen en te dansen, net als Himi. Het bleken de kinderen van Piri te zijn, het hele stel compleet. Toen zijn we gauw naar de boerderij gegaan en je zult het niet geloven, maar Himi en de kinderen rolden over elkaar heen van blijdschap, als heel oude, goede vrienden. En ik had je toch verteld dat ze altijd zo'n ruzie maakten, eh?'

'Ja.'

'Piri en Lynn klitten ook al zo aan elkaar, eh, ik bedoel ze knuffelen net zoveel met ons als wij met hen.'

'Het klink alsof je het anders bedoelde.'

'Ach ja,' en ze weet dat hij lacht, 'laten we zeggen dat ze elkaar heel nabij waren toen wij kwamen binnenstormen... maar goed, daar is Himi nog steeds. De oudjes moeten babysitten, terwijl wij bevoorrechte volwassenen lekker uit kunnen gaan en drinken.'

'Fijn voor Marama. Fijn voor Wherahiko,' met overdreven sympathie in haar stem om haar woorden te vertroebeien...

Twee glazen bier en twee whisky's in tien minuten tijd. Iets te veel in te korte tijd om goed te kunnen vallen. Zeker na gisteravond. Een korte duizeling.

Polly zegt iets.

'Ik zei dat je haar leuk zit.'

'Sorry, ik was even ver weg... vind je het leuk? Ik heb hier en daar maar iets weggeknipt, maar haar als het mijne komt catastrofes snel te boven.'

'Nou, dan heb je geluk. Moet je mijn haar eens zien.'

Polly gooit haar hoofd achterover en schudt de kaarten nog sneller.

Mijn afgeknipte haar dat in een wollig hoopje op de grond ligt... vraag me af of het beter, respectvoller zou zijn om het te begraven – maar ja, wormen, schimmel, verrotting... dat is ook niet alles, dus als gewoonlijk verbrand ik het maar, en kijk, als gewoonlijk, ontzet toe hoe het ineenkrimpt tot een kleverige massa die verkoold en vergaan is. Weer een stukje van mij dat voorgoed verdwenen is...

'Ja, ik bof,' zegt ze tegen Polly.

Joe komt terug met een nieuw blad vol drankjes. Hij fluistert in haar oor: 'Ben je blij dat je gekomen bent?'

Ze knikt. 'Ah, daar ben ik blij om... zal ik het je maar geven als we onder ons zijn?' en legt zijn hand op haar schouder. Ze knikt opnieuw.

'Wat hebben jullie te fluisteren?' brult Piri uit. Hij is heel dronken en heel gelukkig, een arm om zijn vrouw geslagen en haar om de haverklap stevig tegen hem aandrukkend alsof hij bang is dat ze hem anders zal vergeten.

Lynn is kleiner dan hij, een fijn gebouwde vrouw met zwart veerachtig haar. Ze doet Kerewin op meer dan één manier aan een vogel denken, haar hoge stem, scherpe neus, een en al snelle, nerveuze beweging. Een musachtig vrouwtje, maar zonder de opgewektheid van een straatmus.

'Geheimpjes, hè?' zegt Piri.

'Nee, ik zei alleen maar dat het hier aardig volloopt.' Joe laat zijn hand op haar schouder rusten wanneer hij gaat zitten. De warmte van zijn hand sijpelt door haar jasje, door haar overhemd, verwarmt haar huid. 'En snel ook.,' zegt hij en neemt zijn hand weg. Proost met haar.

De vroege avonddrinkers stromen binnen: het lawaai neemt toe. Ze kan niet langer verstaan wat de anderen zeggen, maar sommige geluiden dringen met abnormale helderheid door de herrie heen. Het klik! van twee biljartballen die elkaar raken. Het doffe neerkomen van haar whiskyglas. Polly die Fssss! fluistert wanneer ze een niet te overtroeven kaart neergooit. Het binnensmondse vloeken van Pi. De oude dame kijkt over zijn schouder mee en zegt: 'Heh!' en trekt hard aan haar pijp. Die is na de laatste trek uitgegaan en Kerewin hoort het zuigende geluid alsof het versterkt door luidsprekers wordt weergegeven.

'Eh... mijn beurt om wat te halen, hè?' Bij het opstaan lijkt de vloer zich onder haar voeten iets terug te trekken. 'Wat willen jullie hebben?'

'Een paar kannen bier en wat whisky's,' zegt Pi. 'Die kunnen we met elkaar delen, nietwaar?'

'Juist,' en probeert onopvallend of ze kan blijven staan. 'Wil jij even helpen met de glazen, Joe?'

'Met plezier.'

Terwijl ze aan de bar staan wachten tot de kannen en glazen gevuld zijn:

> 'en wat doet die klotegemeente? Gooit ze door de steenplet-machine!'
>
> 'Allemachtig man, voor een dollar per zak?'
>
> 'En dan gaan ze door de teer die voor bestrating wordt ge-bruikt.'

'Waar gaat dat over?' en wijst met haar duim op het groepje dat het gesprek voert.

Joe haalt zijn schouders op. De barkeeper schudt zijn hoofd, maar houdt zijn ogen gericht op de krachtige straal bier.

'Over stenen, geloof ik,' zegt hij. 'Ze hebben een markt gevon-den voor die witte die je met tonnen tegelijk kunt vinden op het strand van Bright Street.'

'Ah, straks gaan ze ook de lucht die we inademen nog verko-pen,' moppert Kerewin. 'Eerst goud, toen steenkool, toen al het bos dat ze maar konden kappen en alle vis die ze konden vangen. En nu beginnen ze aan het strand zelf...'

'Ja, je weet maar nooit waar dat mee eindigt,' stemt de barkee-per opgewekt in.

'Dat is dan vier dollar 91.' Hij stopt het briefje van vijf in de kassa. 'Ik vind je haar leuk zo,' en geeft haar het wisselgeld in haar hand.

'Mijn bijdrage aan de jaarlijkse scheerbeurt,' zegt ze zuur.

'Toch vind ik het leuk,' lacht Joe en helpt het blad vol te laden met drank.

Ze heeft haar haar heel kort geknipt: de dikke, paddestoelach-tige wolk is gereduceerd tot een keurig, gekortwiekt, krullerig ge-heel. Nergens meer een spoor van geschroeid haar.

'Ta, vriend,' en wisselt een grijns met hem uit.

Joe denkt: Ik hoop echt dat ze niet gehoord heeft wat die zei-kerds nog meer zeiden, anders kon het wel eens uit de hand gaan lopen.

> 'Sommigen onder ons hebben makkelijk praten,' had iemand uit het groepje gezegd op Kerewins opmerkingen. 'Men zegt dat zij meer geld heeft dan ze kan opmaken, maar hoevelen

van ons staan er zo voor?' En iemand anders voegde daar aan toe: 'Ja. Die Gillayley boft maar, die zit dicht bij het vuur.'

Dat was aangekomen. Joe denkt: ik wil haar geld helemaal niet. Ik wil alleen haar. Hij had zijn compliment over haar haar luid genoeg gemaakt om te overstemmen wat het groepje mannen zei.

Wat ze denken kan me niet schelen... maar waarom kunnen ze hun grote bek niet dichthouden?

Wij zijn een rustig stel, denkt ze. Een eilandje van rust in al die herrie.

Piri en Lynn kijken elkaar lichtelijk aangeschoten in de ogen.

Pi en Polly gaan helemaal op in hun spel, hun kaartspelersogen flitsen als de tong van een hagedis. De oude dame drinkt en rookt en staart, grinnikt in zichzelf om grapjes die zij alleen kent.

Zij en Joe drinken in vriendschappelijke stilte. Er komen flarden van gesprekken voorbij. De biljarters geven het vol afschuw op: '...die keu is hartstikke krom en de tafel...' en zakken af naar het andere eind van de bar waar het dartbord hangt. Links van haar zegt een oude man... 'en dat verpleegstertje zei toen: Houdt u mijn hand maar vast. Zo aardig.'

Hij zit onder de ouderdomsvlekken, is kaal en heeft een iel plukje zijhaar over zijn schedel gekamd in een ijdele poging zijn kaalheid te verbloemen; hij zit kaarsrecht, alsof hij een bezemsteel heeft ingeslikt.'... en na de operatie aan mijn andere kant zei ze: Goh, meneer Kissenger, voor iemand die mijn grootvader had kunnen zijn, weet u er nog aardig weg mee,' en dan luistert ze niet meer.

Een groepje mannen die allemaal gekleed zijn in spijkerbroek met grijze trui, praat over boten en vissen. Een van hen roept: 'Hé John! Pak je gitaar eens dan kunnen we wat zingen, eh?'

'Hè ja, John,' mompelt ze in zichzelf en schrikt wanneer Joe haar op de arm tikt.

'Je bent mijlenver weg.'

'Ik zat te denken... is er iets?'

'Nee, maar Pi heeft wat sandwiches voor ons.'

'Iedere keer als we hier naartoe gaan, maakt de oude dame ze voor ons klaar en bewaart ze in haar tas,' zegt Pi.

'We hadden genoeg van die vette hamburgers die ze verderop langs de weg verkopen, en de pastei die ze hier serveren...'

'Ga gerust je gang,' dringt de oude dame aan.

'Kan dat? Heeft u echt genoeg?'

'Man, ze heeft pakken vol in haar tas. Ze rekent er altijd op dat de hele familie komt opdagen.' Polly klinkt niet erg vrolijk. Ze heeft het laatste spelletje verloren.

De oude dame reikt haar een bloederig-uitziend broodje aan.

'Hier, dit is tenminste echte kai,' zegt ze streng, 'en niet van die vieze troep die ze hier serveren.'

'Ziet er interessant uit,' kijkt ertussen en wenste toen dat ze zich beheerst had.

Een heleboel baby-kokkels met hun sipho omhoog als kleine penisjes, op een bed van slablaadjes en overgoten met tomatensaus.

Jak... en ik heb een half uur geleden nog wel zo'n vette hamburger met die troep gegeten, maar ze neemt vastberaden een grote hap en voelt tot haar verbazing het water in haar mond lopen.

'Weet je?' zegt ze even later, 'ik had echt honger.'

Joe kreunt van genot en bijt in een ander broodje.

De volgende vijf minuten wordt er alleen maar stevig doorgekauwd.

'Oeioeioei,' zegt Joe en staat plotseling op. 'Sorry, maar het is tijd voor een mimi.' Hij zwaait een beetje heen en weer en moet zich aan de tafelrand vasthouden. 'Tjee... al dat bier en die whisky... ben zo terug, mensen.'

Hij baant zich een weg door de menigte.

Pi zegt:

'Hoe gaat het nu met Simon?'

Ze denkt eerst even dat hij het aan Piri vraagt, maar Piri kijkt haar ook aan.

Pi kijkt haar recht aan.

'Heeft Joe hem tijdens die vakantie van jullie goed behandeld?'

Dus iedereen wist ervan behalve ik... en niemand die iets gezegd of gedaan heeft.

'Er zijn geen problemen geweest,' zegt ze zo koel en hard als steen.

Lynns gezicht vertrekt en haar ogen vullen zich met tranen.

'Weet je Kere, wij, Piri en ik, hebben die arme Himi zo vaak opgelapt... hij kwam zo vaak overdekt met vreselijke striemen aanzetten, niet Piri? Afschuwelijke wonden, en we konden niets tegen Ma zeggen, want dat zou haar veel te veel opwinden. En we konden er ook niet veel aan doen, omdat we medelijden hadden met Joe die er helemaal alleen voor stond... maar dat arme kind! God, soms kon hij haast niet meer lopen... ik zou mijn eigen kinderen nooit zo aanpakken, maar ik denk dat het anders ligt omdat hij niet Joe's eigen vlees en bloed is, maar soms werd ik er zo razend over, hè Piri? Soms had ik hem zijn ogen wel uit zijn hoofd kunnen krabben,' eindigt ze wraakzuchtig.

Piri knippert met zijn ogen. Hij heeft almaar vredig zitten knikken op wat Lynn vertelde, met half-gesloten ogen en een ontspannen gezicht.

'Rustig aan maar, Lynnie... Kerewin, ik dacht wel dat jij er iets aan zou kunnen doen zodra je erachter kwam, en Joe zegt dat dat gebeurd is eh? Hij heeft ons alleen niet verteld wat precies.'

Bedoelt: Vertel het ons.

Ze is stil.

Piri schenkt het laatste bier uit, eerst wat in haar glas, daarna in dat van Lynn; Pi schudt zijn hoofd en houdt zijn hand over zijn glas, terwijl Polly het hare leegdrinkt en bijhoudt; schenkt wat in het glas van Pollyen wat in het kleine glas van de oude dame, en geeft haar een quasibeledigde schrobbering over het restje dat nog in haar glas zat.

'Aue... nou ja, dit wordt toch mijn rondje.' Hij houdt het blad losjes vast en laat zijn hoofd achterover hangen.

Op rustige toon zegt hij:

'Joe en ik hebben een jaar geleden een enorme ruzie gehad over de manier waarop hij met zijn kind omspringt. Ik begon met mijn vuisten, maar hij is een stuk groter dan ik, dus pakte ik een fles en sloeg die op zijn hoofd stuk. Zijn schouders en ribbenkast zaten onder het glas... ik mag van geluk spreken dat ik hem niet opgehaald heb, dat glas brak zo raar.'

Hij zucht zwaar, hoofd nog steeds achterover. 'Pa heeft me een flinke afstraffing gegeven... en zei ook nog dat hij de politie zou inlichten. Dat is trouwens nooit gebeurd... het is ook niet goed om er politie bij te halen als het familieproblemen betreft, vind je ook niet?' zijn ogen schieten plotseling open en alle landerigheid is verdwenen.

'Dat ben ik met je eens... als de familie de problemen tenminste aankan.'

'We hebben het geprobeerd,' zegt Piri heel zacht. 'We hebben het echt geprobeerd. Maar Joe had zijn problemen en iemand die het toch al moeilijk heeft, geef je geen schop, die kun je niet aanpakken, nei?'

'Zo beschaafd ben ik niet.' Ze praat net zo zacht als Piri, zich bewust van de gespannen aandacht, iedereen spant zich in om niets te missen. 'Ik heb tegen Joe gezegd dat als hij Simon ooit nog eens zo slaat als hij in het verleden gedaan heeft, ik hem verrot schop.' Ze leegt haar glas. 'Ik mag Joe ontzettend graag en Himi ook, maar afgezien van de schade die het kind op deze manier heeft opgelopen, verpest het ook een man die in wezen een goed mens is.'

'Precies,' zegt Piri op nuchtere toon.

Ze zet haar glas neer en glimlacht in de rondte. 'Het was geen loos dreigement. Ik zou ieder van jullie, of jullie allemaal tegelijk, aankunnen, en me er mee kunnen amuseren jullie tot moes te slaan.'

Goed zo, Holmes! Een oude dame, een klein vrouwtje, een iel mannetje en een aardige dikke man, die zo vredelievend is als de dag lang is... ze allemaal verrot schoppen, hè? Wat een opgaaf, echt heldenwerk!

De oude dame neemt haar scherp op en spuugt opzij.

Pi trekt zijn wenkbrauwen op en Polly lacht als een hond. Die zou Kerewin wel eens bezig willen zien... Lynn slikt alleen maar.

'Judo of zoiets?' Piri's ogen worden weer glazig.

'Ja, zoiets. Maar goed.'

'Weet Joe dat?'

'Door ervaring wijs geworden, ja.'

'Woeoe.' Piri schudt verwoed zijn hoofd. 'Dat is niet mis.' En begint de glazen te verzamelen, haar ogen vermijdend.

Ze lacht. 'Hé, zo'n gevecht was het nou ook weer niet, mensen... we hebben gewoon afgesproken dat als Himi ooit nog eens een pak slaag verdient, Joe afwacht of ik ermee instem. Ik bemoei me verder niet met Joe's zaken of zo iets... maar we zijn tot de conclusie gekomen dat die rampartijen zich voordoen omdat Joe alleen was, onder spanning leefde en uithaalde als het hem te veel werd, eh? Nou,' ze haalt haar schouders op, tevreden over haar macht, 'nu is hij niet meer alleen, hij heeft een belofte te houden en heeft een reden om zich te beheersen, en dat zou voldoende moeten zijn om ervoor te zorgen dat Himi niet meer zo mishandeld wordt.'

Lynn doet haar mond dicht. Ze kijkt Kerewin aan met bruine ogen die niet meer zo helder zijn als van een vogel, maar veel op die van een spaniellijken, waterig, onnozel, bewonderend.

'Nou, ik ben blij dat je er een eind aan gemaakt hebt, want het was niet aardig... toen je net zei dat Joe nu niet meer alleen is en zo, bedoelde je toen dat jij en Joe al gauw gaan trouwen?'

Godsamme, wat zou Joe in vredesnaam verteld hebben?

In een seconde verandert haar stemming van snoeverig in koud en woedend. Ze zegt: 'Absoluut niet.'

Nieuwe stilte.

'Spelen,' zegt Pi binnensmonds tegen Polly.

'Zeg, hou je een beetje in, klojo.' Langzaam, weloverwogen pakt ze haar kaarten op, haar oren gespitst naar wat volgt.

'O, ik dacht...' Lynn vouwt een plooi in de zoom van haar jasje, nerveus, zich ogenschijnlijk niet bewust van wat ze doet. 'Weet je, ik dacht... ach, je weet wel.' Achter haar slaakt Piri een diepe zucht. 'Je weet wel,' zegt ze opnieuw, 'ik dacht alleen maar.'

Haar woede verdwijnt net zo snel als hij kwam opzetten.

Arme kleine domkop. Klinkt alsof de plank misslaan haar dagelijkse bezigheid is... en ze probeerde alleen maar beleefd te reageren op wat in haar ogen het summum moet zijn tussen twee vechtersbazen, bazige vechters.

Ze lacht om haar woordspelletje, lacht vriendelijk naar Lynn. 'Mijn schuld, ik heb het verkeerd gesteld. Maar hoe het ook mag lijken, we zijn alleen goede vrienden...' Lynn lacht wat verlegen terug.

'Ik behoor niet tot het trouwlustige type, snap je,' en ze voelt meer dan ze het ziet, hoe Polly's blik haar opneemt. De grote vrouw knort tevreden.

'Dit keer heb ik je dan toch verslagen, Pi,' zegt ze en lacht haast zelfingenomen naar Kerewin.

Kerewin lacht beleefd terug, steunt met haar kin op haar handen, hangt op de tafel en kijkt met diepe belangstelling naar de patronen die de bierglazen hebben achtergelaten.

Tussen duivel en diepblauwe zee... haast je terug, e hoa.

Ze hoort Pi zeggen: 'Zijn we nou aan het kaarten, of niet?'

'Rustig aan maar,' zegt Polly. Mompel, mompel, mompel.

Haar voet wordt heimelijk aangeraakt.

Ach, verdorie, daar zat ik nou precies op te wachten... toenaderingspogingen van een biseksueel... maar ze is niet vervelend, geloof ik. Waagt gewoon een poging.

Zonder het opvallend te doen lijken staat ze op en rekt zich uit.

'We komen van de zee, we kennen getijden als de zee,' begint ze te zingen. 'Zoutwatertranen, getijden lichamen, en zeestroomhaar.'

'E, dat klinkt leuk,' zegt Polly. Lachend: 'Wat betekent het?'

'Iets wat ik bedacht heb... het betekent dat ik moet gaan.'

'En als je moet gaan, moet je gaan,' zegt Pi. Bulderend gelach van iedereen, haar incluis. De oude dame doet ook mee hees, bejaard kuchachtig lachje, ehe, ehe, ehe! 'Ach, jullie jonge mensen toch...'

Polly staat ook op. 'Ik ben ook aan een mimi toe,' en recht haar schouders.

'Dat kan wachten,' zegt Pi rustig en leunt achterover in zijn stoel. 'Je hebt nog niet al je kaarten uitgespeeld en ik geloof niet dat Kerewin gezelschap nodig heeft.'

En Kerewin, die koortsachtig naar beleefde doch ontmoedigende opmerkingen zocht voor Polly, voelt een golf van affectie voor de man. De roddelaars van het café hebben nogal wat kritiek op hem omdat hij leeft met iemand die openlijk en militant biseksueel is.

Papzak, noemen ze je, alleen goed om mee te kaarten, alleen goed om bier mee te drinken. Maar man, jouw inzicht en vriendelijkheid zouden hen allemaal beschaamd moeten doen staan.

Het was Pi geweest die haar het eerst groette, herinnert ze zich. Pi die het eerst over het probleem Simon begon. Ze lacht extra hartelijk naar hem.

'Zoals je zegt, e hoa, ik heb geen gezelschap nodig.'

Zodat het als een grapje klinkt in ieders oren, behalve in die van Pi en Polly. Polly kijkt boos en valt terug in haar stoel. Pi kijkt haar van onder een opgetrokken wenkbrauwaan en deelt de kaarten.

Het toilet was vrij.

Goddank. Het had niet veel langer moeten duren, anders had ik in mijn broek geplast. Vreemd toch dat je je blaas kunt vergeten... beter dan gisteravond in ieder geval.

Na het plassen voelt ze zich merkwaardig licht in haar hoofd.

Dat mijn blaas opgelucht is, okay, maar licht in mijn hoofd? Tenzij die twee op een of andere onzindelijke manier met elkaar verbonden zijn... Laat je hoofd vollopen met allerlei soorten drank, whisky voor de geesten, en pis het weer uit... lieve schat, stel je eens voor dat je zo al je herinneringen kon spuien, maar dan wel selectief... de goede dingen behouden, de eerste opwelling van vreugde bij kleur en vorm en klank (klokgelui van thuis, korstmos op Moerangi, rijk cadmium geel op zwarte en rode rots; het gedempte geluid van de klok die de maat maat maat aangeeft bij het gitaarspel, regenbogen en onweerswolken en draken van de zonsondergang, en mistflarden die in beweging worden gebracht door het ademen van de zee...) en al het andere kwijtraken, kwellende ruzies en nijpende geldzorgen van weleer en de ontzagwekkende verwaarlozing van God... De oude schrikbeelden die ik niet kan vergeten.

Gaat beverig staan en zegt hardop: 'Ik denk dat ik van nu af aan alleen nog maar wijn drink.'

Ze maakt haar gezicht nat en wast haar handen.

Even in de spiegel controleren of ik er nog wel ben... en ja hoor, kleine varkensoogjes in een grote varkenskop, die naar beneden kijken langs dat aartsluie blubberkonterige lichaam van je... wat voor goeds steekt er in jou? Ik weet het niet...

'Ik wil niet sterven, maar ik weet niet waarom ik leer. Wat is mijn bestaansreden?' vraagt ze aan haar spiegelbeeld. 'Van mijn familie vervreemd, beroofd van mijn gave, met een holle ziel, ben ik als een rots in de woestijn. Nergens op wijzend, niets doend, van geen betekenis voor iets of iemand. Geschroeid, afgeschilferd, gebarsten... dus waarom besta ik?'

De persoon in de spiegel staart leeg terug.

'Ik heb wel de wens om te sterven,' zegt ze traag. 'Een diepgekoesterde wens om te sterven.'

De oude dame kwam binnen. Ze stond even te kijken, haar gerimpelde gezicht ondoorgrondelijk naast dat van Kerewin in de spiegel. Toen hees ze haar rok op en begon naar het toilet te waggelen.

'Ze zijn begonnen te zingen. Iemand heeft een gitaar meegenomen. Zingen doet je goed, hè?'

'Nou en of!' Haar gezicht wordt rood.

Dat krijg je ervan als je je graanklanderige zieltje tot op de laatste druppel zelfmedelijden uitwringt, wangedrocht.

In de bar heeft zich een drom mensen verzameld rondom degene die speelt, en de weg naar hun tafeltjes is vrij.

'Zet je zorgen aan de kant,' zingt iedereen bierig, 'en LACH! LACH! LACH!'

Ah Jezus, daar gaan we, reprise van de 'Tweede Wereldoorlog,

maar haar vingers knippen al op het pittige ritme.

'Gegroet, vreemdeling,' zegt Joe als ze gaat zitten. 'Je bent net op tijd terug om pony en Pi gedag te zeggen.'

'We gaan naar de menagerie,' zegt Pi. Polly knort. 'Nog een rondje van ons?'

'Nee dank je, ik wil net overstappen op wijn en je moet hier een hele fles bestellen. Maar weet je wat, laat mij een rondje geven.'

'Nee,' zegt Pi en Polly zegt 'Ja,' en Kerewin is er niet zeker van tegen wie ze dat zegt. Joe komt overeind.

'Ik ga het wel halen, goed? Iets speciaals, of zomaar wat?'

Hij moet een paar extra rondjes gehad hebben terwijl zij naar het toilet was. Zijn ogen staan wazig en hij zwaait op zijn benen.

'Ik betaal mijn eigen wijn,' en haalt haar portemonnee te voorschijn.

'Nee. Dit wordt mijn rondje' en steekt zijn hand op als om haar geld af te weren.

'Goed...'

Ze laat haar cigarillo's rondgaan. Piri rookt niet, naar het blijkt, en Lynn zegt Bedankt, maar die rook ik niet en

Pi zegt Ka pai en Polly neemt er twee en zegt niets.

Met haar aansteker presenteert ze een vuurtje. Er zit nauwelijks nog genoeg gas in om voor een vlammetje te zorgen, maar ze moedert over het kleine blauwe vlammetje, en houdt haar hand er beschermend omheen voor het geval het van inspanning zal doven.

De oude dame zegt: 'Mag ik er ook een?'

'O natuurlijk,' en reikt de koker aan. 'Ik had u niet terug zien komen.'

'Maar ik was er wel,' grinnikt de oude dame. 'Ik luisterde. E pai ana.'

Er hangt een steeds groter wordende kring rook tussen hen in boven de tafel.

Plonk! te midden van de kringelende rook. Een fles jonge port, '76 staat er op het etiket. Ach god, die zit nog maar net aan in de fles...

'Is dit de wijn die je drinkt?'

Jakkes, van mijn leven niet... maar kijk hoe hij lacht, mijn hartje, een brede mysterieuze lach als van de kat in Alice in Wonderland komt aanzweven door de rokerige lucht... wil je die bederven?

'Ae, Joe, dat is prima.'

Ze pulkt het theelood eraf en opent de fles met haar zakmes. Joe zegt: 'Ik heb voor jullie allemaal een whisky meegebracht,' en deelt ze rond, 'driedubbele, hè?'

Pi Kopunui kreunt, Piri rilt, Lynn zegt Ojee, Polly kakelt en de oude dame gooit de hare gewoon achterover en begint onverstoorbaar aan het bier.

Ze proosten met elkaar, wensen elkaar een goede gezondheid en een lang leven toe, Kia ara, Kia ara... 'Kijk,' zegt ze plotseling. 'Kijk, dit past precies bij elkaar,' en houdt haar pink omhoog bij het glas port zodat ze allemaal de granaatbonk naast de port kunnen zien. Ze is geamuseerd door de toevalligheid. Ze stemmen wat ongeïnteresseerd in.

'Het toppunt, hè, sieraden in de kleur van wat je drinkt. Help me herinneren dat ik een paar mooie bruine armbanden met roomkleurige strepen koop eh?' Pi boert en giechelt. 'Hik. Sorry, dat is het bier.'

'Geen wonder, je zit al vanaf vanochtend te hijsen... waarom heb je zoveel ringen om?' Polly's hoofd hangt naar een kant en haar ogen loensen een beetje.

Opleving van nuchtere geamuseerdheid... hoeveel zie je er, dame?

'O, ik hou van de kleur van half-edelstenen en het voelt lekker... dus schuif ik er maar wat aan, eh...'

Elke ring voedt mijn vinger met zijn speciale kracht. Een granaat geeft moed, een turkoois kalmeert. Groensteen werkt verheffend. Opaal blaast nieuw leven in. Koraal is verlegen, maar vol oude herinnering. En aquamarijn versnelt het denken, zo levendig als een dolfijn in open zee.

En sommige stenen mijd ik als de pest... diamanten zijn afschuwelijk en laten op een of andere manier een vieze smaak na in de mond. Een emerald is zo kil als de dood, geestesogen, en robijnen zijn te weelderig, vettig fluweel...

'Hè?'

'Goeie God, wat ben jij dromerig vanavond. Ik zei dat Pi en co weggaan... en Lynn neemt Piri mee naar huis.' Op een fluistertoon: 'Hij gaat bijna onderuit.'

Piri hangt tegen het kleine vrouwtje aan, een slappe arm nog steeds om haar nek. Piri slaapwandelt en is niet in staat om gedag te zeggen. Lynn zegt opgelaten: 'Leuk je ontmoet te hebben, Kerewin. Kom eens langs. Ik hoop dat het goed gaat tussen jou en Joe ondanks Simon en zo...' Ze lacht pleitend. 'Het was echt leuk je eens te ontmoeten en te kunnen praten,' slingerend onder Piri's gewicht, haar eigen door drank gekwelde voeten hebben er moeite mee de vloer op zijn juiste plaats te houden.

O God nee, Himi staat in de weg.

Het komt aan als een stomp in zijn maag.

Kerewin komt half overeind, maakt een klein buiginkje naar de anderen. 'Leuk jullie allemaal weer gezien te hebben,' zegt ze en haar lippen krullen tot een glimlach, 'Pi, pony, mevrouw...'

'Het was een wederzijds genoegen,' zegt Pi. (Schiet eens op, vrouw,' goedmoedig tegen pony, die rondloopt, kaarten en bier-blikjes bijeenbrengt. Ze gaat richting deur, maar haar tas blijft achter een tafeltje hangen en ze struikelt. 'Hola!' en grijpt zich aan een man vast die handig dichtbij staat, en drukt zich dicht tegen hem aan. 'Vin je niet erg, hè schatje?' en de man gniffelt. Zijn armen glijden langs haar lijf omhoog. Pi roept ontzet: 'Hou op met dat geflikflooi daar en ga naar buiten,' waarop een tiental hoofden in hun richting gedraaid worden. pony schreeuwt terug: 'Wat? Had je wat?' en glipt door de deur. Pi schudt zijn hoofd verdrietig naar Kerewin en volgt haar.

De oude dame die om hen beiden kakenacht draait zich om en zegt: 'Ze is een goede vrouw,' en Kerewin denkt dat pony niet kwaad, maar ook niet per definitie goed is. Maar de oude dame draait zich om en roept Pi luid achterna: 'Ik geloof dat ze ondanks die witte huid van d'r een Maori is. Een goede vrouw voor Joe, denk je niet?' knikt heftig met haar hoofd, haar hoofddoekje flappert ervan, en ook zij gaat weg.

'Heilige Jezus, dat idee moet ik snel de wereld uithelpen... eerst Lynn, nu zij eh?' Kerewin lacht breed naar Joe.

Aiie, ik had het kunnen raden... wie zou nu de zorg voor hem op zich willen nemen? Maar ik dacht toch echt dat ze hem mocht. Om hem gaf. Mijn enige zoon.

('Vond ze je aardig?'

NEE.)

Maar als dat het is, waarom zei ze dat dan niet gisteravond? In plaats van al dat gepraat over niet normaal zijn en niet van vrijen houden?

Hij slaat geen acht op haar lach en zegt met trillende stem: 'Zullen we bij de bar nog wat drinken? Een liedje of twee voor we gaan?'

Zingen is wel het laatste waar ik zin in heb.

Aue, huilen, huilen en nog eens huilen... waarom heb ik het niet eerder gezien?

En wat moet ik nu beginnen? Wat nu, God?

Hij staart in zijn lege bierglas. Het verbroken netwerk van schuim wordt wazig. 'Goed man,' zegt ze. 'Zingen stopt misschien het draaierige in mijn hoofd, eh?' Pakt de fles port die nog voor tweederde vol is en baant zich een weg naar de bar door de menigte. Ze schuift iedereen die haar in de weg staat opzij, hoort geen protesten. Met gestrekte arm houdt ze een plekje open zodat Joe naast haar kan komen.

De gitarist speelt 'It's A Long Way To Tipperary', doinkedoinkedoink, en de mensen die eromheen staan blèren de woorden mee. Ze begint mee te zingen, haar krachtige stem forcerend om boven iedereen uit te komen.

*Farewell Picadilly!* en een groot gedeelte van haar door drank labiel geworden geest begint een vreemd strijdtoneel af te schilderen.

> Ho! de goddelijke rode dreun van pasgeboren bomkraters weerklinkt boven het opgewekte gefluit van kogels uit, whie! en het gerochel van vrolijke smoorpartijen gaat maar door...

*Goodbye Leicester Square!*

> ...een melodieus shkrrshkrr van door duimen dichtgeknepen kelen dient als een discrete melodische begeleiding bij het shpluk! van een voltreffer en het uhhw! van pijnlijke verbazing... ah, geritsel van ineenzijgende figuren, vervloeien dubbelklappen schemertoestand (handen klauwen met gespreide vingers Waarom?? tere ingewanden spartelen zachtjes O hi hi hi!) een weergalmend en toch subtiel slagwerk...

*It's a long long way* to *Picadilly*

> ...o wat is het leven een spektakel! Bevorder een vrolijke dood! Eis uiteenrijting! O! zalig! ah! heerlijke oorlog!

*but my heart's right there!*

'Goddomme,' hoort ze zichzelf zeggen tegen Joe. 'Waarom willen ze in godsnaam nog steeds van dit soort liedjes zingen? Oorlogsliedjes?' Haar stem klinkt boven alles uit.

De hoempa-hoempa marsakkoorden sterven weg.

Er staat een grote blonde man naast haar en daarnaast een klein vettig mannetje met vooruitstekende tanden en haar alsof de jaren vijftig nog voortduren.

De blonde draait zich om en zegt op hatelijke toon tegen haar:

'Wat deugt er niet aan oorlogsliedjes, kut? Wat weten jullie jonge truttebollen nou voor beters? Bah,' wendt hij zich tot zijn maat, 'als ze eenmaal omgaan met die klote Maori's gedragen ze zich binnen de kortste keren nog erger dan zij.'

Ze voelt Joe naast zich verstijven.

De alcoholmist trekt op,' ze noteert en haat het neuzelige accent, het RSL-speldje op de rever van zijn jasje. Ze zegt ijzig:

'Stomme achterlijke oude Australische klootzakken zouden moeten teruggaan naar waar ze thuis horen. Naar hun doodse, lamgeslagen, uitschot voortbrengende land. En horen hier niet te parasiteren en ons land te vervuilen.'

De gitaargroep is stil gevallen, collectief grijnzend. De gitarist speelt wat akkoorden, alsof hij nog moet besluiten wat hij gaat spelen.

'Wat zei je?'

'Je hebt me wel gehoord, flikker.'

'Dat neem ik niet van een...'

'Je zult wel moeten,' ook Joe's stem klinkt weer volkomen nuchter, 'want tussen ons gezegd en gezwegen: we lusten je rauw.'

'Met ballen en al,' zegt Kerewin.

Licht gegrinnik uit de groep. Niemand maakt aanstalten om te helpen of te hinderen, hoewel een aantal mensen wat van de bar weg gaat staan. Op wonderbaarlijke wijze ontstaat er een ruime kring.

De Australiër gaat staan en tikt met een muntstuk op de bar, tak tak tak, vervelende voorbode van geweld.

'Hou daarmee op,' zegt de kleine vetkuif. 'Straks maken ze je af. Hou daarmee op, stommeling.'

De andere man staat er nu wat onzeker bij en kijkt van Joe's zeer brede schouders naar Kerewins lange gespannen handen. Langs de zijkanten van haar hand ziet hij merkwaardige littekens lopen. Zijn wenkbrauwen steken zilverig af tegen de toenemende blos op zijn gezicht.

'Eh,' stom van besluiteloosheid.

Kerewin giechelt.

Zijn vlezige lippen vertonen nerveuze trekjes. 'Wat nou eh.

Donder op. Hup.' Joe draait zich opzettelijk om naar de bar. 'Doe nog maar eens vol, Bill. En nog een fles voor Kere, eh.'

De Australiër mompelt nog wat vervelende opmerkingen. draait zich om naar zijn maat.

'Ga je mee? Ik blijf geen minuut langer in deze gore tent.'

Hij loopt weg. zijn dikke pens vooruit gestoken, zijn vuisten peddelen lucht aan weerskanten. De vetkuif lacht verontschuldigend, drinkt zijn bier op en loopt ook de deur uit.

'Zo. eindelijk wat frisse lucht,' merkt Kerewin luid op.

'Rustig maar, e hoa. Bedaar maar weer. Ze zijn weg.'

'Ik,' zegt ze poeslief, 'ben zo vechtlustig als een bos zeewier en zo gehard als een slak zonder huisje... geef mij die gitaar eens even, wil je?'

'Nee prima, geen bezwaar tegen een pauze,' zegt de gitarist. en geeft haar het instrument. 'Alsjeblieft.'

Ze probeert snel even hoe hij gestemd is, harmoniën blijven in de lucht hangen tot ze ze met haar vlakke hand het zwijgen oplegt.

Op de open snaren tokkelt ze een snelle melodie, zegt lachend tegen Joe: 'Ik noem dit Simons Meelodie, maar daar weet jij nog niets van, van die mee', laat een A mineur horen terwijl hij verbaasd zijn hoofd schudt en ze zingt:

*E wijn,*
*bedwelmt de geest,*
*spoelt die oude nare herinneringen weg*
*tot een mager wazig restant*
*e wijn...*

Vingers dansen over de snaren, laten de melodie een octaaf lager klinken:

*E wijn,*
*door de mist heen zie ik*
*hem van me weg lopen,*
*maar ik maak me geen zorgen meer,*
Zingngng, en weer hoger:

*E wijn,*
*e wijn...*

een dansende melodie, lichtvoetig, lichtzinnig, blijft maar net in balans terwijl het wegglijdt en danst:

*E wijn,*
*er is nog maar een schim over*
*en ik aai de harde fles zo ik wil,*
*drink mijn schaduw lekker lam,*
*E wijn... e wijn... e wijn...*

stem sterft weg, het snel getokkelde wijsje klinkt zachter en zachter, is afgelopen...

Applaus en gefluit en 'E wat mooi's.'

Ze lacht in het rond, buik van de gitaar dicht tegen zich aangedrukt, sterke handen liggen met gespreide vingers op de snaren.

Wat bedoelde ze nou toch met Simons Meelodie? Mee is honingwijn. Meelodie een woordspeling, maar wat heeft Hairnona daar nu mee te maken?

'Kom op, laat nog eens wat horen! Bis!' beginnen ze te roepen, 'bis!'

'Willen jullie nog een liedje horen?' scherpe glimlach en in het koor van Ja, Komopnoumaar, laat ze wat akkoorden horen. De menigte wordt snel stil, en ze zegt met glinsterende, zeer blauwe ogen:

'Dit liedje is voor een vriend van me, die ik trouwens al eerder heb genoemd. Misschien ken je hem wel,'

een noot klinkt wat vals, alsof hij verkeerd werd aangeslagen, maar keert steeds weer terug tot ieders oor het sterker hoort dan het omringende akkoord.

'Hij is de zoon van Joe Gillayley,' tzeng, 'een klein jochie, maar heel pienter,' er heeft zich nu een hogere toon bij de vals klinkende gevoegd, 'Hee, Simon de bekketrekker kan niet praten, maar jezus hij heeft, handen is het niet?' zeng/ping, zèèng/piing, tweestrijd gaat op en neer, en het gestadige kloppen van de akkoorden klinkt erachter.

'Met andere woorden, hij gebruikt zijn handen om mee te praten, die kleine vriend van me, en bij dit lied kunnen jullie dat ook doen, als je wilt. Als je mij maar niet aanraakt, okay?'

Geschuifel en gemompel: hier en daar werpt men steelse blikken naar Joe om te zien hoe hij deze introductie opvat.

Zijn hart klopt pijnlijk snel, het gebonk gaat tegen het ritme van de gitaar in, in zijn oren harder en sneller.

O God, barmhartige Jezus, zie haar nou toch eens... slanke enkels, slanke polsen, maar met stevige brede heupen, rijp om kinderen te baren ongeacht wat ze zegt... God, met haar zou ik meer kinderen kunnen krijgen... smalle taille die ik met mijn handen zou kunnen omvatten. Met een holle rug, zegt ze, een trekpaard, zegt ze, een dikke pens voor mijn veertigste, geen betere buik dan een bierbuik, zegt ze, en lacht zich rot... lacht nu om me, haalt uit naar Simon, dat is niet eerlijk, het kan hem kwetsen, en waarom? Waarom God? Ik hou van haar en ze wil me niet dichtbij laten komen. Ons allebei niet. Niemand...

Het lied wordt verder gezongen, maar zijn oren zijn er doof voor. Het refrein wordt door de mensen om hem heen meegezongen, luidkeels compleet met het gebaar.

O spiralen zijn spiralen met mooie krullen,
maar twee opgestoken vingers
betekenen vrede voor de wereld.

'Vreeeede voor de wereld!' brult een stem in zijn oor, en de man, vol aangeschoten goedmoedigheid, stompt hem lichtjes tegen de schouder. Het enige dat hij kan doen, met bonkend hart, gebalde vuisten, is verbeten naar hem glimlachen.

Waarom doet ze dit? Ze weet dat hij dat niet mag doen. Ze maakt me belachelijk en maakt ze duidelijk hoe weinig ze om hem geeft? Maar er klopt niets van...

Zijn hart huilt. Nog een couplet van Kerewin, onverstaanbaar omdat de aangeschoten man de voorkeur geeft aan het refrein en het hardop neuriet, klaar om los te barsten zodra het weer komt. Weng! het akkoord voor het refrein wordt aangeslagen en daar gaat de menigte, lawaaierig en lacherig en elkaar vrolijk aanstotend als een stelletje anarchisten.

Hij heeft een misselijk gevoel in zijn maag door al het gestamp en applaus.

De stilte en haar stem klinken hem vreemd in de oren.

'Goed dan... nog een laatste.'

Boeoeoe, versterkte afkeuring van de kudde,

'ja, beslist de laatste, dit gaat allemaal af van de tijd die ik heb om te drinken.'

klappeklappeklap hah hah hah,
'dit laatste liedje is iets anders dan het vorige. Rustig,
eh.'
Een eenvoudig akkoordenschema, D A7 G...
'Tenei mo Haimona, e hoa,' en hij kijkt haar woest aan.
Is *dit* voor Simon? Maar die andere dan?
*Toen ik klein was, was er een boom*
*waarin je mooie vogels hoorde*
*Toen vervulde een lied mijn hart*
*en zocht ik verrukt naar woorden*
de toonaard verandert, slipt in een dissonant,
*maar nu niet meer...*
Haar stem is ontspannen, probeert niet langer de mensenmenigte te overstemmen, prettige alt, ligt lekker in het gehoor,
*We werden ouder, de boom en ik*
*de jongen vlogen uit en zie*
*mijn lied kon toen de woorden vinden*
*ik gaf mijn stem aan de melodie*
opnieuw de wervelende omzwerving van dissonanten,
*Vol met belofte...*
Aiii, het is een lief lied, denkt hij met dankbare verwondering.
Zijn hartslag kalmeert. Misschien heb ik alles wel verkeerd opgevat, misschien is alles wel goed...
*Toen was alles zonnig, groen*
*ik werd door alles warm genood*
*ik ben nu ouder en verlang naar toen*
*En de belofte is dood...*
de korte, bittere melodie weer,
*ze is vergeten...*
Op die manier gebeurt het, denkt hij, we beginnen helder en
dan komen er wolken... als dit voor Himi is, bedoelt ze misschien
te zeggen dat dit hem niet zal gebeuren, dit is haar waarschuwing
voor hem, haar les...
Het akkoordenschema verandert, Dm Am E, klinkt harder,
*De vogels zijn gevlogen nu*
*De bliksem versplinterde de boom*
*De dood komt dichter in mijn buurt*

*Toch* is *niet elke hoop een droom*
een rauw arpeggio, dan keren de noten langzaam weer terug tot de oorspronkelijke melodie. Iedereen aan de bar is stil, een stilte die zich heeft uitgebreid tot de tafeltjes erachter.

Zijn hart is gekalmeerd tot het normale ritme, spanning en opwellend verlangen en verwarring en gekwetstheid te boven. Hij wacht een gelegenheid af om met haar mee te zingen.

*O, toen ik klein was, was er een boom*
stemt hij in, zijn bas verzacht het lied nog meer, en Kerewin lacht naar hem,

*waarin je mooie vogels hoorde*
*Toen vervulde een lied mijn hart*
*en zocht ik verrukt naar woorden...*
Het laatste akkoord sterft weg in stilte.

'Vooruit, nog eentje!'

Wederom ritmisch handgeklap en langgerekt geroep om meer, maar Kerewin schudt haar hoofd. 'Nee, dit was genoeg voor vandaag,' glijdt van de gitaristenkruk af en geeft de gitaar terug aan de eigenaar. Ze gaat bij Joe aan de bar staan.

Hij legt zijn arm om haar heen, fluistert glimlachend: 'Waren dat allemaal liedjes van jou?' en haalt zijn arm weer weg voor ze er bezwaar tegen kan maken.

'Ja. Zo'n beetje.'

Kleine geheime bergplaats met teksten, de verborgen, opgepotte hoop van gisteren, dingen om te zingen en te genieten, bevrijdende teksten, hoopt ze.

Ze neemt een grote slok van de wijn die hij al voor haar had ingeschonken.

Hoor het, neurie het, maak er een hymne van... stohamme Kerewin.

Links van haar kan ze Joe horen opscheppen:

'Ja, allemaal liedjes die ze voor mijn zoontje geschreven heeft eh.'

Dat is niet waar.

'Het is een klier,' veegt zijn mond af aan de rug van zijn harde bruine hand, 'maar een klier met lef. Zou anders ook niet van mij zijn, hè,' pocht hij, 'zou ik hem niet gehouden hebben, eh?'

De man naast hem grinnikt. 'Ja? Klinkt als een goed kind...'

Kun je dat daaruit afleiden? Maar hij is goed. Joe's gouden jongen, het zonnekind... ik vraag me af of dat de man dwars zit? Helemaal in het begin zei hij van niet, maar sinds die tijd is hij over een heleboel dingen anders gaan praten... misschien is het pijnlijk, iedereen ziet je samen, merkt op dat hij blond is en neemt je met een nieuwsgierige blik op: 'Bedrogen echtgenoot? Of een vrouw die zo Pakeha is dat je jouw bloed niet terugziet?'

Ze drinkt nog meer wijn en bestelt grote whisky's voor Joe.

'Zij?' hoort ze hem zeggen, ergens achter haar, 'zij? NEE, het enige waar zij van houdt is van die kloteschilderijen van d'r.'

Ze had honderden, duizenden kilometers ver weg kunnen zijn.

Wie klopt er
op de vergane luiken van mijn hart?
Laat mij erin/laat mij erin,
Ik ben het – Kerewin...

Maar al te waar.

'Ben zo terug, Joe,' tot zijn niet horende oren, en loopt naar het toilet, de ene stap opzettelijk recht voor de andere, bestudeerd vast en zeker.

'Dover en dover en zatter en zatter,' zingt ze en het café wijkt volkomen.

Een stilte die is als de meest intense muziek...

...de luchtverfrisser scheidt een afschuwelijke plastic lucht af. Ze begint zich misselijk te voelen. Maar buiten het toilet wordt ze plotseling opgenomen door de mensenmenigte. De gespannen gedachtenwisseling met het zelf maakt plaats voor een golf kuddegevoelens. Ze strekt haar armen uit, misselijkheid vergetend,

Ae, een grote omarming! Een langdurig, uitgebreid verheugen!

Aan de bar haalt Joe uit met zijn elleboog en raakt iemand in zijn rug.

'Kijk uit wat je doet!'

'Aan de kant!' roept hij en negeert het protest volkomen, 'daar komt mijn troubadour aan!'

'Ach, krijg wat!' net zo luid, breed grijnzend.

De gitarist speelt het Coca Cola-wijsje en het hele café dreunt van het meezingen.

'En sneeuwwitte paarse duif!' bralt Joe.

'Dat stukje gaat iets anders, oude jongen,' ze stompt hem lichtjes tegen zijn schouder, almaar glimlachend. Zijn schouderspieren zijn zacht en ontspannen. Zijn glimlach ook.

'Leuk liedje,' zegt hij met dubbele tong. 'Ontzettend leuk liedje.'

'Ja.'

Het is na achten en de na-het-eten-drinkers zwermen overal. Kerewin praat in zichzelf:

'Ergo: het ego bestaat niet. Het is een pervers symptoom, een afwijking van het Zelf. Die illusie van menselijk bestaan die we spinnen... wat is het kakkerlakachtige individu nou in werkelijkheid? Een zakvol gedachtenloze neigingen. Een waardeloos ding van geen enkele betekenis? Een zonderling, een mysterie? En overleeft het strijdende zelf de dood van het lichaam? De hemel sta ons bij! De pogingen van onze voorvaderen en van ons om het raadsel te ontsluieren zijn bemoeienissen op babyniveau, speldeprikken in een duisternis die ons bevattingsvermogen te buiten gaat.'

Ze verslikt zich in een mondvol wijn.

Joe knikt.

De man rechts van hem knikt. 'Ga verder,' zegt hij. 'Laten we een partijtje darts gooien,' dringt Joe aan, wat op vrijwel alles een goed antwoord is, denkt hij.

'In deze staat versla ik je. Laten we liever vrienden blijven.'

'O jee, ik kom er nooit overheen als je wint. Beetje vriendelijk spelen, hè?'

Ze denkt na, het rumoer van de mensen neemt steeds meer toe in haar hoofd.

Het einde van de regenboog. De phoenix helix. Het zalige Niets. De levende hel.. hoe bedoelt hij, dat hij er nooit overheen zal komen?

'Ach wat een gezeik. Gezeur. Gezanik. Gezever. Kom op,' en sjort haar lijf van de barkruk af. 'Laten we er maar eentje doen.'

Joe staat op. En belandt prompt op de grond, zittend.

'Eeén, twee, huppekeeee,' zegt de man aan zijn linkerkant die zich voorover gebogen heeft om hem overeind te helpen.

'Man, da's onbeschoft. Dat is belachelijk. Een twee huppekee is alsof ik zo oud ben als Simon.' Joe knippert woedend met zijn ogen.

'Nou, een twee huppenee dan,' zegt de knaap gepikeerd en laat zijn arm weer los.

Joe, weer op de been, klopt de man op zijn schouder.

''t Is goed, e hoa. Kweeniemeer wak doe. Ik heb 'm tot hier zitten,' en wijst. Hij knippert weer, tranen biggelen uit zijn donkere ogen. 'Goed eerlijk bier, maar een zeer verraderlijke whisky.' Het klinkt alsof hij elk moment in een gierende huilbui kan losbarsten.

'Allebei zo dronken als een kanon,' zegt de rechterkant van de bar.

Ze denkt: Simon.

Een golf, een opwelling van misselijkheid, diep in haar ingewanden. De heldere wijn vloeit in haar bloed tot het bloed begint te bederven... ah verraad!

'Joe?' haar woorden komen nu zo vlot als stroop in de winter, 'bel je een taxi, e vriend?'

Hij kijkt haar onvast aan, hoofd knikt op en neer.

'Goed, goed.'

Ze klampt zich aan haar glas vast om zichzelf onder controle te krijgen.

> De soliditeit van glas, metaal dat verschrompelt onder je persende vuist, tot de enige soliditeit die nog rest bestaat uit het op elkaar klemmen van je kiezen. Alleen dat is realiteit. En doe het met een glimlach, met een beheerst gezicht, voor het geval iemand het ziet en er een lullige opmerking over maakt.

Zonder zich te haasten legt ze de kilometers naar het toilet weer af. Wringt zich langs de vrouw die net naar buiten komt, gooit de deur van de wc open, en geeft hartstochtelijk over in de toiletpot. Trekt de deur gehaast achter zich dicht.

Bier en whisky en wijn en kleine baby-kokkels... ze knielt, legt haar hoofd op haar armen en wacht af tot het kokhalzen ophoudt.

> O moeder van allen, dit is de eerste keer in mijn leven dat ik ziek ben geworden van drinken... is dit soms het cadeau dat hij me wilde geven?

Haar adem vormt condens op het zilver van haar ringen.

Te koha... aha koa iti, he pounumu... hij is het waarschijnlijk allang vergeten, als het al bestaan heeft. Goed voorbeeld om te volgen.

Hij staat onder de telefoon die aan de muur hangt. Zijn hoofd gebogen, ogen gesloten, hangend tegen de muur.

Ademt: 'E Joe?' in zijn oor. 'Aiiii!'

'Sorry jongen, maar je leek wel te slapen eh?'

'Ohhh,' hij masseert zijn gezicht, ogen, nek.

'Gaat het goed met je?'

'Zo dronken als een tor.' Werpt haar een blik toe.

'En jij?'

'Ook niet al te fris meer.'

Hij rekt zich kreunend uit.

'Heb een taxi voor ons besteld... gezegd dat het voor jou was, maar ik rij mee naar de Tainuis, eh. Tama even ophalen. Da's toch die kant op.'

'Prima. Ik betaal de taxi naar je huis wel.'

Zijn ogen zijn strak op haar gericht.

Een en al pupil, zwart, leeg, maar met een ijskristallen schittering er in. 'Doe dat. Betaal jij de taxi maar.'

Er valt een ongemakkelijke stilte tot de taxi komt.

Zwijgend leggen ze de hele afstand naar de Toren af. De chauffeur fluit zachtjes, toonloos voor zich uit, de hele weg lang.

Dat wat betreft een avondje vrolijkheid, Holmes... je had gewoon vrolijk thuis moeten blijven, muizen wurgen...

Bij haar brug stapt ze uit. 'Goedenavond, Joe.' En omdat dat wat bot klinkt, voegt ze eraan toe: 'Bedankt.'

Hij glimlacht, een donkere, bittere glimlach die de diepe lijnen in zijn gezicht meer dan ooit op littekens doet lijken.

'Voor niets, hè?' Hij hangt uit het raampje. 'Maak dat maar eens open. Je mag het houden als aandenken aan die twee idioten die je altijd kwamen lastig vallen en zoveel beslag op je tijd legden.' Hij legt haar een klein pakje in de hand. Ze staart hem aan. Zijn oogleden zakken dicht.

'G'navond,' zegt hij, en trekt zich van haar terug, in de beschermende duisternis.

'Dat zou genoeg moeten zijn voor de rit heen en terug,' en geeft hem een bankbiljet.

'Bedankt,' zegt hij onschuldig.

Ze gooit het achterportier van de taxi dicht. Op de achtergrond mompelt de chauffeur iets van Toedeloe en zet vervolgens de auto in zijn achteruit. Rijdt weg, de koplampen snijden een stuk uit de lucht. De lichten verdwijnen uit het oog. Het geluid sterft weg.

Ze leunt tegen de deur van de Toren.

'Zo, dat is dat, geloof ik.'

Een verre wolk in de diepte van de nacht. De dronken cirkelgang van sterren.

'Aue, geheel het tegendeel van Mere-mere,' probeert ze te lachen.

Of is het geheel het tegendeel van Kere-kere?

Met een Bonk! alsof ze de kwade geesten van de nacht wil buitensluiten, gooit ze de deur dicht.

# 8  Het vallen van de avond

<pre>
PRO
BEER
NOG IETS
    langer
        op de been
            te blijven
Hij zakt in elkaar.
</pre>

De wereld wijkt iets verder.
De nacht komt steeds nader.

Knippert met vermoeide vaagheid.
Probeer toch.
Houd ogen. Ze open. Zie de duisternis komen.
Kan niet.
Niets.
Slechtslechtslecht.
Stomme nutteloze Clare.
Tussen de plagende en slechte schrille stemmen bij de drukwal in zijn onbewuste kan hij de stem onderscheiden die hij haat. De stem zingt. Het is te dicht bij de drempel, maar ga terug naar boven...

        Hé! shh Sint Claro
        zacht en lieflijk
een bonkende dubbele schop, en het dienblad kiept om.
Dieper, verwelkomt het. De stemmen verheugen zich.
'Oh nee.'
Hij hoort het zichzelf zeggen. Een seconde lang zijn de ketenen om zijn keel verbroken. En hij is ontzettend misselijk.

Nog een schop. Een schampende haast onschuldige schop, maar het schaaft de huid van zijn borst. Over Kerewins blauwe plekken-eiland. Er breekt iets.

Hij voelt beweging in de lucht, Joe glijdt uit na de schop.

Geplet. En het dode gewicht dat op hem drukt verdubbelt zijn pijn.

De wereld helt iets meer en hij begint hulpeloos af te glijden, naar beneden, onder de grond, de kist in. Wordt vastgebonden. Geluid. Een schreeuw.

Verstikkend.

Diepe duisternis.

Het is bijna nacht.

Die ochtend keek hij hoe de zon opkwam, hoofd op zijn armen, zijn armen op de vensterbank. Die ochtend was Joe in een klote stemming: 'Niet naar de Toren gaan.'

Die ochtend leunde meneer Drew fronsend naar voren over zijn bureau en gaf hem de envelop. 'Geef die maar aan je vader, Simon.'

Na de middagpauze ging hij niet meer naar school terug.

Hij ging naar Binny Daniels, hopend op wat geld, ongeacht hoe hij daaraan zal komen.

Vanaf de poort kon hij al zien dat de oude man dood was.

De vliegen zoemden een krachtig levendig wijsje. Ze waren ongeduldig toen hij door hen heen liep, op hem slippend, op gezicht en ogen en haar, alsof ze dachten dat hij de volgende gang van het feestmaal was.

Binny Daniels was uitgegleden en gevallen. Dat was al veel vaker voorgekomen.

Dit keer was hij boven op zijn fles sherry terechtgekomen. Die was onder hem in stukken gebroken, scherven waren op het pad gekomen. Maar een uitzonderlijk lange scherf had zich in de lies van de oude man geboord. Hij had veel bloed verloren. Grote bloedstolsels en plasjes bloed lagen op het beton. De vliegen zwermden er vrolijk overheen, dringend en duwend om ruimte te maken voor nog meer.

Binny Daniels had geprobeerd om zijn slagader dicht te houden. Maar zijn vingers zijn smal en benig en doen pijn van de reumatiek, en de resterende kracht ebt zo snel weg. Hij heeft het glas nog steeds in zijn greep, het uiteinde van de glasscherf steekt er obsceen uit. Schitterend als een diamant in de middagzon.

Hij moest overgeven, en een enkele vlieg was gretig opgevlogen en op de half-verteerde pulp geland, waarna hij weer had overgegeven.

Hij was toch maar naar de Toren gegaan.

Kerewin zei:

'Je kunt hier maar beter niet meer komen. Je vader vindt het niet zo geweldig meer.'

Ze had gevraagd: 'Waar is mijn mes? Dat speciale?'

Ze wilde niet geloven dat hij het niet had. Wijze Kerewin. Hij had het meegenomen voor ze op vakantie gingen.

Het mes is Kerewins talisman, haar lievelingsmes. Gemaakt van Duits staal, en van een perfecte harding. Het benen heft is versterkt met drie stalen pennen, en bij het uiteinde zit een door koper omringd gat. Een ruwleren riempje kan door het gat getrokken worden en met een lus over het heft van het mes gelegd worden. Het riempje kan aan het beschermhoesje bevestigd worden. Het mes kan er niet zomaar uitvallen.

'Ik weet zeker dat ik het niet verloren heb,' zei Kerewin.

Er zat geen beveiliging op het mes. Een dof gouden dwarsstuk scheidde het gekromde been van het gebogen lemmet.

Hij kan elk detail haarscherp voor zich zien. Bij het flikkerende licht is het alles wat hij zien kan.

De beschermhuls is van leer, geolied tot een diep roodbruin. Een rand van segrijnleer is op de huls gestikt boven de nagel die het stiksel completeert. Een tweede riempje, dat je om je dijbeen kon vastmaken, hangt gevlochten uit een met staal omrand gat aan het uiteinde van de huls. Heel lang geleden had Kerewin runen in het leer gegraveerd en de groeven daarna met wit email ingelegd, en die zitten er nog steeds.

De eerste keer toen hij het mes en de huls had gepakt, had hij de runen gezien en zij had gezegd: 'Het zijn letters, maar niet ons soort letters. Ze worden runen genoemd, een, os en hagal. Mijn initialen. Ze hebben ook andere betekenissen. Het is een merkwaardig, wonderbaarlijk toeval dat mijn initialen en wat zij betekenen hetzelfde zijn.'

In het benen heft zijn nog meer runen uitgesneden. Een inscriptie, zei Kerewin.

'Het is eigenlijk meer een opdracht,' voegde ze er nadenkend aan toe.

Deze runen zijn zo afgesleten dat ze onleesbaar geworden zijn.

Het is mysterieus, maar hij moet het allemaal onthouden. Hij is bij het geheim betrokken en dus is het noodzakelijk alles te onthouden.

Het is een klein, zwaar mes, prettig om vast te houden, en fantastisch van balans.

Het is heel geschikt om mee te gooien – ze had het met een bonk in het hout onder het raam gegooid om hem te laten zien hoe.

Het is geschikt om mee te ontweien, huid af te stropen, plakken te snijden, iets af te hakken, iets open te rijten en om te doden.

Een mes dat scherp genoeg is om een stuk hout mee te besnijden, sterk genoeg om mee door bot te kunnen snijden. Kerewin vroeg: 'Dus waar is het nou?'

Ze werd heel boos toen hij bleef ontkennen dat hij het had.

'Ik weet waar mijn spullen zijn, te allen tijde. Ik weet wat hier vandaan verdwenen is, en dat is heel wat, jochie. Van paperclips tot porseleinslakken en en passant een hele berg rookwaren. Dat kan me allemaal niets schelen, maar mijn mes wil ik terug hebben. Als je ervoor zorgt dat het terugkomt, zeur ik niet meer over al die andere dingen,okay?'

Welk mes?

Het is een merkwaardig gevoel om, zo misselijk als een hond, met de dode Binny Daniels die af en aan in beeld komt, vliegen die om hem heen zoemden als een zwarte, snellende wolk, een merkwaardig gevoel om te proberen boos te zijn. Te doen alsof je kwaad bent. Het is noodzakelijk kwaad te zijn. Hij haalt naar haar uit, een mooie overhandse stomp, gericht op de driehoek tussen de vleugels van haar ribben.

Hij was vergeten hoe snel ze zich kon bewegen.

Het was een harde klap om terug te krijgen, midden op zijn borst. Hij viel op de vloer en Binny Daniels vloog uiteen in duizend afzonderlijke stukjes, elk bezaaid met zijn eigen lading als razenden zoemende vliegen.

Toen hij weer op de been kwam, stond ze nog in dezelfde houding als waarin ze de klap had toegebracht, ogen wijdopen, een hand nog steeds tot vuist gebald.

Hij strompelde naar voren, een hand op de nog gevoelloze plek, de ander tot vuist gebald en probeerde opnieuw om haar te slaan. Ze gleed moeiteloos opzij terwijl ze 'Simon!' riep. Hoog en echoend en geschokt: 'Simon!'

Hij probeerde het nog twee keer maar ze dook steeds weg.

Dus draaide hij zich zo snel hij kon om en schopte, voor ze kon vermoeden wat hij ging doen, tegen de buik van haar amberen gitaar, die bij het raam lag.

De kamer wordt dodelijk stil.

Grote bleke blaren wellen op en breidden zich uit onder het vernis. Het hout was versplinterd maar de snaren hingen vrij, nog nazingend in de lucht.

Binny Daniels en de vliegen zoemen weer tot één.

Kerewin zei: 'Eruit.'

Haar stem trilde.

Haar handen trilden.

Hij kan ze nog voor zich zien. Trilden om welk deel dan ook van hem te pakken te krijgen dat pijn kan voelen, en zich op hem te wreken.

Ze doet ze achter haar rug.

'Eruit.'

Hij bleef zo lang als hij kon, maar het beven dat haar omhult, is angstaanjagend.

Trouwens, Binny Daniels en zijn vliegen gevolg zijn welhaast de Toren binnengekomen. Hij ging weg.

Er stond een groepje mensen in de tuin van Binny Daniels, die op zachte, beheerste toon praatten.

Ze hebben een deken over het verwrongen oude lichaam gelegd.

'Jezus,' zegt een van hen, 'stuur dat kind hier weg.' De vliegen zijn alom, in hoge hongerige wolken.

Het was bijna donker.

Er was niemand op straat.

Slechts de lange rij etalages, hun glazen gezichten schitterend door het metalen licht van de ondergaande zon.

Hij begon aan de linkerkant, steeds een, en hij had ze bijna allemaal gehad, heen langs de ene kant van de straat en terug langs de andere kant, toen de hand zich om zijn schouder sloot, en de andere hand de baksteen uit zijn vuisten los wrong.

Het was agent Morrison.

Hij zei: 'Je bent erbij, Gillayley. Dit keer ben je er echt bij. Christus, wat een toestand.'

Hield zijn beide bloedende handen in een hand. Zei voor zich uit, met neergeslagen ogen in de schaduw van de rand van zijn helm: 'Christus, wat een toestand.'

Het klonk niet alsof hij de kapotgeslagen ruiten bedoel de, of het glas dat overal op straat lag.

De agenten praatten nog lang met Joe.

Joe hield hem in een ferme greep bij zijn bovenarm vast. Na een poosje kon hij aan niets anders meer denken dan aan de bijtende greep van de vingers en verloor hij de loop van het gesprek uit het oog.

De politie zei:

'Hij is te jong om vervolgd te worden, Joe, maar het wordt zo langzamerhand wel tijd dat er iets gedaan wordt.'

De politie zei:

'Er is al een klacht ingediend bij maatschappelijk werk over het feit dat hij niet voldoende aandacht en verzorging krijgt. Dat je hem niet voldoende onder controle weet te houden.'

'Wie heeft die klacht ingediend? Kerewin Holmes?'

Agent Morrison kuchte. 'Zij mogen niet zeggen wie zo'n klacht indient, en wij ook niet. Maar jouw vriendin was het niet, Joe.'

De politie zei:

'De winkeliers of hun verzekeringsmaatschappij zullen vast en

413

zeker een aanklacht indienen. Hij heeft haast alle etalageruiten langs de Whitaustraat ingeslagen. Alles bij elkaar zo'n dertig stuks. Spiegelglas.'

Agent Morrison zei:

'Je kunt maar beter even met hem naar eh, hoe heet ze Lachlan, gaan. Ja, dat zou ik vanavond eerst maar even doen. Agent Murray heeft zo goed en kwaad als het ging zijn handen verbonden, maar het zijn diepe japen.'

De agent boog zich voorover en raakte hem met een licht tikje op het gezicht aan: 'Waarom deed je dat nou?' Joe rammelt hem door elkaar. 'Antwoord.'

Agent Morrison nam zijn hand weg. 'Nou ja, we komen er op een of andere manier wel achter, weet je. Joe, pak hem niet al te hard aan. Hier zit meer achter dan je op het eerste gezicht zou zeggen.'

Het gesprek werd nog voortgezet.

Ten slotte gingen de agenten terug naar de auto.

Zijn bovenarm deed intens pijn toen Joe hem losliet.

Joe zei:

'Ga naar binnen.'

Hij loopt met zware stappen op en neer, drie stappen de ene kant op, drie stappen de andere kant op.

'Ik dacht dat je naar Kerewin gegaan was. Dat hoopte ik tenminste, hoewel het je verboden werd. Waar ben je geweest?'

Heen.

'Koppigheid lost niets op. Antwoord.' Terug.

'Antwoord me.' Heen.

'Goed, dan zal ik Kerewin moeten bellen. Beloofd is beloofd.' Terug.

'Je weet wat dat betekent.' Heen.

'Waarom deed je dat?' Terug.

'Geef antwoord.' Heen.

'Geef antwoord.' Terug.

'GEEF ANTWOORD!' Heen, razend naar de deur.

'Trek je overhemd uit,' tijdens het weglopen. Deur die wordt dichtgegooid.

Hij trok zijn overhemd uit. En het T-shirt dat hij er onderaan had. En hij haalde de glasscherf uit de achterzak van zijn spijkerbroek. Die was afkomstig van het eerste raam dat hij had ingeslagen: driehoekig, haast een decimeter lang en vlijmscherp. Hij heeft zich er al een keer aan opengehaald. Zo goed als een mes. Hij stopt hem in het verband dat losjes om zijn linker handpalm gewikkeld zit en houdt die hand heel stijf.

Het is koud in de keuken, hoewel de kachel toch lekker staat te sissen.

Er zoemt een vlieg om de kooi van Bill heen.

Zijn handen voelen alsof ze in brand staan. Er zit al een flinke blauwe plek op de arm die Joe vastgehouden heeft.

De deur gaat open.

Joe wenkt hem naar buiten terwijl hij in de hoorn zegt: 'Vertel hem dat maar, e hoa, niet mij.'


Het was moeilijk om de telefoon vast te houden. Hij kon er maar niet goed greep op krijgen. De hoorn bleef maar naar beneden glijden, zodat het luistergedeelte steeds van zijn oor wegzakte. De hoorn is verbijsterend zwart gezien tegen het wit van zijn verbonden hand.

Kerewin zegt:

'Luister je, jij klote Gillayley? Wil je weten wat ik van je vind?'

Haar stern klinkt vreemd. Raspt, schaaft, schuurt. Ze kan fysiek niet bij hem, dus slaat ze hem met haar stern. Hetgeen ze zegt dreunt door zijn hoofd, echoot in golven alsof zijn hoofd hol was en de woorden stuiten terug van de ene kant om tegen de andere kant te slaan.

Ze wil niets meer met hem te maken hebben.

Ze haat hem.

Ze verafschuwt ieder partikeltje van zijn wezen.

Wist hij wel wat die gitaar voor haar betekende?

Wist hij wel wat dat mes voor haar betekende?

Wist hij wel wat hij kapot gemaakt had?

Ze hoopt dat zijn vader hem nog gekker slaat dan hij nu al is.

Ze voelt mee met zijn vader.

Ze had zich niet gerealiseerd met wat voor een gemeen laag serpent hij te doen had.

Hij snakt naar adem.

Joe nam de hoorn haast voorzichtig uit zijn handen.

Hij glimlachte met strakke, smalle lippen.

'Ik geloof dat de strekking wel overgekomen is, e hoa.'

De misselijkheid onder in zijn maag neemt toe. Vanaf het moment dat hij de poort bij Binny opendeed, heeft hij zich aan een stuk door misselijk gevoeld. Hij krijgt het steeds kouder, alleen zijn handen niet. Die gloeien.

'Nee,' zegt Joe, 'ik zal het niet overdrijven. En heel hartelijk bedankt voor je aanbod. Ik heb wel wat opzij gelegd, maar niet genoeg om dit te dekken. Bedankt voor je aanbod maar... naar binnen jij.'

Joe schopt de deur achter hem dicht.

Het duurt lang voor de echo wegsterft.

Zijn hoofd begint te zoemen, te gonzen, alsof de vliegen zich eindelijk een weg naar binnen hebben weten te banen.


Wanneer Joe de keuken weer binnenkomt, houdt hij zijn riem bij het leren eind vast. De gesp glinstert terwijl hij net boven de vloer heen en weer bengelt.

Zijn maag krimpt ineen, knopen van angst.

Hij slikt heftig om zijn braaksel binnen te houden.

Joe wordt omgeven door uitstotingen en opvlammingen van dof rood licht.

Hij zegt op lage, gekwelde toon:

'Je hebt me kapot gemaakt, klotejong.'

Hij zegt verder niets meer, alleen nog toen hij de stoel tegen de tafel had gedraaid.

Joe zegt: 'Buig voorover.'

Dat doet hij. Hij legt zijn armen voor zich uit, linkerhand stijf en zijn hoofd op zijn armen.

Hij zet zijn tanden op elkaar en wacht.

De wereld is vol stralendheid, schittering van edelstenen, gloed met kristallen pracht.

Ik brand.

Hij heeft pijn, hij gaat kapot van de pijn.

Ondraaglijke pijn, overal, handen, lijf, benen, hoofd.

Hij staat zo erg te trillen dat hij niet meer kan staan.

Het harde hout schaaft steeds tegen hem.

Hij probeert te blijven staan.

Joe's stem klinkt ijl en ver weg.

'Wanneer heb je dit gekregen?'

'Wanneer heeft Bill Drew je dit gegeven?'

'Hoe lang had je dit al bij je?'

Hij wordt omhoog gesjord en tegen de deurpost gezet.

Het hout knaagt aan zijn lichaam.

Hij duwt met al zijn kracht tegen de hand die hem als vastgenageld houdt.

Hij wordt teruggedrongen in al de tanden van het hout.

'Wanneer heb je dat gedaan?'

'Wanneer is dat gebeurd?'

Slipt de scherf uit zijn omhulsel, zijn onnutte hand beeft. Hij vuist vooruit. Het lijkt een dwaze zwakke stoot.

Maar ik moet verhinderen dat het hout door me heen komt.

Joe schreeuwt.

De eerste stomp treft zijn hoofd.

Zijn hoofd wordt achterover geslagen tegen de deurpost.

De slagen blijven maar komen.

Opnieuw.

Opnieuw.

En opnieuw.

De lichten en vuren gaan uit.

Hij beweent ze.

Het bloed komt overal uit.

Hij kan het uit zijn mond voelen lopen en uit zijn oren, zijn ogen, en zijn neus.

Het gonzen van de vliegen wordt luider.

De wereld verdwijnt.

De nacht is ingetreden.

Had ik maar, luidde het tapu gezegde
 Had ik maar wel
 Had ik maar niet
 De gang van mijn bezorgde gedachten heeft aan beide einden afgesleten torens. Ik kan een streepje lucht zien... er is geen ruimte voor iets anders dan ijsberen, afmatten, steeds maar door in mijn zorgengang.
 Want het leven speelt zich nu af op het scherp van de snede, op de pijnlijke manier. Geen onverwachte avonden meer, dronken bij kaarslicht of in toevallig gezelschap. Geen intieme gesprekken meer met het gespiegeld zelf of de onbekommerde sterren.
 Gesprekken houden betekent blootleggen: drinken betekent denken.
 Als ik denk wordt het: had ik maar en had ik maar is het tapu gezegde.
 Wat kan ik anders?

Ze heeft al haar opalen ringen weggeborgen. Het zee-achtig fonkelen stoort haar. Alsof het ogen zijn op haar vingers.

Merkwaardig genoeg was het ergste van alles – erger dan het bloedbad dat ze aantrof, erger dan de verminking en het niet herkennen – dat ze zijn haar afgeschoren hadden.
 Ze herinnert zich de angst in zijn ogen toen hij haar kortgeknipte haar zag.
 Had ik maar
 Hou op.
 Taipa.

De tweede week begon ze met pakken.

In de derde week, op een woensdagochtend, draaide ze zich net om nadat ze de kale wanden van de bibliotheek had staan opnemen, en bleef geschrokken staan.

De man staat in de deuropening en kijkt haar aan.

Zijn gezicht is eerder dodelijk grijs dan levend bruin.

Hij zegt zacht:

'Piri heeft me erover verteld. Als je het wilt, kan ik misschien helpen. Als je dat niet wilt, hoef je maar je hoofd te schudden, dan ga ik weg.'

Zijn ogen zijn strak op haar gezicht gericht, maar pleiten niet.

Ze zijn dof en onbezield.

Toch flakkert er iets. Een laatste sprankje geestkracht, wachtend zonder hoop. Wachtend met de wetenschap dat ze zal reageren met afschuw en walging. Wachtend op de laatste reden om te sterven.

Maar hij is een keer teruggekomen, voor de zekerheid: om nog een laatste keer aan te bieden wat ze maar van hem nemen wil.

Ze houdt het heel kort, de wachttijd. Ze vouwt haar handen om haar buik, omvat de doffe pijn.

'Ngakaukawa, kei te ora taku ngakau. E noho mai.'

En hij slaat zijn handen voor zijn gezicht en huilt.

Later zegt hij, zijn oogleden sponsachtig en dik van het huilen:

'Ik wilde al heel lang huilen, maar ik kon het niet?

'Ik heb wel gehuild, maar een beetje. Het zag er niet naar uit dat huilen iets zou veranderen.'

Hij zucht.

'Het verandert ook niets. Ik voel alleen weer even dat ik leef. En of dat goed is, weet ik niet. Zolang je leeft, voel je pijn.'

'Wat me dwarszit, is eerder de mogelijkheid dat je pijn kunt blijven voelen, ook na je dood,' zegt ze grimmig.

'Ja.' Hij kijkt strak naar de kapotte gitaar die aan de muur hangt. 'Aue, ja.'

De enige keer dat ze gehuild had, was toen ze terugging naar Pacific Street om op te ruimen. Een beroerd gevoel in je buik of niet, je kunt hem niet aandoen dat hij hierin moet thuiskomen.

Opgedroogde spetters. Tegen de deur. Op de vloer. Bloed van Joe, van de glazen dolk die zo soepel in zijn maag gleed.

('Gek,' zei Morrison. 'Twee op een dag. Heb je al gehoord over die oude flikker, Daniels?'

'Heb ik al gehoord.'

'O nou ja, ook al een glasscherf... was van een fles van die gore sherry waar hij zich altijd mee bezatte. Maar bij hem zat het lager?

De agent ziet er moe en afgetobd uit. Hij doet zijn aantekenboekje dicht en stopt het terug in de zak van zijn uniformjasje. 'Jezus, had ik het maar geweten,' had hij gezegd, schudde zijn hoofd en zag toen de blik in haar ogen. 'Niets aan te doen, mevrouw Holmes,' had hij gezegd. 'Niemand van ons is helderziende. Niets meer aan te doen.')

Bloed van het kind, van zijn kapotte lichaam en hoofd.

Doe alsof het vissebloed is. Waterig koel vissebloed. Ander lymfevocht, andere bloedplaatjes, niet-zoogdierachtig. Blijft niet aan je handen zitten, geeft geen vlekken, goed?

Ze slaagde erin alles op te ruimen voor ze moest overgeven.

Terwijl ze tegen het aanrecht leunt denkt ze: Heilige Moeder, dit is met recht een dag en een nacht om te vergeten. Kijkt om zich heen, controleert of alles er weer gewoon uitziet, of er geen sporen van geweld zijn achtergebleven. (Riem is opgeraapt en weggeborgen in een kast op het politiebureau, glazen dolk ook veilig in handen van de politie.)

En op de stoel, daar waar hij ze had neergelegd in van die zorgvuldige onhandige vouwen, Simons overhemd en T-shirt

Tranen prikten in haar ogen. Schudt haar hoofd, Hou op, hou op, huilen helpt ze niet, en huilt steeds harder en harder.

Minutenlang huilt ze onbeheerst, haar stem klinkt hoger en hoger, en op het hoogtepunt slaat de heftig stekende pijn weer toe, laat haar nog net voldoende adem om te kunnen hijgen.

Onder haar handen, die ze diep in haar lijf drukt tegen die vreselijke pijn, voelt ze voor het eerst de harde, vijandige klomp in haar buik.

Zorgvuldig graaft ze het bonsai-bomengroepje uit.

'Kan ik je daar een handje bij helpen?'

'Nee, dank je.'

'Ik ben klaar met het inpakken van de pounamu... God, wat heb je daar een prachtige stukken bij zitten.'

Ze werpt hem een blik toe. 'Als er stukken bij zijn die je zou willen hebben, ga je gang.'

Hij schudt zijn hoofd.

Hij schopt met de punt van zijn schoen tegen de stenen trap en vraagt: 'Kijk je er ooit wel eens naar?'

Ze veegt verwoed de zanderige aarde van haar handen en maakt de bovenste knoopjes van haar blouse los.

'Het cadeau? Ja zeker.'

Het hangt er zoals hij zich dat had voorgesteld: de blonde, glanzende vlecht die hij gemaakt heeft, de donkergroene sikkel tegen het blanke van haar huid.

Zonder iets te zeggen knoopt ze haar blouse weer dicht.

Hij knippert tegen de zo makkelijk opwellende tranen.

'De broer van Emmersen is bijna de hele, eh, maandag bezig geweest met het graveren... ik had hem op het hart gedrukt dat hij het hoe dan ook diezelfde avond af moest hebben en dat is hem gelukt.'

Ze gaat verder met het uitgraven van haar kleine boompjes.

'Mmmmm,' alsof ze hem niet echt gehoord had en het haar ook niet kon schelen. 'Zei je niet dat Marama van planten hield?'

'Ja,' zegt Joe verdrietig.

'Dan zal ik ze maar aan haar geven. Misschien heeft zij er nog plezier van.'


De hei matau is sikkelvormig en de binnenste curve is met zilver afgezet. In kleine, schuine letters heeft de juwelier gegraveerd: Arohanui na H & H.


Later op de dag vraagt ze:

'E hoa, wil jij dit van me hebben?'

Hij kijkt naar de doorschijnende ring die ze tussen haar vingers omhoog houdt.

'Ik heb begrepen dat de ouden hem gebruikten om het pootje van hun lievelingsvogel vast te maken, maar ze gebruikten hem ook als sieraad Ik dacht zo, eh, dat het goed bij je halsketting zou staan.'

Sprakeloos neemt hij het aan.

Eeuwen geleden hadden mensen met veel vakmanschap aan dit perfecte stuk jade gewerkt. Doorboorden het om de decoraties aan de zijkanten aan te brengen, gebruikten de boor met de stenen punt met uiterste precisie en met de grootste zorgvuldigheid. Doorboorden het nog eens en politoerden de binnenste cirkel tot olieachtige gladheid. De kaumatua moest dan de voltooide ring vele maanden lang tegen buik en neus wrijven om hem te doen glanzen, lang in de maak, lang gedragen.

'Het heeft geen naam,' vertelt ze. 'Maar het is wel een familiestuk en is gegarandeerd pre-pakeha.'

Ze raakt hem nog een laatste keer aan.

'Het is een van de stukken die ik meekreeg toen mijn familie me aan de dijk zette.'

Ze vertelt er niet bij dat dit het enige stuk was dat ze uit het familiebezit meekreeg. De rest van haar collectie heeft ze gekocht.

Toen ze de hanger voor het eerst uitpakte, had ze er haar neus voor opgetrokken. Banale moderne troep, had ze gedacht. Kijk eens wat een diamant-harde glans. Ze had het weggestopt bij haar andere stukken, nog in het bruine pakpapier waarin ze het van Joe gekregen had. Ze had niet gezien dat er iets in gegraveerd stond, en had ook de vlecht niet gezien die in apart vloeipapier verpakt was.

Tijdens de tweede week haalde ze het te voorschijn en bekeek het met uiterlijk onbewogen aandacht. Veel liefs van Hohepa en Haimona, aue... de vlecht is zeer verfijnd, vijf-strengs en gerond. Bij de juwelier heeft Joe de uiteinden van de vlecht laten vastzetten met zilveren clipjes die in het gat van de hei matau zijn bevestigd. De vlecht is net lang genoeg om over haar hoofd te passen...

Ze laat hem om haar hals glijden en dan ligt het groene sieraad naast het kruis en de medaillon en de andere hanger die ze altijd draagt.

Een hoek op zijn kaak en een haak in zijn duim en in mijn
hart haakt ook al iets God...

Elke ochtend, wanneer Joe zich moet melden in de stad omdat
hij op borgtocht is vrijgelaten, gaat Kerewin naar boven, naar de
bibliotheekcirkel.

Die is nu volkomen kaal, op wat verloren leggers langs de wanden na. De boeken zijn in kisten gepakt en in de kelder opgeslagen. De zwaarden zijn rijkelijk ingevet op planken in de kelder gelegd. Het kistje vol jade en de laden vol schelpen zitten achter slot en grendel in drie tinnen kisten. (Joe speelde met de schelpen alsof hij weer kind was. 'Anana! Ik heb eerlijk nooit geweten dat zeediertjes zulke vormen maakten!' en pakte er een op met uitsteeksels en versierselen als van een pagode en houdt in zijn andere hand een schelp die net zo fijn en scherp gedraaid is als de rattestaart van een timmerman. 'En kijk toch eens wat een kleuren!' Limoengroen slakkehuisje en een flamingo-roze schelp en een porseleinslak die de gouden tint heeft van de ondergaande zon.

'Waar heb je die vandaan, e hoa?' tijdens het zorgvuldig inpakken.

'O, die heb ik gekocht. Een heel stel in Japan en hier nog een heleboel. De bedoeling was dat ze verrukking en inspiratie zouden opwekken. Maar ze bleken detritus te zijn, net als de rest. Allemaal rotzooi en prullaria en nutteloze troep. Meer niet. Schelpen, ringen, glazen, boeken en zwaarden... en mijn pounamu... eerst was het prachtig het te hebben, maar het bijzondere is er af. Beetje bij beetje is dat verdwenen.'

Er staan drie dingen in de bibliotheek die daar voorheen niet waren: een kratje, een kussen en een brok in natte lappen gewikkelde klei. En iedere ochtend knielt ze neer, tenen gekruist achter zich en haar kin wat ingetrokken, alsof ze aan het mediteren is.

Maar haar vingers bewegen zich over de klei, geven vorm. Voor het eerst sinds een jaar weet ze precies wat ze wil maken en hoe.

Stukjes klei worden platgedrukt, stukjes klei opgelegd. De drie gezichten groeien met de dag. De vlakke blinde trekken worden uitgewerkt, verfijnd, tot leven gewekt. Achterhoofd tegen achterhoofd: een driekop.

Het is makkelijk haar eigen gezicht te vormen en dat is het eerst af.

'Joe is er elke dag,' ze kan een bepaald detail dat ze nodig heeft bestuderen en het gezicht van klei de volgende dag bijwerken.

Maar het gezicht van het kind voor de geest halen is pijnlijk. Ze moet visioenen van hoe het er de twee laatste keren uitzag van zich af zetten. Het bloederige opgezwollen masker op de vloer met gebroken neus en gebroken kaak. En die afschuwelijke deuk in de zijkant van zijn schedel, waarmee hij tegen de deurpost was geslagen. Of schoongemaakt, gewit, met zorg verbonden, maar met een levenloze aanblik. O, zijn ogen waren een paar keer opengegaan, maar de kleur van de zee was eruit en hij had haar niet gezien. Hij zag niets en niemand. Zijn ogen leken dood.

(Elizabeth Lachlan had gezegd: 'We weten niet wat er allemaal beschadigd is. We hebben alleen bloedstolsels verwijderd en het bot gezet. Misschien kan hij niet meer zien. Hij kan vrijwel zeker niet meer horen en het is waarschijnlijk dat er onherstelbaar letsel is toegebracht aan zijn mentale vermogens.'

Bedoelt u soms zijn geest, dame?

Ze had roerloos gestaan, niets gezegd.

De dokter had haar schouders opgehaald. 'Maar we weten het niet precies. Dat kunnen we pas zeggen wanneer hij in een van de grotere ziekenhuizen is geweest voor een speciale schedelfoto. En dan nog, we kunnen pas echt uitsluitsel geven wanneer hij voldoende bij kennis is om op andere manieren de omvang van het letsel te kunnen vaststellen. Als hij bijkomt,' had ze ten slotte gezegd, 'als hij ooit bijkomt.')

Ze concentreert zich op hoe het kind eruitzag in Moerangi, in het café in Hamdon, op de boot. De keren bij het kampvuur als hij voor hen zong. Vredig op het door vuur verlichte strand.

Langzamerhand ontstaat onder haar handen zijn ongeschonden gezicht, klein en hoekig en weer glimlachend.

Je was een vreemd kind, Simon de waterspuwer, in een heleboel opzichten een ongekende entiteit. Ik vraag me wel eens af wat er van je geworden was als je gewoon had kunnen opgroeien?

Werkt de smalle inkeping in zijn kin bij.

Beetje getikt, met gemene en sadistische trekjes, waar Joe duidelijk zo bang voor was? Een musicus, vol gedreven vurigheid? De danser, de prachtige zanger, luisteraar naar Gods stilte op verlaten stranden – ae, er zat muziek in jou. Gewone zondaar, buitengewoon zondaar of een nieuw soort heilige? Daar is het nu allemaal te laat voor.

De kleilippen glimlachen net zo fraai als de echte lippen deden. Na de vierde week is ze ermee klaar. Ze laat het langzaam drogen, zodat het niet kan barsten. Ze heeft een heel bijzondere manier in gedachten om het te bakken.


Joe heeft het één keer gezien.

Zijn nieuwsgierigheid won het van zijn gevoel voor privacy en hij sloeg de doek terug van de klomp klei.

De kleigezichten zijn nog donker en vochtig.

Simon glimlacht hem toe.

Kerewin staart voor zich uit over eindeloze verten.

En hij kijkt met verwachtingsvolle aandacht, alsof hem elk moment belangrijk goed nieuws verteld kan worden.

Hij draait steeds maar om het driezijdige hoofd heen en kijkt naar de levensgrote gezichten. Het haar van hun hoofden is bovenop samen gedraaid in een aantal spiralen. Simons haar krult vanuit zijn nek omhoog en verbindt dat van Kerewin en Joe met het zijne. Kerewin draagt haar groensteen sikkel, hij zijn hanger uit Moerangi.

Rond en rond en bij iedere rondgang komen de gezichten meer tot leven.

Aue! Ze zag ons als een geheel, als een stel. En binnenkort zijn we voorgoed gescheiden. (O nee, niet voorgoed, niet voorgoed.)

Met trillende handen bedekt hij het weer.

Toen hij weer in de bibliotheek kwam, de wenteltrap beklom om te beginnen met de afbraak van de Toren, was de kop verdwenen.

Zijn zaak kwam nog niet voor: de borgstelling was dezelfde als twee weken eerder.

's Middags zei hij: 'De advocaat zegt dat het komt omdat ze willen afwachten wat er gebeurt. Met hem.'

Dit is de eerste keer dat ze het over het kind hebben, zelfs zijdelings was niet over hem gesproken.

'Voor het geval het moord wordt,' voegt hij er beverig aan toe. Ze trekt een grimas.

'Elizabeth denkt niet dat het zover zal komen. Ze is vrijdag met hem meegegaan in het vliegtuig. Ze zei dat er niet veel nieuws uit het onderzoek naar voren was gekomen. Ze zei dat het een kwestie van afwachten is.' Hij huivert.

'E hoa, het kan me niet schelen wat ze met me gaan doen, maar dit afwachten haat ik.'

'Ik ook,' zegt ze op sombere toon en ze doelde niet alleen op het komende proces of de comateuze toestand van het kind.

De pijn en de druk op haar ingewanden is met de dag intenser geworden en nu zeurt het als kiespijn.

Ze wacht met afgrijzen op het moment dat het mes weer zal toeslaan.

Alles is nu gepakt. De woonkamercirkel is nog als enige ruimte in gebruik en is spartaans gemeubileerd. Twee stretchers om op te slapen (Piri bracht ze op een ochtend: hij zei heel weinig, maar ze hongi'den voor het eerst); wat kookspullen; een schapevacht voor de haard; Kerewins zwarte gitaar aan de wand.

Ze brengen de middagen door met het afbreken van de bovenste cirkel; de prachtige steenblokken worden één voor één losgewrikt en naar beneden gegooid op het met paardebloemen bezaaide grasveld.

De paardebloemen overleven het maar net. Het lijkt wel of ze een extra krachtsinspanning leveren om aan deze bedreiging te ontkomen. De middagen zijn vol met hun zwevende zaadjes, zilver en overvloedig in de zon.

Ze hebben zich ontpopt tot goede slopers. Het was in het begin niet meegevallen, handen onder de blaren, pijnlijke spieren. Maar je raakte gewend aan de zware zwaai met de moker, gaf er een ritme aan. Je leerde om te gaan met stenen en vastgenageld hout, en leerde om de soliditeit ervan om te keren. Loswrikken met een koevoet, er een wig tussen drijven, een oordeelkundige klap met de moker en hup daar ging weer een stuk van de Toren.

Ze liet maar weinig van de bovenste verdiepingen over: de grote zustercurve van de bibliotheek, en de op zee uitkijkende ramen van de slaapkamer en de gouden nis waarin de jongen eeuwen geleden had gestaan; de leidingen en de zonnepanelen om het water te verwarmen; de trapleuning, met extra aandacht voor de dolfijnekoppen met hun goedmoedig uitgesneden lachje.

De rest van het hout en het meubilair gooide ze naar beneden aan splinters en diggelen, als in een vlaag van vernietigingsdrang.

Joe liet een keer een protest horen.

'Het is zonde van dat goede hout, Kerewin. Misschien wil je nog wel eens iets opbouwen.'

Ze had bleek geglimlacht. 'Ik denk het niet. Trouwens, ik heb hout te kort. Ik heb heel wat nodig. Dit helpt,' en slaat met de moker in op de gladde vloerdelen.

Hij schroomde te vragen waarvoor ze het hout nodig had.

De avonden zijn kort.

Ze brengen samen een uurtje door na het eten, soms praten ze over de dingen van de dag, soms drinken ze wat in een rustig tempo. Soms zitten ze zwijgend bijeen tot het vuur in de haard uitgaat.

Heel soms speelt ze iets op haar gitaar, en de muziek is altijd even droevig en mistroostig. Er spreekt het soort verlatenheid uit dat wel om oude graven hangt. Vergeten, dood, weg... ze kent veel van zulke muziek.

En wanneer het gesprek stokt, of de drank niet meer smaakt, of het zitten te geforceerd wordt, zeggen ze Welterusten en gaan ieder naar hun eigen bed.

Elke avond verloopt hetzelfde. Ze liggen allebei nog lang te luisteren hoe de ander in slaap probeert te komen. Het is altijd Joe die het eerst in slaap valt. Hij maakt jammerende geluidjes als hij droomt, zacht, angstig, dierlijk geluid, vreemd voor een volwassen man.

> En wat voor geluiden maak ik, wanneer de herinneringen te dicht opdringen? Ik weet het niet en het kan me niet schelen ook.

Ze ligt doodstil, nacht na nacht, haar geest vol angst gericht op het ding dat in haar binnengedrongen is. De wildgroei van cellen die woekeren en woekeren. Het is altijd al bijna dag voor de slaap komt.

De zoneter loopt nog steeds, staat nu opgesteld op de vensterbank van het grote raam in de huiskamer. Tegen het einde van de laatste week stopt ze hem. Heel eenvoudig. Vermorzelt hem in haar vuist.

Kijkt naar het kleine hoopje onderdelen. Bijna twee jaar gelopen en nu ben je dood. Ik ben benieuwd of iemand zoiets ooit nog eens zal maken?

Ze heeft er geen spijt van. Al haar gevoelens zijn afgestompt in de afgelopen dagen, alsof het leven zich al terugtrekt, langzaam weglekt en afvloeit

Misschien maakt het mijn sterven wel makkelijker... wanneer ik doodga, is er niet zoveel meer over om te sterven.

Ik ben al een geest die met uitgespreide vleugels rondstapt tussen de grafzerken.

Drie dagen voor de vuurstorm.

Nog drie dagen te gaan.

Joe zegt die ochtend:

'Ik blijf een paar dagen in 'Roa, als je het niet vervelend vindt?'

'Natuurlijk niet.'

'Goed dan... ik moet de papieren tekenen voor het huis en allerlei andere dingen regelen. Voor...'

'Natuurlijk,' maar dit keer op zachtere toon.

Hij strijkt het haar wat uit zijn gezicht. 'Jij redt je wel, hè Kerewin? Ik bedoel, ik zal iedere avond langskomen, als je gezelschap wilt.'

'Ik red me wel... zorg goed voor jezelf en dan zie ik je vrijdag wel weer.'

'Ae. E noho ra,' terwijl hij de trap afloopt. 'Haere ra.'

Ze luistert naar zijn wegstervende voetstappen.

'Dingen regelen' houdt in dat hij het huis verder ontruimt; de kanarie naar de Tainuis brengt; zijn advocaat bezoekt en het huis van de hand doet. Voorbereidingen voor wat wel eens een langdurig verblijf zou kunnen worden achter dikkere stenen muren dan deze hier.

Ze zucht en begint met de laatste werkzaamheden aan de Toren.

Ze zet de laatste metalen platen vast op het tijdelijke dak van de woonkamercirkel en heeft er een pvc-goot aan gemaakt voor het middag is. Ze houdt de tijd niet meer bij door de maaltijden, maar door op de stand van de zon te letten. Ze heeft de laatste dagen niet veel eetlust, maar het verlangen naar drank is de afgelopen week weer teruggekomen. Zo speelt ze een peinzende, melancholieke melodie, haar geest gevangen in een wijnroes, als de radiafaan gaat.

Het duurt een paar seconden voor tot haar doordringt wat het voor een geluid is. Het is meer dan een maand geleden dat hij overging. En de laatste keer... tipa.

'Eh hallo?'

'Hallo,' zegt de telefonist op gedempte toon. 'Ik heb hier een telefoontje van dokter Lachlan.'

Lachlan? Lachlan? Jezusss, dat is de dokter van Simon. Simon?

Haar hart begint te bonken als een idioot.

'Verbind maar door.'

'Komt eraan.'

De stem klonk ver weg. Ze zet de volumeknop helemaal open en probeert zich door de wazige roes heen te concentreren. 'Hallo Elizabeth? Wat zei je?'

'Ik vroeg: Is Joseph er?'

'Nee, die is naar de stad.'

'Maar ik heb net geprobeerd om hem te bereiken, en...'

'Als het kan, kun je beter hier een boodschap voor hem achterlaten. Ik weet niet precies waar hij nu is en zijn telefoon is afgesloten... hij kreeg nogal wat vervelende telefoontjes in de week toen hij net uit het ziekenhuis was. Hele vervelende.'

'Oh...' de stem wordt onduidelijk en zakt weg.

'Tjee, wat een slechte verbinding... ik kan je niet verstaan, Elizabeth.'

'Ik vroeg of je hem wilt vertellen dat Simon bij bewustzijn gekomen is, maar me niet herkent en vrijwel nergens op reageert.'

'O God.'

De blikkerige stem wordt iets duidelijker.

'Hij reageert niet op geluiden. en het lijkt wel of hij er moeite mee heeft zijn ogen ergens op te richten. We weten niet precies hoeveel hij kan zien. Hij kan wel zijn armen en benen bewegen. En hij werkte een beetje mee toen de neuroloog een eenvoudige test uitvoerde. Hij verstaat wel iets, geloof ik.'

De telefonist heeft duidelijk geprobeerd iets aan de slechte verbinding te doen. De lijn is nu helder, vrij van gezoem en geknetter.

'Geen idee hoeveel precies?'

'Nee, hoewel ik persoonlijk de indruk heb dat hij weet waar hij is bijvoorbeeld en weet wat er met hem gebeurd is.'

'Denken anderen dat dan niet?'

'Tja, die kennen Simons reacties niet zo goed en je weet hoe moeilijk het kan zijn om hem te begrijpen.'

Ik heb het nooit zo moeilijk gevonden...

Hardop:

'Herkent hij je helemaal niet?'

'Nee, maar dat soort geheugenverlies is heel normaal bij dergelijk hoofdletsel. En zoals ik al zei, we weten niet precies hoeveel hij kan zien en horen.'

'Denk je dat het zin heeft als Joe het laatste vliegtuig neemt en overkomt?'

'Nee,' zegt Elizabeth beslist, 'en praat het hem maar uit zijn hoofd als hij plannen heeft hier naartoe te komen. Afgezien van het feit dat de politie daar bezwaar tegen zal hebben, geloof ik dat het kind doodsbang wordt van de mogelijkheid hem te zien. We doen ons –'

'Hij is doodsbang voor ziekenhuizen, dat zal –'

'Op het moment zijn we er allemaal van overtuigd dat Simons overduidelijke angst voortkomt uit iets dat maar al te vaak gebeurd is.'

Koud, autoritair, geen tegenspraak duldend, en implicerend dat Kerewin medeschuldig is door haar betrokkenheid.

Dat ben ik ook, denkt ze mat en waarschijnlijk heb ik het bij het verkeerde eind wanneer ik denk dat Sim nu zou willen dat Joe hem hielp. Zou ik behoefte hebben aan iemand die me zoveel ellende had bezorgd? Zelfs als ik van hem hield? Vast niet...

Het gesprek eindigt met beleefdheidsfrasen en een Tot ziens.

Ze drukt op de knop om de telefonist op te roepen. Hij vraagt op bezorgde toon: 'Is alles goed? Ik vond het heel erg toen ik hoorde wat er gebeurd was.'

'Vast niet zo erg als ik,' zegt Kerewin droogjes.

Ze stuurt Joe een uitgebreid telegram in Maori en zet het dan in alle ernst op een drinken.

De jongen geïsoleerd door doofheid? Mogelijk blind? Geestelijk gestoord? Aue...

Dood zou hij beter af zijn. Het was veel beter geweest als hij nooit meer bijgekomen was.

Het begint die nacht te regenen, de eerste zware regenval in zes weken. Ze huilt mee, wordt voor het eerst sinds die afgrijselijke avond tot tranen bewogen.

Sentimentele Holmes, tranenrijk hartje van me... zie het eens van de optimistische kant. Misschien komt het allemaal wel goed. (Hoe? Bevroren in zijn angst, wachtend op de volgende nachtmerrie?) Trouwens, we gebruiken toch maar een eh, hoeveel was het ook al weer? een tiende van onze hersenen? Dus als er wat beschadigd is, wil dat niet meteen zeggen dat hij abnormaal is of niet meer kan leren. (Dat tiende deel van je hersenen is maar een schatting van een onbewezen theorie... trouwens, wie maakt zich nu nog zorgen over het leervermogen van het ventje?)

Het is een onderwerp dat ze consequent heeft vermeden sinds ze voor het eerst van Piri hoorde dat Joe mishandeling van het kind en het toebrengen van ernstig lichamelijk letsel ten laste gelegd werd. Ze wist met intuïtieve zekerheid dat de voornaamste maatregel van de rechtbank zou zijn Joe uit de ouderlijke macht te ontzetten en het voogdijschap aan een ander op te dragen. Dat Joe zijn kind voorgoed kwijt zou raken.

Ze werkt in de koude motregen, bijgestaan door de whisky, stapelt hout in een hoge wigwamvorm. Sprenkelt er wat stookolie op en lepelt er daarna petroleum overheen. Het opbouwen van het vuur kost haar de hele dag. Het moet zorgvuldig gedaan worden, want in het midden, in een ruimte helemaal voor zich, heeft ze de driekop gezet.

> Zoals de phoenix haar ei legde, zo heb ik me ten doel gesteld deze laatste taak te verrichten, dit laatste monument te maken. Dat deze brandstapel het tot terra cotta mag bakken. Hardschalige triomf... en wie weet wat er zal gebeuren als het openbreekt?

Ze giet de rest van de whisky over het voltooide vuurnest.

Ze is bijna dodelijk vermoeid.

Haar zwakte is nu al angstaanjagend. Ze staat bij het kunstig opgetaste hout en verwondert zich erover dat ze tien uur nodig gehad heeft voor iets waar ze een maand geleden maar twee uurtjes over gedaan zou hebben.

> Als ik zo snel opbrand, is het misschien niet eens de moeite om weg te gaan. Het is wellicht beter hier te blijven en tegen het einde gewoon de deur dicht te trekken... maar daarvoor is het nu te laat. Ik heb mijn schepen al achter me verbrand... trouwens, op een gegeven moment zou er toch een keer iemand hier komen en op een enorme vieze rotzooi stuiten. Ik ga naar een stille, verlaten plek en laat in alle vrede en eenzaamheid een skelet van me maken.

Wat jammer, denkt ze terwijl ze de fles aan de rand van de brandstapel laat vallen, dat wij mensen niet van die esthetisch aangename overblijfselen hebben. Niets van de gratie en schoonheid van die nederige weekdiertjes. Alleen maar een bobbelig, getand rotzooitje, hoofdbeen aan borstbeen et cetera, et cetera. Aan de andere kant maar goed ook... anderen zouden ons nog gaan verzamelen...

Ze gaat naar binnen, op zoek naar wat whisky om het nog levende lichaam dat ze bezit te verwarmen.

De maan is er al en draait langzaam, centimeter na centimeter, om de wereld.

De maan hangt voor het raam wanneer Joe terugkomt.

Hij komt meteen op haar af en knielt naast haar neer.

'Voel je je beroerd?'.

'Vrij. Goed. Ei-gen-lijk,' en kijkt hem met wazige ogen aan.

Hij ziet er gekweld en afgetobd uit, en het ziekelijke grijs is weer terug in zijn gezicht en toch grijnst hij secondenlang naar haar, vrolijk en charmant als altijd.

'O ho. Mooi. Ik kom over een paar minuten terug. Even douchen en schone kleren aan doen. Mijn haar even bijknippen, zodat ik er wat minder als een doorgewinterde bajesklant uitzie.' Zijn lach verdwijnt en hij is weer oud en moe.

'Er is nieuws,' zegt hij zacht. 'Slecht nieuws.'

'Sim,' haar hart slaat over.

'Nee, nee... Marama heeft weer een beroerte gehad. Ze hebben haar naar Christchurch gebracht, maar ze denken niet dat ze de ochtend nog haalt.'

Hij zucht. 'Ik was net het huis aan het afsluiten toen Piri langskwam en tegen me begon uit te varen dat het allemaal mijn schuld was. Misschien heeft ie gelijk... ach Jezus, ik zal haar zo missen als ze...' 'Aue,' zegt ze, 'ik ook.'

Eén gewonnen, één geronnen, één te gaan...

Hij schudt zijn hoofd. 'Ik weet het niet, er gebeurt nogal wat, hè?'

'Zeg dat wel.'

'Ik heb je telegram gekregen... bedankt uit het diepst van mijn hart... ik heb Elizabeth gesproken. Ze was vanmorgen teruggekomen en ze denkt dat Himi het wel zal halen. Morrison vertelde dat het dus bij deze twee aanklachten zal blijven en hij schat dat ik een jaar zal krijgen. Ik heb de indruk dat hij me liever honderd jaar zou geven.'

Kerewin lachte schril.

'Je zou eens moeten horen wat Morrison allemaal tegen mij verteld heeft, e hoa. Hij mag je niet, vriend Joe, hij mag je zeer beslist niet.'

'Ik kan het me voorstellen.' Hij gaat staan. 'Maar... kunnen we veel bespreken vanavond? Want ik geloof niet dat daar voorlopig veel gelegenheid voor zal zijn.'

Ze laat haar hoofd achterover vallen, zodat ze naar hem opkijkt. Hem beiden.

'Dat lijkt me een goed idee.' Ze schudt haar hoofd en beide Joe's schuiven weer ineen. 'Ik bedoel, een goed idee voor vanavond.'

'Goed,' zegt hij droog.

Hij zet zijn tas neer. 'Hierin zitten wat dingen die van jou zijn... en een fles of wat die ik gekocht heb in de hoop op een gesprek. O, en ik heb wat van onze spullen,' hij aarzelt even, 'mijn spullen,' op zachte toon, 'beneden in de hal neergezet. Als jij daar geen bezwaar tegen hebt, wil ik die graag hier opslaan.'

'Jawoor.' Ze hijst zich overeind van de schapevacht en zwaait onvast ter been licht heen en weer.

'Kan het eigenlijk nu nog wel even voor je opbergen als er niets bijzit dat je nu nog nodig hebt?'

'Nee, alles wat ik nodig heb, zit in een handkoffertje.'

Hij kijkt haar vragend aan. 'Weet je zeker dat het wel goed gaat met je?'

Ze haalt heel langzaam uit. Een vederlichte stomp, maar toch laat zijn lijfelijk geheugen hem bijna opzij springen om hem te ontwijken.

'Het is gewoon een doorzichtige smoes om nog wat meer whisky uit mijn kelder te halen, mijn beste,' ze zuigt haar adem in. 'Jee, ik heb wat te veel gedronken vandaag,' ogen gesloten, hoofd ontspannen, licht heen en weer bewegend op de bal van haar voeten. Als ze haar ogen weer opent, ziet ze er vrij nuchter uit.

'Wil je misschien een ander drankje om het leed van de wereld te verzachten?'

'Nee, ik had ook whisky meegenomen.'

'Mooi zo. Neem jij nou maar die douche, dan daal ik af en berg je spullen op en kom weer naar boven en zal tussen een paar nuchtere sipjes in, eens kijken wat hier in zit.' Ineens weer verbaasd: 'Wat zit er eigenlijk in? Ik heb toch nooit iets laten liggen bij jullie...'

'Dingen die Himi gestolen heeft.'

Een snoer geldslakjes, die ze lang geleden als friemelketting had gebruikt.

Een zilveren religieuze penning aan een veel te fijn zilveren kettinkje.

Het talismanmes Zeevuur.

Zeven Cubaanse sigaren, nog in cederfineer gerold.

Zo'n tweehonderd paperclips.

Een apparaatje dat ze ooit voor zichzelf had ontvreemd uit de eerste fabriek waar ze gewerkt had: het ding verrichte een fascinerende en nu geheel nutteloze handeling. Bij een druk op de knop kwam er een dun, getand schijfje uit, ter grootte van een stuiver, dat in de rondte draaide, abrupt stopte en weer in het apparaatje verdween. Je kon het steeds opnieuw doen. Het schijfje werd het nooit zat. Het deed ook nooit iets anders.

Een agaat van de collectie geslepen stenen die ze altijd op haar bureau had liggen.

Een miniatuur schaakspel voor op reis.

Een heel klein flesje patchouli-olie dat ze gebruikte om haar haarborstels te parfumeren.

Drie viltstiften en een langwerpig staafje Chinese inkt.

Een zware zilveren duimring die met turkoois is bezet.

En een stapel van de visitekaartjes die ze in Japan gebruikt had (met drie dolfijnen erop die gracieus rond het zuiderkruis zwommen, haar naam in Japans en Engels, en het trotse, fiere 'kunstenaar', wat ze toen ook was).

Van sommige dingen wist ze dat ze weg waren.

Afgezien van het mes Zeevuur, had ze niets gemist.

O, mijn rare kleine grijpgraag, eksterkind, wat wilde je in vredesnaam met al die troep? Niet dat het er nu nog iets toe doet, maar ik heb het vermoeden dat je, ondanks Joe's bemoeienissen, nooit een gevoel voor mijn en dijn hebt ontwikkeld, alleen dat van behoefte, en je dacht waarschijnlijk dat iedereen zo was...

Ze veegde alles terug in de bruine papieren zak, maar hield haar mes achter. Ze stopte de zak met inhoud in een envelop, plakte die dicht, deed er postzegels op en adresseerde hem aan het kind in het ziekenhuis.

Ze deed er geen briefje bij. Ze liep haastig de trap af, terwijl Joe onder de geïmproviseerde douche stond en legde de envelop in de buitenbrievenbus zodat de postbode hem de volgende ochtend kon meenemen.

De spullen waar Joe het over had, beslaan drie koffers en een verdwaalde doos met boeken, vazen en oude schoenen. Een paar kleine sandaaltjes liggen bovenop. Twee gitaren, een in een koffer, die schuin tegen de andere spullen aan staat. Dat was alles.

Ze stapelt het op een van de grote kisten met boeken die om de hoek van de kelder staan.

Het is een grote, koele, gewelfde ruimte, de kelder: voorheen kon ze er rondlopen en genieten van alle wijn en drank en eerste levensbehoeften die ze daar had opgeslagen. Nu staat het er vol met dozen en kisten en meubilair. Er is weinig loopruimte over.

Ze reizen met lichte bepakking, de Gillayleys, niet beladen met trivialiteiten. Maar goed, uiteindelijk nemen we allemaal weinig mee. Niets substantiëlers dan herinneringen... en die vormen misschien wel het zwaarste deel van de bagage...

Filosoferen terwijl je doordrenkt bent met whisky levert nooit veel meer op dan een drenzerige collectie clichés...

Ze pakt de lamp op en sjokt triest de trap op naar de woonkamer.

Tijd, tijd, het wordt allemaal niets meer en het had toch een prachtige wijnoogst kunnen opleveren deze zomer. Nu wordt het azijn, drab.

Eén tree op, nog een tree, nog eentje hoger,

mijn fust, hol en licht, de rijke wijn bijna klaar. Ach kom nou, luidruchtig gnuivende lijkenpikker... we zullen een voortijdige lijkwake houden, en vrolijkheid scheppen voor de man met het bittere hart... God, zijn moeder heeft hem wel een treffende naam gegeven, Ngaukaukawa tot op het merg, denk ik... hij ziet er wat grauw uit vanavond, ik mag wel even controleren of er niet een hechting opengegaan is, of een darm... zullen we hem vertellen over mijn ingewanden, engerd? Piti (één stap) piti (twee stappen) pot ara (drie) ah... boven... nah, we gaan gewoon weg omdat we een maagzweer hebben, en omdat we moel depressief/enzovoorts zijn. Omdat we weer op krachten willen komen... moeder van allen, we liegen wat af om hartjes te sparen. Zo zij het, ik ga op mijn mythische schildersafari om te herstellen en ja hoor, Joe, we zien elkaar volgend voorjaar weer als je dan tenminste weer vrij bent...

Ze stalt haar laatste rookwaren uit: sigaartjes en bidi's en kreteks, pijptabak en de laatste tien gram gouden Kustweed. Ze zet de twee flesjes whisky en het kleine vierkante flesje Drambuie ook bij de uitstalling.

Dat zou voldoende moeten zijn...

Ze wast haar gezicht en hoofd met koud water en leunt achterover bij het vuur, voelt zich koel en high en ontspannen.

Ze ligt op haar zij, hoofd op haar hand: de harde klomp in haar ingewanden is zo minder voelbaar. Er druipt gestadig water uit haar natte krullen op de arm waar ze op steunt: de zolen van haar in kaibabs gestoken voeten, die naar het vuur gekeerd zijn, voelen al warmer aan dan aangenaam is. Ze schuift een been tegelijk traag bij de warmtebron vandaan, terug in de vurige schaduw, uit...

Hij denkt:

Ze heeft zo'n verrassende zware gratie, als iets dat uit zijn element is gehaald en het moet stellen met een ijler medium. Alsof ze in water zou moeten leven. Kon ik maar naast haar gaan liggen en heel zacht en teder bij het schijnsel van het vuur...

'Joe, doe me een plezier, wil je?'

'Wat je maar wilt.'

'Geef me de gitaar eens aan... het lijkt wel of ik hier wortel geschoten heb.'

Ze hoort hem grommen van de pijn als hij het instrument optilt.

Hij brengt haar de gitaar en gaat naast haar liggen: zijn gezicht is een strak masker.

'Heb je er last van?' Ze strijkt door de lucht bij haar buik met een gebaar dat het kind gemaakt had kunnen hebben.

'Soms trekt het.'

Hij schenkt zich een stevige whisky in en werkt het naar binnen als medicijn; schenkt er nog een in en kreunt en strekt zich in volle lengte uit aan de andere kant van het vuur.

'Kia ora,' en heft even zijn glas naar haar.

'Kia ora,' ze gaat wat verliggen, rug steunt tegen de zijkant van de schouw, gitaar in een arm, fles binnen handbereik. Ze nipt langzaam van haar whisky. Kan niet meer de ene na de andere achterover slaan, denkt ze. Nu is de tijd gekomen om rustig en bedacht-zaam te drinken.

Hij zegt:

'Als ik het over mocht doen – niet vanaf het allereerste begin, maar vanaf de tijd dat we samen overbleven, alleen hij en ik nadat Hana en Timote gestorven waren – weet je wat ik dan zou doen? Stoppen met werken. Grootste deel van de tijd thuis zijn. Ik dacht er gister nog over na wat een verspilling van tijd en energie het geweest is... ik heb bijna zes jaar lang hard gewerkt, als een pakeha, om geld te verdienen om een thuis te hebben. En het enige dat ik nooit g̲had heb, is een thuis... nu is het weg, verkocht, en het enige dat mij rest is een paar duizend dollar. Misschien is dat alles wel. Denk je dat ik hem zal kunnen houden?'

De vraag komt er plompverloren uit, kaal als een bot, scherp als een scheermes.

'Nee.' Ze zegt het heel zachtjes. Dan krachtiger: 'Nee, ik denk het niet. Joe, mijn hart, als er een ding vaststaat, is het wel dat jou morgen de ouderlijke macht zal worden ontnomen. Ik vind het vervelend om te moeten zeggen, maar als hij nou nog je natuur-lijke zoon was, dan zouden ze aarzelen om hem aan de staat toe te vertrouwen of iets dergelijks, zelfs nu nog. Als hij officieel geadop-teerd was, zou het hetzelfde zijn, maar je vertelde dat het nooit helemaal rondgekomen is.'

Hij knikt, zilveren tranen biggelen langs zijn wangen. 'En ge-zien de sporen van eerdere mishandeling op zijn lichaam, zullen ze er zich van verzekeren dat jij niet nog een keer de kans krijgt hetzelfde te doen.'

Ze neemt nog een slokje whisky.

'Bekijk het eens van hun kant: je hebt geen vrouw meer, en je hebt hem zowel nu als in het verleden ernstig mishandeld. In hun ogen is er niet goed voor hem gezorgd, hij spijbelt en is een van-daal... ze zullen van oordeel zijn dat iemand die hem niet kent het er beter af zal brengen dan jij. Tenminste, dat denken ze.'

Haar stem is gelijkmatig, onbewogen, alsof ze het heeft over de naamgeving van schelpen of over de bereiding van honingwijn.

'Het tragische van alles is dat ze het bij het verkeerde eind heb-ben... ik was werkelijk gefascineerd door jullie de afgelopen twee maanden. Jullie houden, jullie hielden echt van elkaar. Je hebt hem een stevige, liefdevolle bodem geboden om te groeien, ondanks alle nare dingen die je hem hebt aangedaan. Je bent vader en moeder tegelijk geweest en hebt hem een thuis bezorgd. En morgen lezen ze je waarschijnlijk een prachtige aanklacht voor, waarin je wordt beschuldigd van mishandeling en verwaarlozing. En ze zullen elkaar publiekelijk op de schouders kloppen omdat ze erin geslaagd zijn het arme jochie uit de klauwen van dat monster te redden, die draak van een vader... heb je je advocaat wel ingelicht over de achtergronden? De echte achtergronden die tellen? Beide ouders tegelijk moeten zijn, hem opvangen na zijn enge dromen, hem overal uit de omtrek vandaan moeten halen, naar school moeten gaan om uit te zoeken wat er dit keer weer aan de hand geweest is... dat maakt allemaal duidelijk dat je veel om hem gaf. Dat laat het slaan trouwens ook zien, maar dan in negatieve zin. Je maakte je in ieder geval voldoende zorgen over wat jij als slecht gedrag beschouwde, om te trachten het te corrigeren.'

Joe zegt mat: 'Ik heb hem wel wat verteld.'

'Vertel hem alles, als er nog tijd voor is... en als hij goed is, kan het net voldoende zijn om de rechtbank begrip te laten krijgen voor de enorme spanning waaronder jullie leefden.'

Ze heeft opzettelijk gebruik gemaakt van haar stem, klank en toon afgestemd om hem te doen kalmeren. Geeft hem geen valse hoop, huilt niet met hem mee. Prijst hem niet, praat niet denigrerend over hem of de jongen. Probeert hem wat objectiviteit mee te geven, wat afstand, om de zaak wat minder pijnlijk te maken.

'Jezus, ik vind het zo erg.' Zonder terughoudendheid rollen de tranen over zijn wangen. 'Ik voel me zo lullig.'

'Ik ook. Net zo schuldig. Net zo misdadig.'

'Maar jij hebt niets gedaan...'

De tapu op 'had ik maar' is bij deze opgeheven, mijn liefje...

'Nee? Twee dingen, Joe. Sim is hier naartoe gekomen en schopte mijn gitaar stuk zoals je weet, maar ik was degene die het uitlokte. Ik bleef hem maar ondervragen, er is geen ander woord voor, over waar hij dat stomme klotemes van me gelaten had. Als ik eraan terugdenk – wat ik tot nu toe vermeden heb – maar nu ik erover nadenk, schiet me weer te binnen dat hij erg van streek was over iets en ik heb niet eens de moeite genomen uit te zoeken waarover. Heb gewoon doorgezeurd over mijn mes.'

'Over school,' zegt Joe en staart in zijn lege glas. 'Grote problemen op school. Hij had een briefje bij zich van Bill Drew waarin stond dat ze overwogen hem van school te sturen.'

'In ieder geval was er iets... hoe dan ook, toen hij ten slotte niet meer tegen dat gevraag van me kon, viel hij naar me uit. Hij raakte me nog ook, en het kwam zo onverwacht dat het zelfs even pijn deed. Heb ik me toen herinnerd wat jij me verteld had? Over dat hij als hij ten einde raad is en je iets duidelijk wil maken zelfs met je gaat vechten? Nee, dat heb ik niet. Ik heb hem zo'n opdoffer verkocht dat hij een minuut lang op de vloer naar adem heeft liggen happen. Daarna schopte hij mijn gitaar pas in elkaar. Jij hebt afgemaakt wat ik begonnen was... had ik maar wat meer begrip getoond, dan was hij me niet aangevlogen. Dan was hij niet weggelopen en had niet zijn woede hoeven koelen op de etalageruiten. Dan was hij niet door de politie opgepakt. Dan was hij gewoon thuisgekomen, bij jou... Het tweede is, dat ik ook de volgende scène begonnen ben. Ik heb hem met woorden om de oren geslagen en ik heb een behoorlijk scherpe tong... weet je wat me vooral dwarszit?'

Verdwaasd schudt hij zijn hoofd.

'Ik heb gezegd: ik hoop dat je vader je nog gekker slaat dan je nu al bent, vervelende klootzak. Ik heb meer van dergelijke frasen geuit, stuk voor stuk bedoeld om te kwetsen... verdomme nog aan toe, Joe, ik ben net zo schuldig als jij. Misschien nog meer, want ik had het kunnen verhinderen en heb juist olie op de golven geworpen. Als ik had gezegd: Nee, sla hem niet, of: Nee, wacht tot ik bij jullie kom om het samen uit te praten. Als ik gezegd had... ach Jezus, dat heb ik niet en nu kan ik er toch niets meer aan veranderen.'

In een grote teug drinkt ze de rest van haar whisky op en vult haar glas opnieuw.

'Ik heb genoeg gedaan, e hoa, en ik zal er niet licht iets van vergeten. Niet in het minst dat ik, toen ik ophing nadat ik met jou gepraat had, wist dat Simon een ongelooflijk pak slaag zou krijgen en ik er blij om was.'

Ze houdt hem de fles voor. 'Ik vind het erg dat jij ervoor op-
draait en ik niet. Jij krijgt een duidelijke straf, en ik krijg alleen een
miasma aan herinneringen te verduren. Wat aan de ene kant heel
wat is, anderzijds niets voorstelt. Drink eens op.'

Haar stem klinkt nog steeds koel en afstandelijk.

Ze probeert het makkelijker voor me te maken door ook
schuld op zich te nemen... toch zit er wel iets in. Ze had inderdaad kunnen voorkomen dat ik hem sloeg.

En hij ziet opnieuw het sprakeloze kokhalzen van pijn van het
kind voor zich, toen hij de hoorn zo onhandig vasthield en Kerewin hem met woorden geselde.

Aue, het moet hem gekwetst hebben dergelijke dingen te horen...

Hij voelt zich minder leproos-schuldig, niet meer zo geïsoleerd
en misdadig. Hij veegt zijn tranen weg met de muis van zijn hand
en pakt de whiskyfles. Klink kloink, nog een gouden maatje. Hij
kiest iets te roken uit, een van de Indonesische kruidnagelsigaret-
ten en steekt die met een brandende spaander aan. Het knettert en
spettert als hij inhaleert.

'Ab, e hoa, jij hebt niet zoveel kwaad gedaan... Ik heb zoveel
meer gedaan.'

'De gedachte is net zo zondig als de daad, en neem maar van mij
aan dat als ik Sim die middag pijn had kunnen doen zonder hem te
vermoorden, ik het vast niet nagelaten zou hebben... God, wat was
ik kwaad.' Haar vingers plukken aan de snaren van de gitaar zoals
je bij een luit doet. 'Zo ontzettend razend... ik zou duizend van die
gitaren kunnen kopen... het was alleen omdat hij zo bijzonder was.
De tweede gitaar in mijn leven – de eerste heb ik letterlijk versleten
– en ik had hem van mijn moeder gekregen. Ik troostte me ermee
en liet hem delen in mijn vreugde en gebruikte hem als klankkast
voor mijn gedachten, meer dan twintig jaar lang.'

Ze houdt de kast van de zwarte gitaar dicht tegen zich aan en
begint te spelen.

Het is een trage, spookachtige melodie; melancholiek en toch
omarmt het de toehoorder en verheft eerder dan temeer te drukken.

In de maanden die komen gaan, zal hij het zich herinneren, het in zijn geest zo vaak spelen dat zijn vingers, wanneer hij voor het eerst weer een gitaar in handen heeft, vanzelf die melodie beginnen te spelen, zonder dat hij het zich bewust was.

'Pavane voor een overleden kind, van Ravel,' zegt ze als het stuk afgelopen is. Ze speelt het keer op keer opnieuw die avond, alsof ze de rest van haar repertoire vergeten is.

Naarmate Joe meer drinkt, wordt hij spraakzamer. Hij vertelt een aantal keren hoe hij het kind geslagen heeft, tracht er een patroon in te ontdekken, zoekt naar een betekenis voor wat er gebeurd is. Steeds wanneer het ter sprake komt, roept hij verbaasd:

'Weet je dat het de eerste keer was dat hij mij sloeg? Voor het eerst, en wat een klap,' hoofdschuddend, halfverwonderd en halftrots over het feit dat Simon eraan gedacht had de glasscherf te verbergen en het initiatief had genomen om hem te gebruiken.

Wat je noemt een voltreffer. Iets dieper en de glasscherf had zich door nog een slagader heen geboord en was hij doodgebloed voor Kerewin was gekomen.

'Het was niet zo hard, maar God! wat deed dat pijn... ik had nooit gedacht dat hij me zou aanvallen, zeker niet met een mes of zoiets. Hij had me zelfs nog nooit teruggeslagen... hij vecht wel eens, van tevoren, hij verzet zich wel, maar hij heeft nooit geprobeerd me pijn te doen. Hij geeft het altijd op, hij doet altijd wat er van hem gevraagd wordt. Dus ik was er niet op bedacht... e Kere, toen hij zijn handen bewoog, dacht ik dat hij iets over het briefje van Bill Drew wilde zeggen en toen Wham. Jezus, het gleed er zo gemakkelijk in, hij hoefde niet eens te duwen. Als een mes door de boter, hup, daar zat ie diep in mijn maag en ik bloedde als een rund. Ik was zo kwaad dat ie teruggeslagen had, ach Jezus, ik heb hem geraakt zo hard ik kon, tot hij bewusteloos raakte. Pas daarna raakte ik buiten bewustzijn.'

'En weet je?' vraagt hij nog eens nadat hij het de laatste keer verteld had, en vermoeid schudt ze haar hoofd. Naarmate de avond vorderde, is ze almaar nuchterder geworden. 'Ik geloof dat ik probeerde om hem dood te slaan,' zegt Joe. 'Ik geloof echt dat ik toen geprobeerd heb hem te vermoorden.'

In het voorbijgaan zegt hij iets dat Kerewin liever niet geweten had. Een paar woorden maar, maar ze wekken zoveel afschuw op.

Hij zegt: 'Ik geloof dat ik niet de enige ben geweest die hem mishandeld heeft. Hij had heel wat verdachte plekken en littekens op zijn lijfje toen hij hier kwam.'

Hij valt in slaap voordat de zon opkomt.

Ze kijkt hoe de maan wegtrekt naar het westen en hoe het zuiderkruis een buiteling maakt naar de zuidelijke horizon. Orion verbleekt tot een verre ijsglinstering en een voor een doven de sterren.

De hemel kleurt tot stralend karmozijn.

Rode hemel in de morgen. Brengt zorgen. O, ik weet wel dat het maar een weerspreuk is, maar...

kijkt hoe de bloedhemel zwelt en groeit, de regenwolken onheilspellend kleurt en de overzijde van de zee scharlaken schroeit.

Dageraad, en in het oosten dooft nog, een ster.

En het haalde vrijdagavond het landelijke nieuws.

'En in Taiwhenuawera werd vandaag een man tot drie maanden gevangenisstraf veroordeeld wegens wat de aanklager "beestachtige, wrede mishandeling noemde van een weerloos, gehandicapt kind". De rechter, mr. P.S. Steward, was echter van mening dat het kind in kwestie nauwelijks weerloos genoemd kon worden daar hij zijn pleegvader, Joseph Gillayley, in de maag gestoken had tijdens de vechtpartij. Gillayley, een 33 jarige arbeider, moest twee weken in het ziekenhuis worden opgenomen om te herstellen. Zijn zeven jaar oude pleegzoon is aan de ouderlijke macht onttrokken. Een ingreep die, zoals mr. Steward droog opmerkte, voor beide partijen alleen maar gunstig kon zijn.

De regering is van plan in de komende regeerperiode een nieuwe wetgeving in te voeren, waardoor...'

Klik.

En dat was dan het nieuws.

Ze stond op en bewoog haar schouderspieren.

Tijd om op te stappen, Holmes. Tijd om te gaan.

Ze vroeg zich af of ze over drie maanden nog in leven zou zijn.

Ze vouwde de stretchers in en legde die buiten onder een zeiltje klaar voor Piri.

Ze ruimde de slaapzakken op en gooide het resterende voedsel weg.

Een feestmaal voor de meeuwen...

Ze pakte haar rugzak in een grote koffer, deed er wat kleding bij, de rest van de rookwaren, de rest van de fles Drarnbuie, Simons rozenkrans en drie boeken.

Een is het Boek van de Ziel, dat ze normalerwijs achter slot en grendel houdt.

Een is de Concise Oxford Dictionary.

Het laatste is op een bijzondere manier van haarzelf.

De titel is met de hand geschreven in bruinrode uncialen: 'Meesters Over Eeuwige Rijkdom', en op het titelblad staat:

'MOER: voor spirituele dilettanten om zichzelf in te verliezen'.

Het bevat een eclectische keuze aan religieuze geschriften.

De Diamant Sutra en Wijsheden der Dwazen.

De Tao te Ching en Openbaringen van Goddelijke Liefde van Julian van Norwich.

De Bardo Thedol en fragmenten uit Bubers Hasidism.

Het eerste, tweede en vierde deel van de I Ching en Boom des Levens van Hahlevi.

Fragmenten uit de Upanishads en het werk van de zestiende-eeuwse begijn Hadewych.

Hymne op het Universum van Teilhard de Chardin en Zen Flesh, Zen Bones van Rep.

Het Boek van Job en Ecclesiastes en het Lied van Salomon.

Het nieuwe Testament van Jezus Christus en Masnawi door de Sufi Jalal-uddin al Rumi.

Het is geïllustreerd. De Vitruviaan van da Vind. De Geest van een Vlo van Blake. Een tekening van Pallas Athene die ze gemaakt had naar aanleiding van een droom. Dertig Mandala's, van de Grand Terminus, tot één die ze drie jaar geleden maakte, ingetekende spiralen psiralen en sterren.

Het was een boek dat ze gemaakt had om te voorzien in alle driften en grillen van haar geest. Om haar te voeden, rudimentaire landkaarten en schetsen van een weg tot God.

Ze heeft het vermoeden dat haar behoefte aan bovennatuurlijke zaken van nu af aan dramatische vormen zal aannemen.

Als je berooid bent achtergebleven, ga dan de brede uitgestrektheid van de wind ontleden, beschouw elke strohalm die op je pad wordt geblazen en ontleen hoop aan takjes in het zand. Ziel, jouw hoopvolle verwachtingen zijn de mijne en mijn verwachtingen zijn krankzinnig. Zodat de Duistere Verwachting betekenis en baken is voor de reis.

En het teken is een geest, die kreunt en belazerd wordt.

Er komt een fijne mist opzetten en de wereld sluit om haar heen. De geknotte vorm van de Toren tekent zich achter haar af. De zee is rustig.

De koffer en de Ibanez in zijn reiskoffer wachten op haar bij de afgesloten deur van de Toren.

Onder een paraplu wacht ze geduldig tot het volkomen donker is geworden.

Ze heeft een fakkel gemaakt van vodden en touw die ze eerst in petroleum heeft gedrenkt en daarna om een stok wikkelde. Staat bij haar voeten gereed.

Als ik een eerlijk, standvastig mens was, als ik niet geplaagd werd door de ziekte die hoop heet, zou ik midden in de brandstapel gaan staan en vandaar uit het vuur aansteken...

De paardebloemen zien er stralend uit in het avondlicht. Veel van de aureolen staan open alsof de zon nog schijnt.

Anderzijds is hoop mijn voornaamste deugd. Laatste hoop, allerlaatste hoop. Geen christelijke hoop, maar een ingebakken rebellie tegen onvermijdelijk opdoemend lijden, wanhoop en dood. Onzinnige verwachting...

De grote houtstapel wacht in duisternis.

Bleke nachtuiltjes fladderen in het rond, hele horden, als geesten van insekten schieten ze haar gezichtsveld in en uit. Tijd...

Ze steekt de fakkel aan. Eerst alleen zwarte rook, dan vat hij vlam.

Ze gooit hem weg en hij schiet als een komeet in het wachtende hout.

De brandstapel barst in vlammen uit, vuur spuit, vliegt omhoog, omhult het hout met gretige vlammenbloemen. Ze ijlen en brullen omhoog in een hoog oprijzende zuil.

Als ik mijn hoop niet had gehad, had ik daar misschien nog tien seconden geleefd... de lucht eromheen is weggezogen... prachtige draak... de glorie van de salamander...

Het brandt op tot er een bed van as is overgebleven van ettelijke vierkante meters. Zelfs het smeulende vuur is nog voldoende om de zijkant van de afgetopte Toren te verlichten.

O, paardebloemen, jullie moeten toch geweten hebben wat er te gebeuren stond...

Na de vuurstorm zijn de nachtuiltjes teruggekeerd,' ze vlieden en tuimelen om haar hoofd en handen als ze de smeulende restanten met een schop tot een nieuwe berg schept. Wanneer het klaar is, steekt ze de schop in de grond en laat die daar staan. Nog een ding te doen...

Ze pakt een zijden zakdoek uit haar zak en schept met haar blote handen wat aarde op, voldoende om de holte van haar handpalm te vullen. De zakdoek met aarde stopt ze terug in haar zak.

Waar ik ook ga, hoe ik ook ga, deze aarde draag ik bij me ter herinnering. En mocht ik in een vreemd land sterven, dan is er iets meer dan alleen mijn vlees om vreemde grond tot vriend en heiligdom te maken.

Kerewin pakte haar koffers en liep de nacht in.

# IV Uiteengereten spieren, gebroken botten

I

'Hier?' zegt de buschauffeur ongelovig. 'Hier?'

'Hier,' zegt Joe.

'Maar hier is helemaal niets!'

'Dat geeft niet. Ik loop wel naar waar ik zijn moet.'

De bus trok met veel lawaai op. De namiddagzon scheen verblindend op de achterruit tot de bus een bocht omging. Het geluid stierf weg.

Het begon te regenen, een dichte motregen die op zijn kleren bleef liggen zonder ze echt nat te maken. Hij liet de weg achter zich en begon door het struikgewas richting zee te lopen. Het was niet moeilijk begaanbaar: wat steekbrem en een paar braamstruiken, maar voornamelijk hectare na hectare met manuka, grote varens, af en toe wat coprosma, geen grote bomen. Maar het struikgewas was wel zo hoog dat hij niet ver voor zich uit kon kijken.

De buschauffeur had gezegd:

'Nou, misschien kom je de oude Jack wel tegen. Hij komt wel eens naar de afslag om zijn voorraad meel, thee en tabak op te halen. Hij wordt de laatste der kannibalen genoemd, maar ik geloof dat niet echt,' en toen had hij gelachen.

De zon bleef in zijn geest hangen.

'Ik geloof niet dat hij de laatste der kannibalen is,' of 'Ik geloof niet dat hij een echte kannibaal is, maar je weet toch maar nooit...'

Hij kon zich zijn overgrootvader, die aan menige mensendis had aangezeten, nooit als kannibaal voorstellen. Hij herinnerde zich de oude man alleen van een foto waarop hij als zilverharige, woeste stamoudste stond afgebeeld. Hij had altijd gedacht dat kannibalen kleine, verschrompelde mannetjes waren, met puntige tanden.

449

'Wij zijn vlees, net als de rest,' had zijn grootmoeder gezegd. Hij rilde.

De manuka's waren ziek, zagen zwart van de brand en er hing een alles doordringende stank van moeraswater in het bos. Zelfs de betonnen cellen en gangen met hun discrete grendels en sloten leken nu aanlokkelijk.

Hij ploeterde voort, zijn rugzak hakend aan takken, tot hij plotseling bleef staan.

Hij stond aan de rand van een steile rotswand: onder hem lag een uitgesleten rotsstrand met opeenhopingen van wrakhout langs het water. Het lag tien overschaduwde meters lager.

De kaumatua:

Ik heb een leven lang de rivier en de zee gadegeslagen. Ik heb rivieren de aarde tussen boomwortels zien wegroven tot de reuzen ter aarde vielen. Ik heb kusten zien verschuiven en ten onder zien gaan, beddingen zien dichtslibben en verleggen; wat strand was, moeras zien worden en ik heb een landtong in zee zien tuimelen. Heb sinds mijn jongensjaren een eiland in stille pijn zien wegspoelen en heb riffen eilanden zien worden. Toch zeiden de ouden 'Mensen vergaan, maar het land blijft, dat blijft bestaan.'

Misschien is dat ook zo. Het land verandert, het land blijft voortbestaan. De zee verandert, de zee blijft voortbestaan. Sinds ik hier gekomen ben, heb ik het land slechts twee keer verlaten. De eerste keer liep ik door de straten in de steden en werd genegeerd. De tweede keer lachten mensen besmuikt om mijn verouderd taalgebruik en keken naar mijn gezicht. 'Tjezus, da's een oudje,' zei iemand toen.

Zo leerde ik al snel wat de gevolgen van mijn leven in afzondering waren. Ik ben onlosmakelijk met dit land verbonden.

Aldus. In dit leven dat achter me ligt, heb ik gewaakt, van zonsopgang tot de nacht met sterren bezaaid was. Mijn hele leven heb ik gewacht, van zonsondergang tot het heldere middaguur. Gewaakt, alert geweest op het ontwaken; wachtend op het teken.

Er rest mij niet veel tijd meer om te waken en te wachten, en

450

nog is de vreemdeling niet gekomen. De graver heeft niet gegraven. De gebroken man is niet gevonden en genezen. Toch had je me opgedragen naar hen uit te zien en op ze te wachten.

Was het allemaal een illusie? Waren je ogen verblind de ogenblikken voor je dood? Heb ik alle genietingen des levens alleen opzij gezet om dit zinloze wachten te verduren?

Hij stond te zweten en keek lange tijd naar het strand onder hem. Een aalscholver vloog voorbij in het schemerlicht en er schreeuwden en krijsten meeuwen boven zijn hoofd. Het zou Moerangi kunnen zijn, zeshonderd kilometer naar het zuiden; het zou Moerangi kunnen zijn, en er was niets gebeurd en verderop langs het strand in een door haardvuur verlicht huisje wachtten ze op hem...

Hij schudde zijn hoofd en liep moeizaam terug.

Hij begon te rennen als in een droom. Ergens vlakbij kon hij een rivier horen stromen, die hij nog niet eerder had gehoord. In de gevangenis leerde je al gauw om niet al te veel te horen. De manuka's sloegen tegen hem aan terwijl hij voortploeterde, oren vol van de rivier. De draagriemen van zijn rugzak sneden in zijn schouders. Je werd slap en pafferig in de gevangenis, waar je niet serieus werkte, het geklets negeerde en de tijd uitzat.

Hij stopte, ademde zwaar en liet zijn rugzak afglijden. Hij luisterde zorgvuldig. Het bos is vervuld van het geluid van de rivier, maar hij kan er niet uit afleiden welke kant het op is. Vlak bij hem ritselt en gromt iets en hij draait zich snel om, met gebalde vuisten.

Het grommen houdt op. Zijn hart bedaart weer.

Terwijl hij daar staat, wordt het erg donker. Ten slotte zucht hij en gaat naast zijn rugzak zitten. Hij heeft geen eetlust, wil alleen slapen, droomloos slapen. Hij rommelt wat in zijn rugzak, haalt zijn bivaktentje te voorschijn en zet het op. De kleine zaklantaarn is verblindend van nutteloosheid. Het is makkelijker om in het donker te werken, ondanks het feit dat hij steeds tegen stenen en bosjes oploopt. Hij raakt steeds vermoeider.

Zet de rugzak tegen een dwergmanuka: laarzen er op zijn kop tegenaan; wurm je in je slaapzak en daarmee in je bivaktentje en wacht tot de slaap wil komen.

De grond is verrassend veerkrachtig, afgezien van een harde tak onder zijn schouder. Er blaast een gemeen briesje recht in zijn gezicht. Het is bijtend koud en het brengt de motregen mee naar binnen. Hij stopt zijn hoofd in zijn slaapzak; maar al gauw is het gedeelte om zijn gezicht nat van zijn adem. Zijn voeten zijn gevoelloos.

Hij kan zich niet herinneren in slaap gevallen te zijn, maar hij wordt gewekt door kou en vochtigheid. Er klinkt ijl gezoem van insekten. Verder is alles stil in het kille ochtendgloren. Grijslijvige muggen komen door alle openingen zijn bivaktentje binnen, hele horden trage doorbijters, die hem naar buiten jagen.

In de grijze half-schemering komt hij tot de ontdekking dat hij in een veen poel is gaan liggen. Een poeltje dat krioelt van de bijtende beestjes. Muggen en daglichtmuskieten in allerlei soorten en maten. Ze jengelen vreugdevol. Prooi!

Hij staat er hondsmiserabel bij, de voeten van zijn sokken zijn nat en worden almaar natter. Hij laat de beestjes zich te goed doen.

Wakker worden, Ngakau. Kijk eens, de lucht klaart al op. Zet een kopje thee. Hang je spullen uit om te drogen. Maak er wat van, man.

Twee soorten manuka, denkt hij, bewust observerend terwijl hij zijn slaapzak en bivaktentje uithangt. Een met witte bloemen en dikke bladlobben en die daar heeft kleinere diamantbladen en rozige bloemen. Vraag me af van welke zij die pijnstiller gemaakt had? Misschien van beide. Hij ziet zonnedauw staan, sommige fel-rood, sommige hoog met wel tien groene, kleverige hoofdjes per stengel. Kerewin zou het prachtig gevonden hebben, eh, die hield wel van het macabere. Had vast uren zitten kijken tot een of andere stomme vlieg gevangen werd. Krulvarens, adelaarsvarens, pollen-achtige rode stof langs de randen van poeltjes. Gebarsten witte rots steekt uit de aarde omhoog. Een vreemde, naargeestige plek, maar beter dan de betonwoestijn.

Toen hij de spiritusbrander aanstak, vloog er een zeemeeuw over zijn hoofd en liet een schrille kreet horen. Het deed hem denken aan de jongen toen hij de malimak nadeed en die herinnering deed hem glimlachen. Je leerde wel om de goede dingen vast te houden en de slechte te verdringen. Dat werkt tot je in slaap valt.

De zon is op: het bivaktentje droogt al, net als de natte plekken bij de opening van zijn slaapzak. Zijn trieste naargeestige stemming begint op te klaren.

Muggen in de thee... met een frons vist hij ze eruit... wat was ook al weer de grote angst uit zijn jeugd? O ja, Kohua-ora, wat betekent: 'Levend gebakken in een aardoven.' Dat verwijst werd in het boek verteld, naar een gebeurtenis die lang geleden plaatsvond bij Papatoetoe. Hij was het toevallig tegengekomen in een van de nuttige boeken die zijn grootmoeder hem gegeven had. Het had hem maandenlang nachtmerries bezorgd.

Je hebt heel wat tijd om na te denken als je ziek en hulpeloos bent, als je opgesloten zit en je nutteloos voelt.

Zou dat opzettelijk gedaan zijn, dat langzaam bakken van een gehaat rivaal? Of iemand begraven, terwijl hij nog tekenen van leven gaf? Zij vertelde hem dat de oude Maori's zulke edele krijgers waren en de schoolboekjes bevestigden dat telkens wanneer de Maori's ter sprake kwamen... God, wat kregen we een leugens voorgeschoteld. De eervolle gebeurtenissen werden breed uitgesponnen en men verhulde dat van kinderen de kop werd afgehakt, dat oude mannen en vrouwen de rotsen afgejaagd werden, en de eindeloze, bloederige vetes... maar toch hielden we ons aan de erecode en toonden gevoel voor humor in het aangezicht van de dood... bovendien, lacht hij in zichzelf, als volk zijn we nu eenmaal dol op vechten. We staan niet zo ver van onze voorouders af, Kerewin en ik... maar Kohua-ora? Het denken over gruweldaden van weleer vermindert de geschoktheid over de huidige.

En wanneer hij de laatste vochtdoordrenkte mug wegschiet, schijnt de zon feller en met de ochtend wordt ook zijn hart verlicht.


De kaumatua:
vlocht een draagtas.

Daarin deed hij: koude aardappels; verse waterkers; oude maïs; en het laatste stuk gebakken brood. Hij vulde de gehavende thermosfles met sterke thee met veel suiker erin.

'Dat is voorlopig alles.'

Er zat nog een half ons tabak in zijn blik. Dat stopte hij, samen met een stuk of tien waslucifers en een stukje schuurpapier ook in de kete.

'Die persoon, misschien rookt hij.'

Er is iemand, graver of vreemdeling of gebroken man.

De avond tevoren tikte er een huhukever tegen het raam.

Hij was, met een deken om zich heen, overeind gaan zitten in bed, kaars stralend op de grond naast hem en keek een uur lang toe hoe hij over de vensterbank heen en weer liep en tikte.

Hij liet hem niet binnen.

Daarna droomde hij, hoewel hij zich niet kon herinneren in slaap gevallen te zijn. En zijn grootmoeder, die hij voor het laatst gezien had als wat geoliede, okerkleurige beenderen, sprak tot hem.

'Ik was niet in de war, ik sprak niet over waanideeën toen ik stierf,' had ze op scherpe toon gezegd. 'Dat was de manier waarop het moest gebeuren. Het wachten was zowel gunstig voor jou als voor hetgeen je moest bewaken. Nu is het voltooid.' Het kaarsje was opgebrand en ging uit. De huhu was verdwenen. Hij had huiverend zitten wachten tot het ochtend werd.

Ik heb toch een lang leven gehad; ik heb kennis verkregen en ben erop voorbereid, toch ben ik er nog niet klaar voor.

Zijn alle mensen zo huiverig voor de dood?


Hij deed zijn rugzak af, ging liggen en keek over de rand van de steile rotswand.

Grijsblauw kleiachtig spul, zag er glibberig uit; niets om je voeten op te kunnen zetten.

'Ach verdomme.' Hij ging overeind zitten en leunde tegen de rugzak.

Een uur geleden was het weer gaan motregenen. Hij had een paar kilometer gelopen op zoek naar de rivier, maar had hem niet gevonden. Natte takken sloegen hard in zijn gezicht, zijn schouders deden pijn van de draagriemen en hij begon zich zwak en misselijk te voelen.

Hij had de vorige middag voor het laatst gegeten, toen de bus bij een lunchroom was gestopt. Kartonnen sandwiches, belegd met slappe tomaat. Voor de thee van die ochtend had hij al zijn water verbruikt en om het gevriesdroogde voedsel dat hij bij zich had te kunnen koken, had hij water nodig.

Hij was in de richting van het strand gelopen, waar hij nog steeds op de afgrond stuitte.

Op het strand zou ik water hebben. En er zou misschien iets lekkers te eten zijn, natuurlijk zou er iets zijn... pipi, karengo, kina, iets... maar ik ben toch verdomme geen vogel..

Hij maakte een gebaar met zijn duim alsof hij stond te liften, en werd toen boos... je lijkt wel gek, Ngakau...

Er zat een klein flesje rum in zijn rugzak en er zaten nog drie van Kerewins sigaren in hun koker. Misschien zou dat hem op een zinnige gedachte brengen, Nou ja, dénken. En lieve God, het zou me wat warmte kunnen geven.

Hij had zijn parka aan, maar had het koud, zelfs tijdens het lopen. Nu was de kou tot in zijn botten doorgedrongen.

Hij schenkt de dop vol rum en slikt. Vult hem opnieuw en leegt die ook. De prikkelende warmte slaat als een golf door zijn keel, en zijn huid trekt zich samen en tintelt; zijn maag opent zich wijd. Hij schenkt de dop opnieuw vol en houdt hem zorgvuldig recht: er zitten drie slokjes in en het is lang geleden dat hij wat gedronken heeft.

'Dat is een stuk beter,' en zijn stem klinkt opgewekt en vol vertrouwen.

Dagen in het café... lange, lange dagen en avonden, doordrenkte dagen en stomdronken avonden... en die drie verwarrende heerlijke keren met liedjes en gesprekken en lekker veel drank... hoewel Kerewin pake zich nooit echt kon ontspannen en zich thuisvoelen, was het toch goed geweest.

Hij voelt hoe hij rood aanloopt, begint te zweten. Hij doet de capuchon van zijn parka af en laat de motregen op zijn haar komen. Kort haar, gevangeniscoupe.

Hij drinkt de dop langzaam leeg.


De kaumatua:

'Nu,' zegt hij, en gaat naast het kleine bergje aarde zitten, 'waar moet ik naartoe?'

De bovenkant van het bergje is afgeplat en hij heeft erop aangegeven waar de rivier stroomt, waar het pad is, waar de vijf stranden zijn en hun landtongen.

Zoveel jaren...

Hij sluit zijn ogen en laat het karamutwijgje vallen dat hij in zijn linkerhand had. In de duisternis achter in zijn geest, hoort hij zijn grootmoeder fluisteren. Hij heft zijn rechterhand omhoog en laat het andere twijgje vallen. Het valt traag uit zijn hand, helemaal niet zoals takjes normaal vallen.

Het valt geruisloos.

Dan, met stevig dichtgeknepen ogen, spreekt hij aarzelend, eerbiedig fluisterend, de oude woorden uit.

Hij zucht wanneer ze gesproken zijn. Ik moet dit doen, want mijn krachten nemen af, maar de kou, aiii, de kou is haast te veel.

Hij opent zijn ogen.

Het takje dat hij het eerst had laten vallen ligt op het derde strand. Het is verwrongen, alsof iemand tijdens de val geprobeerd had het te pakken.

Het andere, de zoeker uit zijn rechterhand, is moeizaam dichterbij gekomen om het eerste te ontmoeten, ligt nu levenloos tegen het eerste aan.

Hij kan het smalle spoor op de gladgestreken aarde heel duidelijk zien.

Maar het is als de eerste keer: de twijgjes hebben zich verplaatst en hij heeft niet kunnen zien wat hen bewoog.

En, als de vorige keren, voelt hij het droge, schelle lachen van zijn grootmoeder door zijn geest klinken.

'Dat is een heel eind om naar beneden te springen.'

De rook van zijn sigaar slaat terug en prikt in zijn ogen.

Die benen van hem, met magere kuiten, weinig spierkracht, en kwetsbare enkels. Zo zorgvuldig, zo pijnlijk tot bruikbaarheid gemasseerd. De oude, koude handen die heen en weer bewogen; de ranzige geur van azijnzuur en olie; het knijpen en kneden van verslapte spieren. 'E jongen, beweeg je voet,' tot lopen gestompt.

Zo, straks lig ik nog aan gruzelementen daar beneden. Het tij komt opzetten en sleurt me weg. Er zijn wel sterkere mannen ten onder gegaan in de zee.

Hij kwam moeizaam overeind en begon heen en weer te schuifelen, een paar decimeter van de rand.

De ruimte was klein. Niet meer dan een paar vierkante meter was kaal, zonder bosjes, maar het schuifelen werd een dans, een dans van verlatenheid, van pijn, van illusie. Een wankeling vol wanhopige hoop voorwaarts, een pas verslagen-door-omstandigheden achterwaarts. Het is de zondedans van eenzaamheid geworden, de enige dans van de dood.

Maar deze dans in mijn eentje is verkeerd, denkt hij wazig. Zelfs in de hel zouden er rijen moeten zijn, gelederen krachtige benen die naast de mijne stampen. Ka mate, ka mate...

Hij viel neer tegen zijn rugzak.

Waarom zit ik hier?
Terwijl ik alleen maar
hoef te springen
om beneden te komen?

Een drietonig melodietje, een gemeen jengelend deuntje: Spring Nga Kau.

Hij stompte tegen zijn hoofd. Zijn vuisten maakten een dof geluid, maar deden geen pijn. Sla je hersens tot moes, Ngakau, stomp er wat verstandigs in. Want je weet best wat je doet... O ja. Al die nachten alleen in het donker, en zijn gezicht verscheen voor je zoals de keer dat je zijn lippen kapot sloeg, en zijn gezicht kneusde en openreet en brak. Zijn schedel indeukte en dat was pas het begin. Nu zijn ze weg, weg, weg, te ver weg. 'O, ik heb jullie zo nodig!' schreeuwt hij, 'ik heb jullie allebei nodig!'

Vuisten tegen de slapen van zijn hoofd geperst als om nog meer geluid vrij te maken, als om zijn schreeuwen te voorzien van bliksemende randen om deze naderende duisternis te doorklieven.

Als ik het haal, is dat een teken.

De rotsen wachten.

Hij werpt ze de rugzak toe.

Die valt, even tuimelend, slaat tegen de grond onder hem.

Plof. Stel je eens voor dat jij dat was. En die knak is van je brede borstkas die het begeeft op de uitstekende rotsen, de hartkas is vernield en gebroken.

Hij gooit de lege fles naar beneden, in een scherpe bocht wervelen de laatste gouden druppels eruit.

Een maatje als offerande. Boffers die goden. Jullie krijgen wel vijf volle druppels als plengoffer.

'Het laatste maatje ben ik,' hij zegt het luid, maar schreeuwt het niet. 'Ik heb rum als bloed, en bloed genoeg. Schat mij!'

Hij spreidt zijn armen naar de laaghangende wolkenhemel en rent de rand over.

Een moment lijkt hij daar te hangen, ruimte onder zijn voeten en dan valt hij met misselijkmakende snelheid.

De eerste hardheid is zijn adem, die uit hem wordt geperst en maakt dat hij kreunend blijft liggen zonder lucht om te kreunen.

Het tweede dat hij merkt is zijn arm die onder hem knapt als een luciferhoutje.

En het derde is hijzelf die vloekt, Jij stomme klootzak, je had wel dood kunnen gaan, en voor niets.

Hij zegt het opnieuw en opnieuw, als een litanie, terwijl de duisternis wegtrekt en zijn adem met sidderende snikken terugkomt.

Hij worstelt om overeind te komen, houdt zijn arm vast zodat het bot niet beweegt. Hij duwt zijn hoofd tegen zijn bibberende knieën: zijn hele lichaam schudt, van de klap en de pijn en het huilen.

E atua ma, wairua ma, als er goden zijn, als er geesten zijn, O, mensen van deze plek, dan zal ik bekend komen staan om mijn stompzinnigheid. Help mij.

Zijn eigen bot dat uit zijn huid steekt, licht Delftsblauw als een varkensbot in een slagerij, als hij net is blootgelegd in het vlees.

God god god laat de pijn ophouden...

Hij drukt hem terug in zijn arm en het bloed gutst eruit. Hij kokhalst.

Ik moet het erin zien te houden maar o god waarmee?

Na een wankelende speurtocht vindt hij twee stukken hout die geen van beide helemaal recht of glad zijn. Hij bindt ze met zijn zakdoeken aan zijn arm. Hij is zwak en onhandig, en hij is er een pijnlijk lange tijd mee bezig. Hij bespot zichzelf wanneer hij kreunt:

'Je kunt het wel uitdelen, maar niet incasseren,' maar hij wordt misselijk en moet overgeven voor hij klaar is met het vastbinden en kan niet praten, zelfs niet om zichzelf aan te sporen.

Hij ziet hoe zijn hand donker wordt en opzwelt, maar hij heeft niet de kracht om de takken losser te maken.

Kijk toch eens naar mijn aderen. Knoestig en dik alsof ik al een oude man ben. Jezus, wat heb ik het koud.

Hij gaat heel voorzichtig staan. De stenen waar hij op loopt kan hij niet voelen. Moeizaam haalt hij een aantal tamelijk droge spaanders uit de vochtige hoop wrakhout vandaan. Hij verzamelt wat grote stukken hout. Steeds wanneer hij zich voorover buigt, voelt hij zich misselijk, alsof hij gaat vallen.

Hij legt het aanmaakhout op een hoopje neer; houdt het doosje lucifers in zijn mond, strijkt een lucifer af en steekt het hoopje aan.

Hij buigt zich over het kleine vlammetje, beschermt het met zijn lichaam. Wel een minuut lang smeult het slechts, dan pas vat het echt vlam. Beetje bij beetje, uiterst behoedzaam, legt hij de grotere stukken hout erbij, stapelt ze kegelvormig rond de vlammetjes...

'Haidewitska, vooruit geef gas,' zingt Kerewin en tast nog een blok op.

'Wat betekent dat?'

'Hoe kan ik dat nou in jezusnaam weten?'

Ze duwt een stuk hout wat opzij. 'Hé kijk! Zie je hoe die perfect in die schaduw past?'

'Het motregent weer.'

'Je kunt er niets meer bij doen, anders is het net of de hele troep gaat hellen.'

'En we hebben het bovendien koud.'

'Ach, dat gezeur over het weer,' snauwt Kerewin. 'Daar ga je niet dood van hoor. *Kijk!*'

'Himi zit te rillen en mijn tanden klapperen.'

'Ach, verknal het dan maar.' Ze hurkt bij de stapel en steekt een lucifer aan. De vlammetjes kruipen langs de gedraaide bosjes hout, schieten omhoog, lekken de holtes in tussen de houtblokken. Al gauw brult het vuur: Kerewin bouwt er nog meer torens en wigwams omheen, die de vlammen omvatten en leiden.

De motregen heeft geen effect.

459

Simon kruipt zo dicht hij kan bij het artistieke inferno, en hij knielt achter hem, armen wijd, vangt de warmte op en houdt de kou tegen voor zijn zoon.

Ze vond het heerlijk om bij die meesterlijke vuren van haar te zitten, en ernaar te kijken tot ze in elkaar zakten tot stille as. Hij kan ze zich stuk voor stuk herinneren: het pipi en aardappelvuur waarop ze Simon hadden leren koken; het vuur waarvan alle vlammen violet doorschoten waren; het rata vuur bij de Toren; en het vuur boven op de Moerangi heuvel, het heksenvuur, toen groene en blauwe flitsen en tongen amok maakten in het hart van de vlammen. En deze, het spinnevuur, van de keer toen de katipo eruit kwam kruipen en Kerewin hem over de palm van haar hand liet lopen.

'Heb je deze wel eens eerder gezien?'

'Jezus! Laat vallen!'

'Waarom? Mij doet ie niks. En jou ook niet.' De kleine katipo wandelde zonder enige haast over haar hand. 'Ik verpletter hem niet. Niemand valt hem lastig. Hij zal heus zijn tanden niet in me zetten. En dan nog zou het niet zo erg zijn als ie het wel deed. Maar jou zou hij misschien wel te pakken durven nemen,' zegt ze waarschuwend tegen Simon, die met uitgestoken vinger naderbij komt. 'Bekijk hem maar eens goed, Sim. Afgezien van de zeeslang die je meestal alleen in het heidense noorden aantreft, is dit het enige giftige beestje van Nieuw-Zeeland.'

Kleine Dood, die onbekend terrein onderzoekt.

Kerewin hield haar hand op de grond, en na een poosje verdween de spin tussen het maramgras.

Toch?

Zijn arm is opgezwollen en doet pijn, alsof al zijn nachtmerries spinnegifdromen waren en anders niet.

'Maar ik ben nog niet gek.' Hij mompelt het. 'Ik zit bij een rokend vuur op een verlaten strand met een gecompliceerde onderarmfractuur. Ik ben bij mijn volle verstand en vrijwel nuchter en vind het nu welletjes.'

Doodmoe gaat hij naast het vuur liggen.

'Tien minuten,' zegt hij nog zachter.

Ik ben verlaten woestenij, een wildernis vol vreemde doornstruiken en steen, die een ieder die het betreedt, schramt en striemt. O, Kerewin kan er wel doorheen met haar grimmige, vernietigende manier van doen, omdat ze onafhankelijk is, gepantserd is, en ik kan haar niet bereiken, alleen op de voorwaarden die zij stelt. Heel weinige, heel moeilijke...

En Haimona... o lieve God, mijn Haimona... Haimona dendert door elke wildernis heen, ook al haalt het hem tot bloedens toe open. Zijn bezieling maakt mij bang. Ik ben bang voor hem. Zo doorkruisen ze mijn woestenij en die woestenij heeft nog niet veel goeds opgeleverd. En niemand anders waagt zich erin...

O, ik ben verlamd door ongewone voorstellingen... al die oplichtende beelden uit mijn jeugd liggen verborgen onder de doornstruiken, de stenen... ik kan de vrouw warmte geven noch helen. Ik kan het kind warmte geven nog helen... Geen van hen...

Kwam die donderdag thuis zonder enig vermoeden, enige notie van wat er te gebeuren stond. Wat er al gebeurd was. Ae, ze had overgegeven. Maar dat kwam door een griepje. Iedereen krijgt 's winters griep. En Timote. had last van diarree maar dat was waarschijnlijk een virus. Iedereen heeft wel eens een virusinfectie 's winters. En toen het vreselijke naakte ongeloof. Ik had geen enkele bescherming tegen die doodsstemming. Ik kon niet geloven dat zoveel zo snel van me los gekapt kon worden, alleen een gapende afgrond vol kwelling achterlatend.

En er was niets, niemand om hun plaats in te nemen.

Ik kon niet dagen achter elkaar blijven huilen. Mijn keel zat dicht, mijn kaken zo op elkaar geklemd dat mijn kaakspieren de hele tijd pijn deden, zelfs wanneer ik me helemaal lam dronk. Het was misschien beter geweest als ik met haar mee was gegaan, naar huis voor de begrafenis maar... aie, alles wat ik zag, dacht, aanraakte, proefde of rook was beladen met herinneringen. Herinnerden me eraan dat ze er niet meer waren. Voorgoed niet meer waren. Alleen Haimona was nog overgebleven...

Het beste deel van mij is toen verloren gegaan. Wat rest is een diepe etterende wond die niet wil genezen, een woestenij.

Ik heb Kerewin niets te bieden dat ze wil accepteren. Ik heb Himi niets te bieden, zelfs niet meer de bescherming van mijn hart en armen. Ik weet dat ik zijn neiging tot roekeloze zelfkastijding heb versterkt, maar nu mag ik hem zelfs geen bescherming meer bieden...

Ik ben slechts een woestenij... en het ergste te verdragen is de wetenschap dat anderen veel ergere dingen verdragen hebben en er niet onderdoor gegaan zijn. Zij werden gelouterd door hun lijden, hebben betekenis en compensatie gevonden voor het verlies... O Hana Mere, waarom heb je het eten gegeten dat ze je aanboden? Waarom ben je niet bij me terug gekomen?

Aue, de wortels van de boom reiken ver en verdwijnen in de duisternis. De kust wordt door de golven gebeukt en er is verder niets dan de voortdurende onmetelijke zee.

De kaumatua:

> De man is niet groot, niet lang, maar hij is erg zwaar. Mijn krachten zijn tot het uiterste beproefd toen ik hem op zijn andere zij moest draaien om de deken om hem heen te kunnen slaan. Ik heb mijn jas over hem heen gedaan en heb het vuur wat dichter bij hem aangelegd en heb toen uitgerust. Zijn arm is slecht gebroken en slecht gezet. Zo meteen zal ik de lappen eraf halen en het bloed weg wassen en het bot opnieuw zetten. Dan zal ik trachten hem te wekken en hem te eten geven, als hij iets wil eten. Daarna zullen we zien wat er gedaan moet worden.

Hij ademde diep en voorzichtig weer in. De pijnscheuten, die voelden als exploderende bellen in zijn borst, kwamen niet terug.

Hij haalde zijn pijp te voorschijn en stopte hem met aandacht, pakte draadjes tabak die op zijn hand vielen op en deed ze terug in het blikje. Hij glimlachte in zichzelf terwijl hij dat deed.

'Ah, spaarzaamheid is een gewoonte die je niet makkelijk kwijtraakt,' zei hij zachtjes.

Hij boog zich over de stille figuur voor hem, haalde een tak uit het vuur en stak daarmee zijn pijp aan.

'Toch is er niets om je over te schamen, je bent gewoon zuinig met wat je hebt. Het doet alleen wat lachwekkend aan als je op het punt van sterven bent gekomen.'

Terwijl hij rookte, bestudeerde hij het gezicht voor hem.

Ik ben blij dat je Maori bent. Het zou heel moeilijk zijn het uit te leggen als je Europeaan was geweest.

De rookkringeltjes spreiden zich uit boven de bewusteloze man, hangen als flarden mist om hem heen. De kou achter zijn rug is intens, maar het regent niet meer en er staat geen wind.


De stem is hoog en omfloerst.

'Dit is voedsel, een stukje brood. Doe je mond open en kauw erop.'

Hij kauwt gehoorzaam, verbaasd over de smaak. Het is een beetje vettig, lijkt meer op cake dan op brood.

Het is gebakken brood, maar ik ben niet... waar ben ik?

Hij doet voorzichtig zijn ogen open.

Het gezicht boven hem glimlacht.

Joe doet snel zijn ogen dicht.

Het kán Kahutea niet zijn die me hier gebakken brood voert.

Hij is een foto ergens in het noorden en hij is al vijftig jaar dood.

Hij schudde zijn hoofd snel heen en weer. Ik hallucineer.

'He aha tau mate?'

'Wie is daar?' vraagt Joe, en zijn stem klinkt hem hard en rauw in de oren. 'Wie is daar?'

Er valt een lange stilte.

Lieve Heer, bidt Joe zachtjes, als dat eten is dat ik niet had moeten aannemen, ik heb het uit onwetendheid gegeten. Ik wil niet dood blijven.

De stem zegt:

'Ik was Tiaki Mira. Maar het is lang geleden dat iemand me zo genoemd heeft. Ik zie mezelf als de wachter.'

Joe tilt zijn hand op en legt die op zijn lichaam. Voelt stevig, voelt als zichzelf en zijn onderarm doet nog steeds pijn. Zijn vingers rusten er heel even op: opnieuw verbonden en de felle pijn is afgenomen.

Hij ademt uit, het klinkt als een snik.

'Waar is dit?'

'Op landkaarten heet het 't Driemijlstrand.'

'Er zijn heel wat Driemijlstranden,' zegt Joe onzeker, zijn ogen nog steeds gesloten.

Maar het onbehaaglijke gevoel is verdwenen. De ongemakkelijkheid van de stenen waar hij op ligt, is te normaal, de pijn in zijn arm te permanent.

'Tiaki Mira, bedankt voor het brood. Heeft u iets te drinken voor me?'

'Ae,' zegt de hoge stem. Er klink een knarsend geluid. 'Dit is thee met suiker erin.'

Het is sterk en bitter en er druipt wat uit zijn mond zijn nek in, maar de rest vloeit naar binnen als nieuw bloed.

Hij hoort dat Tiaki Mira gaat verzitten, hoort hem zijn keel schrapen. Hij haalt eens diep adem, zet zich met zijn goede arm hard af en drukt zich overeind. Hij zit met gesloten ogen tot het bonken in zijn hoofd afneemt.

'Dat is goed,' zegt de andere man. Er is een aarzeling in zijn formulering, een aarzeling tussen twee woorden in alsof hij moet nadenken wat hij wil gaan zeggen voor hij de woorden uitspreekt.

Joe kijkt hem aan.

De oude man glimlacht, en schuift hem de mand toe.

'Eet,' zegt hij en steekt zijn pijp aan.

Terwijl Joe eet, eerst aarzelend, en dan met een gretigheid die aan gulzigheid grenst, kijkt hij telkens opnieuw naar de man.

Hetzelfde strenge door tijd gescherpte gezicht,

alleen worden deze trekken ook nog verscherpt door pijn: de jukbeenderen van de oude man steken scherp uit, geven de bruine huid daar een gelige wassen aanblik;

de ogen zijn hetzelfde, diepliggend en lijken altijd van bovenaf op je neer te kijken. Deze ogen lachen echter. De adelaarsblik van Kahutea ontbreekt.

Maar het meest verbazingwekkende, denkt hij, is dat er twee evenwijdige blauwe strepen over het gezicht van de kaumatua lopen. Een werkelijk zeer oud moko, te mokoa- Tamatea.

Hij had altijd gedacht dat de mensen die een dergelijke tatoeage droegen al eeuwen dood waren.

De ogen wijken niet onder zijn onderzoekende blik, evenmin verandert er iets aan de welwillende uitdrukking op zijn gezicht. De oude man wacht.

'Ah, heerlijk,' zucht Joe na verloop van tijd. 'Dat was heerlijk. Bedankt voor het eten en voor, voor,' hij raakt zijn arm aan.

Ondanks de pijn – want nu kan hij de pijn in zijn dijbeen voelen en de blauwe plekken op zijn schouders, en het zeurderige kloppen van zijn gebroken arm – en ondanks de rillingen die hem af en toe bevangen, voelt hij zich goed. Alsof, hij durft het niet precies zo te formuleren, alsof hij boete gedaan heeft. Alsof de zwaar drukkende last die hij zoveel jaren heeft gedragen, op het punt staat van hem te worden afgenomen.

De kaumatua glimlacht weer. Hij klopt de as uit zijn pijp en pakt de kete weer in.

Dan tilt hij hem op en verheft zijn rijzige, magere gestalte in volle lengte.

'Mijn huis is een uur lopen hier vandaan,' zegt hij voorzichtig. 'Als je hulp nodig hebt bij het lopen, kan ik je helpen.'

Joe trekt een gezicht. Hij maakt een gebaar naar zijn rugzak.

'Als u me daarbij kunt helpen, verder voel ik me ok,' en stopt als hij ziet dat de oude man verbaasd kijkt. 'Ik bedoel, ik voel me goed genoeg om een uur of twee te lopen.'

Alleen door het eten, denkt hij vol verbazing, het eten en het drinken en de tijd dat ik geslapen heb. Hij gaat staan: hij voelt zich niet zwak of misselijk meer. Hij steekt zijn rechterarm heel voorzichtig onder de draagriem door, verdeelt onhandig het gewicht over beide schouders. Jammer, zegt hij in zichzelf, maar je kunt wel een paar blauwe plekken verdragen. Je hebt er genoeg uitgedeeld. Voor ze gaan, dooft hij het vuur, schuift zand over de as, en scheidt de brandende blokken van elkaar. Wanneer hij ervan overtuigd is dat het uit is, dat de rook die nu opkringelt komt van het uitdoven, draait hij zich om naar de kaumatua en kijkt omhoog naar de rots.

'Ka maharatia tenei i ahau e ora ana,' zegt hij, heel snel en zacht. 'E pai ana.'

'Ka pai,' zegt de oude man achter hem, 'he tika tonu ano tena.'

Joe kijkt hem aan. Dat kan hij niet verstaan hebben...

Het geluid van de zee versnelt in zijn oren.

De kaumatua lacht droevig terug en begint naar het noorden te lopen.

Het is rokerig binnen en erg stil.

'Wat is dat?'

'Een ontsmettingsmiddel.' De oude man knort. 'Een middeltje uit het bos...'

Hij had brede groene bladeren in een teiltje water ondergedompeld en uitgeknepen. Het sap waarmee hij Joe's arm dept is licht adstringerend.

'Je hinkte,' zegt hij enige tijd later.

Joe strekt behoedzaam zijn rechterbeen: zijn spijkerbroek zit aan de buitenkant van zijn dijbeen vastgekleefd.

'Ik heb daar mijn huid opengehaald, dat is alles,' zegt hij erop wijzend. 'Er is niets gebroken.'

De kaumatua scheurt nog een stuk van zijn overhemd af.

'Kun je je daar zelf wassen?'

Joe buigt onhandig naar voren, erop lettend dat hij niet zijn onderarm beweegt.

'Ja.'

De kaumatua knijpt zijn lippen samen en scheurt nog drie repen af. Hij rolt ze keurig op en gaat dan staan.

'Ik kom zo weer terug.'

Hij trekt zijn overjas dicht om zich heen en loopt geruisloos naar buiten.

'E, wat een vreemde oude vogel,'

maar zegt het zachtjes opdat de oude het niet hoort. Hij denkt: dit is voor het eerst dat ik iemand ontmoet die je letterlijk het hemd van zijn rug geeft.

Hij balt het gebruikte reepje stof in zijn hand samen. Ik kan altijd nog een nieuwe voor hem kopen... je wordt al net zo erg als Kerewin, Ngakau...

Hij wast de bloedkorsten weg; de stenen hebben zich zowel in zijn vlees geboord als lange schrammen in zijn heup en dijbeen gekerfd. Nog meer littekens, denkt hij wrokkig. En allemaal min

466

of meer zelf toegebracht. Ik geloof niet dat ik ooit een eerlijk ongeluk heb gehad of een eerzame verwonding...

Door het schoonmaken gaan de wonden weer open. Hij vouwt het stuk hemd tot een compres en houdt het tegen zijn dij en kan het bloeden met moeite stelpen.

In Moerangi had Kerewin gezegd: lijden is onwaardig. Lijden loutert, zei ik, maar lachte erbij om haar te tonen dat ik het ook maar onzin vond. Want wat is er nu zo goed aan een haak in je duim te verdragen? En ze zei: Soms worden de onzuiverheden uit je karakter gebrand, en voegde daar cynisch aan toe: maar de littekens die je overhoudt van het branden zijn vaak nog veel erger.

'Kom op,' zegt Joe tegen Joe, 'jij bent hier. God mag weten waar, maar hier. Zij, zij kunnen overal zijn.'

Hij knippert hevig, en speurt de kamer af op zoek naar iets om naar te kijken.

Tegenover hem staat een fornuis. Het deksel van de vlamkast is gescheurd, er lekken doordringend prikkelende wolken rook uit. Er is een stuk touw boven het fornuis gespannen: er hangt een paar grijze sokken aan te drogen. Op de schoorsteenmantel erboven staat een sierlijke zwarte klok. De klok loopt niet.

'Dat spreekt vanzelf,' zegt Joe.

Er staan boeken op de schoorsteenmantel, maar hij kan hier vandaan de titels niet lezen. Dat was een van de dingen die Kerewin altijd deed, boektitels lezen als ze ergens een kamer binnenkwam. 'Wil je iets van iemand aan de weet komen? Kijk dan welke boeken ze lezen, en hoe ze gelezen zijn...' Bij de deur, denkt Joe vastberaden, bij de deur, aan dezelfde kant van de kamer als het fornuis is de gootsteen en het aanrecht. Er zijn roestvlekken in de gootsteen waar de kraan lekt. Eén kraan – als je warm water wilt, moet je het maar koken. Vandaar de twee gehavende ijzeren ketels die zachtjes staan te dampen op het fornuis.

Aan de andere kant van de whare staat een houten bed. Daarnaast een blikken trommel. Dan is er nog een raam met spinnewebben in de hoeken. Ten slotte de tafel waar hij naast zit. Een stoel en een krukje.

'Ascetisch. Of heel arm.'

Er zijn twee ongerijmdheden.

Boven de tafel, iets naar voren stekend van de muur, als om je erop te attenderen dat ze er zijn, hangen drie zwart omlijste foto's. Een is een verbleekte, sepia-kleurige foto van een moeder en kind; beiden zijn Maori, de vrouw heeft lang haar, het kind heeft praktisch geen haar, kleine oogjes en een chagrijnige mond. De middelste foto is Michael Joseph Savage, vriendelijke glimlach, geleerde uitdrukking, de wereld mild beschouwend door een ziekenfondsbrilletje. Het officiële portret.

De laatste is een kleurenfoto, van veel recentere datum. Een jonge, blonde man, lang blond haar, ahh Jezus Ngakau, kijk er toch niet naar, maar hij doet het toch. De jonge man ziet er uitgemergeld en ziek uit, met grote wallen onder zijn ogen. Zijn glimlach is op een of andere manier manisch-vrolijk, alsof hij op een verschrikkelijke grap gestuit is. Puntige kin en hoge jukbeenderen... man, *je* wordt weer niet goed, ziet hém in iedereen. Hij wendt snel zijn blik af, op het andere vreemde voorwerp in de kamer.

Het is een versleten, zeshoekig speldenkussen van zwart fluweel. Het hangt aan de muur boven het hoofdeinde van het bed en is volgeprikt met naalden en lange antieke hoedenspelden.

'Vreemde godsdienst moet die man hebben,' en hij grinnikt in zichzelf.

De kaumatua, die tot dan toe zwijgend in de deuropening had gestaan, zegt:

'Mijn grootmoeder droeg altijd een hoed als ze naar de stad ging. Barrevoets, maar een goed bedekt hoofd. Ze gaf het grootste deel van haar geld aan hoeden uit. Een kleine ijdelheid maar een geoorloofde.'

Na een minuut stilte voegt hij er nog aan toe:

'Deze kamer is sinds haar dood onveranderd gebleven, op twee uitzonderingen na. Dát heb ik aan de muur gehangen,' priemt een vinger in de richting van de lijkbleke jongeman, 'en dit,' op zijn lichaam met ontbloot bovenlijf wijzend, 'slaapt in haar bed in plaats van op de vloer. Zij stierf buiten,' zegt hij.

Hij legt de spullen die hij bijeengebracht heeft op de tafel. De grove verbandstof is in een oplossing geweekt die heel sterk naar terpentine ruikt. Er liggen stukken vlasvezel, vers geschraapt en tot grof draad gedraaid, en twee platte stukken hout. En helder hars in een mosselschelp.

Uit een van de kastjes onder het aanrecht haalt de kaumatua een steelpan te voorschijn. Hij voegt een beetje heet water aan de hars in de schelp toe, tot het makkelijk in het pannetje loopt: hij verwarmt het mengsel op het fornuis. Als de hars gesmolten en in het water opgelost is, laat hij het afkoelen.

'Je zou dit een boslotion kunnen noemen. Of Maori smeersel. Het heelt goed, welke naam je het ook geeft.'

Joe heeft hem met toenemende wrevel gadegeslagen. Na de plotselinge schok die veroorzaakt werd door de stille verschijning en de woorden van de oude man, merkte hij dat zijn gevoelens van ontzag en dankbaarheid ineens vervangen waren door een sterk gevoel van vijandschap met ondertonen van verachting. Hij zegt plotseling:

'Ik ken de genezende eigenschappen ervan. Het is mirohars. Het ontsmettend middel was waarschijnlijk tutu. Ik vroeg u wat het was omdat ik niet kon zien wat voor bladeren u in de kom had gedaan. Het verband ruikt of u het gedrenkt hebt in olie die u uit de mirovrucht hebt geperst. Het enige wat ik verdorie niet snap, is waar je hier een miroboom kunt vinden.'

'Ka pai,' zegt de oude man. 'In mijn tuin, die heb ik daar veertig jaar geleden geplant. Het is nu al een tamelijk grote boom. Goed voor mensen die van een klif vallen, en voor duiven.'

Hij klinkt lichtelijk geamuseerd.

Hij brengt de gesmolten mirohars naar de tafel.

'Ik neem aan dat je dan ook wel weet dat het prikt, O wijze man?' Hij glimlacht traag, zijn lippen worden smaller en schuiven over zijn tanden heen. Het is eigenlijk geen echte glimlach.

'Ja,' zegt Joe kortaf.

De kaumatua is heel handig, zowel bij het aanbrengen van de lotion als later bij het opnieuw verbinden van de arm op een manier die zijn pols immobiel maakt. Maar de hars brandt als vuur en ondanks de behendigheid van de oude man, beweegt het verbrijzelde bot meer dan eens.

'Ga staan,' zegt de kaumatua wanneer hij klaar is met het aanleggen van het verband.

'Dan zakt mijn broek naar beneden,' zegt Joe en realiseert zich met afgrijzen dat hij heeft gejammerd als een papkindje.

De kaumatua ligt krom van het lachen. 'Hei!' snikt hij tussen twee lachaanvallen in, 'misschien is dit toch wel een nieuw soort mens! E hei!' Hij valt op het krukje neer, kraaiend van plezier en veegt wat tranen uit zijn ogen.

'Hei?' vraagt Joe geïrriteerd, zonder te lachen.

De ander veegt zich nog eens de ogen af.

'O, niet "hei",' zegt hij uiteindelijk. 'Gewoon maar een geluid.' Hij grinnikt snaaks. 'Ik kijk wel even de andere kant op, man, tot je er weer zedelijk uitziet, voor het geval ik iets zie dat niet voor sterfelijke ogen bedoeld is.'

Joe buigt zijn hoofd. 'Het spijt me,' zegt hij met een lage, bibberende stem. 'Mijn dijbeen blijft maar bloeden. Daarom houd ik het vast. Daarom wilde ik niet opstaan. Daarom,' hij houdt zijn mond, voelt hoe zijn ogen vollopen met tranen. God ik ga flauwvallen of begin hardop te brullen als een baby.

De kaumatua staat meteen op, zijn lachbui houdt even plotseling op als hij begon. Hij schuift Joe's hand opzij en dept de geschaafde en geschramde plekken met zijn lotion. Het prikt ontzettend maar het bloeden wordt minder.

'Ga eens voorzichtig staan. Ik hijs je broek voor je op. Goed. Leg je arm over je borst. Zo ja. Til je andere arm op. Hé, nu kun je hem weer laten zakken. Goed man. Zit dit stevig? Ah probeer eens of je je gebroken arm kunt bewegen? Nee? Goed zo. Steun nu maar op mij. Nog iets verder lopen, nog een klein stukje, nog maar twee stappen... e heel goed.'

De zachte hoge stem verdwijnt in de duisternis. De banden die zijn rechterarm tegen zijn borst houden, zitten ongemakkelijk strak, maar de arm zit stevig. Hij voelt hoe de oude man zijn laarzen van zijn voeten trekt, kan hem horen zeggen: 'E dat is goed, leun nu maar achterover. Dat is het kussen. Voorzichtig nu.'

Het bed is hard, maar de dekens zijn zacht en warm. Een poosje duisternis later hoort hij de kaumatua zeggen:

'Doe je mond open. Dit is medicijn.' Een zacht gegniffel dat van veraf komt. 'Geen brouwseltje van manukabast of zoiets interessants, e kare, maar een modern medicijn dat slaap brengt.'

De smaak komt hem vaag bekend voor.

'Kerewin,' mompelt hij, 'e Kere, ik ruik naar jouw schilderij en nu smaak ik er ook naar,' en hij glimlacht in zijn slaap.

Hij zwemt met de stroom mee in een smerige modderkleurige rivier.

Het is niet echt zwemmen: het water wordt zo ondiep dat hij zich met zijn handen over de rivierbodem kan voortbewegen.

Hij weet dat hij zijn haren niet moet laten bevochtigen door de smerigheid. Maar de lange lokken in zijn nek zijn al besmeurd en hij is ontzet omdat het bederf hem heeft aangeraakt. Hij waadt en trekt zich op zijn handen voort, hoofd hoog boven het water.

Direct voor hem is een heel lage brug. Hij heeft geen andere keus dan zijn hoofd in het stinkende water onder te dompelen. Kokhalzend zakt hij naar beneden, water loopt in zijn mond en tot zijn verrassing smaakt het zoet...

Voor hem treurwilgen, vreemdelingen, die in het water slierten. De rivier wordt smaller, tot hij moet gaan staan, want hij kan zich niet langer laten drijven. Het water sijpelt over zijn voeten, sprankelend en ijs-helder nu.

Hij kijkt neer op Hana, die op haar rug liggend naar hem glimlacht, haar gezicht ontspannen en vol vreugde. Het riviertje stroomt uit haar vagina als een gestadig puur beekje.

'E liefje, ik dacht dat je sliep...'

'Waarom zou ik slapen, Joe? Het is toch tijd om Timote te voeden, ne?' Ze schudt haar hoofd heen en weer en te midden van haar dikke lange haar ziet hij zijn kleine zoontje met zijn vingertjes zijn tenen heen en weer bewegen als om vast te stellen hoe ver ze kunnen gaan. Hij glimlacht ernstig naar Joe, maar gaat verder met zijn spel, gaat volkomen op in het spel met de beweeglijke tenen.

Hij gaat naast Hana liggen, streelt zachtjes haar voorhoofd. Het gras onder zijn heupen is warm en droog en stekelig, maar het is geen onaangenaam gevoel.

'E Hana,' zegt hij en begint sneller te ademen, 'e taku hine.'

Hana neemt zijn handen in de hare en brengt ze naar haar lippen. Ze kust ze. Ze zegt:

'Wel Joe, mijn liefje, dan moet jij maar eerst drinken.' Haar borsten zijn nog gezwollen van de melk. De melk is zoeter dan het water van de rivier. Timote kruipt te voorschijn uit de zachte diepten van Hana's haar en valt bij Hana's andere borst in slaap. Een hand streelt zijn haar, een klein bleek krom handje. 'Sssss,' zegt Haimona. 'Ae,' zegt Hana tegen hem, haar gezicht is nu slaperig en nog steeds kalm, 'drink jij maar aan Timote's kant, mijn Himi, mijn hartekind, mijn honingdiertje.' Maar als de jongen begint te drinken verandert Hana's gezicht. Haar huid wordt grijs en is kletsnat van het zweet.

'Aue, nachtuiltjes, nachtuiltjes!' roept ze uit, en haar stem is schril van angst.

Tot zijn ontzetting komt hij tot de ontdekking dat hij aan het dikke harige achterste van een enorme nachtuil zuigt. Hana en Timote beginnen te verbrokkelen, uiteen te vallen in rondtuimelende wolken nachtuiltjes met vuurogen. Haimona schreeuwt, erbarmelijk en wanhopig, en hij echoot de schreeuw.

'Aue, Hana, Hana!' roept hij in doodsangst, grijpt naar haar vervagende lichaam. Zijn hand zit onder het slijm en fijn harig poeder. De nachtuiltjes beginnen om hem heen te wervelen, hun lichamen slaan tegen zijn naakte huid met een flapperend geluid dat steeds luider en luider wordt wanneer de nachtuiltjes met miljoenen uit de grond opzwermen.

Hij snakt naar adem, spuugt het stof uit.

'Hana! O God, Hana! Help me!'

'Hana!' Zijn hart bonkt in zijn borst en het lijkt alsof een duim zijn keel dicht drukt.

'Hana is dood,' zegt een rustige stem.

Joe komt trillend overeind, steunt op zijn linker elleboog.

'Ik droomde,' valt terug in het kussen, 'een nachtmerrie.'

De kaumatua zit bij het fornuis. De klep van de vuurpot is open en hij wordt deels verlicht door het vuur, een donkere rechte figuur, gehuld in zijn overjas.

Opnieuw zegt hij:

'Hana is dood.'

'Dat weet ik.'

'Je kunt de doden niet meer tot leven brengen. Niet door herinnering, of verlangen, of liefde.'

'Weet ik,' zegt Joe nog zachter.

De kaumatua zucht.

'Maar je roept haar nog steeds. Ik heb naar je droom geluisterd. Het is griezelig om een man in zijn droom met geesten te horen praten.'

'Ik heb er niet om gevraagd over haar te dromen,' kwaadheid in zijn stem. 'Het was niet mijn bedoeling. Het gebeurde gewoon.'

'Het interessantste is,' zegt de kaumatua, alsof hij Joe's laatste woorden niet had gehoord, 'dat ze nu een nachtuiltje geworden is.' Zachtjes schudt hij zijn hoofd.

'En jij als wijs man moet toch weten wat dat betekent, hmmm?'

'Nee, dat weet ik verdomme niet. Ik wil het niet weten ook.' Zelfs terwijl hij nog spreekt, vindt hij zichzelf onvergeeflijk onbeschoft klinken.

'Maar dat wil je wel,' zegt de kaumatua. 'Je hebt goed geslapen, maar nu ben je bang om weer in slaap te vallen. Het is beter dat we erover praten. Of dat ik erover praat,' verbetert hij en lacht zijn magere niet-lach naar Joe die in de schaduw ligt aan de andere kant van de kamer. Zijn tanden schitteren.

De laatste der kannibalen... Joe is stil. Hij is bang om weer in slaap te vallen, maar niet door het achteloze zinnetje van de buschauffeur. De droom zou verder gaan, zou ondraaglijk veel erger worden. Twee jaar geleden, toen de nachtmerries waren begonnen, had hij zich afgevraagd of hij Simon had aangestoken met zijn enge dromen. Of dat Simon hem had aangestoken.

Nu klemt hij zijn tanden op elkaar tot zijn kaken er pijn van doen. De oude man weet te veel, als hij al naar je dromen kan luisteren...

'Misschien weet je het wel, van die nachtuiltjes?'

Regen striemt het oude dak. Een windvlaag laat het metaal kreunen, alsof dat 't beu is het alleen tegen de wind te moeten opnemen. De kaumatua schraapt zijn keel. Het plotseling oplichten van de kamer door het afstrijken van een luficer en een zuigend geluid wanneer hij aan zijn pijp trekt.

'Toen de tijd gekomen was om mijn grootmoeder te begraven, kreeg ik opdracht om een deel van het lijk op te eten en de rest te laten vergaan. Ik zou de beenderen moeten schoonmaken, oliën en met oker insmeren om ze daarna te verbergen. Dan, zei ze, zou ze in vrede kunnen rusten en me niet lastig vallen.'

Hij spuugt in de kachel.

'Nu, ik heb een stuk geprepareerd en gekookt, maar ik kon het niet opeten. De rest van haar bevelen heb ik opgevolgd, maar het is niet voldoende gebleken. Soms zoemt ze achter in mijn hoofd als een bromvlieg.'

Het ijzer beweegt, kreunt weer en de regen slaat gestadig neer.

'E goed,' zegt de kaumatua. 'Daarvan kreeg ik dus nachtmerries. Nu vraag ik me alleen nog af hoe ze gesmaakt zou hebben.'

Hij voedt het vuur nog wat hout en leunt weer achterover in zijn stoel.

'Ze heeft me per slot van rekening verteld hoe ik haar vrede kon geven. Het is mijn schuld dat ze blijft rondhangen, wachten, nei?'

Hij neemt de pijp uit zijn mond en blaast de as van de bovenkant van de kop.

'In een heleboel opzichten ben ik veel sterker dan zij nu is. Dus als ze wraakzuchtige gedachten heeft omdat ik haar instructies niet heb opgevolgd, kan er nog een interessante scène ontstaan.'

Godallemachtig, wat een mafkees.

'Nee, ik ben heus niet gek,' zegt de oude man zacht, en Joe verschiet, omdat hij het niet had uitgesproken.

'Ik probeerde duidelijk te maken dat de doden heel vaak terugkomen als stemmen en dromen. Soms zijn er heel goede redenen voor hun vasthoudendheid aan onze wereld. Soms hebben we niet aan hun verwachtingen voldaan.'

Zorg voor ons kind, had ze gezegd. En ik heb hem pijn gedaan. En ik ben hem kwijtgeraakt.

'Je ziet dat mijn grootmoeder er nog steeds is omdat ik in iets gerings tekortgeschoten ben. Maar het was noodzakelijk dat ze bleef, omdat ik anders in iets groots tekortgeschoten was. Dan was ik vertrokken.'

Joe vraagt zacht: 'Hoe lang bent u hier al?'

'Mijn hele leven, sinds ik een klein jongetje was. Wachtend op jou.'

De kaumatua zucht.

'Voor een jongeman als jij, die uit de buitenwereld komt, moet het wel heel vreemd lijken dat iemand al voor je geboorte op je zat te wachten. Maar wacht tot morgen voorbij is. Dan zul je weten of ik gek ben of niet.'

'U heeft me geholpen,' zegt Joe en ziet de oude man knikken alsof dat het juiste antwoord was.

'Wat nachtuiltjes betreft,' zegt de oude man monter, 'als je sterft, moet je reizen. De reis is bekend. Je zult het wel weten. Je gaat naar het noorden, naar Te Rerenga-wairua, de grijze wortel van Akakitererenga af, het rotsplateau op en de zee in. Het gat in de zee in dat naar Te Reinga leidt.'

'Dat zijn allemaal mythen en legenden,' zegt Joe, 'en ik heb er nooit veel mee op gehad.'

'Tsk,' zegt de kaumatua, 'en desondanks keert je vrouw naar je terug als nachtuil?'

'Soms verandert ze in nachtuiltjes. Soms valt haar lichaam in mijn armen uiteen. Soms eet ze een van mijn zonen op, om vervolgens aan mij te beginnen, en wel met mijn tere delen. Dat is misschien allemaal heel aardig voor een psychiater, maar het is geen voorbeeld van Maori wijsheid.'

De kaumatua trok aan zijn pijp.

'Ik denk van wel,' zegt hij na lange tijd. 'Ik heb meer ervaring met dergelijke zaken dan jij. Luister! Er bestaan drie verschillende lezingen van wat er met je gebeurt als je dood bent. Als je naar Te Reinga gaat, schijn je net te leven als hier. Uiteindelijk sterf je weer. En dan gaat je lichaam ook tot ontbinding over. Als je voorbij de geesteneters Tuapiko en Tuwhaitiri komt, áís je erlangs komt, is er onderwereld na onderwereld na onderwereld, de een nog onplezieriger dan de ander. Na de allerlaatste krijg je een keuze. Je kunt ervoor kiezen niets te worden, of als nachtuiltje naar de aarde terug te keren. Als het nachtuiltje sterft, ben je voorgoed verdwenen – dat is gewoon de kwade dag uitstellen, hei?' Gekakel.

Hij komt tot bedaren. 'Maar dat is een allegorie, denk ik. Het betekent dat je steeds verder reist, minder menselijk wordt en meer... iets anders. Jouw vrouw is nu zo ongeveer aan het eind van die weg gekomen, vermoed ik.'

Hij leunt een beetje naar voren.

'De tweede mogelijkheid is langs het zeepad te trekken. Je komt een keer boven om Ohau vaarwel te zeggen, het laatste dat je ooit van dit land zult zien, en gaat dan almaar naar het westen tot je Te Honoiwairua in Irihia bereikt. Daar vindt het oordeel plaats en word je de hemel of de hel ingeworpen.'

Nadenkend spuugt hij weer in het vuur.

'Ik geloof dat die voorstelling ergens anders vandaan komt. Het klinkt niet helemaal Maori. De derde visie, die mij meer aanspreekt,' hij grinnikt, 'is subtieler. Sommigen van ons geloven dat de ziel een keus heeft welke reis hij gaat maken, om bij Papa te blijven, of naar Rangi te gaan. Grafdelvers zetten vroeger een toetoestengel, een tiri, in de grond aan het eind van het graf, zodat hij naar de hemel wees. Dan kon de ziel het lichaam verlaten en een poosje in de zon hangen, als een cicade die uit zijn cocon is gekropen. Zij zou kunnen kiezen op welke wijze zij zich wil ontwikkelen, op de aardse of de hemelse manier, en als zij Rangi koos, zou ze opgaan in het firmament. Misschien wel zo ver als de tiende hemel waar Rehua met het lange haar gastvrij glimlacht; Rehua de schenker, oudste kind van Rangi en Papa, Rehua de ster van vriendelijkheid bij wie de bliksem uit zijn oksels schicht, Rehua die zowel sterken als zwakken bevrijdt van hun verdriet. Vandaag zal ik roepen: "Ki a koe, Rehua! Rehua, ki a koe!"'

Zijn stem schalt, krachtiger dan Joe tot dan toe gehoord heeft. Het is de stem van een juichende jongeman.

Er valt een lange stilte. Het vuur gaat uit. De regen valt in stromen, nu eens hard en door de wind gestriemd, dan weer in een gestadig, kalmerend ritme.

'Aue,' treurt de oude man ten slotte, en zijn hese stem klinkt weer ijl en hoog, 'zo zou ik graag willen dat de dingen waren, maar weet je? Ik ben nog banger dan een kind zou zijn. Ik geloof niet in het oude en heb weinig vertrouwen in het nieuwe.'

'Bent u stervende?'

'Ik ben al bijna dood.'

Het werd op droge toon gezegd.

'Ergens op de dag komt voor mij het einde. Je hoeft niet zo te huiveren.'

Hij boog zich voorover en pakte nog wat hout en kreeg het vuur zover dat het fel oplaaide. Toen zei hij: 'Het wordt al bijna licht. Ik heb je het een en ander te vertellen, maar je moet sterk zijn als je het hoort. Het zijn geen angstaanjagende dingen, maar het zijn ernstige zaken. Zaken die van belang zijn voor jou en voor alle mensen. Ga dus maar weer slapen. Je zult niet dromen.'

Joe zegt met schorre stem:

'Ik geloof dat ik in een nachtmerrie leef. Ik geloof dat ik al maanden in een nachtmerrie leef. Misschien altijd al wel.'

'Rupahu! Je bent een zieke man, een gebroken man, maar nu is het tijd voor jou om te genezen, gezond te worden. Om op te bloeien en vrucht te dragen. Ga maar slapen.'

De oude man trekt zijn overjas weer stevig om zich heen, gaat in de stoel zitten en staart roerloos voor zich uit in het vuur.

Ik ben niet slaperig. Wie kan nu slapen in zo'n walm van rook en terpentijn? Ik denk dat ik me eigenlijk schuldig zou moeten voelen omdat ik in zijn bed lig. Eigenlijk zou ik het hem moeten aanbieden en hem wat laten rusten, zeker als hij denkt dat hij gauw zal sterven. Maar hij kan nu niet zomaar doodgaan. Want ondanks al zijn arrogantie en geklets, geloof ik dat die oude net een nachtmerrie voor me heeft opgehelderd. En ik begrijp nu wat Hana bedoelde toen ze zei...

De kaumatua lacht in zichzelf als hij hoort hoe het geluid van zijn ademhaling luider wordt en aanzwelt tot een rustig, gelijkmatig gesnurk. O man, denkt hij, jij bent nog erg jong en hoewel het leven je gebroken heeft, kun je jezelf nog helen. Met een beetje hulp, met een beetje hulp. En jij, die daar achter in mijn geest zit te giechelen – O ja! ik hoorde je wel toen je ermee begon, toen ik hem vertelde wat je me zo lang geleden liet doen, want dat was jouw idee van een grap, nei? – heel spoedig ben ik bij je, achter in mijn geest, en die gedachte doet mijn respect niet toenemen... mijn handen wringen zich van woede, oude vrouw. Pas maar op! Er is nu niet lang meer te gaan!

Met verwondering en makkelijk vloeiende tranen denkt hij: ik heb in ieder geval nog de zekerheid haar te ontmoeten.

En de droge stem zegt vanuit de duisternis:

Dat heb ik toch gezegd. Dat ben je nooit kwijtgeraakt.

De whare stond te schudden.

Een windvlaag joeg de rook weer de schoorsteen in en as dwarrelde uit de klep.

'Ata! Hou je van as in je soep?'

De stem van de oude man klinkt levendig, en zijn ogen glimmen van plezier.

'Niet bepaald,' zegt Joe en neemt nog een slokje thee.

Zijn gezicht vertrekt. De thee is bijna zwart en zo bitter als hij nog nooit eerder heeft geproefd. 'Maar als het erin zit, zit het erin.'

Hij denkt:

Vreemd... ik voel me vrolijk en, o, ik weet het niet... bevrijd? Hij overweegt dat terwijl hij voorzichtig nog wat van het helse brouwsel nipt.

Ja, bevrijd. Alsof er iets van mijn schouders geklommen is.

Toch is er niets veranderd. Ik kan me nog alles herinneren.

God, ik voel mijn arm nog net zo erg als gisteren.

Hij kijkt starend in zijn kopje.

Heel vreemd. Het gesprek vanmorgen vroeg? Mijn dromen?

Nah, het moet de weersverandering zijn...

De lucht buiten is diepblauw. Wittige lapjes wolk schieten voorbij, naar het oosten. Er staat een stevige bries.

'E ka pai,' zegt de oude man. 'Er is niet zo veel. Misschien net genoeg om een andere smaak in je mond te krijgen.'

Bedrijvig roert hij in de soep. 'Je ziet er nu veel beter uit.'

'Ik voel me veel beter,' zegt Joe grinnikend. 'Meestal gedraag ik me niet als zo'n klootzak. Het spijt me dat ik zo slecht gehumeurd was.'

De kaumatua grinnikt terug. Het is een ondeugend lachje, dat veel op het lachje van Himi lijkt als hij iets gedaan heeft dat niet slecht, maar ook niet goed is.

'En ik provoceer mijn gasten meestal niet,' antwoordt hij zacht, en de lach verdwijnt. 'Het was noodzakelijk wat woede bij je op te wekken, om het genezingsproces op gang te brengen. Des te beter wanneer die woede zich op mij richtte. Dat mag dan misschien vaag en mystiek klinken, maar jij was de gebroken man die moest komen.'

'U hebt me niet geprovoceerd.'

'Toch wel. Ik heb al jong geleerd hoe je mensen kunt manipuleren, van iemand die veel te veel wist. Je kunt mensen tegen je innemen door je houding en de klank van je stem, zonder dat zij zich ervan bewust zijn dat het gebeurt. Het omgekeerde kan natuurlijk ook, je kunt mensen voor je innemen. Of je kunt mensen in slaap laten vallen.'

Joe werpt hem een zijdelingse blik toe.

'En daar is niets geheimzinnigs aan,' zegt de kaumatua droevig. 'Het is schrikbarend makkelijk om mensen naar je hand te zetten en te laten doen wat je wilt, wanneer ze denken dat zij steeds de touwtjes in handen hebben.'

'Zoals ik, vanmorgen?'

'En gistermiddag. Het is natuurlijk makkelijker wanneer iemand mentaal of fysiek verbonden is met pijn of juist aangename gevoelens.'

Hij pakt twee koppen uit het kastje onder het aanrecht en schept er soep in. Hij zet ze neer bij een bord gebakken brood.

'Eet smakelijk,' zegt hij.

De soep is groenig. De smaak is gepeperd, maar doet enigszins aan kip denken.

'Wat zit hier in?'

'Voornamelijk aal. Een enkel vogeltje. Groen.'

'Oh.' Hij blaast voorzichtig in zijn kop. Onhandig, maar één hand om mee te eten.

'Wat voor vogel? Groen?'

De oude man doopt een stuk brood in zijn soep. 'Voor zover ik me kan herinneren is het allemaal begonnen met een eend en zes aardappels. En op een avond heb ik er twee zilveraaltjes bijgedaan. Daarna wat meer water, een duif, waterkers, puwha, nog wat aardappels, o, die soep groeide en groeide maar.' Schudt zijn hoofd, lacht stil.

'Wat is er zo grappig? Het lijkt me een goede manier om een soep op te bouwen.'

'Ik stelde me altijd voor dat je sterfdag in een plechtig rituele sfeer zou verlopen, en niet met gesprekken over de samenstelling van een soep!'

'Ik kan me slechtere manieren voorstellen om die dag door te brengen... denkt u echt dat u doodgaat?'

'Ik weet het,' zegt de kaumatua. 'Zodra we klaar zijn, vertel ik je het verhaal en laat je zien wat je gezien moet hebben en hoor je antwoord. En dan: hij haalt zijn schouders op, 'haere. Mou tai ata, moku tai ahiahi.'

Hij steekt zijn pijp aan en nestelt zich weer in zijn stoel.

'Na, dat heb ik je niet eerder gevraagd, maar hoe heet je en wie zijn je mensen?'

'Ik ben Joseph Ngakaukawa Gillayley en ik ben Ngati Kahungunu.'

'Ah, ah, goed... ik zal je niet vragen wat je hier op dit land deed?'

'Ik zal het u vertellen omdat u het moet weten,' zegt Joe snel. 'Ik zwierf gewoon wat rond. Ik ben vorige week uit de gevangenis ontslagen en ik had, ik kon nergens naartoe. Ik had mijn huis verkocht voor ik de gevangenis in ging, mijn zoon is me afgenomen, en mijn vriendin is verdwenen. Ik bedoel, ze is wel ergens, maar ze is niet meer thuis. Ik kon nergens naartoe.'

Het gezicht van de oude man is onbewogen: hij kijkt niet verrast of verstoord omdat Joe vertelt dat hij pas uit de gevangenis is ontslagen, maar bij het horen van het woord vriendin, verandert zijn gelaatsuitdrukking.

'Die vriendin... tuiniert zij vaak? Is ze hovenier, misschien?'

Joe schiet in de lach.

'Nee, ze schildert... maar ze zorgt uitstekend voor haar paardebloemen!'

De ander fronst.

'Maar ze doet niet iets met graven of land bewerken?'

'Nee,' en hoort plotseling Kerewin vertellen over de droom die bij de Tahoro Ruku hoorde.

'Keria! Keria!' zegt ze opnieuw, 'raar eind voor een droom, eh?'

'Ze heeft eens een droom gehad waarin ze opdracht kreeg om te graven. Iets opgraven, ze wist niet wat,' zegt hij langzaam.

De oude man leunt een beetje naar voren en priemt met zijn pijp in de lucht.

'Ah,' zegt hij, met zeer heldere ogen, 'vergeef me deze onbescheidenheid, mijn nieuwsgierigheid... maar is er iemand in je naaste omgeving die je een vreemdeling zou kunnen noemen?'

En hoe kan hij dat nu in vredesnaam weten?

Joe huivert. 'Ja,' aarzelend, 'mijn zoon. Ik moest de gevangenis in omdat ik hem mishandeld heb.' Hij werpt de oude man een snelle blik toe. 'Hij was ernstig gewond en zij, de rechtbank, mensen van de kinderbescherming, hebben hem bij me weggehaald. Ik mag hem zelfs niet meer bezoeken... maar hem zou je een vreemdeling kunnen noemen.'

Dat is een aardig understatement, Ngakau.

'Ik bedoel, ik ken hem, ik heb hem vier jaar meegemaakt, maar hij was niet van mij en zijn afkomst is een mysterie. Niemand weet hoe hij heet of waar hij vandaan komt. Hij was te jong om het ons te kunnen vertellen en bovendien kan hij niet praten.' En iets anders eigenlijk ook niet meer, denkt hij met pijn in zijn hart.

Het duurt een aantal lange seconden voor hij de oude man weer durft aan te kijken. Hij glimlacht van verrukking, lijkt wel, maar er wellen tranen op uit zijn gesloten ogen. Voor Himi? denkt Joe vol verbazing, maar dan zegt de oude man:

'Nou, Joseph met de vele zorgen, man van de oostkust, wanneer je oud wordt, komen de tranen makkelijk. Jij bent jong, jij kunt je tranen nog wel bewaren. Je kunt zelfs tot de conclusie komen dat je niet hoeft te huilen om die vreemde vriendin en je gekwetste verloren zoon. Als mij de tijd beschoren is, zal ik het voor je uitzoeken, maar nu moet ik langdurig, ononderbroken spreken.'

Joe knikt naar hem: Ja, ik begrijp het.

Tiaki Mira's gezicht is grijs, en de lijnen om zijn mond en ogen staan diep en donker afgetekend tegen de ziekelijk bleke huid. Gepijnigd en stervende.

Maar hij grinnikt en zegt: 'E kui, dat had ik toch nooit kunnen raden? Vreemdeling en graver en gebroken man in één? In één... hoe had ik dat kunnen weten? Ik keek uit naar een van hen...'

Hij zucht en kijkt Joe aan.

'Het begon met mijn grootmoeder. O, het bestond al lang voor die tijd, maar er was iemand nodig met de vooruitziendheid en intelligentie van mijn grootmoeder en haar gevoel voor wat het juiste was, en, mag ik wel zeggen, haar fanatisme, om te kunnen voortleven. Anders was het, zelfs in haar tijd, nog een stuk verloren gegane kennis geworden. Nog een legende. Een van de droomleugens van de ouden. Maar mijn grootmoeder hoorde erover, en zocht, en vond, en bleef als wachter. Ze vond een man om mee te trouwen en bracht twee kinderen van hem groot. Geen van hen, man en kinderen, waren zo sterk als zij was. Ze stierven allemaal voor haar en omdat ze die vreemde gaven had, wist ze dat ze gingen sterven, en heeft het geen van allen verteld. Toen mijn moeder stierf, stuurde mijn vader bericht en kwam ze me halen.

Ik was tien jaar, een pienter kind. Ik was Engelstalig opgevoed. Ik dacht zelfs in het Engels. Dat kan ik nog steeds... op de boerderij spraken ze soms Maori, maar ze waren geen Maori's meer. Maori aan de buitenkant, maar van het hart was niet veel meer over. Je kunt het ze niet kwalijk nemen. Men verwachtte in die tijd dat de Maori's zich zouden aanpassen en spiegelen aan de Europeanen. Men dacht dat de Maori's niet zouden kunnen overleven, dus hoe eerder ze zich als Europeanen zouden gedragen, hoe beter, nei?'

De oude ogen tonen net zoveel mededogen als die van een havik, speuren sterk naar een teken van instemming.

Joe staart onbewogen terug.

De kaumatua slaat zijn ogen neer.

'Mijn grootmoeder was niet zo. Het enige Europese aan haar was haar hoed... ah, de hoeden die zij droeg! Wagenwielen, bedekt met fruit, met vogels, met allerlei soorten wassen namaakdingetjes. Vastgezet met een hoedenspeld als een dolk... oh, wat een hoeden...' schudt zijn hoofd, 'maar afgezien van die hoeden, was ze een van de ouden. Ze droeg geen schoenen, en haar voetzolen waren zo hard als leer. Ze was lang, langer dan ik ben, en zwaar, gespierd en vet. Een grote vrouw, een heel grote vrouw... ze had een ziekte aan haar inwendige organen en ze rook verschrikkelijk. Haar haar was roestachtig zwart en haar tanden waren enorm, als van een paard. Ze stond in de deuropening en riep me: "Mokopuna! Tamaiti!" en ik was doodsbang en drukte me tegen mijn vader aan voor het geval ze me zou pakken en misschien wel verslinden. Ik was een pienter kind, maar had te veel verbeeldingskracht... ze knielde in de deuropening en tranen stroomden over haar gezicht.

"Kom bij me," riep ze, "ach, klein kindje, kom toch bij me! Ik heb je zo nodig!" En ze bleef roepen en huilen tot ik niet bang meer was, want hoe kon iemand die je zo nodig had je nou kwaad doen.

Ik liet me in haar armen sluiten, en ze omhelsde me stevig, en toen stond ze op en gaf me met die harde grote hand van haar een flinke draai om mijn oren. "De volgende keer kom je meteen als ik je roep,' zei ze en ik suizebolde en voelde me verward. Zo'n mengeling... ik kwam er de volgende twintig jaar achter dat ze heel teder kon zijn, maar ook keihard. Ze was zichzelf en inderdaad een heel merkwaardige vrouw. Ik was eenzaam, als kind te veel alleen, en nog eenzamer en nog meer alleen als jongeman. Dat voelde ze aan en ze wist precies wanneer de tijd gekomen zou zijn dat ik het wachten en de kennis die ze me opdrong niet meer aan zou kunnen. Toen gaf ze me een handvol geld, letterlijk een handvol gouden munten, en ze had een grote hand, weet je nog?

En ze zei: "Ga weg, leer je grenzen kennen. Leer genieten van alles wat mensen en steden je kunnen bieden. Trouw, als dat nodig is. Maar als ik je laat halen, kom dan!" Toen had ik al geleerd aan het minste of geringste dat ze zei gehoor te geven, zonder aarzeling. Ze was een angstaanjagende oude vrouwen ze bezat meer kennis dan goed is voor een enkel mens.

Ik ben gegaan en ontdekte dat ik, waar ik ook kwam, een vreemdeling was. Vrouwen waren bang voor me. Ik was te ernstig om goed gezelschap voor mannen te zijn. Ik dronk en leerde er niet van te houden. Ik begon te roken en vond het lekker. Ik ging naar bed met hoeren en vrouwen van lichte zeden en kwam tot de conclusie dat mijn verbeelding en de wazige plaatjes die ik in mijn jeugd gezien had, veel levendiger en echter waren dan wat er gebeurde. Ik las veel. Ik luisterde veel. Toen ging ik terug naar mijn grootmoeder en gaf haar de zeventien gouden munten terug. Ik vertelde niet veel over wat ik gedaan had, en zij vroeg niets.

Sindsdien heb ik deze plek maar één keer verlaten. Dat was toen ik ziek werd, twee jaar geleden, slijm op mijn borst... het was niet de ziekte die me verjoeg, maar de angst dat ik zou sterven voordat de mensen op wie ik wachtte, graver, vreemdeling en gebroken man, gekomen zouden zijn. Ik maakte een afspraak met een notaris in Durville, dat is het dichtstbijzijnde stadje... een rare afspraak

483

vond hij het, maar een acceptabele. Ik maakte mijn testament, dat trouwens nog steeds niet getekend is, en geen begunstigde heeft, nog niet. Bij de notaris liet ik een ingewikkeld getekend motief achter en ik vertelde hem dat ik hetzelfde boven de naam van de begunstigde en mijn eigen naam zou tekenen op mijn kopie van het testament, zodat hij zou weten dat ik bij mijn volle verstand was bij het ondertekenen en niet onder dwang handelde. Ik vertelde hem dat als hij het testament niet ontving, omdat ik te vroeg overleed, hij het land voor me moest beheren en zelf een geschikt iemand moest kiezen... maar zelfs toen geloofde ik niet echt dat dat nodig zou zijn. De notaris gaf me het adres van een dokter en de dokter genas mijn longziekte en daarna, dagen later, keerde ik naar huis terug.

Mijn grootmoeder stierf bijna veertig jaar geleden, en ze stierf een moeilijke dood. Voor ze stikte, fluisterde ze me toe dat ik moest wachten tot de vreemdeling thuis kwam, of tot de graver begon te planten, of totdat de gebroken man gevonden en genezen was. Dan konden ze mijn taak overnemen. Konden zij de wacht houden. Zij konden beslissen wat de volgende stap moest zijn... ze gaf me opdracht met haar te doen wat ik je verteld heb. Ze zei dat als ik het land in de steek liet, het land me tot na mijn dood zou vervloeken. "Houdt de wacht!" riep ze me toe. "Houdt de wacht zoals ik je geleerd heb! Zolang jij de wacht houdt, is het veilig..." op het eind smeekte ze me, toen haar geest brak, smeekte ze me, wat ze niet meer had gedaan sinds die dag, lang geleden, toen ze me van de boerderij kwam ophalen.

Ik ben gebleven en heb hier de wacht gehouden. Vaak heb ik bittere vloeken geuit, want ik was gedoemd alleen en eenzaam te leven, en waartoe? Om te waken over iets dat moderne mensen als bijgelovige nonsens betitelen. Iets dat moderne mensen als een illusie zullen bestempelen. En toch: veertig jaar na de dood van mijn grootmoeder krijg ik een man op bezoek die in zijn hart twee van de mensen koestert die mijn grootmoeder had aangekondigd. En hij zelf is de gebroken man... is het niet merkwaardig?'

De zachte hoge stem heeft een hypnotiserende werking. De ouderwetse zinnen glippen makkelijk Joe's oren binnen. Hij heeft gestaard, zijn ogen gefixeerd op het felscherpe gezicht. Hij kan zich niet herinneren ook maar iets gedacht te hebben terwijl de stem het verhaal vertelde.

Verteld? denkt hij, er is niets verteld. Het verhaal van een eenzame oude man, die verwrongen en verslagen is door een dominante oude vrouw... maar hij zegt:

'Ja, heel merkwaardig,' zachtjes.

De oude man gniffelt. Het heeft een wat ademloze bijklank, alsof er niet meer voldoende lucht in zijn longen over is om vrolijkheid te doen klinken.

'En jij denkt maar dat ik een beetje gek geworden ben door de druk van de eenzaamheid en de jaren, eh? Of misschien denk je wel dat ik altijd al zo geweest ben? Hihi!'

Joe kijkt blozend naar de tafel. Hij houdt zijn ogen gericht op zijn soepkop; op het bodempje dat er nog inzit, is een vlies gekomen met gouden vetoogjes die over het oppervlak gesprenkeld lijken. Hij zegt niets. De oude man piept weer.

'Geen wonder,' voegt hij eraan toe. 'Dat zou ik ook gedacht hebben als ik jou was. Maar ik zal je nog meer vertellen... O Joseph, heb jij misschien tabak bij je? Kijk,' haalt zijn gebutste blikje te voorschijn en maakt het open, 'de mijne is bijna op. Net als ik.' Hinnik, hinnik.

Als hij echt gek was, zou hij er toch niet om kunnen lachen. Joe staat met moeite op.

'Ik heb wat te roken in mijn rugzak, ik zal het even pakken.'

Hij komt terug met twee sigaren en legt ze op de schoot van de kaumatua.

'Anana!' roept hij vol blijde verrukking. 'Dit soort rookte ik toen ik pas begonnen was... wat een aardig geschenk.'

Met trillende vingers haalt hij het cellofaan eraf.

'Mijn vriendin Kerewin liet deze voor me achter. Ze deed ze bij een brief die ze voor me bij kennissen achterliet in de stad waar ik vandaan kom. Nou ja, eigenlijk is het niet echt een brief...'

De oude man knikt.

'Dat moet je me zeker vertellen, als er nog tijd is... maar ik moet eerst afmaken wat ik je te vertellen heb.'

Hij steekt de sigaar zorgvuldig aan en blaast met een diepe zucht van voldoening de rook uit.

485

'Vreemd wat een herinneringsvermogen je mond en neus hebben, nei? Nu, eens denken hoe ik je gerust kan stellen... ik denk dat het allerbelangrijkste is dat ik op je wachtte, op jou, de gebroken man. Of op een van de andere twee mensen, ja?'

Wanneer Joe knikt, antwoord hij:

'Ik ben hier nu vijftig jaar, nee, bijna zestig jaar en in die tijd zijn er maar heel weinig mensen gekomen. Er was hier ooit een houtzagerij, maar ze hadden al snel alle bomen omgezaagd en hij was, toen mijn grootmoeder stierf, al niet meer in bedrijf. Na haar dood waren er wat mannen die op zwijnen en herten jaagden. Een keer drie mannen, die goud zochten. Wat mensen van de inspectie. Ik keek wat ze deden, en waar ze naartoe gingen. Ik volgde ze heimelijk. En nooit voldeed een van hen aan de beschrijving. Het waren allemaal gezonde mensen, zware sterke doodgewone mannen. Er was ooit een man die heel anders was, en een poos lang...'

Een minuut lang mijmert de oude man, zijn ogen staan afwezig. Dan schudt hij zijn hoofd en zijn ogen worden weer helder en bewust.

'Toen ik terugkeerde uit de stad nadat ik mijn testament gemaakt had, kwam ik niet alleen. Er was een man bij me, die in vrede wilde sterven. Hij had in het ziekenhuis gelegen, in het bed naast het mijne, en dat had hij verteld, en ik had hem uitgenodigd om hier te sterven. Dat is een foto van hem,' wijst op de foto van de jonge bleke man, 'en zijn naam was Timon. Hij was zanger, zei hij. Hij had geen familie. Zijn vrouw was overleden en zijn kind ook, zei hij en ze zouden spoedig weer verenigd zijn. Hij leek heel gelukkig bij die gedachte. Maar het kan ook door de drugs gekomen zijn. Hij spoot zich meerdere malen per dag in, en daarna was hij altijd kalm en berustend. Op een dag, een week nadat hij gekomen was, vond ik hem dood voor de deur liggen, met de naald nog in zijn arm. Hij zag er zo vredig uit dat ik moest huilen. De volgende dag hield ik de bus aan en vertelde de buschauffeur wat er gebeurd was en later op de middag kwam de politie en nam hem mee.'

Een wolk rook.

De oude man zegt:

'Hij was een knappe man, of liever, het was een knappe man ge-

486

weest. Hij had een prachtige stem, die zelfs ondanks zijn pijn kon schallen en galmen. Hij vertelde niet veel over zichzelf, alleen dat hij zanger was geweest en dat hij samenwoonde met een vrouw die oud genoeg was om zijn moeder te kunnen zijn. Zo zei hij het. "Ze is oud genoeg om mijn moeder te kunnen zijn en godallemachtig, wat is ze mooi. Ik bedoel wat was ze mooi. Ze was niet mooi toen ze stierf." Soms huilde hij om haar en het kind. Andere keren huilde hij omdat ze allemaal zo ver van huis waren, zei hij. En soms huilde hij om mij. "Een wachter over wie ik zou kunnen zingen," zei hij, "een ware heldenwacht... dát het niet lang meer moge duren, meneer." Hij noemde me altijd meneer, hoewel ik hem mijn naam en omstandigheden had verteld.'

Hij haalt zijn schouders op.

'De dag voor hij stierf, zong hij een lied voor me. Ik weet niet in welke taal het was, maar die melodie is me altijd bijgebleven. Die dag gaf hij me ook die foto. Die had hij laten maken voor hij het ziekenhuis in ging, vertelde hij, omdat hij dacht dat hij daar zou sterven en hij wilde hem aan iemand toesturen, een vrouw geloof ik, als herinnering aan hem. Maar hij zei dat hij me alles wilde geven wat er te geven was, en dat was alles wat er was, zijn lied en zijn foto. Ik wilde dat ik het lied nog goed genoeg kende om het je te kunnen geven. Het is zonde dat ik zijn lied niet kan laten voortleven.'

Hij nam nog een laatste trek en kuchte bij het uitblazen van de rook.

'Ik heb te veel tijd besteed aan Timon de zanger... maar hij was de enige die anders was dan de anderen die hier kwamen. En hij stierf hier... Twee nachten geleden lag er een groene gekko op mijn bed. Die nacht bleef er een huhu op het raam zitten tot ik in slaap viel. Mijn grootmoeder heeft veel met me gepraat. Ik heb takjes opgegooid om te zien wat ik moest doen en waar ik naartoe moest gaan. Eentje brak. De andere kwam terecht op een plek die ik Het Driemijlstrand had genoemd. Ik wist dat je eindelijk gekomen was. Niet wat je noemt ruim op tijd!' en hij lacht weer.

Ik wou dat hij dat niet deed, denkt Joe. Het is te schel. Het klinkt of hij er elk moment tussenuit kan knijpen. Hij ziet ernaar uit ook.

Om zijn ongenoegen te camoufleren, zegt hij:

'U bent een wachter, zegt u. En ik ben degene die volgens de voorspelling na u de wacht gaat houden. Wat moet ik eigenlijk bewaken?'

'Ik zal het je zo snel mogelijk laten zien... maar voor ik het je toon, moet je weten wat het is. Anders zul je alleen maar schaduwen in het water zien...'

Hij gaat staan, buigt zich vanuit zijn middel voorover, verheft zich als het ware stukje bij beetje, borst, schouders, nek, hoofd. Hij kijkt Joe lange tijd aan en zegt niets. 'Misschien kan ik het niet goed onder woorden brengen,' zegt hij ten slotte.

Hij buigt zijn hoofd.

'Mij werd erover verteld, ik leerde erover, lang voordat ik het zag. Ik was voorbereid, en aue! er is geen tijd om jou voor te bereiden. Ik denk dat het het beste is om het maar ronduit te zeggen. Ik bewaak een steen die op een van de grote kano's werd meegevoerd. Ik bewaak ook de kano zelf. Ik bewaak de kleine god die met de kano mee kwam. De god piekert over de mauriora, want dat is het thuis van de steen, maar de mauri is bijzonder en groter dan de kleine god... de kano rot onder hen beiden weg... aie, het is een kleine god, niemand aanbidt hem meer. Maar hij is nog niet dood. Hij heeft zijn verlangens en herinneringen en zijn zorg om enigszins in leven te houden. Als jij besluit om weg te gaan, is hij de enige die nog over is als wachter, als bewaker.'

De oude stem hapert en stottert. De kaumatua kijkt niet op. Er trekken voortdurend huiveringen door hem heen.

Lieve Jezus Christus! Je kunt hem maar beter te vriend houden, Ngakau, maar hij is gek! Zestig jaar lang een kano bewaken. Een mauriora! Een klein godje! Weet hij dan niet dat de musea er vol mee staan ?

Maar als uit een onderstroom welt er een donkerder gedachte op –

Misschien een priesterkano? Een levende god? Een levende mauriora?

Hij zegt in oprechte verwarring:

'Wat kan ik zeggen? Wat kan ik doen? Ik heb ze wel in musea gezien, Tiaki. Doorboorde stenen en oude houten stokken waarin de goden geacht werden te leven. Waar het vitale deel van een

488

ding verondersteld werd te rusten. Maar zijn die niet van tijdelijke aard? En kunnen ze niet voor zichzelf zorgen?'

De oude man mompelt:

'Deze niet... het is het hart van dit land. Het hart van dit gebied.'

Hij recht zijn schouders, zijn donkere ogen branden.

Op krachtiger toon:

'Bij toeval of opzettelijk brachten de ouden toen ze hier aankwamen, of misschien kwam hij wel uit eigen beweging, de geest van de eilanden mee, deel van de geest van de aarde zelf, die rustte in de goddelijke rustplaats die zij hadden meegenomen. O, niet meer in staat om weg te gaan. Zowel veilig als kwetsbaar?'

Hij stopt, zich plotseling bewust van de verwarde zinnen, en dat hij onsamenhangend praat.

'O Joseph, mijn tijd komt sneller dan ik dacht... er zal geen tijd zijn voor plechtigheden, je zult het land zonder gebeden moeten aanvaarden, maar je zult mijn zegen hebben... luister goed. Mij werd geleerd dat de ouden geloofden dat dit land, en ons volk, anders en bijzonder zijn. Dat iets heel groots zich met enkelen van ons verbonden had, zich aan ons gegeven had. Maar wij veranderden. Wij verzorgden het land niet meer. We vochten onder elkaar. We werden door horden van die blanke mensen onderworpen. We werden gebroken en verzwakt. We vergaten wat we hadden kunnen zijn, dat Aotearoa het schitterende land was. Misschien wordt het dat ooit weer... hoe het dan ook gegaan is, dat wat zich met ons had verbonden, is er nog steeds. Ik zorg ervoor, omdat het nu slaapt. Het heeft zich in zichzelf teruggetrokken toen de wereld veranderde, toen de mensen veranderden. Mij werd verteld dat het meegenomen en vernietigd kan worden wanneer het slaapt... en dan zou dit land worden beroofd van al het schitterende, alle vrede, alle glorie. Voorgoed. De kano... heeft macht, door zijn herkomst en degenen die hem gebouwd hebben, maar het is een gewone kano. Een van de grote schepen van ons volk... maar een schip op zich is niet zo belangrijk. En er zijn nog heel wat kleine goden op aarde, sommigen zijn zelfzuchtig, anderen zijn machteloos welwillend, sommigen rusteloos, anderen slapen... maar ik ben bezorgd over de maūri! Aue! Hoe kan ik het je aan je verstand brengen? Hoe? Hoe? Hoe?'

Hij slaat met zijn vuist tegen zijn dij en haalt zuigend zijn adem in. Hij houdt hem in, zijn benige borst zwelt op onder de flappen van zijn jas. Dan laat hij uitgeput zijn adem uitstromen en staat stil, grijs en gepijnigd en vermoeid.

'Drie dagen geleden had ik u nog smalend uitgelachen, nu geloof ik u,' zegt Joe eenvoudig. 'U komt naar het strand, erop voorbereid iemand te ontmoeten en te helpen. U heeft me geholpen. U heeft verteld over al die jaren wachten, de wacht houden. U heeft me verteld waarom. U bent een gezond mens en een wijs mens. Ik geloof u. Ik begrijp het niet allemaal, maar ik geloof u.'

Hij staat op en steekt zijn arm uit.

'Laat het me maar zien,' zegt hij weer.

Het is een lange trage mars, in begrafenistempo, een dodenmars.

De kaumatua schuifelt, zijn hand met de benige vingers grijpt Joe's onderarm. Hij beweegt zich voort als een blinde; zijn voeten blijven haken achter takken en struikelen over stenen. Hij mompelt voortdurend in zichzelf. Hij verzwakt afgrijselijk snel, de kaarsrechte man van gisteren is luttele uren later verworden tot zo'n magere vogelverschrikker.

Ik heb wel eens dode mensen gezien, maar ik heb nog nooit iemand zien sterven.

Wat moet je dan doen? Hun hand vasthouden en ze hun gang maar laten gaan?

Bidden? Tangi? Luisteren?

De oude man struikelt en valt bijna. Joe vangt hem met zijn lichaam op.

'Hoek. Links.' Hij stoot de woorden uit. Dikke aderen op het voorhoofd van de oude man kloppen alarmerend.

Het platgetreden pad splitst zich. Joe helpt hem het linker pad af. Ze komen bij rotsen, afgesleten en afgebrokkeld, maar nog steeds boven hen uit torenend. Een oude rivierbedding waar de rivier aeon en geleden had gestroomd, en deze plek als bedding had uitgesleten. Een stille plek: okerkleurige en leigrijze stenen. Geen vogels. Geen insekten. De enige planten zijn onkruiden, taai, grijs en ingetogen.

De oude man trekt Joe aan zijn arm. Hij wijst met bevende hand.

'Grot In grond.' Hij klemt zijn lippen op elkaar en sluit zijn ogen in concentratie. 'Ik wil. Daar niet. Gelegd worden. In de stád...'

Grafspelonk... daar zal zijn grootmoeder wel liggen. Ergens. Zo'n vijftig meter verderop is een rots als een zadel, precies in het verlengde van zijn wijzende vinger. Ik ga later wel eens kijken. Misschien.

Joe huivert.

'E pou, maak je maar geen zorgen. Daar zal ik je niet leggen. Als u in de stad begraven wilt worden, breng ik u daarheen... maar welke marae? Wie zijn uw mensen?'

'Geen. Familie. Allemaal dood. De stad...'

'Wilt u op de begraafplaats in de stad begraven worden?'

Een fluistering: Ae.

'Het zij zo.'

De kaumatua schuifelt nog wat naar voren. 'Tauranga atua...' zegt hij zachtjes. Heel zacht, steeds herhalend: 'Tauranga atua, tauranga atua,' alsof die woorden hem kracht schenken en in staat stellen te lopen.

Tauranga... rustplaats, ankerplaats voor kano's. Een ankerplaats voor een goddelijke kano? Ik herinner me een druilerige middag, toen ik kind was en een tijdschrift las. Er stond een verhaal met plaatjes in over de ontdekking van een oude kano van de Egyptenaren... het zonneschip van Cheops, dat was het, een doden schip voor de farao om in te reizen. En toen dacht ik – moet je je voorstellen – dat het veel opwindender zou zijn om eens een schip van ons te vinden... niet zo'n stoffig smal bootje in het woestijnzand, een riviervaartuig als het ooit al gevaren had, maar een van de vérreizende ziltwater schepen, die de grote Kiwa doorkliefden, eeuwen geleden... geleid door de sterren, gedreven door de wind en de spierkracht van moedige vrouwen en mannen...

Maar de kano van Cheops volgde de weg van de doden, en dat was anderhalve reis... ingekist was ie, opgesloten tussen brokken steen.

Waar zal ik dit schip aantreffen? In steen? In water, zoals hij suggereerde? Of alleen in de vertroebelde overblijfselen van de geest van een oude man?

De greep van de kaumatua op zijn arm verstrakt weer.

'Hier,' zegt hij op half-verstikte fluistertoon, 'hier.'

Het pad gaat nog een stukje verder, maakt een bocht en voert in de richting van de zee. De zee klinkt luid hier, alsof de zich vernauwende rotswanden, door een vreemde speling van akoestische wetten, het geluid in banen leiden. Er lijkt niets bijzonders aan dit deel van de stroombedding. Joe kijkt triest om zich heen.

Toch malende...

'Zie je. Het?'

Het rasperige aandringen van de vermoeide stem maakt dat hij zo scherp hij kan naar de hem omringende kale rotsen tuurt. Tranen maken het beeld wazig.

Ik kan zelfs niet Ja tegen hem zeggen. Ik kan hem geen leugens vertellen.

De wind wordt iets krachtiger en de witte wolkenflarden trekken weg voor de zon.

Daar bij de klif schittert iets.

'Is het water?' vraagt Joe op scherpe toon.

De oude man kan niet meer.

'Haere...' duwt Joe van zich af, ga, ga jij, ik kan niet meer.

Joe helpt hem zo voorzichtig mogelijk te gaan liggen naast het pad. Hij trekt zijn parka uit en vouwt het tot een bundeltje, een kussen voor het hoofd van de kaumatua. De oude man heeft zijn ogen gesloten.

'Ik kom zo terug.'

Nog niet doodgaan, denkt hij vurig. Hij klautert over de rotsen in de richting van de glinstering; zijn hart bonkt.

Een verweerde rotslaag vormt een overhangend gedeelte. Het is bijna een grot, maar er is geen bodem. Er heeft zich een grote natuurlijke wel gevormd, als een holte, een cenote.

Het water is bleekgroen en melkerig, alsof er kalk in zweeft. Op het eerste gezicht is het doorschijnend. Maar na zeer korte tijd – speling van het licht, of aanpassing van zijn ogen – kan hij schaduwen in de poel onderscheiden. Hij kan niet zien hoe diep het water is, of hoe groot de dingen zijn die zich als schaduwen aftekenen. Ze bedekken de bodem van de poel, op wat stukken en gaten na.

Voornamelijk lange, hoekige schaduwen met, het verst van hem verwijderd, twee rondingen.

Het kan onmogelijk een van de grote schepen zijn... de poel is misschien maar, hoeveel? zes meter in doorsnee... maar er ligt wel degelijk iets daar beneden... afgebrokkelde rots? Oude boomstammen? Misschien van een ondergrondse bron... ik zie nergens water in-of uitstromen...

Behoedzaam steekt hij zijn hand in het water met de bedoeling te zien of het water gekleurd is of steengruis bevat en trekt hem er razendsnel weer uit, voor zijn vingers er tot aan de knokkels inzaten.

Godallemachtig!

Het is alsof tienduizenden kleine belletjes op zijn hand uiteen springen, milde elektrische stroom, leven.

Hij ziet dat het water aan de overzijde van de poel niet stil is. Ranke sliertjes, klare filamenten rijzen op en vermengen zich met het bleekgroen, zoals een ijsklontje smelt in whisky en heldere marmering geeft aan de kleur eromheen.

Hij stapt wat terug van de rand van de poel. Vrede, vrede, ik kijk alleen maar... zal ik me even voorstellen?

Hoewel hij zich belachelijk voelt, gaat hij op zijn hurken bij de rotsluifel zitten en noemt het water zijn naam en zijn stam, en vertelt dat Tiaki Mira hem tot zijn opvolger benoemd heeft.

Stomme dwaas die je bent, Ngakau... wat zeggen woorden nu zo'n... eh... wat het dan ook moge zijn? Als er al iets is...

Toch zegt hij maar 'E noho ra' voor hij weggaat.

De oude man zit overeind, tegen een rots geleund, als hij terugkomt.

'Nog niet dood!' Hij roept opgewekt, triomfantelijk: 'Ik ga al bijna tot ontbinding over, maar ik ben nog steeds niet dood!'

Frisse kracht is in hem gevaren, door de rustpauze of omdat Joe gevonden heeft wat hij moest vinden.

Zijn ogen staan helder en kijken weer in het nu, en hij steekt geen gemompelde verhandelingen meer af tegen de hem omringende geesten.

Hij haalt de laatste sigaar van Kerewin te voorschijn uit de zak van zijn overjas en steekt hem op en geeft hem dan aan Joe.

E hoa, kon je maar zien waar je sigaren bleven... waar ben je nu? En de laatste keer dat ik samen met iemand anders een sigaar opstak, was met Haimona...

O jongen, wat zijn ze met je aan het doen? Maar mis schien kun je het wel niet meer beseffen...

Ze roken in stilte, nemen om beurten een trek van de sigaar.

'Jammer dat we de thee niet hebben meegenomen,' zegt de kaumatua plotseling. 'Het is een mooi plekje voor een picknick, nei?'

Joe kijkt hem zijdelings aan. 'Een beetje te stil naar mijn smaak.'

'O, zo is het niet altijd... lawaai genoeg als het onweert! Het dondert en echoot door het hele ravijn alsof er reuzen staan te schreeuwen... en als er een aardbeving is! Ohh, ik ben hier geweest toen de aarde kraakte en kreunde alsof ze aan het bevallen was... en soms, op van die lange zomeravonden als de vliegen en mug gen zoemen, soms...' de schertsende toon is uit zijn stem verdwe nen, hij praat nu zacht en dromerig 'keren de ouden terug. Ik heb ze zien staan rond de toegang tot die schuilplaats daarboven, ze keken en praatten zachtjes. Met hun lange geoliede haar, en hun prachtige sterke lichamen en trotse gezichten met die open blik... soms praten ze, soms wandelen ze langs een pad dat er niet meer is, zwijgend in het zonlicht... misschien komen ze niet meer terug, misschien ben ik hun tijd binnengegaan, want ze hebben wel eens gekeken in de richting waar ik zat en schermden hun ogen af tegen de zon en knepen hun ogen alsof ze iets konden zien, maar net niet scherp genoeg. En op een keer gooide een vrouw een stuk gebakken kumara naar mijn hoofd en ik bukte en lachte... en op een keer keek ik naar mijn hond en die zag ik wazig. Onwerkelijk, tot ik mijn hand op hem legde en toen ik weer opkeek, waren de ouden verdwenen... raadselachtigheden, o Joseph. Het land is vol mysterie en deze plek staat er bol van.'

'Ik geloof niet dat ik graag een van de ouden zou willen ont moeten.'

Ik geloof niet dat ik ze recht in de ogen zou kunnen kijken.

Ik zou me onbetekenend voelen, nog minder dan een slaaf.

'Misschien wel, misschien niet.'

De oude man haalt zijn schouders op en begint over vroeger en

494

oude gebeurtenissen te praten, toen hij nog jong was en veel tijd doorbracht met het jagen op zwijnen en herten in het kreupelhout.

'Ik heb mijn leven doorgebracht,' vertelt hij ten slotte, 'met vissen en jagen en tuinieren. Ik heb, geloof ik, een heel makkelijk leven gehad. Geen oorlogen of andere grote gebeurtenissen. Zien hoe de dingen groeien en dieren vangen om te eten. Geen familieproblemen meer nadat de oude vrouw overleden was. Geen geldzorgen, altijd genoeg te eten, genoeg te roken, een dak boven mijn hoofd Genoeg voor een mens om voldoening uit te putten.'

'Ja,' zegt Joe.

Zijn dij begint pijn te doen na al het lopen en klauteren over de rotsen, en zijn arm klopt heftig.

Ik zou languit in de zon willen gaan liggen en in slaap willen vallen terwijl hij praat, maar dat kan ik niet doen.

Met enige moeite zegt hij:

'Uw honden, e pou? Waar had u die vandaan?'

'O, de oude dame had een teef, die op een of andere manier drachtig is geworden... misschien wel van een jachthond? Die hebben zich onder elkaar voortgeplant, nooit te veel, stuk voor stuk goede sterke honden, er zat niet een valse bij. De laatste stierf zo'n twee jaar geleden en ik had niet de moed weer opnieuw aan een hond te beginnen. Maar goed ook, ne? Het is voor een hond niet goed zijn baas te overleven... ik had ze zowel als gezelschap als voor de jacht. De laatste, hij heette Tika, zal wel de enige hond in het land zijn geweest die van jongs af aan van vis heeft geleefd, eh. Ik heb nu al heel wat jaren niet meer op zwijnen en herten gejaagd, maar vissen kan ik nog steeds... O, hij kreeg af en toe wel eens een stuk gevogelte, maar voornamelijk vis...' Hij zit in de zon, handen in zijn schoot gevouwen en haalt zich zijn honden voor ogen en vertelt anekdotes zoals ze hem te binnen schieten.

Dit is misschien wel zijn laatste gesprek, Ngakau. Maak het een gelukkig gesprek voor hem.

Dus grinnikt hij welwillend om de grappige verhalen, en klakt met zijn tong om de nare, en treurt met de oude man om de dood van de reeds lang overleden honden. De pijn in zijn arm en been neemt toe, maar aan zijn gezicht valt niets te zien.

Uiteindelijk steekt de kaumatua zijn hand naar hem uit. 'Help me overeind, o Joseph.'

Eenmaal overeind roept hij met luide stem iets onverstaanbaars met veel keelklanken wat Joe archaïsch in de oren klinkt. De kreten schallen door het ravijn, de echo sterft enkele seconden na het uitroepen van het laatste woord weg.

'Afscheidsgroet,' zegt de oude man zich tot hem richtend en beantwoordt zo de vraag voor hij gesteld werd.

'Ik geloof niet dat de mauriora of de kleine god ons, die over hen waken, kennen als individu. Mijn grootmoeder zag ons als een voortdurend aanwezige stroom bewustzijn, en zei dat ze het wisten als we weggingen. Nu weten ze dat ik wegga.'

Joe, die met zijn linkerhand verlegen over zijn dij strijkt, zegt: 'Ik heb het ze verteld toen ik gedag zei. Zo ongeveer.'

'Wat heb je gedag gezegd?' vraagt de oude man grinnikend.

Joe krijgt een kleur.

'Wat eruit zag als lange schaduwen in het water,' zijn woorden zijn een weerklank van de eerdere woorden van de kaumatua.

De oude man zegt zachtjes:

'Het zijn allemaal stukken... en niet alles is er. De ouden slaagden erin om het achterschip en de voorsteven en delen van de romp in veiligheid te brengen... ik weet dat ze stukken van de kleine romp gebruikt hebben om de kleine god en de mauri naar het bergmeertje te brengen.'

'Zijn dat de ronde schaduwen?'

Hij glimlacht tevreden. 'Ah, je bent dus toch een opmerkzaam man... ik heb er dagen voor nodig gehad voor ik het goed kon zien. Ja, ik denk dat ze nu niet meer ingepakt zijn, maar toen mijn grootmoeder ze opdook, waren ze verpakt in resten van mantels. Rode veren mantels nog wel.'

'Heeft ze daarin gezwommen?'

De oude man lacht nog breder.

'Je hebt gevoeld, eh? Een verrassend gevoel, hè? Nee, zij riep ze naar boven en het kleine godje kwam met mauri op zijn rug, en ze bleven minutenlang aan de oppervlakte terwijl zij voor ze zong, en zonken toen terug in veiligheid. Geloof het of niet, zo is het gegaan. Ik heb het een keer geprobeerd, gebruik makend van de woorden die zij me geleerd had, maar het water begon te kolken en dat gebeurde niet toen zij zong, dus werd ik bang en stopte ermee. Mijn grootmoeder was een vrouw met een heel sterke geest, zoals je weet, en ze bezat kennis die ze misschien nooit had moeten krijgen.'

Joe huivert, deels door de toenemende pijn, deels door het magische.

'Waar had zij het vandaan?' vraagt hij, hoewel hij het eigenlijk niet wil weten.

De oude man wuift met zijn hand door de lucht. 'Uit haar jeugd, ze was nieuwsgierig naar deze plek... haar grootvader was dol op haar en vertelde haar heel veel over het verleden. Wat hij haar vertelde over de kano die hier begraven ligt, en wat hij bevatte, fascineerde haar. Zij zocht mensen die kennis bezaten, en verzamelde op een of andere manier alles wat ze wilde weten. Ze had recht op dit stuk land, door een zuster van haar moeder die nooit getrouwd was. Ze moest echter jaren wachten voordat ze het in haar bezit kreeg en toen ze het eenmaal had, verzekerde zij zich ervan, pakeha-achtig, dat het nooit in andere handen zou overgaan dan aan iemand in wie zij vertrouwen had dat hij zou zorgen voor wat er bewaard werd. Ik. Nu jij.'

Hij kijkt op naar de vreemde bron in de wand van het ravijn.

'En vergeet niet dat het een veranderlijke, chaotische tijd was toen zij haar kennis vergaarde. Niemand mag kwalijk genomen worden dat haar informatie werd toevertrouwd die ze misschien nooit had mogen hebben. En ze verdient alle lof voor de niet aflatende moed en de intelligentie om iets te behouden waarvan zij geloofde, en ik ook, dat het van buitengewone waarde is. Onschatbare waarde. Hoe kun je de waarde schatten van de ziel van dit land?'

Joe schudt zijn hoofd. Hij wil niet denken aan wat er in dat koele groene en prikkelende water verscholen kan liggen.

Hij zegt wel op voorzichtige toon terwijl ze langzaam weglopen: 'Als het dat is, het hart van Aotearoa... waarom bloeit hier dan niet alles? Iets wat zo sterk is als dat, zou toch zelfs de rotsen tot bloei kunnen brengen, ne? En er is helemaal niets... geen vogels... wel vliegen, zegt u, maar... vliegen?'

De kaumatua wacht tot de aarzelende zinnen ten einde zijn.

'Het had geen vertrouwen meer in ons, weet je nog. Het slaapt... misschien houdt juist die slaap de levende dingen weg, behalve dan de vliegen, die zowel komen bij wat slaapt als bij wat dood is. Aue! het enige dat ik jammer vind van doodgaan is dat ik stiekem, in het diepst van mijn hart, altijd heb willen zien wat er gebeurt wanneer hij wakker wordt.' Hij zucht eens. 'Misschien zijn we al te ver langs andere paden getrokken om de oude band te kunnen herstellen, en blijft dit een land wiens geest zich heeft teruggetrokken. Waar de geest nog wel bij het land is, maar niet meer werkzaam is. Niet meer van het land houdt.' Hij lacht schel 'Ik kan me niet voorstellen dat het houdt van de troep die de Pakeha ervan hebben gemaakt, jij wel?'

Joe dacht aan de bossen die afgebrand en gekapt waren; de groeven en littekens die veroorzaakt waren door dammen en wegen en ontwikkelingsplannen; de vreemde kale omheinde velden waar uitheemse dieren, met één soort oormerk geïmporteerd gras graasden; de erosie, de overbemesting, de vervuiling...

'Nee, dat zou hem helemaal niet aanstaan. Wij zijn misschien wel begonnen er een rotzooitje van te maken, maar wij hadden het nooit zover laten komen. Geloof ik niet.' Na een paar seconden voegt hij er nadenkend aan toe: 'Ik kan me niet voorstellen dat hij: in de richting van de verborgen bron knikkend, 'nu ooit nog wakker wordt. De hele wereldorde zou moeten veranderen en dat zie ik niet gebeuren, e pou, nooit.'

'Eeuwig is een heel lange tijd,' zegt de kaumatua opbeurend. 'Alles verandert, zelfs dat wat zelf denkt onveranderlijk te zijn. Het enige dat wij kunnen doen is te zorgen voorde kostbare zaken die onze erfenis vormen, en wachten, en hopen.'

De levendige glans is terug in zijn ogen.

'Nou ja, dat kun jij tenminste doen... ik ga het van nu af aan rustig aandoen!' Hij wrijft over zijn buik. 'Maar misschien stel ik het nog wel even uit tot na het eten. Joseph. Ja, ik denk dat ik je mee naar mijn tuin zal nemen om wat voor het avondeten bij elkaar te zoeken. Dan genieten we samen van een laatste goede maaltijd, en kun je me alles vertellen over wijlen je familie en je familie die leeft maar die je kwijtgeraakt bent en ik zal net zo beleefd zijn als jij toen ik je verveelde met verhalen over mijn honden, hei?'

Joe grinnikt met een beschaamd gezicht.

'Zo verveeld was ik niet... ik hoop dat het niet onze laatste maaltijd is. Misschien wordt u niet zo snel weggeroepen nu ze weten,' gebaart met zijn hand naar de bleek oplichtende hemel, 'hoe onbekwaam en onwetend ik ben.'

'Ah, dat zal wel lukken, dat zal wel lukken,' zegt de oude man cryptisch, en in stilte lopen ze, strompelen ze verder.


In de tuin. onder de heldere hemel, greep de kaumatua naar zijn borst en viel met een smak op de grond. Ahh, snakt naar adem, maar na iedere uitademing blijft er minder over. Zijn lichaam trekt zich schokkend samen. Daarna krult hij zich langzaam om zijn pijn heen als een brandend blad.

Joe begon naar de whare te rennen, keerde zich om en kwam terug. Geen telefoon, geen dokter, niets, en wat zou een dokter nog kunnen doen? Hij knielde bij de man neer.

Zijn gezicht is nat van de tranen en zijn ogen zijn stevig dichtgeknepen. Een hand krabbelt op de grond.

Het is een doelbewuste beweging, realiseert Joe zich na een ogenblik. Schrijven... aie, het testament...

'Waar is het? U wilt toch het testament? Waad' vraagt hij dringend, terwijl hij zich voorover buigt en zijn stem als een pijl in het oor van de oude man loslaat.

De magere bevende ledematen weten zich bijeen te trekken, gedreven door een buitengewone wilsinspanning. Hij ligt nu bijna op zijn knieën.

Joe maakt zijn rechterhand los uit de riem, klemt zijn tanden op elkaar tegen de verscheurende pijn, tilt hem op, neemt hem als een baby in zijn armen, arm onder zijn rug, hoofd rolt heen en weer, arm onder de lange benen. Heb dank voor de kracht in mijn schouders, neemt de ene wankele stap na de andere; heb dank voor de kracht in mijn schouders, arm voelt alsof hij weer breekt; heb dank voor de kracht in mijn schouders, langzaam martelend scheuren van bot en spierweefsel; heb dank voor de kracht in mijn schouders, wankelend, wringt zich langs de deurpost, schaaft zich erlangs, gebruikt het als steunpilaar om zich nog iets langer staan-

499

de te houden. Hij stommelt de kamer door en legt de oude man op zijn bed.

Zweet druipt in zijn ogen en verblindt hem.

Een fluitende, krassende stem, stil na elk woord, een onmenselijke stem zegt:

'In. De. Bijbel. Pen. Op klok.'

Hij draait zich om en strompelt er naartoe, vingers graaien, woorden tikken als een meedogenloze klok: 'Bijbel pen bijbel pen bijbel pen.'

Hij schudt de bijbel en er dwarrelt een opgevouwen getypt vel uit, grist de pen van de klok gooit er een sleutel af, een stompje kaars, en snelt terug naar het bed.

'Ahh,' roept hij wild, 'ietsomopteschrijven!' raapt de bijbel op die gevallen was en brengt hem mee. Hij is duizelig en misselijk, zowel van zijn eigen pijn als door de wetenschap dat de oude man, hoe zwaar en moedig hij zich ook inspant, te dicht zijn dood genaderd is om erin te kunnen slagen zijn naam te schrijven, zijn geheim motief te kunnen tekenen.

Als een marionet die aan zijn draden wordt opgetild, komt de oude man overeind. Hij krijgt de pen in zijn uitgestoken hand. Zijn ogen staren strak. voor zich uit naar het voeteneind van zijn bed.

Joe staart hem koud van afgrijzen aan.

Want het is alsof de oude man zijn lichaam reeds verlaten heeft en hij – of iets anders – het van buiten af bestuurt.

'Hier,' fluistert hij, door verstijfde lippen. Knipperend tegen tranen en pijnzweet, loodst hij de stramme hand. 'Mijn naam,' fluistert hij, 'hier.'

In prachtig lopend schrift vormen de letters zich: werktuiglijk, iedere letter apart en dan verbonden door een griezelig sereen haaltje: Joseph Kakaukawa Gillayley, Kati Kuhukunu...

'Klaar. Waar?'

De stem is niet die van de kaumatua, zijn ogen staren nog steeds leeg voor zich uit.

'Hier.' Joe beeft en trilt, zijn stem is bekoeld tot een haast onhoorbaar murmelen, angst groeit in hem als ijskristallen.

De handtekening vloeit snel, verschijnt alsof hij kant en klaar op het papier is gevallen.

T.M. Mira, een krul, twee puntjes. De pen valt.

De oude man krimpt ineen en schokt alsof iemand hem geslagen heeft. Voor een ogenblik is hij weer aanwezig. Joe grijpt de pen en schuift hem terug in de koude greep, ijs diep in zijn hart nu hij de vingers aanraakt om ze om de pen te sluiten.

Alsof de vingers ogen hebben, brengen ze de pen terug naar Joe's naam en tekenen nu snel een ingewikkeld motief met spiralen en uitwaaierende lijnen. Te snel. Geen kalligraaf had de moko zo perfect kunnen tekenen in de korte tijd waarin de vingers hem uitvoerden. Met hetzelfde ijzingwekkende gemak wordt een tweede motief boven de handtekening van de kaurnatua getekend.

'Voor jou... Joseph. Mijn. Zegen.'

Joe neemt het papier voorzichtig weg, vermijdt nog een aanraking met de levende dode hand. De pen valt. Het magere lichaam smakt krachteloos op het bed, alsof er een draad is doorgeknipt, de ogen sluiten zich.

'Aue,' zegt Joe zacht, 'het is afgelopen. Het is gebeurd.'

Maar het oude lichaam trekt een, twee keer samen en de darminhoud spuit naar buiten. De geur van uitwerpselen is overweldigend. De oude man kreunt, zijn vingers krommen zich hulpeloos naast het lichaam.

'Niet zo,' een omfloerst glimpje protest, 'niet zo... aue, de schande, de schande...'

Joe neemt zijn handen en sluit zijn eigen handen er omheen. Hij zegt huilend:

'E pou, tipuna, zo sterven we allemaal, maak u geen zorgen, ik zal als een zoon voor u zijn, laat gerust een zoon u deze dienst bewijzen, het is geen schande, u hoeft zich niet te schamen: zijn woorden verstikken in zijn tranen.

'Aue, te whakama,' zegt de kaumatua vermoeid.

'U hoeft zich niet te schamen,'

maar hij praat tegen verlaten oren.

Vandaag zal ik roepen: Ki a koe, Rehua! Rehua, ki a koe!

'Aue, te whakama...'

Hij wast het lichaam.

Hij kleedt het in een spijkerbroek en een overhemd van hem.

De spijkerbroek is kort en de magere enkels steken er lachwekkend onderuit.

Het hemd past wel twee keer om het lichaam.

Er zijn geen schoenen die hij aan de voeten van het lichaam kan schuiven, nergens een paar schoenen in de whare.

Hij loopt naar buiten en wacht langs de kant van de weg.

Een automobiliste stopt en als ze hoort dat er iemand overleden is, is ze geschokt en medelevend. Ze rijdt hem rechtstreeks naar het politiebureau in Durville. Joe zegt niets. Hij voelt zich zo hol en droog als een cocon van een cicade.

Hij kijkt toe hoe ze het broze oude lichaam nonchalant optillen en op de brancard leggen, een deken over zijn gezicht.

*De wortels van de boom*
*kronkelen langs de rots omlaag.*
*Daarachter is niets anders*
*dan de eindeloze zee.*

'Je hebt geluk gehad dat hij je gevonden heeft, vriend.' De politieagent is tamelijk joviaal.

'Ja.'

'Ik denk dat het voor hem in zekere zin ook gelukkig was, eh?'

'Ja.'

'Ga je naar de stad om naar je arm te laten kijken?'

'Ja.'

'Je kunt wel mee terugrijden in de auto, als je wilt.'

'Ja.'

In de war, arme sloeber, denkt de agent en voert hem mee naar de auto.

Onder verdoving wordt zijn arm gezet en worden de andere verwondingen gehecht. Ze waren opengebarsten toen hij de stervende man naar zijn huisje terug droeg.

De chirurg zei later:

'Zo, je hebt geluk gehad. Niet veel splinters en niet veel gescheurde spieren. In het begin zul je waarschijnlijk moeite hebben met het bewegen van je arm, de pees is vrij ernstig beschadigd, en het zal nog wel een tijdje duren voor je weer zwaar kunt tillen. Maar met rust en fysiotherapie komt het wel weer goed.'

Hij glimlacht. Joe zegt op doffe toon:

'Ik ga hier morgen weg.'

De glimlach verdwijnt. 'Geen sprake van, man. Je moet hier een paar weken blijven voordat ik...'

'Morgen,' zegt Joe. 'Er zijn een paar dingen die ik per se moet doen.'

Dunne, gestopte sokken en oude oude kleren. De overjas. Een prachtige weka verenmantel.

Wat visgerei, en het gebutste tabaksblikje. Twee pijpen. Het zeshoekige speldenkussen. De foto's van de wand. De boeken. De klok en alle andere dingen van de schoorsteenmantel. Een pouwhenua. Toiletartikelen.

Hij doet alles bij elkaar in een suikerzak en legt de mantel en de pouwhenua apart.

Wanneer hij de foto's in de zak wil doen, zegt iets: 'Bewaar Timon,' en hij kan niet zeggen of het een stem in zijn hoofd is of buiten hem. Hij haalt de foto van de jongeman er weer uit, zonder gevoelens, en legt hem op het bed.

Hij maakt de whare grondig schoon, onhandig en belemmerd doordat hij slechts een arm kan gebruiken.

Buiten verbrandt hij het matras.

Terwijl het ligt te smeulen. kijkt hij naar de hut.

Het ijzer van het dak is in laagjes gestapeld, als een soort rietbedekking. Roestig en weggevreten door de regen, stukje voor stukje afbladderend. zal het wel spoedig helemaal vergaan.

Het hout van de staanders en dakspanten is door boor torren aangevreten. Nog even en het zal allemaal tot stot vergaan zijn. Ik verbrand het niet. Dit sterft wel in zijn eigen tempo.

Hij zoekt bijna een uur voordat hij een toetoestruik vindt.

Hij neemt een korte sterke gouden stengel.

Terug in Durville vraagt en krijgt hij toestemming om het lijk te begraven.

'79 jaar oud, kerngezond op een hartslagader na,' zegt de lijkschouwer droog. 'Was dit een gebruikelijke tatoeage? In zijn tijd dan?'

'Nee. Ik denk, ik vermoed dat hij hem droeg ter herinnering aan een uitgestorven volk.'

'Hmmm... bent u familie?'

'Nee, ik was te gast in zijn huis toen hij stierf. Hij heeft geen familie meer.'

'En voel je daarom die verplichting ten opzichte van eh,' kijkt op de overlijdensakte, 'Tiakinga Meto Mira?'

'Het is het minste dat ik voor hem kan doen.'

De lijkschouwer trekt zijn wenkbrauwen op. 'Hmmm,' zegt hij nogmaals.

Hij pakt de mantel en pouwhenua en zijn groenstenen beitel, waar nu een gat in zit en die aan een gevlochten koord hangt, en brengt ze naar de begrafenisondernemer. Hij helpt hen het lichaam in de veren mantel te hullen. Hij doet de groensteen om de verschrompelde nek en legt de houten harpoenknuppel in de koude handen.

> Dit zijn ongeveer alle riten en ceremonieën die ik voor je kan verrichten, Tiaki. Ik ben ook bijna dood van binnen.

In de middag gaat hij naar de notaris wiens naam boven aan het testament staat.

De notaris neemt hem lange tijd op, noteert de gebroken arm, het uitgeputte gezicht en de donkere wallen onder zijn ogen

Hij vraagt:

'Waar woont u?'

'Nergens. Ik overweeg om terug te gaan en in zijn huis te gaan wonen. Voor een tijdje.'

De notaris houdt hem zijn sigarettenkoker voor: 'Roken?'

'Nee dank u, nu niet.'

De man steekt een sigaret op en kijkt naar het testament en naar een vel papier dat hij uit een wandkluis heeft gepakt. Hij vergelijkt beide motieven met elkaar als een rechercheur die twee vingerafdrukken vergelijkt. De askegel wordt langer en langer. Ten slotte legt hij de papieren weg.

'Zou u me willen vertellen hoe de oude man gestorven is?' Hij drukt zijn peukje uit. 'En hoe u bij hem verzeild geraakt was?'

'Waarom?'

Hij voelt zich misselijk en de grenzen van zijn uithoudingsvermogen zijn welhaast bereikt. En morgen moet hij ook nog zien door te komen.

De notaris neemt hem weer een poosje op.

'Ik heb Tiaki Mira een middag gesproken, en heb hem twee keer opgezocht in het ziekenhuis. Ik oordeel niet overhaast... ik weet niet of u met me van mening bent dat je in een paar uurtjes bevriend kunt raken met iemand. Ik had in ieder geval het gevoel dat ik er een vriend bij had. Het was een van de meest hoogstaande en waardige mensen die ik ooit ontmoet heb, en toch had hij een warm hart... ik heb er alleen in toegestemd als zijn executeur op te treden omdat ik het gevoel had dat we vrienden waren.'

'Ik zou het u om geen enkele andere reden verteld hebben, tenzij het de executie van zijn testament in de weg zou staan.'

Hij steunt met zijn hoofd tegen zijn linkerhand. Op vlakke toon vertelt hij het meeste van wat er gebeurd is, en ook een paar dingen uit zijn eigen verleden.

'Ik heb erover gelezen,' zegt de notaris, maar gaat er verder niet op in.

Nadat hij Joe heeft aangehoord, pakt hij het testament van tafel.

'Hier zullen geen moeilijkheden over ontstaan. Het eigendomsrecht zal op u overgaan, nadat de successierechten zijn voldaan. U bezit dan 796 morgen lands pakihi en privé-strand. Het land zelf is vrijwel waardeloos tenzij u het in ontwikkeling wilt brengen. Als u er een paar miljoen en een halve eeuw voor uittrekt, bijvoorbeeld, kunt u er misschien een boerderij van maken. Dat is dan ook alles.'

Zijn woorden blijven even hangen.

'Tiaki zei alleen nog dat er iets van buitengewoon grote waarde op het grondgebied was, waar over gewaakt moest worden. Ik neem aan dat u daarvan weet en de nieuwe wachter bent?'

'Als ik dat kan,' zegt Joe vermoeid, 'als ik dat kan.'

Hij overnacht in een hotel.

Er staat een klein stukje in de krant over de dood van de oude man. 'Bekende plaatsgenoot overleden' staat er en niet veel meer.

Het lijk wordt 's morgens begraven.

Het regent, een fijne nevelige motregen, wanneer de lijkwagen bij de begraafplaats arriveert. Hij is verrast nog een andere auto te zien staan.

De notaris staat ernaast te wachten. Hij zegt niets, maar ontbloot zijn hoofd en volgt de kist die gedragen wordt door personeel van de begrafenisondernemer. Joe, die zich niet zo op zijn gemak voelt in zijn jack en spijkerbroek, volgt hem. Hij draagt de suikerzak met de bezittingen van de oude man erin en de toetoestengel in zijn rechterhand.

Wanneer de korte plechtigheid is afgelopen, laat hij, voordat de doodgraver de kuil vult, de zak op de kist zakken. De begrafenisondernemer kijkt vol verbazing toe, de notaris rustig. Joe knielt en plant de tiri aan de voet van het graf. Een poosje wiegt hij heen en weer, dan verstilt hij.

Het motregent nog steeds. De zilveren druppels glijden langs de gouden stengel omlaag.

Dat is het, Tiaki.

Rust in vrede, of vind je weg naar huis.


De notaris zegt:

'Blijf vannacht bij mij en mijn vrouw logeren.'

'Dank je,' zegt Joe cynisch glimlachend. 'Haal je wel vaker criminelen in huis?'

'Nee. Alleen mensen die ik mag en respecteer.'

De dorre holte in Joe vult zich schrikbarend snel met tranen.

Hij vertelt veel die avond.

Over de kaumatua. Over Simon. Over Kerewin. Over de droomwereld en de wereld van de doden. Over mythen en legenden en negen boten, tatau pounamu, de mogelijke nieuwe wereld en de onmogelijke nieuwe wereld.

De notaris en zijn vrouw lijken flegmatieke, goed opgeleide mensen uit de middenklasse, maar ze weten waar hij het over heeft. Ze beamen en sympathiseren en moedigen hem aan meer te vertellen, tot hij genoeg gepraat heeft. Hij gaat moe, maar ontspannen naar bed. Hij slaapt goed en zonder te dromen.

Terwijl ze zich uitkleden om naar bed te gaan, zegt de notaris tegen zijn vrouw:

'Het is een kei van een man, maar dat zou je op het eerste gezicht nooit zeggen. Lijkt veel op de oude man, heel veel... is het niet merkwaardig hoe het gelopen is? Dat hij net kwam voor Tiaki doodging? En dat de oude man hem vond toen hij hulp nodig had?'

Zijn vrouw denkt veel, maar zegt weinig.

'Voorbestemd,' antwoordt ze.

'Laat nog eens wat van je horen,' zeggen ze na het ontbijt.

'Dat zal ik doen. Kia ora korua!' zegt hij en is verdwenen.

Nog twee dingen te doen, dan kan hij gaan rusten zo lang als hij maar wil.

Hij koopt wat hij nodig heeft, voedsel en kleding, en een setje beitels. Nieuw beddegoed en een gitaar.

Dan gaat hij naar het politiebureau.

'Middag, u ziet er al wat beter uit,' zegt de agent. 'Alles goed nu?'

'Ja, dank u, het gaat wel weer... maar ik vroeg me af of u me ergens mee zou kunnen helpen? De oude man, weet u nog, Tiaki Mira?'

De agent knikt.

'Nu, hij vertelde me iets over deze man,'

en geeft hem de foto,

'die bij hem logeerde en stierf, maar hij zei dat hij nooit geweten had wie hij was.'

De agent kijkt ernaar en tuit zijn mond.

'Ik weet het ook niet... was het een misdadiger? Wilt u dat we kijken of we iets over hem in het archief hebben of zoiets?'

'Ik weet het niet... ik dacht dat er misschien wel iemand zou zijn die deze foto wilde hebben. Tiaki vertelde dat hij drugs spoot en ik dacht dat u hem misschien wel zou kennen omdat hij heroïneverslaafde was...' zijn stem zakt weg.

'Mag ik hem eens zien?' vraagt een agent die bij hem was komen staan. 'a die,' zegt hij na een vluchtige blik op de foto geworpen te hebben, 'dat is die hippie... van voor jouw tijd Dave, jij hebt hem niet gekend.'

Tegen Joe zegt hij:

'Hij heette Timon Padraic MacDonnagh, dat herinner ik me nog, omdat ik zelf ook van Ierse afkomst ben. Sprak heel keurig, maar was een echte nietsnut. Hij veroorzaakte nogal wat opschudding toen hij hier arriveerde, omdat er net een drugsschandaal in het nieuws was, en hij was een officieel geregistreerd heroïnegebruiker. Vrij onschuldig verder, heeft alleen zichzelf naar de andere wereld geholpen. Kwam hier eind eh, 1976 aan uit Auckland. Zijn vrouw en kind waren daar bij een auto-ongeluk om het leven gekomen... hij moest zich regelmatig bij ons melden, omdat hij min of meer illegaal in ons land verbleef en spoot. Ik denk dat het ministerie hem op humanitaire gronden liet blijven, eh. Maar goed, zes maanden nadat hij hier gekomen was, ging hij al dood, bij Mira thuis. Ik was een van de mensen die het lijk daar hebben weggehaald. Vel over been, was ie... ik had eigenlijk medelijden met die knaap, weet je, omdat hij niets meer had om voor te leven en omdat hij zichzelf stukje bij beetje kapot spoot.'

'Ja, dat kan ik me wel voorstellen,' zegt Joe. 'En zijn vrouwen kind waren allebei dood, eh?'

'Ja, overleden in Auckland, zoals ik al zei. Ik heb een uitstekend geheugen voor dergelijke dingen, al zeg ik...'

'... al zeg je het zelf,' zegt de sergeant lachend.

Joe lacht ook.

Dan zucht hij.

'Nou, dat is weer een mysterie minder... wat jammer dat ik het Tiaki niet meer kan vertellen. Maar ik was er zelf ook nieuwsgierig naar.'

'Begrijpelijk,' zegt de agent. 'Die oude man had heel wat geheimen waar je nieuwsgierig naar zou kunnen worden... weet je hoe ze hem hier noemden? De laatste der kannibalen. Ze dachten dat hij vroeger zijn grootmoeder had opgegeten. Het enige dat ik erover gehoord heb, is dat de oude dame plotseling verdwenen was en...'

Joe grinnikt eens.

'Nou, tegen mij was hij anders heel aardig, en dat was het enige dat mij interesseerde. En hij heeft alle kans gehad om kai van me te maken als hij dat gewild had.'

De agenten lachen.

Vergeef het me, Tiaki. Maar als we er verder over praten, worden ze misschien nog nieuwsgierig naar je andere geheimen. Dus doe ik het maar af met een flauw grapje...

Buiten bekijkt hij de foto nog eens. Het was een heel klein kansje geweest, waarbij hij alleen was afgegaan op de huidkleur van de jongeman, zijn puntige kin en iets in zijn ogen, onwaarschijnlijke mogelijkheid... Ach, zet het toch uit je hoofd, Ngakau. Wat doet het er nu nog toe?

Hij huurde een bestelauto om zijn spullen naar de afslag van de weg te vervoeren, maar moest de spullen op zijn rug verder sjouwen. Hij moest drie keer op en neer lopen. Het nieuwe matras was het ergste. Hij kon er met zijn ene goede hand maar niet voldoende greep op krijgen. Tegen de tijd dat hij alles naar binnen gebracht had, was hij uitgeput.

Hij zat op de drempel, tegen de deurpost geleund en keek hoe de sterren oplichtten, één, nog één, vijf, honderd tegelijk. De lucht was stil.

Ik blijf hier, dacht hij, tot ik de dingen weer kan doorgronden. In ieder geval tot ik weer genezen ben. Tot ik meer weet over de poel, de mauri. Tot de eigendomsrechten op mij zijn overgegaan, en ik het terrein voldoende heb gemarkeerd. Tot, God sta me bij! ik weet wat ik moet doen.

Het was niet de bedoeling dat die schreeuw uit hem opwelde. Het barstte los, terwijl zijn geest vol verbazing luisterde. En toen raakte hij gevangen in het stromende geluid. Het was vol van verdriet, een klaagzang zonder woorden.

Toen het ophield, was het stil.

Toen hervatten de boomkikkers hun getsjirp en vlakbij deed een krekel tsittsit en aan de overkant van een rivier riep een moeraszwijntje.

Het leven gaat verder, Ngakau.

Treuren duurt niet eeuwig.
Noch het wachten.
Je geneest weer, man,
wordt weer één geheel.
In het verre zuiden laait een vallende ster helder op en wordt
dan door de nacht gedoofd.


III


De aardbeving is op zaterdagochtend, net voor zonsopgang.

Hij wordt wakker heel kort voor de eerste schok, de lucht is vervuld van hol en donker gedonder en hij glijdt van zijn bed af voor
de beving begint. Het neemt toe in intensiteit en wordt enorm.

'Wees stil, o God wees stil,' terwijl de aarde kreunt.

Jezus, de aarde splijt zo meteen open in een vuile grote kloof
wat doen mijn rahui dat lawaai is oorverdovend de mauri zal
sterven

'hou op hou op HOU OP!!'

brult woedend en verrast zichzelf door, boven het steunen van
de aarde en het knarsen van ijzer uit, hardop te lachen.

Jezus, Ngakau! Denk je dat dit zich iets van je zal aantrekken!?

Het tumult houdt plotseling op. Zijn hart bonkt door in de uit-
zonderlijke stilte.

Als dit zo blijft, haal ik de kerst niet...

Gezicht op de harde vuile vloer, onzeker wachtend.

Als dit een omvangrijke aardbeving is, haalt zij het ook niet.

Als ze nog leeft...

De aarde beeft weer.

Het raam achter hem knapt met schallend geluid krak! –
Stilte.

Er klaar voor, alle sluitspieren stevig dichtgeknepen. Er gebeurt
niets.

Je kunt net zo goed weer naar bed gaan, man. Hartstikke
koud hier.

Desondanks druipt het zweet langs zijn gezicht.

Hij gaat staan, zet zijn voeten onzeker op de grond, verwacht nog steeds schokken.

Kan net zo goed opblijven... het wordt al weer licht. Maar Haimona lieverd, waar ben je? Kerewin, Kerewin, waar ben je?

Hij rakelt de zachte as weg en legt stukjes fuchsiabast op de nog gloeiende kolen. Het begint meteen te roken. Takken, grotere stukken wrakhout, grote hompen hardhout er bovenop...

Het is niet dat ik niet aan jullie beiden gedacht heb... maar het was meer herordenen. Niet vervalsen, maar het proberen te zien zoals een buitenstaander zou doen.

Zijn denken is zo kalm als zijn gezicht. Hij vult de ketel en kleedt zich bij het fornuis aan.

Maar ik heb zoveel mogelijk met mijn verleden gedaan.

Ik weet dat mijn kind een geschenk was en dat ik hem te intens heb liefgehad en te intens heb gehaat. Dat ik me voor hem schaamde. Ik wilde dat hij zo doorsnee gecompliceerd en doodgewoon zou zijn als de banjers van Piri. Ik nam hem kwalijk dat hij anders was en probeerde hem daarom zo tam en plooibaar mogelijk te maken, zodat ik voor mezelf zou kunnen zeggen: 'Je hebt hem gemaakt tot wat hij is, hoewel hij niet je eigen kind is.' En ik hield van hem en ik haatte hem om de wijze waarop hij zichzelf bleef en ondanks alles van me bleef houden.

Nu is het geschenk me ontnomen en ik heb het alleen aan mezelf te wijten. En ik heb alleen nog de herinnering over aan zijn liefde en zijn pijn, zijn vreugde en zijn ondeugd en verdriet, aan bijna vier jaar van groeien. Dat is alles.

Nog een beving.

Hij kijkt naar het dak, het gebarsten raam. De whare kraakt en huivert overal, maar maakt nog geen aanstalte om in te storten.

Zodra het licht is, moet ik maar eens gaan kijken wat er bij het ravijn is gebeurd.

De ketel staat te zingen.

Hij zet een kopje klaar en de taptemelk en doet een handvol theebladeren in de pot. Er is nog brood over en boter ligt in de vliegenkast. Terwijl hij eet:

Kerewin... ik probeerde haar aan te passen aan mijn opvatting van wat een vriendin, een partner was. Ik zag alleen maar die mogelijkheid... ongeacht wat zij vond dat ze was, wilde ik haar het idee opdringen dat minnaars zijn, of het huwelijk, het enige juiste zou zijn. Niet gewoon accepteren wat ze te bieden heeft, haar meer laten geven en nemen... nu zie ik andere mogelijkheden, andere manieren, en is er nog hoop...

De vogels beginnen te kwetteren, maar het is niet het langzaam uitbreidende koor dat hem gewoonlijk wekt. Ze roepen: Alarrum! Alarrum!

Helemaal in de war doordat hun nesten tussen de boomwortels liggen, denkt hij en giechelt. Maar hij raakt zijn vrolijkheid snel kwijt.

De hoop zal net zo lang leven als Kerewin, maar als ze gestorven is, zoals ze in haar briefje somber voorzag, heeft hij besloten om hier te blijven. Solitair en kluizenaar nummer drie, de onbezongen wachter uit de droom van een krankzinnige vrouw.

Aie, Ngakau, de oude vrouw had natuurlijk geen flauw vermoeden waarvoor ze je heeft grootgebracht! Maar ik kan weer bidden en spelen en houtsnijden... ik heb de tuin om te onderhouden – als die nu tenminste niet helemaal verwoest is – en moet jagen voor de kost. Vreemde oude koude sporen om te volgen.

Hij is in correspondentie getreden met een aantal ouderen van het Noordereiland en twee bibliotheken om erachter te komen, zonder al te veel informatie te geven, welke van de oorspronkelijk negen kano's hier begraven zou kunnen liggen. Of er oude overleveringen bestonden die spraken over een verbond tussen de wat vage entiteit als de mauri van Aotearoa en een van de stammen van de ouden. Om de veertien dagen gaat hij naar de stad en overnacht dan bij de notaris en zijn vrouw. Hij slaat levensmiddelen in, bekijkt zijn post en beantwoordt ze, gaat even naar het café aan de rand van de stad en gaat er steeds na een biertje al weer weg. Op een of andere wijze is uitgelekt wie hij is en wat hij gedaan heeft, en het voorval ligt de mensen nog vers in het geheugen. Het is een opluchting terug te keren naar de wildernis, die zonder ogen, zonder tong is.

Hij slurpt nadenkend zijn thee.

De volgende week is het Kerstmis, en hij moet nog wat laatste dingen regelen voor de gebeurtenis die hij heimelijk voorbereidt Als Kerewin niet komt opdagen, staat hij natuurlijk wel voor schut, maar als ze wel... dat zou een nieuw begin kunnen zijn.

> Als de dame leeft... kijk eens in de theebladeren. Ngakau, sommige mensen zeggen dat je daaruit dingen kunt afleiden. Zij speelde wel eens met orakels... en de kaumatua had een stel tamme demonen of zoiets. Oude karakia die hij noemde om stenen te laten drijven en half-dode mensen te vinden die langs zijn stranden strompelen. Nu mijn stranden. Nou, ik ben niet helderziend, heb geen bijzonder inzicht, en geen buitengewone ervaringen en gevoelens zoals Himi die had... muziekbouwsels en licht om mensen heen:

schudt zijn hoofd,

> e tama, je was een vreemd kind.

Abrupt staat hij op. De dag wordt steeds lichter.

Tijd om op pad te gaan en de schade op te nemen.

Hij vult de thermosfles en steekt een extra pakje sigaretten bij zich en het laatste brood, belegd met kaas. Een rondgang langs zijn rahui zal de rest van de dag in beslag nemen.

> Ik bewaar het ravijn voor het laatst. Als een van die kleine aardhuiveringen zich voordoen als ik daar ben... aue! een leuke loopbaan als heremiet beëindigd onder een paar ton stenen.

Er is nog steeds voldoende hoop om geen enkele aantrekkingskracht op hem uit te oefenen.

Er is weinig schade aan het land. Enkele van de in zee uitlopende kliffen zijn verder afgebrokkeld, en er zijn een paar diepe scheuren bij de rivier, maar te smal om in weg te kunnen glijden. Alle rahui op één na staan nog overeind.

Bij het snijden ervan had hij een persoon in gedachten genomen en alles wat hij aan gevoelens had in het werk gelegd. Hij had ze opgesteld op plaatsen die een aspect van ieder persoon weergaven. De kaumatua stond het dichtst bij het ravijn. Wherahiko en Marama stonden dicht bij elkaar op het noordelijke pad. Luce had hij in het moeras gezet en de andere Tainuis.stonden langs de weg opgesteld. Hana en Timote en Simon stonden dicht bij de whare, aan de zuidgrens. En aan de westelijke zeegrens, helemaal alleen op een plek waar hij graag zat om naar de zee te kijken, had Kerewin gestaan.

Die rahui hangt, als dronken, helemaal scheef, raakt bijna de grond.

Zijn hart bonkt: 'Aiiii,' smijt de kete op de grond en rent er naartoe om hem overeind te zetten.

Jij bijgelovige bosjesman, dat zal je leren om mensen in een stuk hout te denken, het betekent niets het betekent niets.

Prevelend en biddend dat het inderdaad niets voorstelde.

En de hele tijd gaan de eigenaardige zinnen van Kerewins brief door zijn geest:

E Joe Ngakau, ik ben in het verloren land. En kun je geloven dat de krab me in zijn greep heeft? Een vaardige schaar bracht die paniek in Moerangi teweeg. herinner je je mijn bleke, naar adem snakkende verschijning? De н н medici zijn verdeeld, maar een vriend in mijn ziel fluistert: Dood, o zoete Dood, en zo zal het waarschijnlijk ook wel gaan. Maar als ik de komende Kerst Mis nog besta, kom dan naar de Toren eh? O, de kreunende tafel vol vreugde... over tafels gesproken, spreekt gemeenschap van tafel je aan? Gemeenschappelijke kamers waarin we circuleren als bloedlichaampjes in een bloedstroom, die bij elkaar komen (ik zal niet zeggen klonteren) om te eten en drinken en te praten en alle andere dingen te doen waar we zin in hebben... een manier om de onvreugde te bannen, zoals we deden de laatste weken voordat ze jouw corpus wegsleepten. Zonder dat het voor jou enige verplichting schept, kan ik wel voor een geschikte schelp zorgen. Als, als... ik leuter maar wat. Als jij komt opdagen voor de Kerst, ik misschien ook wel. Dan zien we wel, goed? In de vervelende tussentijd, denk zo en drink tabak. Piri zegt dat hij dit jou zal geven. Ik ben zo stoned als een kreeft. Kia koa koe.

Geen adres, geen datum, geen handtekening, het kleine sigarendoosje als envelop en sindsdien niets meer van haar gehoord.

Een omgevallen rahui betekent niets. stom toeval, ongelukje door de aardbeving... Goeie God, denkt hij, waarom is het niet met Luce gebeurd die in het moeras stond waar de aarde van nature al niet zo stevig is? Als die plat op zijn gezicht in het slijm viel, zou het me geen moer kunnen schelen, die stoker met zijn Januskop, die achter iedereens rug om naar de politie is gegaan...

Hij stampt de aarde rond de opnieuw opgerichte paal stevig aan.

De vrij uitwaaierende spiralen zijn weer op de zee gericht. Hij laat zijn hand er even tegenaan rusten en gaat dan op weg naar het ravijn.

De grote overhangende rots is weg.

Er is een bleek breukvlak zichtbaar aan de pas blootgelegde rots boven de poel.

En de poel, de levende groene poel, is bedolven onder duizend ton steenbrokken.

Hij staat verbijsterd op het pad.

Dit is niet echt. Dit is een nachtmerrielandschap. Dit kan niet gebeurd zijn.

Hij klautert de met stenen bezaaide helling op. 'Nee het is niet waar, nee, niet allemaal dood, nee alsjeblieft niet alsjeblieft niet nee,' op het laatst smeekt hij het als een kind.

Met uitgestrekte armen aan de rand van de ruïne, *Waarom?*

En een deel van zijn geest zegt wijsgerig: Het waren alleen maar dromen en hersenspinsels van een oude man, en er waren verklaringen voor wat je zag en voelde, die niets te maken hebben met mysterieuze zaken, en een antier deel zegt: Luister, en het wijsgerige deel gaat verder met: Het zijn gewoon wat stenen die in een regenpoel zijn gevallen en de ander zegt: Luister, en het wijsgerige deel schuift het terzijde, zeggende: Je bent nog een jonge man met meer dan genoeg dingen te doen, je bent gezond en genezen en in je bloei en je bent ontslagen van alle beloften die je gegeven hebt; nu heb je weer een toekomst, geen afzondering op klam moerasland, en het andere deel zegt LUISTER!

'Gewoon boomkikkers en krekels,' zegt hij mat. 'Gewoon kevers en gonzende mottevleugels.'

Hier?

Hij is hier 's nachts en overdag geweest en dan waren er vliegen. Wat vliegen. Een paar vliegen.

Vlakbij hoort hij de roep van een moeraszwijntje, en het antwoord van een soortgenoot verderop in het ravijn.

De vroege avondlucht leeft van de geluiden.

Hij houdt zijn adem in tot het pijn doet en gaat dan zoeken in de buurt van de bedolven poel.

In de schemering tekent het zich af als een bult, een ronde vorm, een schijf, ter grootte van iets dat hij in zijn uitgestrekte handpalmen zou kunnen houden. Ligt op een geknakte rots, op het breukvlak balancerend alsof het daaraan ontsproten was. Het ziet er heel zwart of heel groen uit, en daar waar het doorboord is, het gat in het midden, straalt het licht uit als van een gloeiworm, oorspronkelijk licht.

'Jij bent vrolijk, maat.'

'Ja. Mooie dag, hè?'

'Wat je zegt... rugzak achterin doen?'

'Vindt u het goed als ik hem bij me houd in de taxi? Ik kan hem op mijn schoot nemen.'

De chauffeur haalt zijn schouders op.

'Zoals je wilt, vriend. Er is nog wel plaats bij je voeten. Schuif hem er maar tussen.'

'Okay.' Vrolijk fluitend, zet zijn voeten op de rugzak.

Hij had er tegenop gezien het aan te raken, maar de aantrekkingskracht ervan was enorm. Hij was er naartoe gelopen, was erbij gaan zitten, handen er overheen, handen erop.

Het voelde aan als steen, het was steen, fijnkorrelig koude steen... warmte noch tinteling, niets buitengewoons, Ngakau. Het licht is gewoon fosforescentie, eh? maar wanneer hij het ding optilt, valt hij bijna. Hij heeft zijn spieren gespannen en sjort, en het is licht licht licht, helemaal geen gewicht. En er ontstaat vervoering terwijl hij het draagt, een levende luchthartige stroom van vreugde die maakt dat hij wil juichen en zingen en dansen. Hij ziet stralende bundels en velden van helder licht om alles wat hij ziet,' zelfs het onkruid en de stenen bij zijn voeten sprankelen schitterend vuur.

Zou dat zijn wat Haimona bedoelt met licht? Aiel Langs de spelonk waar de beenderen van de oude vrouw voorgoed liggen begraven – hij rende er naartoe om te kijken, en de steen in zijn handen werd te zwaar om te dragen. Hij begreep de hint en keerde naar het pad terug.

Langs de verwoeste tuin van de kaumatua, de ontwortelde miroboom, de zorgvuldig geplante rijen maïs en andere groenten, die nu door elkaar liggen. Maak je geen zorgen, man, nu is dit de plek van iemand anders.

Niet de mijne.

Want zo zeker als het licht dat onverstoorbaar in de steen woont is het dat hij naar huis teruggaat.

'Waar ga je naartoe, vriend?'

'Ergens in het zuiden,' zegt Joe met een brede glimlach. 'ik neem de zuidelijke route naar huis.'

# 11 De jongen alleen

## I

De nacht laat zijn greep met tegenzin verslappen, maar langzaam, heel langzaam, komt de wereld terug.

Omdat hij bleef proberen de nuttige buisjes en slangen die ze hadden aangebracht te verwijderen, hadden ze zijn handen vastgebonden.

Daarna lag hij stil, meer dan een week.

Lag in het donker, lag zonder te bewegen, luisterde hulpeloos naar de stemmen.

Het ziet er niet naar uit dat de nacht terrein prijsgeeft.

Geen vertrouwde aanraking, niemand houdt zijn hand vast, niemand die hij kent.

Dus ligt hij weer teruggetrokken, zijn vastgebonden handen in wanhoop gebald, de nagels diep in het vlees.

Maar beetje bij beetje trekt de nacht op.

In plaats van het steeds wisselende verscheurde heldere licht, begint hij contouren te onderscheiden. Het licht is doorschoten met vormen. Ze barsten en verdwijnen en duiken onverwacht weer op; ze verbrijzelen als een gebroken spiegel wanneer hij met zijn ogen knippert, maar nu kan hij, seconden achtereen, de stoel zien. De kast daarnaast. Zijn voeten. Op een of andere manier lijken ze niet bij zijn benen te horen. Hij kan mensen weer, even, als mensen zien in plaats van donkere kernen omgeven door lichtende trillingen.

Hij kijkt, zijn hoop nooit helemaal verloren, of zij binnen komen.

Over een poosje, zegt zijn hart.

Wacht, zegt zijn hart.

Ze komen heus wel, zegt zijn hart.

Ze komen niet.

Hij huilt in de levenloze stilte en hij kan zichzelf niet horen huilen. Slechts door het vocht van zijn tranen weet hij dat hij echt huilt.

Toch ebt de nacht weg.

De gehate stem wordt zwakker, kan niet meer zo vrijelijk zingen. De oude angsten lijken zwak in het licht van wat er gebeurd is.

Hij schrikt terug voor de onpersoonlijke, zachte handen die hem voeden en wassen, maar hij kan de gezichten nu vluchtig zien, en ze glimlachen.

Hij glimlacht niet terug.

Op een ochtend ontdekt hij dat zijn handen weer vrij zijn. Minutenlang durft hij ze niet te bewegen. Maar er gebeurt niets. Er komt niemand binnen.

De handen voelen vreemd aan; ze zijn zo lang in hun bewegingsvrijheid beperkt dat ze los van hem staan, alsof ze aan een ander toebehoren.

Hij brengt ze tot voor zijn gezicht. Hij staart ernaar zo lang hij kan zonder te knipperen.

Er loopt een netwerk van roze littekens overheen dat hij nog niet eerder gezien heeft. Snijwonden? Glas? Binny... wacht. Met een nieuw scherp op zelfbehoud gericht instinct, stopt hij meteen zijn gedachten over de ruiten. Hij staart alleen maar naar de littekens, vers, glanzend en kartelig.

Er zit een plastic armband om zijn linkerhand.

Hij brengt de ochtend door met naar zijn handen te kijken, buigt en strekt zijn vingers, drukt zijn handen tegen elkaar. Gaat volledig op in het herontdekken.

Maar wanneer er eindelijk iemand binnenkomt om eten te brengen, houdt hij zijn handen naast zijn lichaam. Passief accepteert hij het eten, maar in plaats van zijn ogen te sluiten, nadat hij gezien heeft wie het is, bekijkt hij haar met net zoveel toewijding als hij zijn handen had bekeken. Hij ontdekt dat het beeld veel stabieler wordt naarmate hij langer kijkt. De verpleegster glimlacht de hele tijd naar hem en spreekt veel. Hij kan niet horen wat ze zegt, en uit de beweging van haar lippen kan hij niet opmaken waar ze het over heeft. Ze nemen niet de vorm van de woorden aan. Tegen het einde van de lunch is zijn gezicht van pure concentratie tot een frons vertrokken en heeft hij nog steeds geen woord verstaan.

Een en al stilte.

Die middag stuurt hij zijn handen op onderzoek uit langs zijn lichaam. Door zijn benen omhoog te heffen ziet hij dat de onderbroken lijnen bij zijn enkels veroorzaakt worden door verband, dat over iets dat aanvoelt als gaatjes is gelegd. Nu hij eenmaal zijn benen en voeten heeft gevoeld met zijn handen, kan hij ze ook weer gewoon voelen.

Wat heel vreemd is.

Hij beseft ineens dat hij zich heel lang niet van zijn lichaam bewust is geweest. De halvemaantjes in de palmen van zijn hand waar zijn nagels zich in het vlees hebben gedrukt, deden helemaal geen pijn, tot nu.

Zijn vingers gaan verder op onderzoek.

Het plaatje dat aan een kettinkje om zijn nek hing, is verdwenen.

Zijn gezicht voelt vreemd, met hobbels op zijn kaakbeen.

Zijn schedel is voor de helft bedekt met verbandgaas. Hij voelt harde stekeltjes, heel korte haartjes. Zijn vingers rusten minutenlang op het restant van zijn haar.

Daar heb ik over gedroomd...

Ze gaan verder, volgen de omtrekken van het verband aan de zijkant van zijn hoofd.

Hij voelt nu drie dingen; het jeuken van zijn schedel; de lange littekens onder het verband; het gaas dat het op zijn plaats houdt. Het zit helemaal om zijn hoofd. Het bedekt zijn oren.

Zou ik daarom niet kunnen horen?

Hij knipt vlak bij zijn rechteroor met zijn vingers. Niets. Geen knip, geen zweem van een knip. Ook al niet bij zijn linkeroor... wacht eens, dat leek wel een plof, heel ver weg? Het klinkt helemaal niet als het scherpe klik! dat hij normalerwijze hoort, maar hij kan tenminste iets horen. Of is het iets voelen?

Tegen de avond heeft hij zijn hele lichaam gewekt – het is alsof hij er net weer in teruggeklommen is. Een deel ervan voelt niet prettig: zijn enkels doen pijn en hij heeft een soort hoofdpijn en hij heeft ontdekt dat wanneer hij diep inademt, beide kanten van zijn borst kramp krijgen.

Joe schopte... hou op.

Over het algemeen is het erg geruststellend, alsof hij thuis is gekomen. Hij voelt zich niet meer zo suffig, alleen nog verward en bezorgd.

Waar zijn ze?

Hij is hier allang. Dat weet hij doordat alle wonden die Joe hem heeft toegebracht, genezen zijn.

Weken? Maanden? Jaren? Als het jaren waren geweest, was je wel gegroeid, Clare.

Maar groei je ook terwijl je slaapt?


Worden ze weg gehouden?

Hij probeert terug te zien op de duistere dagen, maar er zit niet voldoende in om iets uit op te kunnen maken. Hij kan het zich niet herinneren, hij kan het zich niet herinneren... dus keert hij nog maar eens terug naar die ochtend, toen hij vroeg opstond en naar de zonsopgang ging kijken. Probeer ze te vinden in die dag, breng ze terug... neemt de dag langzaam door (snel uitwissend wat niet gebeurd is niet nu) tot aan Kerewin in de Toren... ze wendt zich trillend af, ga dus maar verder, naar de nachttijd, de nachttijd door, gebeurtenis na gebeurtenis.

Hij laat zich er niet door meeslepen. Eerst kon hij het niet stoppen, de dag ontrolde zich telkens opnieuw, onuitputtelijk, maar nu, maar nu...

Hij komt weer bij de deurpost, en de harde hand die zijn pijn er tegenaan duwt, en dan zijn eigen trage niet gerichte uitval.

Hij kan niet zien waar hij hem raakt. Hij hoort alleen het hoge gillen van de man. Het treft hem ergens bij zijn middel... kun je iemand doden door hem met glas in zijn middel te steken? Worden ze dan invalide?

Zijn hoofd slaat opnieuw tegen de deurpost.

Kun je oren breken?

Hij snikt onbedaarlijk als de verpleegster komt, en zit onbedaarlijk te trillen tegen de tijd dat de kinderarts binnen komt slungelen. Hij kan genoeg zien om te weten dat ze geheimzinnige woorden wisselen en hoewel hij met een samengebalde hand smeekt – ze kennen het teken niet en ze kunnen zijn ogen niet lezen. De naald schuift zijn ader binnen en hij kan er niets aan doen dat de nacht zich weer boven hem sluit.

Maar het is de laatste uitspatting van afgrijzen, de laatste klauwende greep van de nacht.

Piri, die de heuvel is over getrokken om Marama te bezoeken: (ze herstelt zich uitstekend, hoewel ze zegt dat ze ziek wordt van de zorgen over wat er gebeurd is, en hoe gedragen Ben en Luce zich? Laat ze alsjeblieft niet vechten... en, o lieve hemel zorg goed voor Pa, zorg voor hem namens mij, laat hij zich niet van streek maken, en

'Tuurlijk, Ma. Goed, Ma. Geen enkel probleem, Ma. Hou toch in godsnaam op je zoveel zorgen te maken, Ma en probeer wat uit te rusten, eh? Wat moeten al die anderen,' wijst met een breed gebaar op de andere drie oudere dames, die geen bezoek hebben en dus met mond en oren wijdopen liggen te snurken, 'wel niet van ons denken?'

Marama werpt terug: 'Wat kan het me schelen wat zij denken? Jan en alleman weet...')

trekt wat tijd uit voor hij teruggaat om nog eens te proberen of hij Simon kan bezoeken.

De andere keren glimlachten de artsen en de rest van de staf minzaam, en zeiden dat het zo goed met hem ging als maar verwacht mocht worden, dat hij van de lijst kritieke gevallen was afgevoerd en verder normaal vooruit ging.

Wat natuurlijk geen ene moer zegt, denkt Piri. We zijn nog altijd familie, zegt hij vastberaden tegen zichzelf. Als ik er zeker van kon zijn dat die klootzak wegbleef, zou ik Himi willen hebben. Het is een veel te goed kind om naar de verdommenis te gaan, hoe beschadigd hij ook is... maar als Joe zou terugkomen, ahh dan zou het nooit lukken. Die stomme idioot zou altijd een vinger in de pap willen hebben. Of zijn vuist.

'Eh hallo,' zegt hij tegen de hoofdverpleegster, zonder haar aan te kijken, 'is het al mogelijk om...' en voordat hij verder kan gaan, barst de zuster los.

'O goed, meneer Tainui, is het niet? Zou u deze kant op willen lopen? De dokter komt zo en ik weet zeker dat hij blij zal zijn u te zien.'

Dokter?

En Himi dan?

De verpleegster draait zich verderop in de gang om, en gebaart hem mee te lopen naar de laatste deur.

'Zou u binnen willen komen, meneer Tainui?' vraagt ze, haar glimlach een en al tanden.

Hij verwacht vervorming, misvorming: misschien wel een inerte en hulpeloze houten Klaas van een kind.

Wat hij te zien krijgt is een stomverbaasde Simon.

O zeker: van zijn haar is alleen nog een fijn gouden stekelwaas overgebleven, en er zijn een heleboel godvergeten afgrijselijke purperrode littekens die als striemen langs de zijkant van zijn hoofd lopen, en die mooie kleine cirkeltjes die hij bij de minste provocatie om zijn ogen laat kringelen, hebben zich afgetekend en geven zijn ogen een onmenselijk grote aanblik, en hij is witter dan het laken waar hij op zit en het ziet ernaar uit (knijpt zijn ogen samen en telt snel)

dat hij nóg drie tanden is kwijt geraakt – mond hing open, ogen strak op hem gericht.

Ben ik niet welkom? Of herkent hij me niet meer? zijn hart krimpt ineen in zijn borst.

Eén oog loenst een beetje, maar goddomme Haimona! doe iets! Blijf daar niet zo als versteend zitten, en het kind gilt, werpt zijn armen wijd open en de vent die naast het bed zit krijgt zijn oor vol vuist.

Eén ding weet je wel wanneer je vier kinderen hebt: je weet wanneer je nodig bent, hard nodig bent.

Na een poosje neemt de ergste hoha wat af. De dokter wrijft zich spijtig over zijn oor. Simon drukt zich tegen Piri aan alsof hij in hem wil kruipen, slaat armen en benen om wat hij maar te pakken kan krijgen. Piri fluistert tegen hem, vragen die hij niet hoeft te beantwoorden, lieve woordjes voor zijn hart. 'E taku hei piripiri, wat is het toch? Wat hebben ze allemaal met je gedaan, eh? Hartebeest, we missen je zo, vond je het erg, zo alleen? Eenzaam, e tawhiri? Kom, toe nou maar, Piri is er, Piri is er toch nu?'

Zelfs Piri's geoefende handen en stem hebben een hele tijd nodig om hem wat te kalmeren, hij hongert zo naar affectie, het knuffelen, denkt Piri.

Ach, ik geloof best dat al die lui vriendelijk zijn, maar ze hebben natuurlijk geen tijd om hem eens even tegen zich aan te houden en zo... Lieve hemel! Wat een kamer zeg! Op twee meubelstukken na volkomen kaal, geen kleur, helemaal niets van hemzelf... en waarom ligt hij eigenlijk helemaal alleen?

Het is verdomme maar goed ook dat ik eens langs kom.

De dokter is al die tijd stil geweest, voelt alleen af en toe eens aan zijn oor waar Simon hem geraakt had en slaat hen gade met een emotieloos glimlachje op zijn gezicht.

'Kom Himi, ga nu eens even zitten, jongen,' en stopt, realiseert zich eindelijk dat de jongen niet op zijn stem reageert, maar op de gebaren die hij met zijn handen maakt.

'Als je hard schreeuwt, pikt hij er wel iets van op,' zegt de dokter zacht. 'hij heeft nog een restgehoor aan één kant.'

'Ach Jezus,' zegt Piri. 'Ach Jezus, het is niet eerlijk.'

Hij gaat niet schreeuwen: hij vangt Simons blik en vraagt hem met behulp van zijn vingers: Kun je me niet horen? en de jongen zegt Nee.

'Jezus Christus,' zegt Piri weer.

Hij haalt een viltstift te voorschijn en schrijft op de achterkant van zijn sigarendoosje: VIND HET HEEL ERG VOOR JE KNUL, IS ER IETS DAT JE WILT HEBBEN? en de jongen grist de pen en het doosje uit zijn handen alsof hij ernaar had liggen snakken.

Maar wanneer hij het eenmaal in handen heeft, is hij nog wel een minuut bezig om zo te manoeuvreren dat hij kan schrijven en nog veel langer om de woorden te kunnen vormen. Het schrift is onregelmatig en verkrampt en traag.

Met koude stem zegt Piri:

'Als ik mijn neef te pakken krijg, zal ik zijn kop eens in elkaar slaan, eens kijken hoe hij dat vindt.'

De andere man zegt niets, maar slaat het kind nauwlettend gade.

Op slepende toon zegt hij met licht accent:

'Een week geleden kon hij nog niet echt schrijven. Of lezen... twee maanden geleden had ik nog gezegd dat hij nooit meer op enigerlei wijze zou kunnen communiceren. Hij herstelt zich heel snel, weet u.'

Piri, op verbitterde toon:

'Nog niet zo lang geleden kon hij beter lezen en schrijven dan mijn dochter van tien en moet je hem nu eens zien.'

'Met voldoende tijd en de juiste verzorging gaat hij weer net zo goed lezen en schrijven als eerst, denk ik.'

'Denkt u?' zegt Piri en laat een wereld van twijfel doorklinken in zijn woorden. Hij kijkt naar het briefje dat Simon hem voorhoudt.

JOE OK WAAR EN K PIRI HOE LANG BEN IK HIER MAG IK NAAR HUIS

'Het is allemaal nog een beetje warrig en verkrampt,' zegt de dokter. 'Hij komt er wel uit, maar er is tijd voor nodig.'

De jongen houdt zijn ogen strak op Piri's gezicht gericht met een verontrustende loense blik.

Piri kijkt eroverheen, naar de dokter.

'Ik snap wel wat er staat, maar het is niet wat het geweest is. En godallemachtig, wil je wel geloven dat het eerste wat hij vraagt is hoe het met die lul gaat?'

En terwijl de dokter nog met zijn ogen zit te knipperen, schrijft Piri snel op:

JOE IS OK. ZIT IN DE GEVANGENIS. IK WEET NIET WAAR KEREWIN IS. JE LIGT AL TIEN WEKEN IN HET ZIEKENHUIS, HIMI EN JE MOET NOG EEN POOSJE BLIJVEN.

De jongen leest het, en herleest het en leest het nog eens, alsof de woorden hem niets zeggen, terwijl Piri hem in zijn hart smeekt om niet nog meer vragen te stellen.

Die klootzakken hebben hem nog niets verteld, en ik verdom het degene te zijn die zijn hart breekt. Hoe kan ik hem nou vertellen dat hij geen thuis meer heeft? Dat Kerewin haar Toren afgebroken heeft en er blijkbaar voorgoed vandoor is gegaan? Of dat die driedubbelovergehaalde klootzak van een neef van me zijn vader niet meer is.

Ook nu vermijdt hij Simons blik. Hij schrijft WORDT MAAR SNEL BETER IK KOM VOLGENDE WEEK WEER, en negeert het feit dat het kind overduidelijk barst van de vragen en hem met zijn ogen smeekt te blijven, en knuffelt hem snel nog een laatste keer.

Volgende keer moet Lynn maar gaan, denkt Piri, hier ga ik kapot aan, en ziet hoe de dokter de onwillige Simon die helemaal van streek is, terugstopt in bed.

Hij zwaait niet terug wanneer Piri hem gedag zwaait.

Hij houdt het sigarendoosje dagenlang bij zich.

Hij neemt een vraag en antwoord per keer tot zich en werkt ze in zijn geest uit.

Joe okay?

Ja, schrijft Piri, Joe is okay.

Dat is mooi. Dan heb ik hem geen pijn gedaan. Het gaat goed met hem.

Dat is niet de reden waarom hij niet kan komen.

Waar is Joe?

In de gevangenis, was Piri's antwoord... maar waarom zit Joe in de gevangenis? Was het om de ruiten? Heeft hij de schuld gekregen voor het feit dat ik hier zit? Ik hoop van niet, dan wordt hij zo woest als wat. Maar waarom anders?

Dus dat is de reden dat hij niet kan komen... Gevangenis, hij bedoelt gevangenis, waar Kerewin het toen ook tegen hem over had gehad, en ze zweeft de deur door en daalt de trap van de Toren af... waar zou ze anders kunnen zijn dan in de Toren? Piri zal het toch wel weten, hij is er geweest.

Maar waar is Kerewin dan?

Ik weet niet waar Kerewin is, schrijft Piri. Wat betekent dat ze weggegaan moet zijn.

Waarom is ze weggegaan? Omdat Joe in de gevangenis zit en ik hier ben?

En ik ben hier al hoe lang?

Tien weken. Tien weken! Dat is een ontzettende tijd.

En ik kan niet naar huis omdat Joe in de gevangenis zit en Kerewin weggegaan is omdat Joe in de gevangenis zit en ik hier ben.

De vragen en antwoorden beginnen een beetje in elkaar verstrikt te raken. Maar de kwintessens is:

Je moet hier nog wel een poosje blijven, Himi.

Hoe veel langer duurt een poosje nog?

Dagen achtereen vraagt hij ernaar, schrijft op het toverblok dat ze hem gegeven hadden (niet van papier, maar een leivormig stuk plastic met een transparant vel er bovenop. Als je niets anders bij de hand hebt, kun je er zelfs met je nagel op schrijven en als je een schuifje heen en weer haalt, verdwijnen de woorden weer.)

WANNEER MAG IK NAAR HUIS? SP tegen Jan en alleman. 'Je schrijft mooi vandaag, Simon', en weg is de broeder.

WANNEER MAG IK NAAR HUIS! SP

'Ik denk wanneer je beter bent, liefje.' De schoonmaakster glimlacht, gaat weg en sluit de deur.

WANNEER MAG IK NAAR HUIS! SP

'Zodra je weer helemaal goed kunt lopen, we zullen er eens over denken... sorry, eh zuster Campbell, zouden we...' de kinderarts die Fayden heet begint te fluisteren en hij kan de woorden niet meer verstaan.

WANNEER MAG IK NAAR HUIS? SP

'Dat weet ik niet, Himi, dat kunnen alleen de dokters zeggen,' Lynn schudt haar hoofd en glimlacht en huilt tegelijk. 'Je haar groeit al weer aardig... die druiven zijn lekker, hè?'

Klepperdeklepperdeklep en vooral niets zeggen. Het is haar derde bezoekje en het laatste, omdat Marama dit weekend naar huis mag.

('Vertel hem niet dat we hem nooit meer zullen zien... Jezus Christus!' barst hij uit, 'ik zie hem nog liever bij Joe dan dat hij in een tehuis wordt weggestopt. Daar kwijnt hij weg.'

'Ik snap nog steeds niet waarom wij hem niet bij *ons* in huis mogen nemen...'

'Omdat we niet zoveel geld hebben en Maori zijn en omdat we niet écht familie van hem zijn en we al vier kinderen hebben en een vijfde onderweg is... ohh Lynnie, niet huilen, zo bedoelde ik het niet,' probeert Piri haar zo goed mogelijk te troosten.)

WANNEER MAG IK NAAR HUIS? SP
'Hou er nu eens mee op, jongeman. Het is nu niet leuk meer.'

Truc nummer twee: als ze je geen antwoord geven, geef je ook geen normaal antwoord meer, tot ze het wel doen.

De audioloog heeft nu al zeven keer gevraagd: 'Hoor je dit?' en elke keer heeft hij hem het toverblok met de vraag voorgehouden, met een vriendelijke uitdrukking op zijn gezicht.

De man wordt rood in zijn gezicht en mompelt wat voor zich uit.

Simon slaat het gemopper met belangstelling gade. Hij verstaat niet alleen vrij veel met behulp van het gehoorapparaat dat hij draagt, hij is ook bedreven geraakt in het liplezen.

'Je bent aardig op weg om een eersteklas klier te worden,' zegt de hoofdverpleegster van de kinderafdeling de volgende dag.

Hij heeft een groep geïnteresseerde ambulante kinderen laten zien hoe ver je kunt plassen als je een beetje je best doet, namelijk tot beneden in het trappenhuis. Hij ziet er niet uit of het hem spijt.

Hij schrijft WANNEER MAG IK NAAR HUIS? SP (Truc nummer drie: wees een zeurpiet.)

'Zodra ik er kans toe zie, als je je zo blijft gedragen!' snauwt ze en is er zich onmiddellijk van bewust dat ze dat beter niet had kunnen zeggen. De loense groenige ogen vertonen een duivelse glinstering.

Nu is helemaal het hek van de dam, denkt ze. God weet wat hij nu gaat doen.

'Ik wil graag dat je even meeloopt naar mijn kantoortje, Simon. Ik heb je iets heel belangrijks te vertellen.'

Ze steekt haar hand uit.

Hij negeert het gebaar, maar loopt achter haar aan, met bonzend hart.

Dagen geleden is al tot hem doorgedrongen dat ZIJ absoluut niet van plan zijn hem naar huis te sturen. En dat vermoeden is sterker geworden sinds Piri en Lynn gestopt zijn met hun bezoekjes: ZIJ willen niet dat hij contact heeft met mensen die hij kent.

Tot voor kort was dat genoeg geweest om hem te breken, maar het kind van nu is veel harder dan de onnozele, teerhartige Cia re van vier maanden geleden, denkt hij.

Ze kijken elkaar aan.

De vrouw:

Eigenlijk zou Fayden dit moeten doen, die kan je aan... waarom voel ik me altijd zo ongemakkelijk? Door je uiterlijk? Zo mager dat je je botten kunt zien, ogen kijken levendig ondanks de donkere wallen eromheen, het haar aangegroeid tot een stekelig aureool dat alle misvorming camoufleert, op zijn beschadigde gezicht na... je ziet er niet uit als een kind, meer als een gekrompen verbitterde volwassene... of is het de manier waarop je loopt, dat gestrompel, de dronken waggelgang als je probeert om ons te ontlopen? Of de wijze waarop je weigert om ons te accepteren? Je bent een koel, arrogant, vijandig kind; je bent ons geen gehoorzaamheid schuldig en dat laat je elk uur van de dag merken, elke minuut als je de kans krijgt... en Fayden maakt er maar grapjes over, laat het maar gaan... ziet hij dan niet dat je behoefte hebt aan een goede stabiele plaats om op te groeien, met autoritaire vriendelijkheid, eindelijk een normale omgeving? Kan hij niet begrijpen, net als wij, dat 'naar huis' betekent 'Wanneer ben ik beter?' – en niet de wens is om echt terug te gaan naar dat dat monster...

Simon houdt zijn geest leeg. Hij staart alleen maar naar haar.

Ze haalt eens diep adem.

Ik weet dat wij gelijk hebben en niet Fayden.

Ze controleert of de deur dicht is en hangt het Niet Storen-bordje op. Ze praat luider dan normaal.

Ze legt in eenvoudige bewoording uit waarom Joe naar de gevangenis gestuurd is, wat voogdijschap is, en waarom Joe zijn voogd niet meer is.

'Hij is nooit echt je vader geweest, weet je, het is nooit helemaal rondgemaakt, snap je?'

Ze legt uit wat een handicap is en wat meervoudig gehandicapt betekent, wat normaal betekent.

'Je hebt dus heel speciale verzorging en onderwijs nodig zodat je, als je groot bent, geen moeite hebt met de omgang met andere mensen. Dat begrijp je toch wel, hè?'

Geen antwoord.

Hij staat er roerloos bij, leunt met een hand tegen de muur. Zijn gezicht vertoont geen enkele reactie.

Ze legt hem in het kort uit waarom ze hem al gauw naar een" aardig tehuis zullen sturen waar een school bij is, waar vriendelijke, begrijpende mensen van hem zullen houden om wat hij is, goed voor hem zullen zorgen en hem alles zullen leren wat,

'Simon, je hoort me toch wel?'

Zijn ogen zijn strak op haar gezicht gericht.

Hij heeft nog geen enkele reactie vertoond. Alleen zijn ogen zijn, wat vreemd, donkerder geworden.

> Vergroting van de pupil natuurlijk... maar waar is het groen gebleven?

'Simon?' staat op, 'Simon? Wat is er met je? Simon?'

Haar stem komt uit de donkere verte en klinkt als een kreet om hulp.

Dit kunnen ze me niet aandoen.

En hij wist dat het wel kon.


Hij had alles verdragen. Wat ze ook met hem zouden doen, en hoe lang het ook zou duren, hij kon alles verdragen. Als hij uiteindelijk maar naar huis mocht.

En naar huis betekent naar Joe, Joe met de harde handen en de zoete liefde. Joe die kan troosten, Joe die voor hem zorgt. De sterke man, de man die met hem huilt. En thuis is Kerewin, Kerewin de afstandelijke die hem zo na is. De wijze vrouw die hem geen leugens vertelt. De sterke vrouw, de vrouw van de *zee* en het vuur.

En als hij niet naar huis kan, kan hij net zo goed ophouden te bestaan. Kunnen zij er net zo goed niet zijn, omdat ze alleen samen bestaansrecht hebben. Dat had hij in het begin al gevoeld met een vervoering die alles wat hij ooit gevoeld had te boven ging. Hij heeft er hard aan gewerkt ze koste wat het kost bij elkaar te houden, geen whanau... misschien bestaat er nog geen woord voor ons? (E nga iwi o nga iwi, fluistert Joe; o, elfje met de gave waardevolle dingen te ontdekken, o zelfje met de gave waardevolle dingen te ontdekken, fluistert Kerewin, wij zijn de golven van het toekomstig lot) hij schudt de stemmen uit zijn hoofd. Maar we moeten samen zijn. Als we niet samen zijn, zijn we niets. Het is verbroken. We zijn niets.

Het is bijna erger dan de nacht.

Want nu heeft hij niets in het verschiet, helemaal niets.

Hij heeft de communicatie gestopt.

Het toverblok zou met een laag stof bedekt zijn, als het geen ziekenhuis was.

De broeder zei:

'Hij doet precies wat je hem vraagt, maar alsof hij je niet verstaan heeft, tenzij je hem vraagt te antwoorden. Dan hoort hij je niet.'

Dat was de muur die hij in één nacht had opgetrokken, hij had hem uiterst zorgvuldig gebouwd, en er was maar één ingang.

Zij wisten het niet.

Ze probeerden het met vleierij. Hij mocht komen en gaan wanneer hij wilde. Hij bleef in het kamertje voor hem alleen, waarnaar hij weer was overgebracht en bleef op zijn bed heen en weer zitten wiegen.

Ze gaven hem iets dat ze maanden hadden achtergehouden. Kerewins pakje met de dingen erin die hij gepikt had. Ze hielden hem in het oog terwijl hij het uitpakte, in de hoop een zwakke plek in de muur te kunnen ontdekken.

Zonder een spoor van aarzeling liet hij de inhoud van het pakje door zijn handen gaan.

De porseleinen slakjes gaan in zijn hand, paperclips op tafel. Het apparaatje in zijn zak, de sigaren op tafel. De agaat en de geparfumeerde olie in zijn zak, de viltstiften op tafel. Het schaakspel wordt in zijn zak gepropt, het inktstaafje komt op tafel. De visitekaartjes gaan ook nog in zijn zak, op een na dat hij op tafel legt.

Hij haalt het smalle kettinkje van het medaillon door de ring met de turkoois en hangt het geheel om zijn nek.

'Hé, houd je van sieraden? (Weet je nog, die oorbel?)

Ik weet wat, we zullen je oorbel halen, goed? (Haal zijn oorbel eens.)'

Hij kijkt naar zijn handen. Hij kijkt niet meer naar de gezichten van mensen. Hij weet wat zijn ogen kunnen verraden.

'Zit eens even stil... zo, die zit. Goh, dat staat mooi!
We zullen een spiegel voor je pakken, dan kun je zien hoe mooi het staat, eh?'

Hij vermijdt zijn spiegelbeeld. Zijn oorbel zou mijlen ver weg kunnen zijn, in plaats van in zijn oorlel. En iedereen om hem heen kan ook opvliegen.

('Nou ja,' zei de hoofdverpleegster, 'we hebben het geprobeerd. Wat nu?')

Ze probeerden hem te koeioneren – alles om maar door de façade heen te breken. Zoals de fysiotherapeut die zei: 'Loop. Stop. Loop. Stop. Loop. Stop,' zo'n twintig keer achter elkaar, en het enige resultaat van deze benaderingswijze was dat zijn voetenwerk gereduceerd werd tot strompelen.

De muur is een schijnbaar onneembare barrière. De broeder begon het houten kind na één middag al door elkaar te schudden. Haastig weerhield hij zichzelf.

Simons neergeslagen ogen bleven uitdrukkingsloos, zelfs geen spoort je angst.

Maar er is een opening en Fayden vond hem.

Hij is de pas-afgestudeerde kinderarts, een uitbundige buitenlander die niet bepaald geliefd is bij de rest van de staf. Hij heeft de neiging om pauwblauwe overhemden onder zijn witte uniform aan te doen en hij fluit en zingt en praat te veel met de patiënten. Ondanks zijn gebrek aan ervaring verschilt hij nogal eens van mening met collega's van andere afdelingen over de manier waarop ze met de mensen, die ze horen te dienen, omgaan. 'Man, het zijn toch ménsen,' zegt hij tien keer per dag op lijzige toon. Dus wordt hij Mens Fayden genoemd.

Tijdens de laatste stafvergadering over Simon zegt hij: 'Man, hij is dol op die Gillayley, het is toch overduidelijk wat we moeten doen.'

'Ach... kom nou toch. Hij is zo bang dat hij aan een pathetisch soort onderworpenheid lijdt en hij –'

'Naar wat ik gehoord heb niet. Die Tainuis zeiden dat –'

'Die zijn bevooroordeeld. Heeft u de rapporten van maatschappelijk werk dan niet gelezen? En de bevindingen van onze maatschappelijk werkster? Wij zijn het er als groep over eens dat plaatsing in een Hohepa-huis hem de beste mogelijkheden zal bieden en –'

'Daar ben ik het niet mee eens.'

'Dat zal in de notulen worden opgenomen.'

Er is nu niet veel aan te doen. denkt hij. De middag voor de jongen vertrekt, loopt hij bij hem binnen.

'Hallo daar.'

Het is te stil in de kamer. Het kind heeft hem niet gezien. Hij doet wat hij de laatste tijd steeds doet: hij zit in kleermakerszit op het bed, heeft zijn armen om zijn knieën geslagen, kin er bovenop en wiegt heen en weer. Hij heeft zijn ogen gesloten.

'Stop daar eens mee, Simon.'

Het wiegen tot vergetelheid gaat door.

Hij werpt een blik op het nachtkastje, en ja hoor, hij heeft zijn gehoorapparaat weer eens uitgedaan. Zijn laatste toevluchtsmiddel. Tot nu toe hadden ze steeds afgewacht tot hij het weer indeed, en zagen dat als een bemoedigend teken. Dan wilde hij in ieder geval toch af en toe wel eens bij de wereld horen.

Maar dit keer prik ik er doorheen. Het is het proberen waard, man.

Hij komt onhoorbaar dichterbij en legt zijn handen op de nietsvermoedende schouders van het kind.

Het kind schrikt op, en houdt zich dan doodstil.

Fayden gaat op de stoel zitten en laat de twee dingen zien die hij in zijn hand heeft.

Het gehoorapparaat en Kerewins visitekaartje.

Een minuut lang gebeurt er niets.

Dan pakt het kind met trage gebaren het gehoorapparaat op en stopt het in zijn oren.

Zou hij denken dat ik bijt? Zo voorzichtig en bibberig en nog trager dan een kreupele slak...

'Je weet dat ik dokter Fayden ben, hè? Nou, mijn echte naam is Sinclair, Sinclair Fayden,'

Sinclare? Clare? Mijn naam?

'dus zet dat dokter-gedoe maar even uit je hoofd en zie me als een behulpzame knaap die Sinclair heet. Goed? Ik denk dat ik je

533

kan helpen... als jij meehelpt. En met behulp van dit.'

en tikt met een achteloze wijsvinger op het ivoorkleurige kaartje.

Dat is de toverformule, de gouden sleutel, het sesamopen-u.

De jongen maakt zich uit zijn verkrampte houding los. Steunend op zijn ellebogen, hoofd achterover, staart hij de man aan alsof hij er nog nooit eerder een gezien heeft.

Het is vreemd hoe verontrustend die loensige groene blik kan zijn, maar Sinclair lacht de blik weg.

'Ik ben wel even bezig om dit uit te leggen. Het gaat over jou, je vader en die mevrouw Kerewin Holmes, goed?'

Wacht: even wachten: hij zegt Ja.

Mentaal wrijft Sinclair zich in de handen.

Dit wordt een minder grote ramp dan ik had gedacht.

'Er zijn ook nog andere mensen bij betrokken en plaatsen... wat is er?'

Maar hij draait zich alleen maar op zijn andere zij om zijn schrijfblok te kunnen pakken.

O onnoembare, ik geloof dat hij het er eindelijk op durft te wagen en voor het eerst gaat GLIMLACHEN... nou, niet echt een glimlach, meer een trekken van de mondhoeken... jammer, geen getuigen. (Hij glimlacht enthousiast terug.)

VRAGEN? duim met de littekens wijst op zichzelf als de trekker van een pistool.

'Wil je me vragen stellen, jongen? Vraag maar wat je wilt, en ik zal ze zo eerlijk mogelijk beantwoorden. Mijn erewoord,' en steekt twee vingers in de lucht in een gebaar dat kinderen imposant en overtuigend vinden.

'Wil je nu iets vragen?'

De jongen beweegt zijn vinger heen en weer, schuift wat dichterbij en kijkt hem nog steeds strak aan.

Jezus, het is net of iemand een schakelaar heeft omgezet. Het is een totaal ander kind.

Geen ijzige minachting, en geen afschuwelijke apathische gehoorzaamheid waar we de laatste tijd zoveel van hebben gezien. Weer levend, natuurlijk.

Hij zegt ondertussen:

'Goed, wanneer je ergens meer over wilt weten, onderbreek je me maar en dan praten we erover. Nu, ik geloof dat ik het bij het juiste eind heb wanneer ik zeg dat jij naar huis wilt, en naar huis betekent naar je vader. Klopt dat?'

Hij schrikt wat terug voor de begerige honger in de ogen van het kind.

'En thuis betekent ook naar die mevrouw Kerewin Holmes, hè?'

Ja, ja. Vingers en hoofd, alles aan hem beduidt Ja.

Sinclair zegt droogjes:

'Aha. Nou, je hebt zeker wel begrepen dat ze hier vinden dat je te vaak geslagen bent en bang bent geweest om nog terug te willen naar je vader... hoe noem je hem?'

JOE.

'Logisch. Hoe spreek je..., hé, weet je wat ik bijna gevraagd had? Hoe je Joe's achternaam uitspreekt.'

Grinnikt erom en het jongetje – dat wisten we nog niet – doet mee met een vreemd gehinnik dat diep uit zijn keel komt.

KAN IK NIET SCHRIJVEN VRAAG MAAR AAN PIRI

'Ja, dat zal ik doen... in ieder geval, de andere dokters en de verpleegsters denken dat ze je een groot plezier doen door je naar een tehuis te sturen. Jou hebben ze niets gevraagd, maar ze weten gewoon dat zij het 't beste weten. Dus ga je naar een Hohepa-tehuis,' en ziet hoe het kind fronst. 'Ik ben erachter gekomen dat de naam Joseph betekent... ironisch, niet? Naar Joseph willen ze je niet laten teruggaan, maar in plaats daarvan sturen ze je... ach, laat ook maar,' en knijpt zachtjes in de iele schouder. 'Morgen ga je al, wist je dat?'

Hij voegt er haastig aan toe:

'Hé, het is er goed, ik heb gehoord dat het heel goede tehuizen zijn en iedereen zal er heel aardig voor je zijn... en als alles uitpakt zoals ik zou willen, en jij zou willen, dan wordt het een vakantie. Zie het maar als een vakantie,'

verdomme, de tranen komen te vroeg, nu luistert hij vast niet meer,

'hé, kindje, het is niet voorgoed, dat beloof ik je, echt, ik beloof het je, kerel,'

535

overhaaste klootzak van een Sinclair, hoe kun je dat nou waar maken?

'Kijk,' op dringende toon, 'ik heb met een heleboel mensen gepraat, met je onderwijzers en met de oude Marama Tainui toen ze hier lag.'

O jeetje, consternatie.

Een vinger draait door de lucht en maakt een – was dat een vraagteken? Gekreun en zuchten omdat ik geen antwoord geef, en hij pakt het toverblok – ach jee, hij houdt er niet van om dingen op te schrijven.

'Ik ben dom, Simon, traag van begrip, wees maar geduldig met me. Vertel me maar, o dank je,' wanneer het blok bijna bij hem naar binnen wordt geschoven.

LIGT MARAMA ZIEK HIER?

'O jee, dat is me ontschoten, en dat had niet mogen gebeuren.'
    leugenaar, je hoopte dat hij in iets anders dan zijn eigen moeilijkheden geïnteresseerd zou raken. De Tainuis zeiden dat hij heel meelevend is; Piri zei zelfs dat hij zwelgt in andermans ellende.

Werpt een snelle blik omlaag,
    maar ik kan je maar beter niet al te lang laten huiveren van angst.

'Ze is hier geweest, ze is nu beter, maar ze is erg ziek geweest. Zo ziek als jij was,' aait zacht over het borstelige gouden haar van het jongetje. 'Weet je wat een beroerte is?'

Heel verbaasde blik. Heilige moeder, het is zo makkelijk om met hem te praten... waar heeft die Lachlan dat achterlijke idee vandaan dat het altijd moeilijk is om met hem te praten?

'Dat betekent dat er een deel van haar gebroken is van binnen. Dat gebeurt wel eens bij oudere mensen... ze is nu echt weer in orde, je hoeft je geen zorgen te maken over haar. Maar omdat ze hier twee maanden gelegen heeft, en ik ontdekte dat jullie familie waren, ben ik eens met haar gaan praten. Ze houdt van je, hè?'

Dit keer krijgt hij een echte te zien, een grote brede Simonglimlach. Hij lacht terug. Kind, het is maar goed dat het je melkgebit nog is...

'Weet je wat, krielkip? Je hebt een verrukkelijke glimlach, die zou je wel eens vaker kunnen laten zien: maar de lach verdwijnt snel.

Nou ja, hij heeft nu ook niet zoveel reden om te lachen.

Wordt wat zakelijker: 'Die Marama heeft me veel verteld over jou en Joe. Ze wist dat je slaag kreeg, maar ze zei "Ik dacht dat hij af en toe eens een flinke tik kreeg. Alle kinderen krijgen wel eens een klap, nei?" Je hebt er nooit iets van laten merken, is het niet?'

De blik die hij terugkrijgt is volkomen effen.

'Ze vond het vreselijk toen ze hoorde hoe erg je gewond was, maar vond het nog veel erger dat ze jullie gescheiden hebben. Ze zei telkens: "Joe houdt van die jongen, dit moet een ongelukkige samenloop van omstandigheden zijn geweest," maar in de ogen van andere mensen ziet het er niet zo uit. De politie en de dokters geloven dat bijvoorbeeld niet... maar zij krijgen ook alleen de slechte dingen te horen. Ik heb heel veel gehoord over de goede dingen. Er zijn heel wat goede tijden geweest, niet?'

De vingers spreiden en sluiten zich keer op keer op keer.

Sinclair schiet in de lach.

'Begrepen. Heel wat goede tijden, miljoenen. Simon, jochie, schuif eens een beetje op, wil je? Die oude stoel is zo hard als de kont van een grondwerker en snijdt dwars door me heen. Bedankt. O ja, nog iets, mag ik een van je sigaren lenen om op te roken?' en trekt het clownsgezicht waarvan hij weet dat kinderen het grappig vinden: rollende ogen, loslippige lach en wenkbrauwen opgetrokken tot Mag het? Mag het?

De jongen lacht en klopt hem op zijn schouder. Hij gaat op zijn knieën zitten en geeft hem een sigaar van het stapeltje voorwerpen dat hij terzijde gelegd had.

'Ahh, dat is lekker... kom maar bij me zitten,' haalt het bandje van de sigaar af, en steekt hem aan. Een poosje trekt hij er in alle stilte aan en geeft hem dan aan Simon met de woorden: 'Je hoofdonderwijzer vertelde me van je slechte gewoonte om te roken, maar als je lijfarts kan ik je verzekeren dat je voor deze keer rustig een paar trekjes kunt nemen en dat het je groei heus niet zal belemmeren of zoiets.'

Hij trekt zijn lange benen op en strekt zijn arm uit zodat het kind hem als hoofdkussen kan gebruiken.

Okay, Sinclair, jij pakt dit op jouw manier aan en het werkt, maar ik kan je verzekeren dat die eikels met hun strakke gezichten er niets van zullen begrijpen als ze hier op het verkeerde moment komen binnenzetten. Wat tijd – gun me wat tijd, dan krijg ik hem wel op het juiste spoor.

Terwijl ze de sigaar delen, vertelt hij de jongen met wie hij gesproken heeft, en wat ze vertelden en hoe hij beetje bij beetje een beeld gevormd heeft van de situatie. 'Ik doe nooit iets overhaast, kind,' en grinnikt. Het is een heel ander beeld dan maatschappelijk werk en de artsen hebben.

'Ik denk dat je altijd beter af bent thuis bij je eigen mensen. Er zijn genoeg mensen om een oogje op je te houden nu alles Bam! in de openbaarheid is gekomen. Ik geloof niet dat iemand dit nog eens zo ver zal laten komen. En om daar helemaal zeker van te zijn, ben ik van plan te vragen of die Kerewin de verantwoordelijkheid voor je op zich wil nemen en ervoor te zorgen dat Joe bezoekrecht krijgt.'

De twee advocaten hadden daar zo hun twijfels over gehad. 'Mogelijk,' hadden ze gezegd, 'maar zeer onwaarschijnlijk tenzij die vent in zijn hart en manier van leven heel erg veranderd is.'

Sinclair lacht naar de jongen.

'Uit wat ik heb gehoord, is het bezoekrecht wat jou en Kerewin betreft geen probleem, hè?'

Instemming.

Het kind is ontspannen en geïnteresseerd. Zelfs wanneer hij zich verslikt in de rook, probeert hij zijn blik op het gezicht van Sinclair gericht te houden.

'Ho, rustig aan, die kan ik maar beter uit laten gaan... zo, tot nu toe alles duidelijk? Goed, nu komt het deel waarbij ik je hulp nodig heb. Maar het moet wel in het geheim, stiekem, snap je? Je hoeft niemand te laten weten dat Sinclair je ertoe heeft aangezet, je zwijgt als het graf, begrepen?' breed glimlachend om de scherpe klank wat te verzachten.

Tuurlijk, vormen Simons lippen en de man knippert met zijn ogen.

'Wat zeg je?' en keert het gezicht van de jongen voorzichtig naar hem toe. 'Zei je natuurlijk?'

'Tjee,' zegt Sindair, 'als je een heel klein beetje lucht erbij doet, bij dit woord en andere woorden, verras je jezelf nog eens en praat je ineens hardop,' hoewel hij nu moet slikken en slikken alsof hij elk moment kan gaan overgeven. Van de sigaar? 'Over lucht gesproken, jongen, denk je niet dat het een goed idee is om wat frisse lucht binnen te laten?'

Het NEE komt zo nadrukkelijk dat het hem verbaast. K ROOKT DEZE.

'En je hebt de geur gemist, huh?' Sindair schudt zijn hoofd. 'Ik verheug me erop die dame te ontmoeten. Hoe zou je haar omschrijven? Als uniek? Nu we het er toch over hebben,' en kijkt behoedzaam opzij door een blauwe waas van rook, 'weet jij misschien waar ze is?'

Blijkbaar niet. En hij vecht weer tegen zijn tranen, terwijl hij schrijft TOREN? MOERANGI? en het gevecht verloren heeft tegen de tijd dat hij klaar is met schrijven.

'Ach, toe Simon, maak je niet zo van streek... Moerangi? Dat had niemand me nog verteld. Waar is dat, in het noorden of in het zuiden? Ik zal proberen om haar te vinden, echt waar, en ik heb overal gezocht, heus,' en kijkt toe hoe de tranen naar beneden druppelen tot in het gootje van zijn glimlach.

'Goddomme, waarom kunnen zij toch niet zien dat je je thuis zo ontzettend mist?'

Rustig nou maar, man, alles zal wel goed uitpakken... heb wel indruk gemaakt op Groenoog. Die glimlach is meelijwekkend en alwetend en minstens tweehonderd jaar oud. Wie is dit kind?

Hij buigt zich voorover en kust de jongen teder en vluchtig en gaat dan overeind zitten.

'Hoor eens, Simon P Gillayley, ik zal doen wat in mijn vermogen ligt, maar jij moet er ook iets aan doen.'

Je hangt, man, als ze hier ooit achter komen... aanzetten tot rebellie en herrieschoppen bij minderjarigen, dan ben je er gloeiend bij!

'Het zit zo. Als jij je snel thuis voelt en je aanpast in dat tehuis waar ze je morgen naartoe sturen, dan is dat prachtig, dat zal iedereen gelukkig maken, want dan blijkt dat ze gelijk hebben, snap je?'

Hij zegt Ja als een oude man, huilt nog steeds geluidloos.

'Maar als je laat merken dat je er niet gelukkig bent – en ik weet niet hoe je dat precies moet aanpakken, zal iedereen gaan inzien dat ze zich vergist hebben, okay?'

Hij is gaan staan en kijkt hoe het kind op bed ligt.

'Dus probeer niet om je in te houden, liefje. Gedraag je niet zoals je hier gedaan hebt, zo stil en aardig. Doe niet steeds wat je gevraagd wordt. Want zolang je hanteerbaar bent, zullen ze je negeren. Dan denken ze dat je gelukkig bent, nietwaar?'

De vreemde ogen worden neergeslagen. De jongen komt overeind en buigt zich over zijn blok terwijl hij schrijft. Hij geeft het toverblok aan Sinclair, zit heel stil, een schouder wat hoger opgetrokken dan de andere, hoofd er schuin tegenaan, en staart naar de man.

Zijn ogen zijn helemaal rood van het huilen, maar ze staan hard en helder, de pupillen tot puntjes zo klein, wat de glinsterende kleur van de zee benadrukt.

IK WILDE NIET BRAAF zijn. ik wilde weglopen.

Sinclair lacht, zijn zwarte ogen staan vurig.

'Grote zielen lijden in stilte, maar gelukkig denken niet alle grote zielen hetzelfde. Simon mijn kind, ze weten niet wat ze te wachten staat.'

Precies, denkt Simon, precies.

## II

'Dat joch dat ruikt als een hoer van een geeltje? Die met zijn hippie sieraden? Broeder, u maakt zeker een grapje!'

Broeder Keenan leunt achterover in zijn stoel.

Dit was dus niet zo'n goed idee, denkt hij vermoeid. Maar wie zouden we het anders kunnen vragen?

Op milde toon zegt hij:

'Wat het hoerige gedeelte betreft, daar weet ik niets van, maar hij is wel het kind dat een halsketting en een armband draagt. Hij gebruikt een parfum, maar dat heeft een bepaalde betekenis voor hem en we zijn er nog niet achter wat precies. Niet omdat hij zo verwijfd is.'

De andere man snuift. Hij kijkt nog steeds beledigd.

Wat had broeder Anthony ook al weer gezegd? 'Pat O'Donaghue,' de broeder praat met een zwaar Iers accent, en de verwante klanken rollen uit zijn mond, 'is, oh, een recht-toe-recht-aan figuur, denk ik. Maar wel een goed mens, ja, een goed mens. Was sergeant in Noord-Afrika en Italië, was ooit rugbyspeler, maar is nu scheidsrechter. Vader van zeven kinderen, allemaal even aardig en goed terechtgekomen, getrouwd en zo. Maar in zijn hart, God, zegene hem, is altijd nog wel plaats voor een of twee pleegkinderen. Steunpilaar van de plaatselijke kerk,' zegt broeder Anthony. 'Zit in de kerkeraad, heeft de Maria-orde en is altijd goed voor een donatie.'

Niet de persoon die ik zelf voor dit kind zou uitkiezen, denkt broeder Keenan, maar er valt niet veel te kiezen.

De andere man zegt:

'Ik begrijp niet dat u hem zo laat rondlopen. Ik bedoel, u zou het hem toch kunnen afnemen?'

'Wat? Parfum of sieraden?'

'Alles! Potdorie, hij ziet eruit als een flikker in de dop, en dan nog dat slordige haar en die onsmakelijke spijkerbroek en al die opsmuk!'

Broeder Keenan drukt zijn vingertoppen tegen elkaar en kijkt er strak naar.

'Ik bedoel dat alle andere kinderen een uniform dragen en er netjes en gezond uitzien, en dan hij loopt erbij... en u verwacht...'

'We verwachten natuurlijk helemaal niets, meneer O'Donaghue. Broeder Anthony meende,' met nadruk, 'meende dat u misschien zou kunnen helpen.'

Hij laat de stoel naar voren vallen.

'Weet u, de kwestie is niet of we hem er maar bij laten lopen zoals hij wil, of zijn spullen afpakken of hem dwingen dezelfde kleren te dragen als alle andere jongens. Het is zaak hem voldoende liefde en zekerheid te bieden zodat hij zich gaat realiseren dat hij zich niet zo buitenissig hoeft te gedragen om de aandacht van andere mensen te trekken. Wij zijn van mening dat we hem dat niet kunnen bieden. Daarom zijn we op zoek naar een geschikt pleeggezin.'

De andere man knikt.

'U weet dat een heleboel kinderen een of andere stoornis hebben, afwijkend gedrag vertonen. U heeft zelf met een aantal van hen ervaring opgedaan,' nog een knikje, 'zodat u wel zult weten dat gestoord gedrag allerlei vormen kan hebben. Dit kind staat erop zoveel mogelijk dingen uit zijn verleden bij zich te hebben, altijd. Op een manier die op zelfvernietiging lijkt, probeert hij ons kritiek en afkeuring te ontlokken. Het stelt hem gerust dat we hem opmerken, al is het alleen maar om hem te straffen.'

Hij laat zijn stoel weer achterover hangen.

'Toen hij bij ons kwam na zijn verblijf in het Masterton Hohepa-tehuis, wisten we dat hij een moeilijk kind zou zijn om voor te zorgen en om te plaatsen.'

Hij haalt een dossier te voorschijn uit zijn kast.

'In oktober stuurde het ziekenhuis in Christchurch hem naar Masterton. De dag na zijn aankomst liep hij weg. Die keer kwam hij niet zo ver – hij heeft moeite met het lopen van grote afstanden – maar een week later werd hij dertig kilometer buiten de stad teruggevonden. Tijdens de drie weken die daarop volgden, stak hij een schuurtje in brand, lokte vechtpartijen uit met andere bewoners van het Hohepa-huishouden, vernielde nogal wat van het speelgoed en liep nog een keer of zeven weg. De laatste keer werd hij van de veerboot bij Picton gehaald en niemand begreep hoe hij zo ver had kunnen komen of hoe hij op de boot beland was. Het is een buitengewoon vindingrijk kind – wanneer het, in zijn ogen, om zijn belangen gaat. Maar de Hohepa-mensen kunnen, en dat is begrijpelijk, niet zoveel waardering opbrengen voor dergelijke vindingrijkheid. Ze moeten ook aan de andere kinderen denken, dus gaven ze het op. Maatschappelijk werk heeft hem toen bij ons gebracht.'

'Dat klinkt alsof het een aardig ventje is.'

Broeder Keenan kijkt hem aan. 'Merkwaardig genoeg is hij dat inderdaad. Of kan het zijn van tijd tot tijd. Maar hij is absoluut niet onder de duim te houden.'

'Ach, kom nou toch broeder! Een kind van zeven?'

'Dit is een zevenjarige die heel anders is dan alle andere zevenjarigen die ik ooit gekend heb. En ik werk al bijna dertig jaar met kinderen voor kerkelijke organisaties. Ik heb al heel wat zevenjarigen meegemaakt.'

'Maar er moeten toch tientallen manieren te bedenken zijn om een beetje druk op hem uit te oefenen, om ervoor te zorgen dat hij zich gedraagt zoals het hoort. Voor zijn eigen bestwil zou hij een beetje...'

'Mag ik u eens vertellen wat er allemaal gebeurd is sinds hij hier gekomen is? Zodat u een goed beeld van hem heeft en een verstandige beslissing kunt nemen?'

'O natuurlijk, broeder. Brand maar los.'

'Hij is hier nu ongeveer een maand, ja, hij is vijf november gekomen. Toen droeg hij het overhemd en de spijkerbroek en de andere spullen waar u hem in gezien hebt. Zoals gebruikelijk namen we die spullen in en gaven hem een van onze uniformen. In eerste instantie protesteerde hij niet. Maar de volgende dag trok hij gewoonweg al zijn nieuwe kleren uit en weigerde ze langer te dragen. We gaven hem uitleg, we probeerden het met vleierij, we uitten zelfs dreigementen – zonder enig resultaat. We dachten dat hij wat tijd nodig had om te wennen en dat hij daarna maar al te graag het uniform zou accepteren, omdat iedereen erin loopt en het niet leuk is als enige af te wijken van de groep. Maar daar heeft hij geen enkel probleem mee. Hij weigert nog steeds om andere kleren te dragen dan die waarin hij gekomen is. Wanneer ze gewassen moeten worden, draagt hij niets. En als ze er wat afgedragen uitzien,' werpt een blik op de man tegenover hem, 'komt dat doordat het de kleren zijn die hij aan had toen hij naar het ziekenhuis gebracht werd, of daar gekregen heeft en hij ze sinds die tijd onafgebroken gedragen heeft. We hebben geprobeerd zijn haar te knippen. Hij probeerde, en is daar nog bijna in geslaagd ook, om broeder Anthony neer te steken met de schaar en toen hij vastgehouden werd, gilde hij zich in mum van tijd tot hysterie. Daarna hebben we niet meer geprobeerd zijn haar te knippen.'

'Ach lieve hemel, wat geeft het nu dat hij een beetje schreeuwt als –'

Broeder Keenan valt hem in de rede:

'U heeft hem niet zien of horen schreeuwen.' Hij voegt er droogjes aan toe: 'Dat is een heel spektakel.'

Hij bladert door het dossier. 'Eens kijken, wat gebeurde er toen? O ja. Op 11 november liep hij weg. Werd door de politie teruggebracht, nadat hij was opgepakt op het station van Christchurch. 12 November liep hij weer weg. Werd opgepikt door een agent uit Otira toen hij in het kusttreintje zat. 25 November: weer verdwenen. Werd opnieuw door de politie teruggebracht van het station in Whangaroa. Na de tweede keer wisten we niets beters te verzinnen dan hem te dreigen met een pak slaag. Na de derde keer kreeg hij een pak slaag. Hij lachte erom. Dat was voor broeder Anthony geen leuke ervaring.'

'Wat harder en het lachen zou hem wel vergaan zijn.'

Broeder Keenan houdt opnieuw zijn vingertoppen tegen elkaar. Heilig Hart van Jezus, leer me alstublieft om mededogen te hebben met al Uw schepsels. Na enige ogenblikken zegt hij:

'Het is zonder meer al heel moeilijk om een kind te moeten slaan. Maar een kind moeten slaan dat letterlijk overdekt is met littekens van vroegere kastijdingen, is uitermate onsmakelijk. Maar een dergelijke straf lijkt hem niet te raken. Geen enkele straf trouwens, voor zover we weten. Er is trouwens niet veel waar je een kind mee kan dreigen of kunt beïnvloeden, wanneer het kind zich niets aantrekt van de groepsdruk die uitgaat van zijn leeftijdgenoten, die domweg weigert strafregels te schrijven, die het ontspannend vindt om in een eenpersoonsslaapkamer te worden opgesloten, en die alle activiteiten die we te bieden hebben uitermate saai vindt. De invloed die dergelijke maatregelen hebben is dan ook uiterst, uiterst gering.'

'Mmmm, tsja...'

'We zouden, denk ik, als we alleen maar wilden bereiken dat hij zich aan onze normen aanpast, heel hard tegen hem kunnen optreden. Al zijn kleinoden afpakken, erop staan dat hij zich goed gedraagt, en hem dingen zo opdragen dat hij wel moet gehoorzamen. Geen eten geven, slaan, of zoiets walgelijks,' zegt broeder Keenan op vermoeide toon. 'Maar we zijn er om hem te helpen. En hij wil gewoon niet door ons geholpen worden. Hij negeert de psycholoog. Ik heb begrepen dat hij tijdens de lessen op school in slaap valt. Hij weigert deel te nemen aan spelletjes of een andere vorm van recreatie. Alle pogingen van jongens of stafleden

544

om vriendschap met hem te sluiten, wijst hij af. Hij heeft geen belangstelling voor kerkelijke activiteiten. Hij heeft nergens enige belangstelling voor, hij wil alleen maar naar huis.'

'Ik wil niet grof lijken hoor broeder, maar als hij zo weinig meewerkt als u beschrijft, waarom laat u hem dan niet gaan?'

'In de eerste plaats is het een kind van de voogdijraad. In de tweede plaats heeft hij geen thuis meer om naar terug te keren. Zijn vroegere pleegvader is verdwenen, en heeft het huis waarin hij met het kind woonde, verkocht. Ik heb hem dat een aantal keren geprobeerd duidelijk te maken. Hij gelooft me niet, en net als met de rest, kun je hem niet dwingen en zeker niet dwingen de waarheid onder ogen te zien.'

'Waarom laat u het hem niet zien?'

'Pardon?'

'Laat hem maar naar huis gaan... naar... waar is het ook al weer? Whangaroa? en laat het hem met eigen ogen zien. Dan gaat hij wel gewoon doen.'

Broeder Keenan wijst hem heel zachtjes terecht:

'Dan kan hij waarschijnlijk helemaal nooit meer gewoon doen.'

De grote man tegenover hem kucht.

'O. Tsja. Het is geloof ik iets gecompliceerder dan ik in eerste instantie dacht.'

'Ja', zegt broeder Keenan en denkt dat het voeren van gesprek dit keer misschien geen verspilde moeite is geweest.

'Nou, wilt u dat ik hem mee naar huis neem en laat kennismaken met het normale gezinsleven?'

'Broeder Anthony vertelde dat u een bewonderenswaardige reputatie hebt verworven met de opvang van kinderen uit dit tehuis, en een groot begrip heeft ontwikkeld waar het gestoorde kinderen betreft.' Hij denkt: ik heb nog steeds mijn twijfels, maar wie anders, Heer, wie anders?

'Ach ja,' zegt Pat O'Donaghue, 'we hebben Felix gehad en Julian en Mata. En die waren allemaal een beetje gestoord. Ze plasten in hun bed, waren vernielzuchtig, ruw en logen, dat soort dingen. Maar het zijn stuk voor stuk prachtkinderen geworden. Ann en ik kunnen goed met dat soort kinderen overweg. We hebben altijd kinderen om ons heen gehad, ook gestoorde kinderen en houden van ze.'

'Nu, meneer O'Donaghue, dit kind heeft grote behoefte aan echte liefde en zorg. U weet dat ik een nieuweling ben in deze parochie en in dit tehuis. Voor het moment ga ik volledig af op het oordeel van broeder Anthony en wil ik u formeel verzoeken of u bereid bent de jongen voor een proefperiode in huis te nemen, met de bedoeling hem permanent te plaatsen als pleegzoon.'

'Ja broeder, dat zou geweldig zijn... bij ons O'Donaghues is altijd plaats voor iemand die dat nodig heeft, en het lijkt erop, zoals u het vertelt, dat dit kind het hard nodig heeft. We zullen goed voor hem zorgen en ik wed dat u hem over een paar maanden niet meer terug kent, zo zal hij in zijn voordeel veranderd zijn.'

'Ik help het u hopen,' zegt broeder Keenan.

Ik zal ervoor bidden... Vader, mag ik U vragen wat extra zorg te besteden aan dit kind,

en drukt op het knopje op zijn bureau,

het is hoog tijd dat hij de verzorging krijgt die hij verdient.

'O, broeder Michael, zou u Simon Gillayley voor me willen zoeken en hem willen vragen naar mijn kantoor te komen? Bij nader inzien kunt u hem misschien beter zelf even brengen.'

'Natuurlijk, broeder.'

Ze wachten een hele poos.


III


Eén stap, twee stappen, drie, vier, loopt langs het zandpad, de draagbare radio staat op zijn hardst en hij houdt hem tegen zijn oor gedrukt.

Volhouden Clare, bent bijna thuis.

Het zijn twee lange dagen geweest, en een heel lange wandeling, en hij is zo moe dat hij niet meer recht voor zich uit kan zien of lopen.

Maar ik ben er bijna. Wat geeft het nou dat er niemand voor me gekomen is, ik ga gewoon zelf naar huis. Schudt de pijn weer van zich af: dat er niemand is gekomen.

Hij had het vage gevoel dat je op een of andere manier mishandeld werd in de gevangenis. Hij had gedacht dat Joe erna mis-schien naar Moerangi was gegaan, om ervan bij te komen. Dat Kerewin misschien met hem mee is gegaan en dat ze er een poos moesten blijven. Dat ze daarom nooit gekomen zijn.

Het was een hele schok geweest te zien dat er andere mensen woonden in zijn huis in Pacific Street. Door ervaring wijs gewor-den, speurt hij eerst het perron af voor hij uit de trein stapt. Er staat geen politie paraat. Dit keer niet.

Hij was de trein uit geglipt en was via een omweg naar huis gegaan. Langs de haven. Het was vroeg in de avond, een mooie, zachte avond, en dat was maar goed ook. Hij had een katoenen overhemd aan en het spijkerjasje dat hij van Sinclair had gekregen was niet echt warm.

Er was niemand op straat, behalve wat kinderen, kinderen die hij niet kende, die voor het hek speelden. Hij liep het pad op, bij iedere stap viel er wat van zijn vermoeidheid van hem af.

Zal ik meteen naar binnen gaan? Of aankloppen en wachten?

Aankloppen en wachten zou het meest verrassend zijn... e, stel je zijn gezicht eens voor!

De deur ging open.

'Ja? Wat moet je?'

De vrouw keek boos op hem neer. 'Heb je soms met mijn kin-deren gespeeld?' hij loopt achteruit de treetjes bij de voordeur af, ogen strak op haar gericht, zijn hart staat bijna stil. 'Zeg ze maar dat hun vader elk moment kan thuiskomen en dat ze maar beter zo snel mogelijk naar binnen kunnen gaan.'

Hij is terug op het pad, struikelt bijna.

Hij had gezegd, hij had gezegd...

De zachte stem van de broeder, zijn bezorgde ogen, en zijn strak opeengeklemde lippen boven zijn boordje.

Wat moet ik nu doen?

De nacht werd donkerder, kouder. Hij observeerde het huis vanaf de andere kant van de weg, maar de man die de deur bin-nenging, was Joe niet.

Wat kan ik nu in godsnaam doen? Waar is hij, waarom heeft hij me achtergelaten?

En plotseling had hij voldoende boosheid om weg te kunnen

lopen, niet wetende waarheen, maar uit de behoefte het huis met zijn kinderen en boos kijkende vrouw en droevig kijkende man achter zich te laten.

Hij zei dat hij was weggegaan, hij zei het... maar dat kan niet, hij zou nooit weggaan zonder mij mee te nemen, nooit, en in een plotselinge vurige flits:
Maar natuurlijk! Hij is bij Kerewin gaan wonen!
Slaat zijn armen om zich heen en is zwak van opluchting over dit alles.

Jezus jij stomme Clare, ik heb de hele tijd geweten dat het leugens waren... waarom heb je dit niet eerder bedacht? Je had nu al thuis kunnen zijn, in plaats van vast te lopen in het donker. De Toren kan ik vanavond niet meer bereiken.
Zijn benen trillen, en zijn hoofd doet weer pijn. Hij weet het park te bereiken, net voorbij de haven. Het is er stil en er zijn geen mensen, er scharrelt alleen een weka bij het schuurtje dat bij het park hoort. Hij heeft het schuurtje al eens eerder gebruikt als schuilplaats: de koperen grendel op de deur ziet er indrukwekkend uit, maar niemand schijnt zich te realiseren dat het zijraam altijd open staat en groot genoeg is voor hem om doorheen te kunnen kruipen.
Hij wurmt zich met moeite door het raampje, de scharnieren piepen en de weka ritselt en schuifelt weg in de nacht.
Terwijl hij in elkaar gedoken op twee papieren zakken naar de twee manen, die zachtjes schenen, lag te kijken, was zijn laatste bewuste gedachte: Als je me nog eens wat hoort zeggen over waar ik naartoe ga... Hier zul je me nog weken over horen, e pa, weken...

Hij wordt heel vroeg wakker, zo stijf en pijnlijk en dorstig als hij nog nooit geweest is. Kijkt verdwaasd rond in de schuur of er iets van zijn gading bij is... er staat niet veel.. er hangt een plunjezak aan de wand en hij klimt op het bankje om erbij te kunnen. En wanneer hij er zwetend en onvast bij kan, blijken er wonder boven wonder twee sinaasappels, een parka en een klein draagbaar radiotje in te zitten.
Hé, wat een buit, Gillayley! zwaait hem over zijn schouder en klimt weer naar beneden.

Pas na drie pogingen slaagt hij erin om door het raampje te klauteren, maar er is gelukkig niemand buiten.

Hij loopt er zo snel hij kan vandaan.

Het is mistig, de adem van de zee, zegt Kerewin. Het geeft hem een veilig gevoel, alle huizen nevelig, je kunt niet zien hoe hoog de lucht reikt, de lantaarnpalen wat vaag, een auto rijdt voorbij met gedempt gelige koplampen, terwijl hij door de stad wandelt. Hij komt twee mensen tegen, maar geen van beiden neemt enige notitie van hem.

Het is nog steeds vroeg in de ochtend wanneer hij bij de zijweg komt die langs de boerderij van de Tainuis voert.

Zal ik bij ze langs gaan? Nee, dan haal ik de Toren nooit.

Nog een kilometer, ploeterdeploeter, dan komt hij bij de afslag. Hij weet dat het een kilometer is van de Tainuis tot het pad, en dan nog drie kilometer naar de Toren.

De zon is tot halverwege de hemel gedraaid en de mist die alles verhulde, is verdwenen.

Het wordt steeds heter, hij voelt zich zwak en slap en zijn tong voelt zo droog dat hij zelfs niet meer kan spugen –

o, iets sappigs... sinaasappigs

kreunt innerlijk bij de gedachte alleen al, maar is tevreden over zijn vondst. Woorden betekenen de laatste tijd meer voor hem. Hij sukkelt naar de berm van het pad waar wat gras groeit en spreidt met trillende handen zijn parka uit en gaat erop liggen. Hij houdt de sinaasappels vlak voor zijn mond bij het pellen. Elk beetje sap dat eruit druipt, zal hij zo kunnen opslurpen. Althans in theorie. Maar het liep zijn nek in en kwam op andere onlikbare plekjes terecht, zoals zijn ogen.

Verdomme en nog eens verdomme.

De sinaasappels zijn zoet en nog steeds sappig, zelfs nadat hij klaar is met het verminken ervan. En ze zijn kleverig. Wanneer ze droog zijn plakken zijn vingers aan elkaar.

Pas vlak voor de Toren is er weer water, daar waar de rivier bovengronds verder stroomt. Dus loopt hij maar snel naar het pad en wast zijn handen met stof. Dat absorbeert de kleverigheid. En wanneer je je handen stevig tegen elkaar aan wrijft, komen er zelfs rulle velletjes af, van stof en opgedroogd sap. Op een rustige manier interessant.

Hij gaat er zelfs zo in op, dat hij de auto die achter hem is gestopt, niet hoort tot het portier dichtslaat.

Hij schiet overeind en rent de andere kant op, het struikgewas in voor hij zich realiseert wat hij aan het doen is. Zien weg te komen voor ze hem weer te pakken krijgen is een instinctieve handeling geworden.

Iemand roept: 'Hé Simon! Stop eens!'

Hij kijkt wel uit, rent dwars door brem en manuka's heen tot zijn voeten hem ontrouw zijn en hij hard neersmakt. Niet weer, niet weer, niet nu ik er bijna ben, duwt zichzelf overeind. Zijn hart bonkt in mokerslagen, gezichtsvermogen en gehoor gaan teloor onder de slagen.

Ze krijgen me weer te pakken,

maar als zijn gezichtsvermogen en zijn gehoor helder worden, dringt tot hem door dat er geen geluiden van een achtervolging klinken.

Hij hoort stemmen die roepen bij het pad, maar ook andere geluiden.

Hij hurkt neer en luistert zo goed hij kan.

De stemmen staken hun poging, de autoportieren worden dichtgeslagen: de motor start. De auto rijdt weg.

Vertrouw niemand. Ze zullen je wel weer staan op te wachten, Clare, iemand ligt op de loer en wacht...

Het geluid van de wegrijdende auto wordt vager.

Geen ander geluid.

Alleen de vliegen, een enkel vogeltje, zijn hartslag. Voorzichtig kruipt hij te voorschijn, wacht na elke stap, wacht op geluiden.

Er zijn geen geluiden.

Hij stapt met iets meer vertrouwen te voorschijn.

Nog niets.

Heel voorzichtig op het pad.

Niemand.

Omknelt zichzelf van pure vreugde. Gefopt!

Nu kan ik naar huis!

Hij zingt van verrukking.

Ze zijn niet aan de parka of de plunjezak geweest. Het ligt er allemaal nog precies zoals hij het had achtergelaten.

Over stom gesproken, ze kunnen mijn spullen niet eens te
pakken krijgen,
stopt de parka terug in de zak, maar laat de radio eruit. Muziek
om op naar huis te marcheren, een stap, nog een stap, draait de
volumeknop open en loopt in een rustig tempo langs het pad dat
rechts afslaat naar de Toren.

Voor hij nog een kilometer heeft afgelegd is hij uitgeput.

Het was nooit zo ver, ik weet het zeker.

De ene voet voor de andere, strompelt vooruit, telt in zijn hoofd
de voetstappen. De muziek stroomt nog steeds zijn oor binnen,
maar hij is niet in staat er op enigerlei wijze gelijke tred mee te
houden.

Ik zeg ze gedag. Ik zal ze zeggen dat ik van ze hou. En dan ga
ik een week lang naar bed.

De gedachten aan een bed en slapen maken hem nog vermoeider dan hij al was.

Eén stap, twee stappen, neem één stap per keer.

Deze bocht nog te gaan, en de volgende en dan komt de brug,
de brug over, dan kom je bij de Toren.

Over de brug ligt een ruïne.

De muziek blèrt maar door.

Hij schudt zijn hoofd, knijpt zijn ogen dicht en knippert wanneer hij ze weer opent.

Het zijn mijn ogen weer, dat kan toch niet waar zijn?

Het lijkt wel of de halve Toren naar beneden gevallen is.

Hij jaagt zichzelf op een holletje vooruit, de brug over, over het
met paardebloemen bezaaide grasveld. Het gras is lang en naakt
om zijn voeten.

Naar de deur van de Toren. Gesloten Torendeur. Vergrendelde
Torendeur.

Staat daar maar in de warme decemberzon, beide handen vast
om de grote ijzeren ring van de deur, handen zo vast alsof ze ver-
smolten zijn, het radiootje is gevallen en schreeuwt maar door
vanuit het hoge groene gras.

Pas veel later vallen zijn handen slap langs zijn lichaam.

Zijn pijnlijk hart klopt nog steeds, maar het kan hem niet meer
schelen.

Waar? Waar? Waar zijn ze naartoe? wendt zich blindelings af van de deur en wankelt bij het gaan, ergens heen, nergens heen, het kan me niet schelen waarheen, waar zijn ze naartoe?

De zwarte schroeiplek komt voorbij, zwart gras? denkt niet langer, ziet alleen maar, dan blijft zijn hiel ergens achter steken en valt hij achterover midden in de as en de sintels en kleine geblakerde stukjes hout.

De wereld is verbrand en hij ligt te midden van verlatenheid.

Ligt in de as en staart naar de ronddraaiende hemel boven hem. De zwarte wereld rond... waarom zou ik de moeite nemen overeind te komen?

Omdat het Kerewin lijkt bij zijn voeten.

Het hoofd van Kerewin in de zwartheid bij zijn voeten.

Dat is te vreselijk om aan te kunnen zien. Hij gaat op zijn hurken zitten, ogen bedekt,

     maar raak het aan, raak het aan, zelfs als ze hier verbrand is, raak haar aan. Laat haar weten dat je teruggekomen bent.

En het hoofd is koud en hard als steen onder zijn zoekende vingers.

Niet meer tot denken in staat, laat hij zich naar voren trekken door zijn handen, hij knielt voor het ding neer.

Over het grasveld komen van alle kanten schaduwen en stemmen op hem af.

Het is Kerewin, het is Joe, keert het derde gezicht naar zich toe, ai! dat ben ik, en hoewel hij hardop kreunt, zegt een ijle stem van ergens in de verwarde kwelling: Samen, allemaal samen, er is een boodschap voor je achtergelaten, en hij klemt het zo hard hij kan tegen zijn borst en wil het nooit meer loslaten.

Zelfs niet wanneer de handen op zijn schouders neerkomen en hem weer meenemen.

I

Weken reisde ze doelloos rond, het Zuidelijk Eiland over.

Opnieuw ontheemd. Echt weer Kerewin te kaihau... maar ik ben altijd op zoek naar een thuis. Ik vind en verlies het weer. En in mijn hart ben ik niet zo'n reiziger, meer een toevallige zigeuner die zwerft, van het kamp weg en weer terug. Niet meer, omdat er geen thuis meer is... en geen plek om naartoe te gaan, niemand om te vertrouwen.

Geen marae voor begin of einde. Geen familie om te helpen en te troosten en te redden. Niemand niemand helemaal niemand.

Ze belandde in het plaatsje, kleiner dan een stad, groter dan een dorp, ging bij het busstation zitten en vroeg zich af wat ze zou doen.

Weer gestrand, mijn liefje. Het lijkt me nog een saaie kloteplaats ook.

Na verloop van tijd stond ze op, en nam haar gitaar en koffer in haar ene hand, de harpoenstok in de andere en liep naar het centrum van het stadje. Het eerste het beste hotel dat ze tegenkwam, liep ze binnen en vervulde de formaliteiten voor het huren van een kamer. Op het onberispelijke bed gezeten staarde ze naar haar deprimerende bezittingen en wilde dat er een hand was om vast te houden of door vastgehouden te worden.

Het lijkt wel een pantomimespel... wat een rotsituatie. Vraag me af of hij al weer beter is en rondloopt? Of zou hij nog steeds onopgemerkt liggen vegeteren?

Ze trok haar jasje uit en gespte het mes, dat rond haar middel zat, los.

Ik kan geen zeerovertje spelen in de bar... Zeevuur, Ruziezoe-

553

ker zou een betere naam voor je zijn... maar ik kan je moeilijk de schuld geven van mijn tekortkomingen... en als ik dat toch doe, smaak je misschien nog wel het genoegen mijn zoete, zachtblauwe aderen te mogen doorklieven. Wanneer het doodgaan me te zwaar valt.

Minutenlang poetste ze de sikkel die om haar nek hangt op aan neus en overhemd (blond haar, donker haar, vingers die spreken, gekromde vingers) en zakte toen af naar de bar en dronk whisky tot het avondeten, en dronk toen whisky tot de bar gesloten werd en was nog steeds net zo nuchter en helder als toen ze begon, en liep somber terug naar haar kamer om opnieuw met de leegte geconfronteerd te worden.

De whisky had wel tot gevolg dat ze makkelijk in slaap kon komen.

Maar die slaap duurde maar even. Heel vroeg in de ochtend werd ze wakker, hevig zwetend en met een ondraaglijke jeuk. Niet alleen op de gewone plekjes, polsen, nek en handen, maar ook op tot dusver vredige gebieden als het midden van haar rug en het midden van haar schouderbladen. Ze kronkelde zich en schreef het toe aan de whisky, maar in haar hart wist ze wel beter. Een oude vijand was teruggekeerd. Een die ze onmogelijk kon bestrijden. Vervloekt zijt gij, jeuk van mijn zieke ziel.

Het was het hardnekkigst en ondraaglijkst aan haar handen. Op de kootjes en in de huidplooien van elke vinger ontstonden kleine, vlekachtige blaasjes. Krab je ze tot ze opengaan, dan worden je nagels omrand met je eigen huid en bloed, en blijft de eczeemachtige kwelling voortwoekeren. Op de zachte onderkant van haar polsen. Dan op de hele hand.

Een oude vijand die ze jaren geleden al verslagen dacht te hebben. De antagonist uit haar jeugd, vertrouwd, met al zijn vernederende vormen van hinderlaag en sabotage. Ze bindt de hopeloze strijd weer aan. Koud water, en verder alles wat de jeukende gebieden door pijn tot tijdelijke passiviteit kan dwingen. Zout, of alcohol. Zelfs as.

Zodra de apotheek openging, kocht ze antihistamine en bracht de dag verdoofd en sloom door, maar voornamelijk in strijd gewikkeld met zichzelf.

En voor de dag ten einde was stak de messcherpe pijn hard toe in haar buik en kwam dit keer om te blijven.

Na de eerste paar minuten kwam ze tot de conclusie dat ze het kon verdragen, maar zodra ze zich onverhoeds bewoog, voelde ze het tot een echt mes worden dat de kronkelingen van haar ingewanden aan flarden sneed.

Aiiii, instant harakiri, grapt ze zwakjes, zweet, huilt geluidloos, blijft de hele gespannen nacht onbeweeglijk liggen.

Maar zelfs tijdens angst en lijden blijft ze het drukke, bezige gedeelte van haar geest analyseren.

> Je hebt je thuis opgegeven. Omdat de last van nutteloosheid je te zwaar werd. Omdat de eenzaamheid die voortvloeit uit het feit dat je voor iedereen een vreemde bent, te veel werd. Omdat de wetenschap dat je egoïstisch bent, ondraaglijk is geworden. Geestelijk ben ik bijna verdronken. Ik ben niet in de wieg gelegd voor zo'n strijd. Maar mijn ziel koestert nog steeds hoop... stomme Holmes, je bent niet menslievend, je hebt niet de genade van geloof, geloof in wat dan ook. Waarom dan Hoop? Omdat, omdat, ik niet anders kan... en jij noemt jezelf slim? Ha!

Toen de pijn toestak, ondanks het feit dat ze doodstil gelegen had, beet ze tot bloedens toe op haar lippen om maar niet te schreeuwen.

God niet hier, dat kan ik niet aan.

Het brandde.

Ontwrichte minuten lang.

Hield plotseling op.

Kort daarna, slap van opluchting dat het mes teruggetrokken werd, viel ze in slaap. De jeuk was er even niet. En doodmoe zonk ze door een zee die geen bodem scheen te hebben en die je ook niet kon voelen. Ze ving de tranen op die langs haar wangen rolden en grijnsde in hun zoute omhelzing.

'Waarom wilt u slaaptabletten hebben?'

'Omdat ik wil slapen, eh.'

De dokter glimlacht een beetje laatdunkend.

'Dat begrijpen we, maar waarom kunt u niet slapen?'

'Huiduitslag,' en houdt hem heel even haar pols voor die onder de littekens zit, 'enne,' ze aarzelt even, maar ach Jezus wat maakt het ook uit, 'buikpijn.'

'Indigestie? Of, eh, brandend maagzuur?'

'Ben je mal, daar zou ik zelf wel wat aan kunnen doen. Dit voelt meer als, tsja als een mes dat in me gestoken wordt.'

Hij kijkt verbaasd op.

'Heeft u daar vaak last van?'

'Ik heb het twee keer eerder gehad, maar deze keer was het te erg en kon ik het niet verdragen.'

Hij schrijft iets op een blocnote.

'Niets bijzonders gegeten of gedronken?'

'Nee.'

'Komt uw ontlasting wel regelmatig? Is er de laatste tijd misschien verandering in gekomen? Heeft u last van bloederige afscheiding bij de ontlasting?'

'Daar let ik nooit op. Ik poep hetzelfde als altijd.'

De dokter trekt zijn neus op.

'Waar doet de pijn zich precies voor?'

Ze wees het aan.

'Zoudt u uw kleren wat omhoog kunnen doen?'

Spijkerjasje, haaieleren wambuis met franje, zijden overhemd, paddestoelbleke Holmes huid...

Hij palpeerde dat deel van haar buik met zijn vingers. Ze voelen zacht en koud en droog aan.

Hij fronst.

'U heeft toch niet onlangs een harde stomp in uw buik gehad?'

'Nee.'

'Is het u opgevallen dat er daar een zwelling zit die hard aanvoelt?'

'Ja.'

Met nauw verholen nieuwsgierigheid vraagt hij: 'Maar waarom bent u daar dan niet meteen over begonnen? Dat is toch de ware reden van uw consult?'

'Nee, dat is het niet. Ik kwam omdat ik iets nodig heb om te kunnen slapen. Whisky is op den duur niet zo goed voor je lever. Die zwelling is iets waar ik absoluut niet nieuwsgierig naar ben.'

'Terwijl het u zoveel ongemak bezorgt? Kom, kom. Ik denk dat we beter maar meteen wat onderzoekjes kunnen doen.'

'Dat denk ik niet,' zegt Kerewin koel. 'Ik zei toch al dat ik er niet in geïnteresseerd ben?'

De dokter legt zijn pen neer en poetst met trage bewegingen zijn brilleglazen op.

'Ik denk,' zegt hij en tracht wat mildheid in zijn stem te leggen, 'dat dit misschien wat ernstiger is dan u denkt. Ik denk dat het verstandiger zou zijn uit te zoeken wat die zwelling is, en waarom die u zo'n pijn bezorgt.'

Hij heeft een zekere professionele kalmte in zijn stem, spreekt tegen haar alsof ze een opgewonden debiel kind is.

Ze geeft hem op dezelfde toon antwoord.

'Ik geloof dat ik over een zeer levendige fantasie beschik. Ik geloof dat ik alle mogelijkheden wel de revue heb laten passeren, variërend van een tumor tot een invasie van vreemde paddestoelen. En, zoals ik al zei, het interesseert me verder niet. Ik wil iets hebben om te kunnen slapen. Als u me ook nog een sterke pijnstiller wilt voorschrijven, zal ik u zelfs dankbaarheid betuigen. En als u me geen van beide wilt geven, hou ik het gewoon bij whisky.'

Hij windt er verder geen doekjes om en zegt: 'Het zou kanker kunnen zijn. Er is zeker sprake van een of andere tumor, en niet van een geblokkeerde darm. Hoe eerder het onderzocht en weggehaald wordt, des te groter uw kans is het te overleven.'

'Ik ben niet geïnteresseerd. Jee, u verstaat me toch wel? Dat heb ik nu al drie keer herhaald.'

Hij ziet eruit alsof hij gaat schuimbekken.

'Weet u wel,' zegt hij snel en nadrukkelijk sprekend, 'heeft u wel enig idee hoezeer iemand moet lijden die aan kanker sterft? De vreselijke pijn die zo iemand lijdt? Weet u wel –'

'Nu gaat u me iets te ver, kleine medicijnman,' haar stem klinkt beheerst en zacht. 'Hoe kunt u nu weten dat ik wil leven? Wat zou u ervan zeggen als ik dit een prachtige manier vind om zelfmoord te plegen zonder dat het allerlei vragen oproept?'

Zijn mond valt open.

De hele scène heeft op merkwaardige wijze iets onvermijdelijks, alsof was voorbestemd dat het zo gespeeld moest worden na haar aankomst in het plaatsje. Het had iets afstandelijks, alsof je naar een ander kijkt in een toneelstuk. Het voelde niet als realiteit.

'Zeg maar niets meer,' zegt ze rustig. 'Schrijf nou gewoon maar een recept uit. Dat is toch wat jullie het grootste deel van de tijd doen. Doe me een lol, en doe als altijd. Je zegt gewoon dat het een voor de pijn en het ander om te slapen is. Dan zeg ik gedag en verdwijn voorgoed, okay?'

Op hartstochtelijke toon had hij nog meer gezegd.

Kerewin had hem zitten aankijken met de uitdrukking op haar gezicht die ze normaal reserveerde voor het bestuderen van een nieuw soort spin. Hij had zijn verhaal abrupt afgebroken, en bloosde onder haar blik.

'Het is uw leven,' had hij toen gezegd.

En ze had hem een antwoord gegeven dat haarzelf net zoveel verbaasde als de hulpeloze arts.

'Dat was het,' zei ze.

Maar ergens lang geleden heeft het me verlaten.

De voorspelde vreugdes bleken saaie niemendalletjes. De bestemming werd nooit afgeroepen en nooit bereikt.

Ze wandelde in het park. Nou ja, park? Enkele tientallen bomen, allemaal uitheemse soorten, en keurig gladgeschoren grasvelden. Een eenzame speelvijver, zonder water, zonder kinderen, vol dode bladeren.

De bladeren lagen overal, hele bergen, bruin en verdord. Toen ze er sleepvoetend doorheen liep, ritselden ze somber alsof de beweging hen verstoorde.

Bladeren in de war schoppen, eh Holmes? en wierp haar hoofd achterover en verraste zichzelf opnieuw door te lachen.

Er stond een boleet vlak bij haar onder een beuk. Ze hurkte er bij neer en bekeek hem aandachtig. De lichtkleverige hoed was nog helemaal gaaf. Zo, de wormen hebben dit feestmaal zeker over het hoofd gezien... ze plukte hem voorzichtig en hield hem in haar gesprongen en tranende handen. De hoed had een doorsnee van zo'n twintig centimeter. Ze viste een tasje uit haar jaszak en legde de boleet er behoedzaam in.

'Ik zal hem in de boter smoren, misschien zelfs met wat kruiden erbij,' fluisterde ze tegen zichzelf, en terwijl ze opstond rinkelden de twee fiolen met pilletjes een opgewekt requiem in haar zak.

*Ten Eerste*

'Is het mogelijk een diagnose te stellen zonder ziekenhuisopname of ingrijpende onderzoeken?'

Een kordate vrouw, net zo oud of jong als Kerewin: 'In uw geval niet met zekerheid. Ik heb een voorlopige diagnose gesteld, maar zonder biopsie of andere proef operatie kan ik niets met zekerheid zeggen. De pijn die u beschrijft, het gewichtsverlies en afnemende eetlust, de plaats en vorm van wat hoogstwaarschijnlijk een tumor is, zijn allemaal aanwijzingen, maar er zou een andere verklaring voor kunnen zijn dan kanker.'

'Kunnen dergelijke symptomen veroorzaakt worden door spanningen en geestelijke onvrede?'

De vrouw haalt haar schouders op.

'Ik zou het niet weten.' De manier waarop het menselijk organisme op angst en spanning reageert is uiterst variabel.'

'Als ik maagkanker heb, hoe lang duurt het dan voor ik doodga, ervan uitgaande dat ik elke vorm van behandeling van de hand wijs?'

'Daar is onmogelijk iets over te zeggen zonder dat ik weet in hoeverre de ziekte al om zich heen gegrepen heeft. Zelfs dan valt er nog niet veel over te zeggen. U zou nog een jaar of zelfs langer kunnen leven, maar zou ook binnen een maand kunnen wegkwijnen. Dat hangt van een heleboel factoren af, niet in de laatste plaats van uw wil tot leven.'

Kerewin glimlacht. De donkerpaarse kringen onder haar ogen doen die glimlach extra goed uitkomen.

'Wat is uw bezwaar tegen ziekenhuisopname en behandeling?' De dokter is nieuwsgierig maar emotieloos.

'In de eerste plaats dat ik de controle over mezelf en mijn lot verlies. In de tweede plaats verkeert de medische wetenschap in een merkwaardige staat van onwetendheid. Men weet veel, genoeg om zich ervan bewust te zijn dat men onwetend is, maar artsen peinzen er niet over die onwetendheid tegen patiënten toe te geven. En er bestaat geen holistische behandelingswijze. Een dokter gaat niet te rade bij een religieus die niet te rade gaat bij een diëtist die niet te rade gaat bij een psycholoog. En naar wat ik te weten ben gekomen over de behandeling van kanker, is het middel dat men toepast vaak erger dan de kwaal...'

'Wat u zegt komt er dus eigenlijk op neer dat u geen vertrouwen hebt in artsen en de huidige medische wetenschap.'

'Dat klopt.'

De rook van haar sigaar werpt een stille barrière tussen hen op. De specialiste zegt koel:

'Wel, het enige dat ik in dat geval voor u kan doen is u doorverwijzen naar mijn collega met de aanbeveling dat hij u geeft waar u om hebt gevraagd.'

'Dank u. Dat is meer dan ik had durven hopen.'

*Ten Tweede*

'Goed, ik geef u dit mee en dan kunt u gaan, maar er is één ding: hij heft zijn handen, 'vindt u het niet erg egoïstisch? Ik bedoel, wie moet straks de rotzooi opruimen?'

Kerewin is een ogenblik stil.

Hij gaat, haast gretig, verder:

'U moet toch wel een paar familieleden hebben die u gunstig gezind zijn, ook al zijn ze dan tijdelijk van u vervreemd, zoals u vertelde.'

'Mijn familieleden interesseren me geen bal. Zij denken er, dat kan ik u wel verzekeren, hetzelfde over. En wat de rotzooi opruimen betreft – bij mijn notaris heb ik een handgeschreven verklaring achtergelaten waarin ik uitleg waarom ik verkoos om geen behandeling te ondergaan. Mijn wettelijke en financiële zaken zijn allemaal keurig geregeld. Ik geef toe: het opruimen van een lichaam dat al tot ontbinding is overgegaan is geen pretje, maar er is alle kans op dat ik pas gevonden wordt tegen de tijd dat ik een keurig schoon skelet geworden ben.'

'En het alleen doodgaan?'

'Tja, wat moet ik daar nu op zeggen? Dat moet iedereen. Wie er bij je zijn als je sterft is natuurlijk in de eerste plaats afhankelijk van het toeval. Ik ben niet bij een kerk aangesloten en heb hun rituelen niet nodig. En ik functioneer het best als ik alleen ben.'

Hij zucht.

'Goed, openhartige woorden brengen u niet van uw stuk en u kunt uw standpunt heel goed duidelijk maken. Zoudt u dit willen overwegen? Waarom komt u niet bij mij en mijn vrouw wonen in plaats van god weet waar naartoe te gaan? Zij is verpleegster geweest en we hebben beiden begrip voor uw standpunt. We zouden u met rust laten tot u onze hulp wenst. Ik bedoel, je weet toch maar nooit hoe je je voelt als je doodgaat tot het gebeurt... misschien wilt u toch wel dat iemand uw hand vasthoudt.'

'Bedankt, maar nee, dank u. Het is heel vriendelijk van u om dit aan te bieden, maar,' ze aarzelt voor ze het zegt, 'ik wil alleen zijn.'

Hij lacht. 'Goed. En wanneer de politie ernaar informeert,' houdt haar een bonnetje voor om te tekenen. 'heeft u dit nooit getekend. Het is alleen voor mijn eigen administratie.' Hij zegt wat dromerig: 'Ik denk niet dat u in staat zult zijn een soort verslag bij te houden van hoe ze werken?'

'Ik zal mijn uiterste best doen... verwacht alleen niet dat het erg samenhangend zal zijn. Ik zal de aantekeningen. als die er zijn, in een envelop voor u achterlaten.'

Hij trekt een grimas.

'Ja... en als u van gedachten verandert, laat het ons dan alstublieft weten.'

'Goed. dat zal ik doen,' staat op en voelt zich nu haast licht in het hoofd. 'daar ga ik dan.'

Zoveel tijd en gepraat voor dit. een bruin potje vol met capsules. Extract van paddestoelen, sterk hallucinerend middel. pijnstiller met een ongekende kracht.

Zoete kruiden, zoete wijn, zoet middel dat het zelf naar buiten brengt, ik heb alles, zong ze in zichzelf.

En nu, beginnen.

## Ten Derde

Ze bracht een groot deel van haar spullen onder in een opslagplaats, met verzegelde instructies die na een jaar geopend mochten worden als zij haar spullen dan nog niet was komen ophalen.

In de rugzak met het aluminiumframe pakt ze de meest essentiele zaken voor haar steekspel met de naderende dood.

De drie boeken. Simons rozenkrans. De Ibanez in zijn reiskoffer. met een extra stel zilveren snaren. De hallucinogene middelen. Een maandvoorraad rookwaren. En een kwart liter whisky om mee te beginnen.

Pijnstillers van het orthodoxe soort, antihistamine, vitamine E en C en Leatrile in 1000 mg tabletten.

Een extra spijkerbroek, nog een zijden overhemd, een paar extra sokken, ondergoed, leren handschoenen. Anorak. Zeer lichte, zeer warme, waterafstotende donzen slaapzak.

Een primus en twee gamellen. Aanmaakblokjes en een kleine, compacte set kookbenodigdheden.

Een pak koffie en een zoutvaatje en wat olie.

Het zwaarste voorwerp dat ze meeneemt is een veldezel. In een map aan de achterkant ervan zitten papier en penselen en viltstiften en twee staafjes inkt.

Als en zodra ik een plek heb gevonden om te sterven, ga ik erop werken.

In die tussentijd zwerf ik verder. Hai, Te Kaihau.

De pijn is nu voortdurend aanwezig.

*Ten Vierde*

Een vreemd stel woorden uit de woordenschatkamer van haar geest blijft als een versje door haar hoofd spelen:

hortsik
liflaf
sjabrak
prullaria

Da's alles eh, terwijl deze sneeuwvlokwereld splintert en glinstert. Goedkope schijn in goud en azuur en scharlaken en een zilveren nimbus... niets is zonder vooropgezette bedoeling...

Stank van de drank van gisteren zit volop in haar neusgaten. Een schorre keel en overal hangen nog koortsachtige klonters woorden... hoe was het ook al weer?

*Kleine koortsige klonters woorden*
*kwetteren orenvol*
*en vallen van het papier*

Ik oreerde tegen de zee die regenbogen weerspiegelde...

De aarde is nat, verregend, en er kruipt een lijkkistenlucht uit wortels en bladeren op.

'Dit,' zegt Kerewin zacht mompelend, 'wordt niks. Mijn nieren doen pijn van de perversiteit van het vele drinken en zomaar ergens tussen de zandheuvels liggen. En hoewel m'n paddestoeldrankje een zoete nacht lang vrede schenkt, is mijn aftakelende ziel het eigenlijk niet waard.'

Ze hees zich overeind en kreunde.

Het is een verlaten stuk strand. Een kilometer in de omtrek zijn er geen ogen. Geen mensen.

'Ik ben dankbaar, herr Gott, dankbaar.'

Ze schokschouderde de verdraaide slaapzak van zich af.

Het leek verspilde tijd en moeite om haar dolende gedachten terug te roepen en zich te wassen en iets te eten en te drinken te maken en het eten van de vorige dag uit te poepen.

Ze zat een poosje in kleermakerszit en haatte de drukkende tumor in haar smekende buik. Nog een poosje, dan werd de dag dag. Ze waste zich in een beekje en de ijzigheid van het water benam haar de adem. Haar borsten hingen; haar buikvel vormde nieuwe plooien, en iets uit het midden van haar buik zat een afschuwelijke uitstulping.

Het beekje sijpelt erlangs, alsof het schroomt om dichterbij te komen. Het vet, waar ze grapjes over had gemaakt, dat haar lichaam met een beschermende laag bedekt had, was verdwenen. Haar armspieren waren nu op groteske wijze zichtbaar, terwijl billen en dijen onherkenbaar vermagerd waren. Terwijl ze de verwoesting van haar lichaam In ogenschouw neemt, voelt ze plotseling een vreemde drang tot bescherming, de wens om het te vernieuwen. Er is er maar één zoals gij, en nu haast geen een meer...

Somber gestemd dronk ze een kop koffie. De trage rook van haar vuurtje verwaaide naar een kant. Met de koffiekop in haar handen geklemd, nog steeds vervuld met dat nieuwe gevoel van medelijden met haar lichaam, werpt ze een onderzoekende blik op haar handen.

Ze zijn al een tijdje geïnfecteerd. Wanneer ze bij een stadje kwam, verborg ze ze in handschoenen. Omdat het 't staartje van de winter was, leverde niemand er commentaar op.

Paars, opgezet, pus druipt uit alle kloofjes.

> *Deze kwaal die deels*
> *wortelt in mijn hoofd*
> *verraadt mijn hand en.*
> *Ze verrotten wreed*
> *tot weke sponzen*
> *en heel hun tere*
> *stille kracht*
> *is gevangen en reikt tot niets.*

Ze heeft ineens enorm zin om gitaar te spelen. Maar twee dagen geleden had ze hem naar het huis van haar familie opgestuurd. Zonder briefje. Alleen de Ibanez.

En nu is er de behoefte om het donkere en blanke hout in haar armen te houden, perehouten bovenkant en ebbehouten onderkast. De zwarte hals met het zilver. Herinnering aan het paleis der schaduwen.

O God, zelfs mijn gitaar was in rouw gehuld.

### Ten Vijfde

Ik ben weggegaan. Nu ben ik gekomen.

De brem staat nog steeds geel op de heuvel. De rijke zware geur wordt door de wind meegevoerd. Ze had nieuwe kracht gevonden nadat ze besloten had hier naartoe te gaan. Zuidelijk de hoge kale heuvels intrekken, het verre toevluchtsland, het intense landschap vol schaduwen en stormen en sneeuwbuien en zon... kristalwoestijn. Het McKenzie-landschap waar de door de wind geteisterde hut van haar familie nog steeds overeind stond. Niet meer gebruikt sinds die zomer, lang geleden, toen zij drieën naar goud hadden gezocht. De deur hing gammel in zijn scharnieren en het glas in het enige raam was gebarsten en bedekt met spinnewebben. De vloer bestond uit aangestampte aarde; de rotzooi die erop lag schopte ze naar buiten. De open haard onder de enorme schoorsteen die in zijn geheel de verste wand beslaat, werd ontsierd door gebroken flessen en een dode muis. Die schopte ze ook naar buiten.

Er stond een stapelbed in het huisje. Het matras van het bovenste bed was vergaan,' ze trok het eraf en verbrandde het in de open haard toen die eenmaal schoongemaakt was en brandde.

Op de plank onder het raam stalde ze haar boeken en papier en tekenspullen uit. Ze zette de veldezel zo neer dat ze hem zonder verdere aanpassing als tekenbord en bureau kon gebruiken.

Haar rugzak met haar kleren erin hing ze aan het voeteneind van het stapelbed.

Nu was haar nieuw-verkregen kracht bijna uitgeput. Tijdens een lange, inspannende dag liftte ze naar het dichtstbijzijnde stadje en kocht er een nieuwe gitaar, twee kratten whisky en drie dozen vol levensmiddelen: salami, melkpoeder en gedroogde bananen, en alles wat de winkel verder in voorraad had dat ze zonder koelkast kon bewaren. Ze liet de taxi tot zo dicht mogelijk bij het huisje rijden, maar moest zes keer op en neer lopen om alles er naartoe te brengen.

Met trillende handen, slappe benen en een overweldigende pijn in haar buik keek ze hoe alles op de vloer opgestapeld stond en viel toen voor het eerst in haar leven flauw. Het laatste restje visueel bewustzijn toonde haar een hoek van het kratje voor ze er tegenaan sloeg.

Een sprankje helder bewustzijn vindt zijn weg.

Dan een langzame moeizame terugkeer naar het licht.

Het op orde brengen van de hut had de hele nacht in beslag genomen. Tegen de tijd dat ze zich naar het stapelbed sleepte, gloeide er vuur in de haard, waren de kasten gevuld en zat er water in de tank die buiten stond.

De hele volgende dag en nacht sliep ze door. Werd wakker en was nog steeds moe, voelde zich één brok spierpijn en had een flinke blauwe plek op haar wang als waarschuwing niet nog eens haar krachten te overschrijden. Ze waste zich en kleedde zich aan, at langzaam haar mengseltjes, dronk heel weinig en kroop naar de deuropening. Daar absorbeerde ze de zon toen het mooi weer was en keek onthecht naar de regen toen het regende. Zo had ze een soort dagelijkse routine ontwikkeld.

*Vreugde van de worm rust op u.*

Meestal maakte ze 's middags een wandeling, niet voor haar plezier, maar omdat ze het noodzakelijk achtte. Voorbij de door grote rotsblokken uiteengereten rivier. Voorbij het driehoekige bosje dat aangaf dat ze halverwege was. Voorbij het bremvrouwtje, dat ineengedoken huilde onder de windstoten. Hinkend en gebogen, dodelijk vermoeid weer terug naar huis.

's Avonds stak ze de haard aan en kookte de enige warme maaltijd van de hele dag. Al naar gelang haar stemming schilderde of schreef ze alle pijn van zich af. Aantekeningen voor een paddestoelhandelaar. Daarna tokkelde ze, tot het vuur uitging, wat op haar gitaar, of sloeg wat ontstemde tonen aan, of hield hem alleen maar in haar tranende handen.

*Beetje bij beetje teer ik weg.*

De huid van haar gezicht is strak geworden, als een masker. Oogleden van hagedissehuid en schilfers eromheen maken de lachrimpeltjes onherkenbaar. Eens, in de zorgeloze roes van de weldadige paddestoelen, betrapte ze zich erop dat ze moest lachen om de manier waarop een druppel pus uit de kromming van haar pols lekte en langs haar schuin aflopende onderarm op de snaren van de gitaar droop. Even was ze geschokt door de stompzinnigheid van het einde. Daarna moest ze erom giechelen, niet uit wanhoop of ontzetting, maar omdat het nu eenmaal zo was en altijd zo was geweest. Afgezien dan van de heldere lichtende dagen toen schilderijen als muziek onder haar penselen groeiden. En het was ook juist dat het zo verliep, dat zo de stompzinnigheid werd beëindigd, door stukje bij beetje weg te teren.

De nachten waren doortrokken van de geur van brem.


## Ten Zesde

Het is kalm buiten vanavond, geen wind, vorst, heldere sterren. Ik heb een vuur gemaakt.

Er is voortdurend geritsel.. nachtuiltjes die bij het raam fladderen, rondtollen en zich plat drukken. Op het moment huist Mothon, kwelgeest van dronkenschap en bestialiteit hier niet.

Ze ziet uit naar een nuchtere nacht, puur vreugdevol. Want een of ander diep mysterie heeft een tijdelijke verzachting van de strijd verordonneerd. Het woekerend kwaad is er, maar is niet alomtegenwoordig. Ik voel me niet langer leeggezogen door zijn groei. Adempauze voor de volgende ronde? Wie weet. Maar toch... in weerwil van deze wapenstilstand, voel ik me niet op mijn gemak. Ondanks alle kalme stilte trekt iets wanhopigs van buiten de deur aan me. Buitenaardse wanhoop.

Het lijkt niet eerlijk dat op deze zeldzaam vredige avond iets anders dan mijn weerzinwekkende conditie zich aan me opdringt.

Probeer de gitaar eens... ik zou in staat zijn van deze slecht verbloemde parodie te gaan houden. Want het geeft me mijn muziek terug, muziek die past bij de beelden in mijn geest, muziek om ze te ontlokken en een sfeer van uitbundig dansende vreugde te scheppen.

Maar er roept iets in het duistere onbekende en ik moet snaren blijven tokkelen tot ik het kan antwoorden.

Laat de deur maar op een kiertje staan. Ik heb nu de koude huivering van de lucht over mijn huid nodig.

Er zijn bomen, als vage eenzame silhouetten op de beschaduwde heuvel, gevangen en bevroren door de voorbijgaande maan. De grond is ongemakkelijk onder de vorst. Ik kan haar voelen treuren. Dus terug naar het vuur.

Het sterft langzaam. Hele delen vol as en dan plotseling oplaaiende tongen, een hoge vlammenarm omhoog, strekt zich. Een reservoir van energie, amber en geknetter, dat minutenlang vonkend vuur levert.

Er is een nachtuiltje binnengekomen.

Harig en gehoornd als een uitheemse uil.

*E, zilvergrijs vliedend-voelend*
*nachtuiltje boodschapper van de nacht,*
*wie huilt daarbuiten?*

Ze verlaat mijn vinger en vliegt zwaar weg. Het is een omvangrijk vrouwtje, het mollige gestreepte lijfje gezwollen van de eitjes, o leg toch mijn lieverdje, leg...

Ik hoor steeds maar iemand lopen.

De voeten hebben een ritselende echo echo die door mijn dromen klinkt... het nachtuiltje vloog haar straal voorbij en het kietelend gevoel blijft, kriebelt bij mijn neus... er is hier niemand, slechts gevederde lucht...

Maar wie is het?

Ik kan de wanhoop daarbuiten voelen, dichterbij nu, ineengedoken en eenzaam. Laat me erin, murmelt het.

Het doet me denken aan die avond in Whangaroa, in het café met Joe, toen er een stem tegen de luiken van mijn hart bonkte. Het doet me denken aan het kind in zijn stille duisternis.

Maar ik kan zelfs niet meer mijn gedachten met hen delen. Ik ben mijn dood te dicht genaderd.

En waarom moet ik op dit late uur lastig gevallen worden met de kwalen van de wereld?

Ach godverdomme, geef me die whiskyfles eens aan, zelf, en verdrink het zieke.

Klotewereld, ik laat u in uw kamer zitten.

En nog wel zonder gebeden.


*Ten Zevende*

Het grootste deel van de derde week lag ze onbeweeglijk op bed.

Tot niets anders in staat dan wankel schuifelen, poepte ze buiten, maar haalde het maar net.

Ze kon niet meer tekenen, was deels blind en de wereld werd met de dag vager.

Het dode vuur bleef koud. Ze at niet meer.

Ze verdroeg de pijn ook niet meer, maar sloeg whisky en hallucinogeen water naar binnen dat in een kampeerpannetje naast haar bed stond.

'Alle varkens naar de troggen,' klonk omfloerst op een dagnacht, voor ze terugviel in onduidelijke afschrikwekkende verwarrende dromen.

Er schreeuwt iets.

Simon staat met vreemd misvormde ogen voor haar. Zijn lippen aangevreten door kleine gleufvormige zweertjes. Er kronkelt zich een worm uit zijn mond. Hoi! mompelt hij, ik ben helder. Hij lost op in etter.

Er schreeuwt iets.

Rijke rode as bij de rand van het vuur. Er liggen botten onder. Ze beginnen naar voren te kruipen, kronkelend als maden. Ze duwt ze terug, maar er ligt een verstikkend gewicht op haar borst en ze bezwijkt eronder. Ze herkent het gewicht als een hoofd, het hoofd van Joe, zijn zwarte haar krult dromerig om de afgezaagde rand van zijn nek.

Er schreeuwt iets.

Haar familie staat klaar met vogelsperen, praten en lachen en porren in haar, die in de vuurkuil ligt. Vetbellen spatten om haar oren uiteen, begeven het met rijke klotestemmen die jouwen Jij? Jij? Jij? Ze roept naar haar moeder, haar broers, Haal me eruit! haar zusje, geef me een hand! maar de benen speerpunten doorboren haar wanneer ze haar onder duwen.

Er schreeuwt iets.

De schreeuw van de zeemeeuw, wereldkwetsuur.

*God!*

*Niet het schreeuwen van de meeuw*
*verontrust mij*
*maar al die golven*
*die op het zand vallen...*

En in de stilte, klinkt de droom zee weer als wind, die om de heuvels huilt.

*Ten Achtste*

Ik voel me onverklaarbaar vochtig.

Het is heel heel erg koud.

Die kleine paddestoel daarginds, die met de bleke grijze hoed? Kijk toch eens naar de perfectie van zijn plaatjes... zie je? Kwetsbaar, beschaduwd, vol subtiel leven... hij smaakt waterig. Er zit verdorie helemaal geen smaak aan.

Het gras zit vol met kleine pareltjes!

Daar nog meer paddestoelen.

Ho ho, je hoeft je niet zo vol te proppen. Ze groeien in cirkels, je vindt er genoeg als je soepel rechtsom kruipt.

Ik word maar niet warm. Ik ben koud tot op mijn botten.

Maar ik heb nu geen botten meer. Ze zijn vergaan, opgelost, weer aarde tot aarde.

'Maar als ik nu botten had, meneer, en ik zei áls, wat zouden die laten zien in het donker? Het skeletachtig overblijfsel... en ze bestond uit grof vlees, ongevoelig en zacht en tot zilver verfijnd. En bovenal was ze ongelooflijk ongeneeslijk gevoels-bewust. Voor alle soorten, afwijkingen, kanalen en lofzangen van gevoel – ze zou nooit, kan nooit ophouden zich bewust te zijn. En over zichzelf na te denken. Haar gaven en haar kwalen. Geen botten.'

'Waar hou je van?'

'In alle ernst, mijn enige, al-enige liefje, waar hou ik van?'

(Overdekt dromerig haar lichaam met druppels bevroren parels.)

'Hé, jij daar! Wil je dat echt weten?'

'Ja.'

'Waar ik van hou?' denkt erover na.

'Van heel weinig. De aarde. De sterren. De zee. Koele, klassieke gitaarmuziek. Meeslepende flamenco. Alle kleuren onder de zon of diep verborgen in de borst van moeder Aarde. Oh Papa liefste, welke vreugdes verberg je nog? En stormen... en met donderend geraas brekende golven. En de stille golven ver weg... en o dolfijnen en walvissen! Zingende mensen, mijn zusters in de zee... en van alles dat blijk geeft van tedere moed, standvastige liefde. De stille schittering van granaat, alle wijn, levenswater en hemelbrood en ernstig fonkelende maan...'

'Ja... kun je staan?'

'Natuurlijk, altijd. Hola! Die pareldingetjes zijn verdomde glibberig, weet u.'

Zingt:

'Regen in pijpestelen, kolkende maag, opengebarsten beschermende huid, laat me erin, laat me erin, o ik ben 't, Kerewin...'

Stevig op haar voeten, blote armen gespreid, stopte verrast.

'maar ik niet alleen. Hij is de felle zon aan de oostelijke hemel, en hij is 's nachts de bruidegom van de maan, en ik, ik ben de levensdraad die hen verbindt. Door het toeval bij elkaar, wij drieën, begin in vrijheid.'

Ze zucht.

'Ik snap het niet, maar het is de enige mogelijkheid en o vrouwe van het zuidelijk land, mijn liefjes zijn me zo dierbaar, zo dierbaar.'

'Ja, dat is goed.'

Plots kristallen helderheid. Een klein donker figuurtje, scherp geëtst. Ze knippert met haar ogen en het beeld versplintert.

'Ik kan u hele geest niet meer zien.' Murmelt ze slaperig.
    'Dat komt nog wel.'
'Ik heb net ontdekt', zegt Kerewin. En viel
    *Het leven is eenzaam.*
    *Allen vijanden,*
    *de een los van de ander.*


Er is een moment, wanneer je door het licht loopt, dat je in je eigen schaduw loopt.


*Ten Slotte*

Alles weggevallen. Op gegaan. Gek gevoel. Licht als een ballon, licht als een wolk. Ze komt als vanzelf op een elleboog overeind, zweeft omhoog, en kijkt naar de haard en daar staat een magere, tanige persoon van onbestemde leeftijd in de as te rakelen.

Van onbestemd geslacht. Van onbestemd ras.

Gebruind en rimpelig, en gehuld in lagen door weer en wind en tijd vaal geworden dekens. Zilver haar. Zilveren wenkbrauwen. Enorme littekens van een brandwond bedekken de helft van het gezicht waarvan mond en wenkbrauwen getekend en misvormd zijn door roze littekenweefsel.

Waterige ogen. Stompjes tanden.

Het zegt, terwijl het dichterbij komt en zich over het onderste stapelbed buigt:

'Kun je me verstaan?'

De hees fluisterende stem heeft geen accent: een vlakke papierachtige uitspraak van woorden.

'Kkkik,' zegt Kerewin, bedoelt Ja.

Haar mond en keel zitten vol slijm, hele slierten, taai en deels opgedroogd.

Ze slikt, maar dat helpt niet veel.

Het vreemde hoofd verdwijnt.

'Jouw, eh... toevoeging zit er niet in.'

Met trillende handen neemt ze het kopje aan dat haar voorgehouden wordt. Er verstrijken heel wat seconden voor ze haar handen gekalmeerd heeft en nog meer voor ze het kopje naar haar mond kan brengen. Ze neemt een paar grote slokken. Een zuur brouwseltje. Rode bessesap? Hier? Na de laatste slok geeft ze het kopje terug. 'Dank u.'

Vragen cirkelen om haar heen als kleine groene vleermuizen. Ze is half van plan er een paar een opstopper te verkopen.

'Zo is het goed.' Het pakt de kop behoedzaam aan.

'Ik ga nu weer.'

'Maar wie bent u eigenlijk? Ik heb mijn geestkracht, zo niet mijn leven aan u te danken.'

'O, je zult nog lang genoeg leven,' geeft het ten antwoord. 'En met je geest was het ook wel in orde gekomen, je bent liefdessterk genoeg. Ik heb alleen een beetje opgeruimd.' Het lachje ontbloot afgebrokkelde tanden. 'Mijn naam zou je toch niets zeggen, nu niet en later niet. Zo te zien ben je kunstenares. Ik heb je schetsen bekeken. En wat je geschreven hebt. Dus leg me maar vast op een doek of beschrijf me. Dat zegt wél iets.'

Het stopt de dekens wat steviger in en glijdt naar de deur.

'Je bent me geen dankbaarheid verschuldigd. Ik heb echt niets gedaan.'

Het grinnikt, een benauwde, reutelende, vochtige versie van de stem waarmee het spreekt.

'Tot ziens,' en verdwijnt buiten in de mist.

Ze zwalkt terug naar bed en gaat in de slaapzak liggen.

Haar lichaam is een gezuiverde replica van zichzelf, maar dan ook alleen van zichzelf.

Het ding dat haar maag blokkeerde en haar levenskracht uit-zoog, is verdwenen.

Een gloeiend vreugdevuur laait in haar op terwijl ze in slaap valt.

II

Het is een angstaanjagend gezicht, gevat in een zakspiegeltje. Ma-ger en strak onder lagen vervellende huid. Houdt het spiegeltje wat lager, gottegod wat een aanblik. Verschrompelde vieze huid.

De grote spieren trekken samen en strekken zich onder mijn vieze vel, zoeken een uitweg. Slappe buik... huidplooien, maar dat is beter dan dodelijke uitstulpingen... en haar borsten bengelen, echter niet in een natuurlijke leeftijdscurve. Al haar vet is weggesmolten en alleen de klier is in een huidzakje overgebleven.

'Lijkt iets te veel op een skelet naar mijn idee, m'n zieltje.'

En:

'Jezus, het stinkt hier.' Ruikt nog eens. 'Herstel. Ik stink. Als een varken. Als verschaalde paardepis.'

Weg met die spiegel en je kritische blik, en begin een voorjaarsschoonmaak. Hoewel het al bijna zomer is.

Geprezen zij het aardige kleine mensje. Het heeft zowel de uitwerpselen opgeruimd als de watertank gevuld. En hou eens op het 'het' te noemen: je hebt ooit iets goeds bedacht, weet je nog, Holmes? Het geslachtloos persoonlijk voornaamwoord; lij/laar/lem, ik ben niet van hem, lem/laar/lij, en hij is niet van mij, lij/lem/laar/ een voornaamwoord voor haar, (en laat nog een blik vol water lopen).

Ze kookt het water en boent zich schoon terwijl de stenen warm worden.

Gamel heet bij pannetje koud, lekker lauwwarm mengsel waar we sjloep, een scheutje desinfecterend spul en een royale hoeveelheid zeep aan toevoegen...

Tegen de tijd dat ze schoon is, zijn de stenen klaar, niet hangiheet, maar heet genoeg. Ze stapelt er armladingen vol manuka op en giet dan telkens een emmertje water over de stapel terwijl ze op het doorverende bed staat.

De stoom is heet en aromatisch.

Vast een illusie, mijn liefje, maar het voelt alsof al mijn afzonderlijke poriën open gaan staan en het indrinken. En wat ze uitzweten gaat niemand wat aan.

En wrijft zich droog met een handdoek en zweet lekker verder.

Kun je dronken worden van manuka-stoom? O doordringend geurende o harsige o prachtige plant, geen van uw tere knoppen die vandaag zijn geofferd sneefden voor niets...

Loopt weg van de stoombron, zo ontspannen dat ze haar botten niet meer voelt.

Laat zich slap, ontspannen naakt, op het lentefrisse bed met slaapzak vallen, kijkt met halfgesloten ogen naar de extra gereinigde hut.

De kleren hangen bij het vuur te drogen, de haard is volgestapeld met hout: die drogen wel terwijl ik een dutje doe... goeie genade, ik moet toch wel heel ver weg geweest zijn, ik heb mijn hele leven nog niet in zo'n vieze rotzooi gezeten... sloeg mijn spijkerbroek op de rotsen en met het sop vloog me allerlei viezigheid om de oren. Deels doordat ik hem op de struiken droog... hij zal wel doordrongen zijn van de geur van brem en mij en manuka, en ik ben zo mager dat ze me wel voor een wandelende tak kunnen aanzien als ik voorbij kom...

Ze schrikt wakker, tuurt in de rode oogjes van de kolen... wie zei dat?

Haere mai!

Nau mai!

Haere mai!

Een aardediepe basstem, een sonoor schallende roep die nog nasiddert in mijn buik. Staat voorzichtig op, haar huid voelt lekker strak en nieuw aan, snuift de plantenzoete lucht op.

Niemand? Geen levend wezen zou ook zo'n stem kunnen hebben...

Ze schudt haar hoofd en rekt haar magere lijf tot de nutteloze spieren bijna scheuren en alle verschoven werveltjes weer op hun plaats schieten. Er trekt een plotselinge golf van welbehagen door haar heen, felle vreugde om het in leven zijn.

En ze heeft voldoende eetlust om alles te eten wat haar voor handen komt, met of zonder pootjes... er staat nog een pond havermout in de kast, wat honing; twee flessen whisky; een afgedekte kan – die moet het schepsel hebben achtergelaten – zou het in de buurt wonen? – het zure rode sap is bessesap; melk en instant-puree, is dat alles? Dat is inderdaad alles, tenzij je het enkele dorre nachtuiltje en een op gekrulde joekel van een spin meetelt...

Ze maakt een pannetje vol pap en verslindt het met siroop van melk en honing en verrast zichzelf door nog een tweede en een derde portie te maken.

Voldaan, languit nu, voor het nieuw-aangelegde haardvuur. Vol nieuwe taaie kracht en kalme energie, en vastbesloten het niet te verpesten... ze drinkt een beschaafd glaasje whisky en oefent tussen de slokjes door toonladders op haar gitaar.

Fijn dat mijn handen er weer zo mooi uitzien... de gitaar heeft een harde simpele klank, maar je kunt ermee door, vriend instrument, je kunt ermee door...

'Je bent een gelukkig mens, Holmes, mijn harmonieuze hartje. Niet iedereen krijgt een tweede kans.'

Terwijl haar vingers overgaan tot het tokkelen van melodietjes, denkt ze:

Ik kan weer schilderen, en dat zal ik doen ook.

Ik zal gauw toenadering zoeken tot mijn familie, want nu kan ik het wel.

Of ze me accepteren of afwijzen is aan hen. Herbouwen in Taiaroa? We hebben geld en kracht en we kunnen...

En dan?

Ze tokkelt voorzichtig om de moerassen en drijfzandgebieden heen van wat volgt op het liedje dat ze lang geleden in een café speelde, Simons Meelodie.

En hoe zit het met hen?

Als Joe het briefje gevonden heeft, komt hij misschien met Kerstmis thuis.

Misschien vond hij het wel een goed idee om bij me te komen wonen. Ik geloof dat het niet zo'n samenhangend briefje was, maar hij zal het wel begrepen hebben... God ik hoop dat hij geestelijk niet al te veel geleden heeft door de gevangenis, en de gevangenis van herinneringen... En het koboldkind, wel zeer vreemd spinnekind, het katalyserende ventje dat alles in beweging zette?

Toen verstard, zo kaal als een biljartbal op Gods handpalm, met door elkaar gerammelde hersens en die vreselijk lege ogen waar ooit de plagerige heimelijke ondeugd flikkerde; waaruit ooit merkwaardig zelfbewustzijn scheen; waaruit ooit het liefdeslicht straalde. Niets meer van over. Wezenloos, het zonnekind. Te ver weg in de duisternis om nog iets te beseffen. Als hij niet tot zichzelf gekomen is, is hij voor mij dood. Voor ons.

Maar terwijl de ouverture van La Gaza Ladra rijst, en weer opduikt,

Ik zal ernaar informeren. Eens zien of ik iets kan doen...

Bij het licht van het vuur denkt ze:

Kunst en familie door het bloed; thuis en gezin door liefde... ook al kon ze maar iets ervan herwinnen, dan was het deze vurige reis naar het hart van de zon waard geweest.

Het was het tijdstip voor zonsopgang waarop zielen het minst met hun lichaam verbonden zijn, wanneer kehua ronddolen, wanneer, vooral bij laag water, oude mensen zo makkelijk hun doodsbed verlaten. Het mysterieuze uur waarin dromen echt zijn.

Ze ging voor de buitendeur zitten en overdacht de droom.

Het land is onbekend. Kaal en verlaten, geen bomen, zo te zien geen rotsen, alleen maar lage bruine welvende heuvels.

'Haere mai' Welkom! Maar ook: Kom hier...

Ze was voldoende bij bewustzijn om te vragen: Kei whea?

'Haere mai!'

Nu een diep doordringende vibratie.

Er doemde een licht op en het landschap begon te draaien alsof er een camera langzaam 180 graden gedraaid werd.

Kale wachtende heuvels, en de oude nachtelijke hemel... maar beneden in de greppels kan ze struikgewas zien groeien en over de kale heuvels zien uitdijen. Het landschap blijft maar draaien, en het volgende teken van leven is een vervallen, verwaarloosd gebouw, log en vierkant op een plateau. Ze loopt er naartoe, 'Haere mai! wordt nu door vele stemmen gezongen, en vult het land als de bulderende vibratie van een machtige zee.

Ze raakte de drempel aan en het gebouw kwam kaarsrecht en herbouwd overeind, en andere gebouwen stroomden eruit tot een verbazingwekkende kolonie. Ze passen zo goed en natuurlijk bij het landschap, dat het lijkt alsof ze er gegroeid zijn. De karanga wordt woester, krachtiger. Het licht ontpopt zich tot helder blauw daglicht en de mensen lopen in het rond, vreemd geklede mensen, met gouden ogen, bruine huid; allen verwelkomen haar.

Ze betasten en strelen haar met opgewonden maar zachte handen en ze voelt hoe ze stukje bij stukje uiteen valt onder de aanrakingen. Ze wordt gereduceerd tot beenderen en de beenderen zinken weg in de aarde die 'Haere mai!' roept en de beweging stopt.

Het land gaat gehuld in schoonheid en de mensen zingen.

Heel bijzonder, mijn liefje. Ik heb nog nooit zoiets gedroomd.

Het verwelkomend gezang klinkt nog na in haar oren. Een koele windvlaag streelde haar gezicht.

Waar is het land dat me noodt?

Ze voelde in haar zak en haalde voor het eerst sinds een maand een sigaartje te voorschijn en stak het op.

De enige vervallen gebouwen waar ik enige band mee heb zijn mijn Toren en de oude Maori-zaal in Moerangi.

De rook verspreidt zich en trekt weg.

De volgende morgen pakt ze al haar spullen in, behalve de gitaar en een fles whisky. En Simons rozenkrans wordt om de hals van de fles gedrapeerd en blinkt boven haar briefje: 'Mijn naam is Kerewin Holmes. Mijn thuis is de Toren, postbus, Taiaroa. Laat me weten of mijn vreugde compleet kan zijn, goed? Kia koa koe...'

Dan loopt ze naar buiten en sluit de kreunende deur voor de laatste keer achter zich.

De rugzak is licht: boeken en veldezel, restanten eten en de resterende fles whisky, wat kleren. Verder draagt ze alleen de harpoenstok met zich mee.

Kerewin te kaihau, wat je zegt... en als ik niet snel een stadje vind, is dat alles wat er te eten is voorlopig, lacht in zichzelf.

Onder deze zon, met dit nieuwe veerkrachtige lichaam, heeft ze het gevoel dat er niets mis zal gaan.

Een paar kilometer verder langs de weg wordt ze meegenomen door de chauffeur van een veewagen vol schapen, en hij zet haar bij het eerstvolgende kleine stadje af, net op tijd om de honger te stillen die ze van het wandelen gekregen had.

Ze voorziet haar portefeuille van nieuw geld, neemt een paar pilsjes in het plaatselijk café, praat wat mee over het weer en gaat weer verder.

Ze heeft geen haast, en maakt zich geen zorgen of ze er wel zal komen, maar vervoer is opvallend makkelijk voorhanden. Weer een lift van een vrachtwagenchauffeur en arriveert op tijd om de bus te kunnen nemen die aansluit op de trein.

Tegen de avond loopt ze de kaika in.

Ze fluit bij woorden die in haar opgekomen zijn, wilde dat ze een gitaar had om er een processie van te maken, maar zwaait, bij gebrek daaraan, haar stok naast zich in het tempo waarin ze loopt.

> *O nooit is het stil aan zee,*
> *altijd spreekt er wel iets*
> *olven op de rotsen*
> *golven op het zand*
> *vogels en de wind*
> *je harteklop en*
> *woorden van anderen*
> *wat ook maar kan raken*
> *loop door loop door*
> *luisteren kost niets...*

De huisjes zijn verlaten. Ze gaat het Oude Huisje binnen en installeert zich.

De zee buldert maar.

Aan de andere kant van de heuvel hoest een astmatisch schaap.

Een kever zoemt voorbij.

Ze staat op de plek van de oude marae.

De deur van de gemeenschapszaal hangt uit zijn scharnieren.

'Tena koe... whakautua mai tenei patai aku. He aha koe i karanga ai ki a au?'

Het is heel stil.

Kerewin wacht, met haar handen in haar zij geplant, hoofd schuin, luistert.

> Wat verwacht ik eigenlijk? Ik kom en zeg gedag, ik ben teruggekomen, riep je mij, en wacht op... bliksem? Brandende braambossen?

Het is heel donker achter de deur.

'He aha te mahi e mea nei koe kia mahia?'

Zee in de verte op het strand; vogels in de nacht; haar adem komt en gaat. Verder niets.

Ik vraag wat het wil dat ik doe, en er volgt stilte.

Verder niets.

Ze zucht.

Typerend, Holmes... verwachtingen altijd groter dan de werkelijkheid. Het zij zo. Ik kom morgen terug als het licht is.

Terwijl ze zich omdraait, stroomt er grote warmte in haar. Vanuit de aarde onder haar voeten naar het centrum van haar buik, koerst als een weldadig vuur door haar borst naar de kruin van haar hoofd.

Ze voelt hoe haar haar letterlijk begint te bewegen.

Schuddebuikt van het lachen, van het huilen, siddert en zindert van vreugde tot in haar kern.

### III

Zit bij een Moerangi vuur, voorlopig het laatste. Kat spint op mijn schoot. Ik denk na over het afscheid.

Ze maakt het kleine houten kastje open dat haar Boek van de Ziel bevat.

Pretentieuze trut, Holmes, dat je jezelf zo serieus neemt...

Ze weegt het boek op haar hand. Zo'n duizend pagina's Oxford India papier, gebonden in zacht zwart leren kaft, de titel in zilveren letters.

Je zou me naar de hel kunnen sturen, je zou al mijn geheimen kunnen verraden, kleine nare voorvallen en jankend zelfmedelijden op een hoop bij elkaar... maar je bent mijn laatste redmiddel geweest, een bastion voor de ziel dat beter werkte dan de fles.

Ze slaat het open bij de pagina die ze het laatst beschreef, ongeveer op een derde van het boek. Ziet in haar dunne schuinschrift de regels:

*Zo leef ik, een omhulsel dat naar verrotting verlangt in de zoete aarde. Schrijf nonsens in een dagboek dat niemand ooit zal zien.*

God allemachtig, we zijn een stuk verder gekomen sinds

579

toen. Waar zal ik eens beginnen?

Ze schrijft:

*Het is een zeldzaam bijzonder jaar geweest, o papieren ziel, niet in het minst omdat dit al de derde keer is dat ik met je praat. Het is nu bijna Kerst Mis, het begin van een nieuw jaar, het begin van een nieuw leven. Grote veranderingen – van waaraf zal ik het vertellen?*

*Begin bij mij.*

*Ik ben zwakker en bleker en magerder, maar word met de dag dikker en sterker. Een gevoel als van een versterkte burcht... dat is het enige eenvoudige woord dat zowel vlucht als vrucht omvat.*

*Ik werk hard, schilder met gemak, vloeiend, geconcentreerd. Ik glimlach veel. Mijn leven heeft weer richting gekregen, vier richtingen – maak er maar vijf van – nee, zes. Ik weef webben en bouw dromen en eens in de zoveel tijd grijpt dit wonder me onverhoeds. Wat een eind af ligt van de tot sterven gedoemde knekelzak van een maand geleden.*

*Zal ik je eens wat vertellen? Ik ben twintig kilo afgevallen... stel je die enorme zwaargewicht eens voor, 75 kilo op blote voeten en met een slipje aan, teruggebracht tot dit!*

*Maar ik kom vol overgave al weer wat aan, eet alsof mijn leven ervan afhangt. Ik ben al weer 56 kilo en hard op weg naar de 60... ik doe nog steeds interesssante dingen, als door mijn knieën zakken onder gewichten die ik nog niet zoveel maanden geleden met gemak optilde (probeerde bijvoorbeeld vier platen ijzer van twee bij twee meter en vier millimeter dik op te tillen, klapte voorover en sloeg bijna mijn hoofd eraf). Maar we werken de hele dag en we slapen, wat slapen wij lekker! vredige, aangename dromen van de nacht.*

*Geschiedenis, feiten, zakelijkheden: ik ben begonnen de Maori gemeenschapszaal te herbouwen, omdat dat, spiralerwijs, het meest in de lijn lag om te doen. Het duurde niet lang voordat nieuwsgierige dorpelingen langskwamen om te zien en te horen wie ik was en waarom ik met hun relikwie aan het spelen was. Ik werd herkend, begroet, en toen ze hoorden dat mijn tijd en geld gratis ter beschikking stonden, haalden ze hun schouders op en lieten me mijn gang gaan... alleen op zaterdag kwamen een paar mensen helpen met het vastzetten van de twee bij vier balken en om het tin naar boven te brengen. En zondag, laat op de dag, hadden we het dak erop zitten en zag de buitenkant er netjes en sober uit. Een echte werkploeg (we gedroegen ons die zondagavond niet zo netjes en sober).*

*De rest van de week werd ik aan mijn lot overgelaten maar toen was het alleen nog een kwestie van de wanden opnieuw betimmeren en nieuwe vloerplaten leggen. Licht timmerwerk en alles paste zo makkelijk en mooi, dat het zichzelf had kunnen bouwen.*

*En op vrijdag kwamen ze met de nieuwe deur en de ramen die we besloten hadden te bestellen. Ze brachten een vaatje mee en dekens en matrassen en gitaren en twee uitdrukkingsloos kijkende schapen waar meteen karbonaadjes van gemaakt werden. Ze kwamen met liters prachtige regenbogen, een blik verf uit ieders schuur. Ze kwamen met een overdaad aan liedjes en met bereidwillige handen.*

*En op zondag ben ik vettig van het kluiven aan schapeboutjes en meer dan een beetje verzadigd door het lekkere bruine bier, en ik zing mee met de rest in de propvolle zoete ruimte die weer een hart van mensen heeft.*

*De gebeden en de wijding vinden komende zondag plaats, en, heerlijkheid der heerlijkheden, de oude deurstijlen van de oude marae, elk met hun eigen naam zullen weer worden opgericht.*

*We hebben niet zomaar een gemeenschapsruimte, maar weer een echte marae. Het vuur is weer aangestoken en nu zink ik dankbaar terug in vergetelheid.*

*'Het gaat zo gemakkelijk,' zeiden ze steeds maar.*

*'Het is zeker de juiste tijd ervoor, eh?'*

*De juiste timing is nu net de kunst, vrienden.*

*'Maar wat heb jij er eigenlijk aan?'*

*Ik antwoordde dat ik van feestjes hield. Gelach.*

*Maar ik kreeg ook nog twee merkwaardige, ongezochte bonussen.*

*Toen de eerste helft van het schaap buiten lag af te koelen, kwam er een schim van een poesje aan.*

*Beste ziel, ik was mager, maar dit was alleen nog maar een perkamenten velletje over uitgemergelde botten. Zij knabbelde aan reepjes vet die op de grond gevallen waren. Niemand schopte haar weg, maar er was ook niemand die haar aanhaalde; ze was van niemand en niemand wilde haar hebben... door overmatige vriendelijkheid, veroorzaakt door het bier, deelde ik mijn lunch met het dier en ontdek nu dat de eerste van mijn verantwoordelijkheden thuisgekomen is om haar plaats op te eisen. Misschien werkte haar magere gestalte dit keer in haar voordeel. Zij glipte het huisje binnen zonder dat ik het in de gaten had en veroverde zich toen een plaats in mijn hart.*

581

*Het is een heel jong poesje, pas een paar maanden oud. Door haar lichtbruine teint en spitse kop ben ik geneigd te denken dat het een bastaard-Siamees is. Zij heeft het donkerbruine masker, maar geen andere tekening. Haar staart is een vijfde poot, voelspriet, taster, een vinger.*

*Ze heeft zo'n gevoelige staart nodig. Ze heeft geen ogen.*

*Ik dacht eerst dat het kwam doordat zij uitgehongerd was, eh. Maar de kassen zijn leeg en verzegeld. Ik geloof niet dat zij ooit ogen gehad heeft. Er zitten geen openingen in het masker.*

*Ik heb haar een naam gegeven. Je moet katten, mensen, wie ook maar dichtbij komt, een naam geven, zelfs al dragen ze hun ware naam verborgen binnenin zich. Ik noemde deze Li.*

*De naam van het hexagram, Het Vuur, Schitterende Schoonheid*

*Want het is geen schuwe poes, zoals men zou kunnen denken omdat ze blind is. Ze draait om me heen, bedelend om aangehaald te worden, zit op mijn schouders, trillend door het iele, rasperige geluid van tevredenheid. Zo vlijt ze zich neer, in bewonderenswaardige balans, wanneer ik ga wandelen.*

*Het is een beschaafde kat, en een felle en nieuwsgierige kat. Ze heeft heel snel door waar ze is; wie er is en wat er is. Het is een met klauwen gewapende kat, met gemene, zeisvormige nagels die ze altijd intrekt wanneer ik haar aanraak, maar die verder altijd gereed gehouden worden (zoals een ongelukkige meeuw die Li's eten betwistte vanmorgen ontdekte). Ze verslindt eten – maar heeft een nog veel grotere behoefte aan liefde. (Ze haat andere katten... maar het is een vrouwtje en omdat ik vermoed dat bastaard-Siamezen net zo wellustig zijn als het zuivere ras, zal dat wel gauw veranderen... voorlopig worden andere katten begroet met een geïrriteerde grauwen gaan haar zachte grijsbruine haren in plukken en richels overeind staan.) Vurige poes. Rare poes. Leuke poes.*

*Ik heb nog nooit eerder een dier gehad. Ik ben blij met haar.*

*Mijn tweede bonus was een man en zijn beroep.*

*Hij had bierogen; een vent met een hangbuik die naar me toe kwam waggelen en naast me neerplofte. Ging bijna door de schone nieuwe vloerplaten van de gemeenschapszaal heen die we nog een naam moesten geven.*

*Hij zei: 'Hik. Shiesh. Hoe gaat het vriend?'*

*Ik probeerde een basso profundo te laten klinken. Maar na een enkel woord irriteerde het mijn keel tot een wanhopig gepiep. Zo ontdekte hij dat ik geen man was onder al het denim en leer en zijde.*

*'Allemachtig. Nooit gedacht dat een vrouw zo met een hamer kon omgaan... je gaat me toch niet vertellen dat je timmerman van beroep bent, eh?'*

*'Nee. Ik schilder voor de kost en vang haaien als hobby,' zei ik luchtig en stond al op het punt te gaan.*

*'Zo... ik ben diepzeeduiker,' knipperknipper, 'maar schilder je echt?'*

*'Ja,' en begin weg te lopen.*

*'Ik ben ook echt duiker van beroep.'*

*'O ja? In dat geval heb ik werk voor je, vriend,' en dacht bij mezelf: als hij diepzeeduiker is, ben ik een garnaal.*

*Maar hij was het echt.*

*Hij ging alle huisjes af op zoek naar mij. Hij wist me te vinden. De volgende dag al. Hij keek schaapachtig en had een flinke kater en vroeg tam:*

*'Er is natuurlijk niet veel kans op, maar had je nu echt werk voor me? Of was het een grapje?'*

*Het was een grapje geweest, maar plotseling niet meer.*

*Hij had een vleugje hoop dat ik een rijke zonderling was die op zoek wilde gaan naar de 'General Grant'. Die hoop moest ik hem ontnemen, maar kon hem wel een troostprijs aanbieden. Hij ging er met verbazing-wekkende gretigheid op in.*

*'Ik hou van de uitdaging,' zei hij, duiker Finnegan van de diepten. Hij legde op sombere toon uit dat er de laatste tijd haast geen werk meer te krijgen was, er vergingen geen schepen, geen booreiland sloeg op drift, alleen maar stompzinnig werk aan de oppervlakte waarmee hij zich moest behelpen terwijl hij zonder veel hoop wachtte op echt duikwerk.*

*'Nou, dit vormt een aardige uitdaging. Het ligt in diep, smerig water. Er is daar een rif en er zijn overal rotsen en stromingen. Waarschijnlijk ligt hij in stukken maar ik wil dat er zoveel mogelijk van aan de opper-vlakte wordt gebracht, wat gaat dat kosten?'*

*Zou ik zelfs in mijn grillen nog verantwoordelijkheidsgevoel gaan to-nen? Daar dacht ik een poosje over na, terwijl hij achter in een klein vettig boekje zat te krabbelen, op zijn hoofd krabde, neuriede en ten slotte zei:*

*'Zo'n twaalfhonderd gulden per dag. Geen idee hoeveel tijd het in beslag zal nemen. Moeten het met zijn tweeën doen, iemand die goed is in*

*oppervlaktewerk, en dan komt de boot er nog bij et cetera et cetera.'*

*Zo zei hij het niet precies, maar ik ging akkoord met zijn prijs, en stelde een limiet van twee weken voor de operatie. Zie je nou wel? Van alle kanten wordt er een beroep gedaan op mijn verantwoordelijkheidsgevoel... hij vertrok in een uitstekende bui naar Whangaroa, belast met iets dat niets te maken had met het onbekende motorjacht – een serie tekeningen en het aanbod aan Piri Tainui om opzichter van de bouw- en herstelwerkzaamheden te worden. (Tien minuten nadat hem het verzoek werd overgebracht, ontving ik een telegram van hem. Er stond alleen maar honderd keer 'AE' in en ik zweer dat er nog rook afkwam toen ik hem uit zijn envelop haalde.)*

*Ik had heel wat gelukzalige avonden doorgebracht met het ontwerpen en herontwerpen van die plannen. Ik besloot uiteindelijk tot een schelpvorm, een spiraal van kamers die zich om de onthoofde Toren slingeren, privacy, afzondering, maar onderling verbonden en allemaal deel van het geheel.*

*Als het klaar is, kan het studio en hal en kerk en gastenverblijf zijn, wat ik maar wil, maar bovenal* THUIS. *Thuis in een ruimere betekenis dan ik het ooit gebruikt heb.*

*Want.*

*Want toen ik de politie in 'Roa belde om toestemming te vragen voor de bergingswerkzaamheden, werd ik enthousiast begroet en kreeg enthousiast toestemming. Morrison zei zelfs: 'U heeft van ons geen toestemming nodig. Wij kunnen nooit duizenden guldens gemeenschapsgeld uitgeven om een paar oude lijken te identificeren, maar wanneer u zo nieuwsgierig bent, dan zullen wij...'*

*'Die lijken interesseren me geen bal,' en toen hoorde ik verhalen over escapades en omzwervingen en werd er o zo aarzelend en voorzichtig een voelhoorntje naar me uitgestoken. Ik zei dat ik erover zou nadenken. Morrison ging zelfs zo ver, geprezen zijn zijn bedauwde ogen en pluizige koperen snor, dat hij me smeekte. 'Hoort u eens, hij komt vast nog een keer terug, dat heeft hij al eerder gedaan, mogen we u dan bellen, zodat ik niet, niet – hoor eens, mag ik u dan bellen?'*

*Natuurlijk antwoordde ik en gaf hem het telefoonnummer van mijn hoofdkwartier, het café in Hamdon.*

*Heilige goedheid! Heb ik gezegd dat ik erover zou denken?*

*Ik kreeg zin om te dansen. En om te huilen. Het maakte het herbou-*

*wen zo ontzettend noodzakelijk en stimulerend en* ECHT. *Commensalisme – uitstekend. Maar dit droeg een belofte in zich van een dag in het verschiet. En wat we niet zouden kunnen doen met die dag...*

*Probeer om te beginnen maar vast te wennen aan nieuwe namen.*

*Gisteren ging de poes Li op onderzoek uit. Ze miauwde in het steegje bij de tank, achter het huisje. Ik maakte geen haast uit te zoeken waarom. Het klonk niet als een angstig gemiauw, meer* om *mijn aandacht te trekken. Ik liep naar haar toe terwijl ik mijn pijp opstak.*

*'Wat is er, Li? Is die spin je te groot?'*

*En ik stikte bijna. Ik slikte die rotpijp bijna in. De kat was zeer verstoord, kronkelde zich in mijn armen en vroeg door ontevreden te brommen: vanwaar al die rook? Als scherm, Li... Jezus, wie heeft die stenen daar zo achtergelaten?*

*Weet je, lief alter ego, tijdens onze vakantie hier in mei verzamelde ik herinneringen. Joe verzamelde een pounamu beitel en grote happen frisse lucht. En het jongetje legde zich voornamelijk toe op stenen, Maori zinkers, een heel strand vol.*

*En legde hij ze in tien centimeter grote hoofdletters neer* CLARE WAS HI?

*Terwijl ik de stenen woorden door een wazige mist zag, kwam bij me op dat ik hem nooit gevraagd had hoe hij zichzelf noemde. Alleen maar gevraagd had hoe anderen hem noemden.*

*Nu, ik zal discreet eens wat navraag naar hem doen en hem noemen hoe hij maar wil, hoewel ik het moeilijk zou vinden hem 'zoon' te noemen. Ik denk dat ik dat maar overlaat aan Gillayley senior.*

*Plannen en ideeën bloeien overal op – ik ben erachter gekomen waar hij is. Terug van weggeweest, zeer geheimzinnig bezig, houtsnijden, zegt hij, op weg naar huis, en ik zie hem met Kerstmis weer. Hij heeft een cadeautje voor me, zegt hij. Hij grinnikte toen hij het zei. Dat spelletje kan ik ook spelen: tegen die tijd heb ik ook een vreemd, maar (dan) wettelijk goedgekeurd cadeau voor hem. Ho ho ho!*

*We zijn bijna bij het eind beland, ziel van mijn boek. We komen nu bij het nieuwe begin. Vanmiddag belde Finnegan. Hij zei dat de politie zich op zijn vondst gestort had als vlooien op een dood schaap (zijn vergelijking, niet de mijne) en dat ze me wel zouden bellen en hartstikke goed dat hij het net binnen de limiet gehaald had, eh vriendin?*

*Ja, zei ik en bedankt, zei ik, en bood hem geen bonus aan, wat niet helemaal eerlijk was, omdat het er blijkbaar verdomde smerig en koud was geweest daar beneden, erwtensoep waar constant in wordt geroerd... maar Finnegan maakte er geen punt van. Hij had weer eens getriomfeerd over de zee en had geheerst in duistere diepten. 1e had erbij moeten zijn,' kraaide hij, 'je had haar moeten zien lichten... uit de romp kwamen allemaal enge beestjes en dingen en ze had een baard van hier tot mijn reet. Alsof ze eeuwen onder water gelegen had, en niet maar een paar jaar. Ze is heel, bijna heel, maar er is niets van enige waarde waar je wat aan hebt...'*

*Ik had gewaarschuwd moeten zijn door dat 'waar je wat aan hebt...'*

*Piri was de volgende.*

*'Heb je al iets van de inspecteur gehoord? Of van Morrison?' en ik kon hem van pure vreugde op en neer horen springen. Het klinkt door in zijn stem. Het maakt dat hij de woorden de hoorn in zingt.*

*'O, dan zeg ik nog niets, Kere, ze moeten het je maar officieel laten weten...'*

*Ik had gewaarschuwd moeten zijn door dat 'officieel'.*

*Maar nee hoor.*

*Ik zat net een pilsje te drinken, en Li te aaien en uit te rekenen wat de prijs per mossel op de romp geweest was, toen Dave zei:*

*'Weer telefoon, Kerewin, schat, neem hem maar in het kantoortje eh, dan kun je jezelf tenminste horen nadenken.' 1uffrouw Holmes?'*

*'In persoon.'*

*'U spreekt met inspecteur Gil Price, juffrouw Holmes... uw duiker zal u al wel hebben laten weten dat hij erin geslaagd is de romp te lichten van het vaartuig dat op...'*

*O jee!*

*Hij neuzelt maar door in formele rapporten taal terwijl ik vol verwachting aan de lijn hang, en Li gladstrijk.*

*'Er zijn een aantal eh,' eerste teken van menselijkheid, 'overblijfselen die u interessant zult vinden. Het stelde ons tenminste in staat ons dossier over het kind Gillayley te sluiten. De meest interessante vondst, vondsten moet ik eigenlijk zeggen, vonden we echter achter de waterdichte schotten.'*

*Dramatische stilte.*

*'U vond?' doe ik hem een plezier.*

*'Heroïne,' zegt de inspecteur voldaan. Je kunt hem bij wijze van spre-*

ken met zijn wettige lippen horen smakken. 'Bijna twintig pond zuivere heroïne. Handelswaarde zo'n tien miljoen gulden.'

Meer lipgesmak. Een dergelijke bonus vindt niet gauw zijn weg naar de politie van een klein stadje.

Ik neem wat tijd om op adem te komen, omdat een aantal gebeurtenissen klik klik klik op onaangename wijze in elkaar beginnen te passen... combineer injectienaalden en het smokkelen van drugs en nachtmerries en dreigementen maar eens met elkaar en o er zijn nog hele werelden te ontdekken, een compleet inferno...

'Tjee,' zeg ik ten slotte, samenhangend en ad rem en adequaat als altijd.

'Ik ben bang dat u daar geen aanspraak op kunt maken,' hij hihihi't zachtjes en ik hihihi terug met duidelijk hysterische ondertoon, 'maar we denken u wel wat te kunnen ontlasten wat betreft de uitgaven voor, een ogenblik agent, ach, dit kan eigenlijk ook wel wachten... juffrouw Holmes, als u nog even tijd hebt, agent Morrison en zijn vriend willen u graag spreken.'

En toen waren we weer met zijn drieën, de drieëenheid was op microkosmische wijze hersteld.

Nou, numero deus impare gaudet.


Ze buigt en strekt haar vingers. Ze heeft meer dan een uur zitten schrijven. De kat geeuwt en rekt zich uit op haar schoot.

'Nog een paar minuten, Li, dus ga nog maar even liggen. Ik wil dit goed doen.'

> Geen grillig einde, zoals toen ik de zoneter dood maakte. Iets van een teder ritueel, het uitbannen van alle wanhoop uit het verleden. Een betamelijk eind om een goed begin te kunnen maken.

Ze pakt de pen weer op en denkt een poosje na.

Dus maak er maar van dat ik zeven nieuwe richtingen heb gevonden voor mijn leven – God schept misschien net zo goed behagen in een ander oneven getal... stel je eens voor dat dit de zwevende roos van een kompas is, met een getemperde stalen naald die zich buigt voor een magnetische wind; roos en naald ben ik zelf, en de wind? de wind, mijn beste knorrige andere zelf, is de wind van toeval en verandering. De eerste richting is herstel; twee, hernieuwd talent; drie, herbouwen; en vier, de losse eind-

*jes aan elkaar knopen, het netwerk herstellen. De vijfde richting is te trachten niet je verantwoordelijkheden te ontlopen, noch voor mij, noch voor een zwerfkat of voor wie dan ook. Zes houdt daarmee verband: ik weet dat ik voort kan, kan leiden, kan sturen. Daarom wil ik. Geen afgescheidenheid meer, niet meer Holmes tegen de rest van de wereld. En zeven is de spil, het evenwichtspunt voor de naald van mijn ware ziel – ik heb oog in oog gestaan met de Dood. Ik ben verstrikt geraakt in de wilde wierbossen van Haar haar, ik heb de glans van Haar jaden ogen gezien. Ik zal gaan wanneer de tijd daar is – geen keus! – maar nu wil ik het leven.*

*Het is een zeldzaam jaar geweest, o papieren ziel en tegen de achtergrond van alle voorafgaande bitterheid en gal, slechts dit opgetogen gekrabbel... misschien zou ik je moeten wegbergen om je over een jaar of tien weer te voorschijn te halen en te zien of de bloei, die nu beloofd lijkt, ook kwam; te zien of ze voortijdig door vorst werd bevangen of stierf zonder vrucht gedragen te hebben, omdat jij de ware diepten van mij in kaart brengt. Nee: ik zie je als pelorus, gebogen spiegel vreemde windstreken voor Gods wind.*

*Ik doe als de Chinezen: op de brandstapel voor het dode zelf plaats ik een papieren replica van wat echt is. Geest, volg de andere geesten – haere, haere, haere ki te pof Ga rustig naar de Grote Dame van de Nacht en als we elkaar ooit ontmoeten in de dimensie waar dromen werkelijkheid zijn, zal ik je omhelzen en zullen we eindelijk lachen.*

Ze doet de dop op de pen en slaat het boek zachtjes dicht. Doet het behoedzaam terug in de houten kist. Buigt zich voorover en plaatst die in het hart van het vuur en sluit de klep van het fornuis. De blinde kat springt van haar schoot en danst op haar lenige achterpoten om haar heen.

'Ja, poes Li, het is tijd om te gaan.

Tijd om op weg te gaan.

Tijd om naar huis te gaan.

# EPILOOG

# Opgevangen druppels maanwater

IJskristallen stalenkrans om de sterren, golven spatten uiteen op het strand, zoet geurende lucht wordt ingeademd en vermengd met mijn naar wijn riekende adem.

Het doet er allemaal niet toe... en plotseling doet het er wel toe en deins ik ervoor terug de maanschaduw van een steen te verstoren.

Ineens een flits en een regen van licht. Het koperen geknetter van het vuurwerk klinkt door de nacht. Het is nog steeds donker, maar de dag nadert al.

Hoofdschuddend over de herrie,

> maar goed dat we zo afgelegen wonen... er speelt weer iemand op de accordeon en is dat niet de gitaar? Ze zullen wel nooit allemaal tegelijk gaan slapen. Er wordt altijd wel iemand wakker. Maakt weer alle anderen wakker.

De schrille melodie klinkt klaaglijk uit boven het dreunen der gitaren.

> Er is muziek en gezang en er wordt gepraat gepraat gepraat... ik stap naar buiten in de stervende avondlucht en er schiet een stel vuurpijlen in de richting van de maan.
>
> Gegil en kreten en gelach wanneer een groepje mensen op slakkenjacht zijn prooi zoekt in het bedauwde gras. 'Hebbes! Jiehai!'... misschien een snelle jongen? Mensen die ik sprak waren allemaal verbaasd over de enorme groentetuin. Dat zal Luce afleren om een echte Franse salade te vragen... Wij spelen verder, apen en herriemakers bij elkaar.

Loop langs het pad dat zich als een pees wit en strak uitstrekt langs de spier van de heuvel. Zeewaarts, naar die vinger van land waar de mauri wacht en zijn magie in diepe stilte weeft.

Hij wandelt door de splinternieuwe kamers, door opeenhopingen van gelukkige mensen, pratende mensen, moe van het zingen en sentimenteel van de drank. Allerlei stelletjes.

Twee gerimpelde oude lichamen, oud-oudtantes van Kerewin, lekker tegen elkaar aangedrukt, vol van de vrolijkheid der nacht-uiltjes en droge akelige schaduwen van gelach. Porren elkaar met puntige ellebogen tussen de ribben, plukken aan elkaar met benige vingers, flikkeren van het vlammetje der onfrisse herinneringen naar het vlammetje der schuine moppen. 'Dus verkocht ik mijn ziel en zaligheid en kreeg nooit spijt: hu huh gniffel tihihi.

Hij knikt naar hen.

Twee mensen wier harten samen kloppen in een donker hoekje. Hij stapt over hen heen.

Nog twee, familieleden van hem. Wherahiko en Marama, met de armen om elkaar heen geslagen, warmen elkaar. De verza-melde kleinkinderen liggen her en der verspreid te slapen, jonge armen gebogen en rondingen van slapende wangen... maar geen blond hoofd. Zoek verder... dat doen zijn ogen terwijl hij daar staat.

> Wherahiko: We willen niet buitengesloten worden en ver-geten in een hoekje zitten, maar ja. Wat wij allemaal zouden kunnen vertellen, over jaren van liefde en leven en haat. We zouden een goede drank voor hen zijn, een rijpe volle wijn, en kijk toch eens naar hen! Overmand door spuitwater en li-monade...

laat zijn ogen, zo fel als die van een havik, rondgaan over de berg kleinkinderen.

> Marama: Wanneer ze willen, zullen ze er wel een keer naar luisteren. We kunnen ze niet wakker maken alleen om naar onze verhalen te luisteren. Ze zijn druk bezig hun eigen ver-halen te maken. En intussen, mijn liefje, hebben we elkaar,

en slaat haar mollige armen dichter en steviger om hem heen.

Knipoogt naar Joe.

Een golf vlakke en zware muziek spoelt over de zelfgemaakte drank en de wijn en het gezang. Stereo blèrt, geluidszuilen kwel-len de oren, mensen roeren zich wateenklereherrie, luider luider LUIDER en iemand begint te schreeuwen en iemand anders zet de muziek uit. Ahhhh, snurksnurk, behalve Timote die jengelt van de slaap.

Marama tilt hem op.

'Daar,' zegt ze zachtjes tegen Joe, 'daar ergens,' en knuffelt het slaperige kind tot het stil wordt.

Daar is de ander, slaperige raadselachtige glimlach, valt bijna om van de slaap,

Til hem op, kus hem, wens hem een goede nacht.

De lange zwarte man, opgedoft in nachtzwart fluweel, komt naast hem staan. Hij kijkt toe met bezitterige trots en liefde.

'Wil je hem welterusten wensen?'

'Natuurlijk, man.'

Delen een blik waarin ze zich één voelen, zwarte ogen naar bruine ogen. O hieraan hebben we allemaal deel gehad.

Stapt over nog meer voeten en bezige lichamen.

Zonnebloemen en zeeschelpen en logaritmische spiralen (zei Kerewin); uitgestrekte sterrenhemel en de zingende kromming van het universum (zei Kerewin); dacht je dat ik een vierkant huis zou kunnen bouwen?

Zo omvat het ronde schelphuis hen allen in een spiraalvormige omhelzing.

Lawaai en herrie, vrede en stilte, alles wordt muziek in deze sfeer.

Het is prettig er doorheen te lopen, op zoek naar een rustig plekje waar hij kan gaan slapen.

> Gistermiddag kwam ik terug, omgeven door vreemdelingen die mijn uitnodiging opgevat hadden als de hare en veel te graag wilden om de vergissing te bemerken. Mijn strijdlustige Kerewin bezweek voor de witte vlag. Daar is ze, tevreden in de lange woordenloze omhelzing van haar moeder. Al haar lange broers duwden, stompten en knuffelden haar alsof ze nog een kind was (hij gniffelt wanneer hij ziet hoe ze zich bukken en afwenden voor de stompen die zij uitdeelt, weten allemaal heel goed wat een gevaarlijke vrouw ze is). Zijzelf hangt tegen haar dikke, ontspannen zusje aan dat maanogen heeft, armen om elkaars nek geslagen, opperbeste stemming en besmuikte tranen en kameraadschappelijke vriendschap.

Haar lachje naar hem is scherp en toont haar tanden.

'Dit zal ik je nog eens betaald zetten, Gillayley.'

'O ja?' antwoordt hij. 'Hoe dan? Doe ik je een keer een plezier en,' draait zich om, hoort de slepende pas, 'mijn God,' zijn hart staat stil. 'Ach Jezus, nee!!' terwijl het kind naast hem opduikt, met een stralend gezicht.

Bukt zich, huilt, vouwt beide handen om het kleine gezichtje, omvat het, vingers losjes gespreid in een beschermend gebaar om het dunne benen schedeldak, 'Ach, Jezus, ja!!'

Nu ben ik de sprakeloze, wat kan ik zeggen?

Hupe neus en tranende ogen alsof dit een tangi is en geen thuiskomst. Til hem op, sluit hem in je armen, armen boordevol en draai rond en rond in een duizelingwekkende extatische dans, zoveel liefde te geven dat het pijn doet, wordt op zijn beurt gesmoord door liefdesbetuigingen.

Geen spoor van verwijt.

De loense blik is helder, vol tranen, maar telkens als ik kijk stralen ze van liefde.

Maar ahh Ngakau...

Kerewin speelt gitaar in het begin van de avond, wanneer het nog rustig is, minder op een orgie lijkt. Het kind staat wat achteraf te luisteren, maar komt al gauw bij haar knie staan, hangt met gebogen hoofd tegen haar aan. Zijn haar is weer aangegroeid in fijne, verwarde lokken en bedekt zijn misvormde gezichtje: zilveren maanhaar tegen de donkere kast van de gitaar gedrukt omdat hij zich inspant de hoge tonen te horen zingen. Kerewin, die er al aan gewend is, speelt onbewogen verder.

'Wat heb ik gedaan,' fluistert hij, dringt zijn tranen terug. 'Wat heb ik gedaan... Ik heb hem zijn muziek ontnomen...'

'O, niet alles,' zegt Kerewin de onbewogene.

Er schemert herinnering in alle ogen om hem heen, verstolen blikken die hem opnemen, uitspreken: het snelle licht is afgezwakt, de sierlijkheid van de danser is verdwenen. Dankzij jou, klootzak.

Hij verdraagt alle haat. Wij kunnen alles verdragen. We zijn sterk, anders, gehard als staal, drievoudig versterkt. Maar als ik alleen was...

Piri zegt:

'Geef hem hier.'

'Nee.'

'Geef hier.'

De Tainuis zijn nog steeds razend. Liz greep de eerste gelegenheid aan om Joe in zijn maag te stompen, en Piri keek de andere kant op. Maar toen ze er na de eerste driftige stomp mee door wilde gaan, zei hij: 'Hou eens op, juffie. Stuur haar weg, Joe.'

'Nee,' zei Joe, 'ik begrijp wel waarom ze het doet.' Buigt zich voorover naar het furieuze kleine meisje, pijnlijk en zwaar ademend, 'Liz het spijt me heel erg, maar het gebeurt niet meer. Nooit meer.' En hij hoopt dat de Tainuis het zullen zien, zullen meemaken, ermee zullen instemmen.

Legt de jongen voorzichtig in Piri's armen. Het is voorbij, maar we moeten er voorgoed mee leven. Zoals Kerewin al zei, is hij over het algemeen rustig en zo lief als wat. Maar, had ze eraan toegevoegd, je had het theater moeten zien toen ik hem van het politiebureau haalde... ongelooflijk! Hoofdschuddend over hen beiden, spuugt achteloos op de paardebloemen, puh! Gillayleys, ik weet het niet... En ze had hun beiden een onwaarschijnlijk geschenk gegeven, haar naam. Als paraplu, als bescherming, niet als binding. Niets sentimenteels aan, zegt Kerewin, gewoon wettelijk verstandiger.

Een ijskoude tante, aue!

'Ach jezussss...' klinkt door de muur, boven het geroezemoes en de herrie van de muziek uit; alleen zij heeft die lijzig-doordringende manier van vloeken, 'ik dacht verdorie dat het een vreemde koffieboon was.'

'Kijk toch eens naar die magere spillebenen...'

'Niet veel meer van over nadat hij door de molen was gegaan... smaakt je koffie?'

Slik.

Luce komt zachtjes naar hen toe lopen, elegant gekleed in katipo-kleuren. Koele hand op Piri's schouder, koele ogen gericht op Sirnon Clare, koele glimlach die zichzelf in Joe's ogen terugvindt.

'Gelukkig, Hohepa?'

'Ja, Luce.' Donder op.

'Met alles, neefje van me? Tot in kleinigheden?'

'Nee, Luce.' Sodemieter op.

Hij raakt het zilvergouden haar met één koele vinger aan. Niet zo dat hij de schedel aanraakt, maar voldoende om zijn koele koele standpunt duidelijk te maken.

De zachtheid trekt uit. de ogen van zijn vermoeide zoontje weg en er komt iets snels en gestaalds voor in de plaats. De vingers priemen Luce in het gezicht, wegwezen. Uitstekend, tama.

'Je mag wel eens iets aan zijn manieren doen,' gemene blik met half-dichtgeknepen ogen in Joe's richting.

'Ach, rot op, Luce,' zegt Piri en geeft het kind terug.

Uitstekend, Piri.

(Maar de hele tijd, de oude mannentijd, vocht mijn instinct tegen mijn sleutelbeen en zei tegen me: kom zonde, spring erin, het levende water is warm. Denk er niet aan. Zo nooit meer.)

'En, zoals de dame zei: een hen is het zorgvuldig uitgebroede plannetje van een ei om aan gezelschap te komen.'

Daar loopt ze de deur uit, draait rond en zingt wat voor zich uit, gitaar over haar schouder, ziet ons niet in de schemering.

Volg haar volg haar, wij laten ons leiden, e tama?

en hij knikt naar me zonder dat er een woord wordt gezegd.

Buiten, onder de koude vervagende sterren, aangetrokken door haar maanschaduw.

(Gistermiddag sloeg ik af, deze kant op. 'Sorry, moet even een mimi kwijt: de rugzak werd zo zwaar dat ik ervan overtuigd was dat ik zou neervallen. Maar ik ben sterker geworden. Ik liep uit het gezichtsveld, en de mauri zonk, toen hij werd neergezet, weg in de harde grond. Of werd de aarde gewillig water onder zijn aanraking. Hij verdween volkomen. Maar we kwamen er allemaal naar terug, nadat de haha tot bedaren was gekomen, en we kunnen allemaal voelen waar hij rust. Een soort tinteling en trilling in onze buiken.)

En daar staat ze, op die plek en strooit sprankelende woorden in het rond. Bij een plagerig, snel-getokkeld wijsje, de Meelodie, zijn dans, worden de laatste stappen in haar richting gezet.

*O glanzend gesponnen geflonker,*
*goudglimmer en sterren,*
*ik omspan dat al: sta stom*

*duizelend door nacht en gedachte,*
*nooit heeft zand noch*
*onverwacht gevoelen*
*mijn oog vertroebeld of verblind...*
'Wat duurde het lang voor jullie kwamen...'
Steekt een hand naar ons uit en voegt zich bij ons: 'Ka ao, ka ao, ka awatea...'
'Dit is de dageraad, het ochtendgloren, en helder klaar daglicht werpt zijn gouden stralen op ons huis:

TE MUTUNGA – RANEI TE TAKE

# Vertaling van Maori woorden en zinnen

*Ae* – ja

*Ae, ko te pono tena* – ja, dat is de waarheid

*Anana* – verraste uitroep

*Aotearoa* – schitterend, prachtig land, oude naam voor Nieuw Zeeland

*Aroha* – liefde

*Arohanui* – veel liefde

*Aue* – uitroep die ontstemming of wanhoop uitdrukt

*E hine* – vrouw of meisje

*E hoa* – vriend, maat

*E korero Maori ana koe?* – Spreek je Maori?

*E kui* – respectvolle frase om oudere dame aan te spreken

*E moe koe* – welterusten

*E nga iwi o nga iwi* – woordspeling. Betekent: O, het geraamte van het volk (waarbij geraamte staat voor voorouders of verwanten), of: O, volk van het geraamte (d.w.z. het beginnend volk, het volk dat een ander volk voortbrengt)

*E nga iwil Mo wai tenei?* – O mensen! Voor wie is dit bestemd?

*E noho ki raro. Hupeke tou waewae* – Ga zitten. Houd je voet vast.

*E noho ra* – tot ziens (tot mensen die nog blijven)

*E pai ana* – betekent ook: Dank je wel

*E pou* – liefdevolle woorden van respect voor een ouder mens

*E taku hei piripiri, E tawhiri* – lieve woordjes voor kinderen

*E taku hine* – O mijn meisje, o vrouw van me

*E tama* – zoon, kind, jongen

*E tama, i whanake/i te ata o pipiri/Piki nau ake, e tama/ki tou tini i te rangi* – Het liedje dat de geest zingt is een oud slaapliedje en is ruwweg te vertalen als: 'O kind, dat in de winter geboren is, verrijs en voeg je bij je voorouders in de hemel'

*E tama, ka aha ra koe?* – Kind, wat moet er van je terecht komen?

*E whakama ana au ki a koe* – ik schaam me over je

*Haere* – ga

*Hapu* – stamindeling die volgt na 'iwi'

*He aha koe i karanga ai ki a au?* – Waarom riep je mij? Riep je?

*He aha te mahi e mea nei koe kia mahia?* – Wat wil je dat ik doe?

*He iti iti noa iho taku mohio* – O, ik begrijp het al een beetje

*Hinatore* – gloeien, oplichten, fosforesceren

*Hoha* – toestand, opwinding

*Hokioi* – onbekend, wellicht legendarisch soort vogel

*Hongi* – Wijze van begroeting waarbij twee mensen met de neuzen tegen elkaar wrijven

*Hori* – lett. George. Wordt door Maori's onderling op gekscherende wijze gebruikt, maar wordt als belediging opgevat wanneer het gebruikt wordt door een onvriendelijke Pakeha

*Hui* – bijeenkomst

*Iwi kaupeka, nei* – rare spillebenen, letterlijk: benen als stokjes

*Ka ao, ka ao, ka awatea* – De ochtend gloort, het is licht

*Ka maharatia tenei i ahau e ora ana* – Dat zal ik mijn hele leven onthouden

*Ka nui taku mate* – ik ben echt ziek

*Ka pai* – goed, prima, bedankt vriend et cetera

*Ka pai, e hoa* – Dat is goed, vriend

*Ka Tata Te Po* – Nacht nadert

*Ka whakapai au kia koe mo tau atawhai* – hartelijk dank voor uw vriendelijkheid

*Kahikatea* – witte pijnboom, prachtige inlandse boom die veel bij moerassen voorkomt

*Kai* – voedsel

*Kai moana* – vis, schaal- en schelpdieren

*Kaika* – Ngai Tahu dialect voor thuis of dorp

*Karakia* – gebeden, heilige gezangen

*Karanga* – uitnodigende, verwelkomende of betreurende uitroep op een marae

*Karengo* – eetbaar zeewier

*Kaua e tahae ano* – Niet meer stelen

*Kaumatua* – oudere(n), wijze voorganger

*Kawau pateketeke, K. paka, tuawhenua, tui* – soorten aalscholvers

*Kehua* – geesten

*Kei te pehea koe?* – Hoe gaat het er mee?

*Kei whea te rini?* – Waar is de ring?

*Kei whea?* – Waar?

*Kete* – mand, meestal gemaakt of gevlochten van vlas

*Ki a koe, Rehua!* – Op weg naar jou, Rehua!

*Kia koa koe* – wens je geluk

*Kia ora koe* – een goede gezondheid, tegen één persoon

*Kia ora korua* – veel geluk jullie tweeën

*Kina* – zeeëi of zeeëgel, verrukkelijk!

*Kiwa* – god, ook: oude benaming voor de Stille Oceaan

*Koha* – geschenk

*Korero* – praten, discussiëren

*Koromiko* – boom met geneeskrachtige werking tegen diarree

*Manuka* – nuttige struik, wordt ook 'theeboom' genoemd

*Marae* – plek om bijeen te komen, te leren, te rouwen, te verwelkomen, te onderwijzen en feest te vieren

*Mauri/Mauriora* – levensprincipe, thymos van mensen; talisman of
materieel symbool van dat geheime en mysterieuze principe dat
het mana (macht, vitaliteit) van mensen, vogels, land, bossen en
wat al niet meer beschermt

*Mere* – kort, plat stenen wapen, vaak groensteen voor handgevech-
ten. Andere termen op deze en volgende pagina (hei matau,
patu pounamu, kuru, marakihau et cetera worden in de tekst
verklaard)

*Mere-mere* – Venus, de avondster

*Mimi* – plassen

*Moko* – motief voor gezichtstatoeage, vroeger soms gebruikt als
handtekening

*Mokopuna* – kleinkind

*Muri iho* – later

*Na tou hoa* – van je vriend

*Nga 'bush'* – bosjesmensen, primitieven

*Ngaio* – boomsoort die langs de kust voorkomt

*Ngakaukawa, kei te ora taku ngakau. E noho mai* – Bitter hart, je
heelt mijn hart. Blijf hier.

*Pake* – Simon pake betekent koppige Simon

*Pakeha* – vreemdeling, nu gebruikt voor een Nieuwzeelander van Europese afkomst. Wordt hier gebruikt als adjectief.

*Pakihi* – benaming voor een moerasachtig, zuurrijk kaal stuk land

*Papa* – benaming voor de Aarde zelf

*Paua* – vochtrijke zeeschelp

*Pi Ta* – in dit geval te vertalen als kleine schijtebroek

*Pikopiko* – varen waarvan de jonge bladeren eetbaar zijn

*Pipi* – eetbaar schelpdiertje

*Ponaturi* – vervelende mythische wezens die op het land slapen, maar onder water in zee wonen

*Pounamu* – Nieuwzeelandse jade, wordt ook 'groensteen' genoemd

*Pouwhenua* – lange speerknuppel

*Puha/Puwha* – eetbaar zeewier

*Pupu* – eetbare groene slak, ook wel katteoog genaamd

*Raere mai* – groet, maar betekent ook: Kom hier

*Raere mai ki te kai!* – Kom maar halen! Lett. Kom hier voor het eten!

*Raere ra* – tot ziens (tot degene die weggaat)

*Raere. Mou tai ata, moku tai ahiahi* – Ga. Het ochtendtij voor jou, het avondtij voor mij (oud spreekwoord)

*Raeremai! Nau mai! Raeremai!* – formele verwelkoming

*Rahui* – grensaanduiding, voornamelijk tapu

*Rangatira-voornaam* of hoogstaand mens (ook meervoud)

*Rangi* – de Hemelvader

*Raupo* – wiersoort

*Re aha koa iti, he poumanu* – 't is niet veel, maar het is jade

*Re ata tou mate?* – Wat is er met je?/Waar ben je ziek?

*Re puku mate, nei?* – maag van streek, hè?

*Re tika tonu ano tena* – Dat is vanzelfsprekend, het juiste

*Rimu, rimu, tere tere e* – regels uit een bekend liedje: 'Zeewier, zeewier, dat drijft, dat drijft...'

*Ruhu* – Nz's grootste kever, in sommige gebieden symbool van Dood

*Rupahu* – onzin

*Taipa* – Wees stil

*Taipo* – demoon, nachtkwelgeest (woord van duistere origine)

*Taku aroha ki a koe* – ik hou van je
*Tamaiti* – kind
*Tangi* – huilen, rouwen
*Tangihanga* – begrafenis met bijbehorende rituelen
*Taniwha* – een mystisch (?) watermonster
*Tapu* – kan verboden betekenen in wereldlijke zin
*Tauranga atua* – rustplaats voor een god
*Te Ao Hou* – de nieuwe wereld, de glanzende wereld
*Te Kaihau* – letterlijk windeter. Ook: zwerver of nietsnut
*Te mutunga* – *ranei te take* – einde – of het begin
*Tena koe* – hallo, groet voor één persoon
*Tena koutou katoa* – begroeting voor meerdere personen
*Tenei mo Raimona* – Dit is voor Simon
*Terahiki, hapuku* – heerlijke vissen
*Tihe mauriora* – letterlijk: levensnies. Figuurlijk: Ik groet de levens-
   adem in u, wordt gezegd aan het begin van een officiële rede-
   voering; bij het hongi'en of bij gelegenheden als deze
*Tika* – juist, correct, zoals het hoort
*Tipuna* – grootvader/moeder
*Tukutuku/poupou* – muurdecoraties
*Tutu* – nuttige struik, moet uiterst zorgvuldig gebruikt worden
*Utu* – wraak
*Weka* – vogel ter grootte van een kip die bekend staat om zijn uit-
   zonderlijke nieuwsgierigheid. Smaakt lekker.
*Whakapapa* – genealogie, stamboom
*Whakautua mai tenei patai aku* – Beantwoord mijn vraag
*Whanau* – grootfamilie – nu algemeen gebruikt voor gezin
*Whare* – huis